Le Livre de
Windows
XP

Jean-François Sehan

FIRST
> Interactive

Le Livre de Windows XP

© **Éditions First Interactive, Paris, 2005**
27, rue Cassette
75006 Paris – France
Tél. 01 45 49 60 00
Fax 01 45 49 60 01
E-mail : firstinfo@efirst.com
Web : www.efirst.com

ISBN : 2-84427-738-1
Dépôt légal : 1er trimestre 2005
Imprimé en France par Mame Imprimeurs à Tours.

Conception graphique et mise en page : MADmac

Vue d'ensemble

>> Table des matières

>> PARTIE I. BIEN COMMENCER AVEC WINDOWS XP

Chapitre 1. La Barre des tâches : un point d'accès central

Chapitre 2. Utiliser les applications et gérer les documents

Chapitre 3. Utiliser l'aide

>> PARTIE II. EXPLORER L'ORDINATEUR AVEC WINDOWS XP

Chapitre 4. Notions fondamentales de l'ordinateur

Chapitre 5. Poste de travail et Explorateur

Chapitre 6. Rechercher des fichiers

Chapitre 7. Utiliser la Corbeille

Chapitre 8. Sauvegarder vos données

>> PARTIE III. LOISIRS ET MULTIMÉDIA

Chapitre 9. Exploiter les images et les photographies

Chapitre 10. Profiter de la musique et de la vidéo

>> PARTIE IV. EXPLOITER LES RICHESSES D'INTERNET

Chapitre 11. Profiter d'Internet

Chapitre 12. Communiquer en permanence avec Windows Messenger

Chapitre 13. Gérer le carnet d'adresses

Chapitre 14. Expédier et recevoir des messages

Chapitre 15. Participer aux groupes de discussion

Chapitre 16. Profiter d'Internet avec Windows XP

>> PARTIE V. PERSONNALISER, CONFIGURER ET ADMINISTRER WINDOWS XP

Chapitre 17. Configurer le bureau

Chapitre 18. Modifier le menu Démarrer

Chapitre 19. Configurer Windows XP

Chapitre 20. Dépanner et maintenir en forme votre ordinateur

Chapitre 21. Sécuriser votre ordinateur

Chapitre 22. Modifier le Registre de Windows

Chapitre 23. Créer et gérer un réseau

>> PARTIE VI. TIRER LE MEILLEUR PARTI DE WINDOWS XP

Chapitre 24. Dépannage rapide

Chapitre 25. Astuces pratiques

Chapitre 26. Dépannage avancé

Annexe. Raccourcis clavier et ressources sur Internet

> > Présentation

Pendant de nombreuses années, Microsoft a proposé deux systèmes d'exploitation parallèles : une version grand public avec les séries 9x (95, 98 et Me) et une version professionnelle avec les séries NT et 2000.

De cette union est né eXPérience. La version XP de Windows est incontestablement une expérience réussie puisqu'elle associe :

- la stabilité des versions professionnelles ;
- les facilités et les outils des versions grand public.

Ce système est fiable et ergonomique et, si vous ne comptiez pas parmi ses utilisateurs, vous vous féliciterez de l'avoir adopté. Car autant le passage de la version 98 à la version Me était sujet à controverses, autant la version XP s'impose comme *la* solution, que ce soit pour remplacer les séries 9x, mais aussi pour les séries NT et 2000.

À qui est destiné ce livre

Ce livre à pour but de vous faire découvrir le fonctionnement de votre micro-ordinateur au travers du système d'exploitation Windows XP. Si ce dernier simplifie les tâches courantes des utilisateurs, un ordinateur reste cependant une machine complexe qu'il est nécessaire de maîtriser pour l'utiliser efficacement.

Cet ouvrage s'adresse aussi bien aux utilisateurs débutants qu'aux initiés. Si vous n'avez jamais utilisé Windows, le chapitre d'introduction « Démarrer en douceur avec Windows XP » vous est destiné. Il regroupe les notions et les termes à connaître. Au fil des chapitres qui suivent, vous découvrirez toutes les possibilités que peut vous apporter votre ordinateur, que ce soit en termes de communication, de multimédia ou de bureautique. Les deux derniers chapitres proposent des astuces ainsi que des solutions pour vous dépanner rapidement.

Dans un souci pédagogique, toutes les actions à réaliser sont décrites étape par étape, et, quand cela est nécessaire, complétées par des copies d'écran. De plus, des paragraphes spécifiques vous fournissent des informations sur les termes employés, des conseils d'utilisation ou des astuces pour aller plus loin.

Contenu de ce livre

Le chapitre d'introduction s'adresse aux débutants et leur fait découvrir les éléments indispensables à connaître, que ce soit pour l'ordinateur lui-même (unité centrale, périphériques, *etc.*) ou dans l'environnement Windows (bureau, barre des tâches, fenêtres, boîtes de dialogue, *etc.*).

Ce livre est ensuite divisé en 6 parties contenant chacune 2 à 7 chapitres.

Partie I - Bien commencer avec Windows XP

Cette première partie présente l'essentiel de ce qu'il est nécessaire de connaître pour utiliser dès maintenant Windows XP.

Le chapitre 1 traite de la barre des tâches, point central d'accès aux applications et aux outils de Windows XP.

Le chapitre 2 vous propose des exemples d'applications pour créer, sauvegarder et imprimer des documents. C'est un chapitre important puisqu'un ordinateur est essentiellement destiné à gérer des documents.

Cette partie s'achève sur l'aide en ligne à laquelle il est souvent nécessaire de recourir, que ce soit pour Windows XP ou pour vos applications.

Partie II - Explorer l'ordinateur avec Windows XP

Toutes les informations d'un ordinateur sont enregistrées dans des fichiers et des dossiers stockés sur des disques (documents, programmes, *etc.*). La deuxième partie de ce livre est consacrée à la gestion de ces fichiers.

Le chapitre 4 présente les éléments qui composent l'ordinateur. Le chapitre 5, suite logique, vous explique comme les utiliser avec le Poste de travail et l'Explorateur. Ces deux chapitres sont importants pour comprendre la structure de votre ordinateur, et donc maîtriser les éléments qui le composent (disques, périphériques, réseaux, *etc.*).

Le chapitre 6 est consacré à la recherche des fichiers parmi les ressources de l'ordinateur. Le chapitre 7 vous permettra de retrouver les fichiers supprimés.

Le dernier chapitre de cette partie vous apprendra à conserver durablement vos précieux documents sur disquettes ou sur CD.

Partie III - Loisirs et multimédia

Le multimédia est probablement le domaine le plus attirant de l'informatique. Cette partie y est entièrement consacrée.

Le chapitre 9 vous dévoilera toutes les possibilités en matière de photographie et d'image, que se soit pour le transfert d'un appareil photo ou d'un scanner, ou pour l'archivage, la consultation et l'impression.

Le chapitre 10, lui, se charge de la partie musique et vidéo. Il traite de toutes les sources disponibles (fichiers audio ou vidéo, CD audio, DVD vidéo, *etc.*) ainsi que de la réalisation de compilations musicales sur CD-R. Il aborde aussi le montage de vos vidéos amateurs avec l'application Windows Movie Maker.

Partie IV - Exploiter les richesses d'Internet

Après une introduction sur la connexion à Internet, le chapitre 11 vous permettra de découvrir les plaisirs de la navigation sur le Web et l'accès aux médias télévisuels, radiophoniques ou cinématographiques.

Le chapitre 12 se consacre à la communication avec la messagerie instantanée pour converser immédiatement avec vos proches ou vos collègues de travail, et ce, vocalement ou par vidéo avec une webcam.

Le chapitre 13 s'intéresse plus particulièrement au carnet d'adresses pour conserver les coordonnées de tous vos contacts. Le chapitre 14 traite de la messagerie classique, et le chapitre 15 aux groupes de discussion.

Pour clore cette partie, le chapitre 16 vous fait découvrir les fonctions qui lient Windows XP et Internet, comme la navigation à partir de la barre des tâches ou l'ajout de page Web sur le bureau.

Partie V - Personnaliser, configurer et administrer Windows XP

Cette avant-dernière partie est consacrée à la configuration de Windows XP, à l'entretien de votre ordinateur, et à la création et la gestion d'un réseau local.

Le chapitre 17 vous apprend à modifier les paramètres du bureau (taille d'écran, nombre de couleurs, *etc.*) et le chapitre 18, ceux du menu Démarrer (réorganisation, ajout de raccourcis, *etc.*).

Le chapitre 19 est dédié aux configurations logicielles et matérielles (ajout d'un périphérique, suppression d'une application, réglage de la souris, *etc.*), ainsi qu'a la gestion des options d'accessibilité pour faciliter l'accès au clavier, à la souris ou à l'écran en cas de handicap.

Le chapitre 20 vous explique l'entretien des disques, le moyen de restaurer Windows XP et le dépannage des périphériques.

Le chapitre 21 traite d'un sujet sensible : la sécurité. Vous y trouverez des solutions pour combattre les virus, élimer les programmes espions ou naviguer sur Internet en toute sérénité.

Le chapitre 22 aborde une notion plus avancée : le Registre de Windows XP. Vous devez le lire attentivement avant de mettre en application une partie des solutions et des astuces proposées dans les chapitres 24 et 25.

Dans le chapitre 23, vous trouverez toutes les informations nécessaires pour créer un réseau local (matériel et logiciel), ainsi que la gestion des utilisateurs (si l'ordinateur est partagé par plusieurs personnes).

Partie VI - Tirer le meilleur parti de Windows XP

Cette partie regroupe trois chapitres importants. Le chapitre 24 présente des astuces et des solutions de dépannage faciles à mettre en œuvre. Le chapitre 25 propose des solutions pour mieux exploiter la barre des tâches, le clavier, le bureau, le Poste de travail, Internet et les paramètres système. Le dernier chapitre de ce livre propose enfin de vous dépanner dans des domaines très variés comme la gestion des disques, les options système, la sécurité ou les réseaux.

Annexe

Cette dernière partie répertorie les principaux raccourcis clavier de Windows XP, d'Internet Explorer et de Outlook Express, et propose une liste des sites et des groupes de discussion que vous pouvez consulter pour trouver d'autres informations relatives à Windows XP.

Glossaire

L'informatique utilise un « jargon » qu'il est nécessaire de connaître. Sans entrer dans les détails techniques, ce glossaire vous donnera les définitions des principaux termes employés dans Windows XP.

Conventions

Ce livre est agrémenté de paragraphes spécifiques fournissant des informations complémentaires :

Note ⊗

Informations complémentaires en relation avec le sujet traité.

Conseil ⊗

Recommandations sur l'utilisation d'une étape.

Astuce ⊗

Solution pour aller plus loin sur le sujet traité.

Définition ⊗

Explicitation et clarification relatives à un terme technique.

Attention ⊗

Mises en garde à lire attentivement pour éviter les fausses manœuvres.

Anecdote ⊗

Fait divers, généralement historique, sur le sujet traité.

Bonne lecture !

Bureau

fenêtre

Volet
d'exploration

Corbeille

Bouton
Démarrer

Zone de
notification

Bouton de fenêtre

Barre des tâches

Barre de titre

Barre de menus

Bouton de réduction

Bouton
d'agrandissement

Bouton de
fermeture

Barre
d'outils

Barre
d'adresses

Barre de
défilement
verticale

Barre de défilement
horizontale

Barre d'état

>>Démarrer en douceur avec Windows XP

Ce chapitre introductif s'adresse aux personnes qui n'ont jamais utilisé un ordinateur sous Windows.

Dès que vous aurez allumé votre PC, ce sera le moment de faire la découverte de l'environnement de Windows XP. Mais avant cela, pour mieux comprendre le fonctionnement de votre ordinateur, découvrez le rôle de chacun des éléments qui le composent.

Ce chapitre décrit ensuite rapidement le fonctionnement de la souris, des menus, des icônes ainsi que les termes employés pour les éléments qui composent les fenêtres et les boîtes de dialogue. Ces informations vous seront nécessaires lors de l'utilisation des applications ou pour comprendre la terminologie des aides en ligne.

Notions de matériel et de logiciel

Le PC est un standard de micro-ordinateur créé il y a une vingtaine d'années par la société IBM *(Industrial Business Machine)*. Les initiales PC correspondent à *Personal Computer*, ordinateur personnel. Très rapidement, le marché de l'informatique a réalisé des clones de ce PC. C'est pour cette raison qu'il est devenu le standard des micro-ordinateurs (environ neuf machines sur dix).

Un PC est composé d'une unité centrale contenant toute l'électronique de fonctionnement de l'ordinateur. Sur ce boîtier viennent se greffer des périphériques qui permettent à l'utilisateur de communiquer avec l'ordinateur (clavier, souris, écran et haut-parleurs). Comme ce système est très ouvert, il permet aussi d'ajouter d'autres périphériques comme une imprimante, un scanner, une Webcam, *etc.*

L'unité centrale est composée d'un boîtier avec une alimentation, d'une carte principale (appelée carte mère) et de cartes électroniques qui s'enfichent dans la carte mère (appelées cartes filles). Ces dernières permettent généralement de connecter un périphérique extérieur pour lequel la carte mère n'a pas été conçue : une carte graphique pour connecter un écran, une carte son pour connecter des haut-parleurs, *etc.*

On trouve aussi dans l'unité centrale les périphériques de stockage, comme le lecteur de disquettes, le disque dur et le lecteur de CD ou de DVD.

Unité centrale

L'unité centrale contient toute l'électronique de fonctionnement de l'ordinateur (carte mère, microprocesseur, mémoire, disque dur et interface). Nous allons définir le rôle de chacun de ces éléments.

Définition ⊗ **Interfaces** : circuits électroniques sur lesquels sont connectés les périphériques (disque dur, carte son, imprimante, *etc.*).

Figure 1 Unité centrale.

Microprocesseur

Le microprocesseur (CPU) est le composant principal d'un ordinateur. Il exécute les instructions des programmes. Ces derniers, qui se trouvent dans la mémoire, indiquent au processeur ce qu'il doit faire : déplacer des éléments (des nombres ou des textes), effectuer des calculs, envoyer des informations aux périphériques, *etc.*

La cadence à laquelle sont exécutées les instructions est fixée par une horloge. La vitesse de cette horloge est exprimée en MHz ou GHz. Un processeur avec une horloge à 1 GHz exécute donc un milliard d'instructions par seconde ! Cependant, certains calculs, comme une multiplication, nécessitent plusieurs cycles d'horloge. Notre processeur à 1 GHz n'effectue donc pas réellement un milliard de multiplications par seconde.

Figure 2 Microprocesseurs AMD Athlon et Intel Pentium.

Note ⊗ **Si je ne n'interviens plus sur le PC, le microprocesseur s'arrête-t-il ?** Non. Il y a toujours un programme qui « tourne », même si ce dernier consiste à vérifier si vous utilisez le clavier ou la souris.

Mémoire morte

Au démarrage de l'ordinateur, le processeur utilise toujours le même programme qui se trouve en mémoire morte (ROM). Ce programme vérifie divers éléments comme la mémoire, le disque dur et les cartes plug-and-play.

Définition ⊗ **Plug-and-play** (vous branchez, ça marche) : cartes d'interface ou périphériques reconnus immédiatement par Windows XP.

Ensuite, il copie en mémoire vive le programme principal, Windows XP, qui se trouve stocké sur le disque dur. Une fois cette opération effectuée, le programme en mémoire vive prend la relève.

Note ⊗ **Pourquoi Windows XP n'est-il pas en mémoire morte ?** Les logiciels sont sujets en permanence à des modifications. Or la mémoire morte est un circuit électronique dans lequel le programme est fixe et définitif. Si Windows était en mémoire morte, il serait nécessaire de changer ce circuit à chaque mise à jour ou à chaque nouvelle version.

Mémoire vive

La mémoire vive (RAM) a deux rôles. Elle permet de stocker temporairement les programmes et les documents. À la différence de la mémoire morte, son contenu peut être modifié. Par contre, toutes les données qu'elle contient sont perdues quand l'ordinateur est arrêté. Au démarrage du PC, la mémoire vive est totalement vide et ne contient ni programmes, ni données.

Figure 3 Barrette de mémoire vive (RAM).

Dès que vous aurez besoin d'un programme, comme un traitement de texte, il sera chargé par Windows dans cette mémoire. Quand vous aurez saisie des données, comme un texte dans notre exemple, elles seront aussi stockées dans cette mémoire.

Note ⊗ **Pourquoi les programmes ne restent-ils pas sur le disque dur ?** Le disque dur est un périphérique. Cela veut dire qu'il est en relation avec le processeur par l'intermédiaire d'une interface. Or un microprocesseur ne peut exécuter que des programmes en mémoire.

Interface

Pour communiquer avec le monde extérieur, le PC utilise des cartes d'interface, c'est-à-dire de l'électronique qui permet de connecter toutes sortes de périphériques. Windows utilise des programmes appelés « pilote » ou « driver » pour transmettre ou recevoir des données des périphériques. Ces pilotes sont fournis par les constructeurs car ils connaissent leur interface et Windows, alors que Windows ne les connaît pas obligatoirement (à l'exception des interfaces standard du PC).

Spécial "Débutants"

Figure 4 Interface USB.

Périphériques

Les périphériques sont des éléments extérieurs qui permettent de communiquer avec l'utilisateur, que ce soit en entrée (souris, clavier, scanner, *etc.*), en sortie (son, imprimante, *etc.*) ou dans les deux sens (lecteur de disquettes, disque dur, *etc.*). Tous les périphériques communiquent avec l'ordinateur *via* une interface. On nomme cette dernière « port » quand elle est présente sur le boîtier de l'unité centrale. L'interface est différente en fonction du périphérique. Par exemple, les anciens modèles d'imprimantes se connectent au port parallèle, alors que les anciens modems se connectent au port série. De plus en plus de périphériques se connectent au même type de port : l'USB. C'est le cas de la plupart des modèles récents de scanners, imprimantes, appareils photo numériques ou modems ADSL.

Disque dur

Même s'il se trouve à l'intérieur de l'unité centrale, le disque dur, et tous les autres lecteurs (disquettes, CD, DVD, *etc.*), sont des périphériques. Ils permettent d'enregistrer des programmes et des données. Par exemple, les anciens modèles d'imprimantes se connectent au port parallèle, alors que les modems se connectent au port série. De plus en plus, l'ensemble des périphériques se connectent au même type de port : l'USB. (scanners, imprimantes, appareils photo numériques, modems ADSL, claviers, *etc.*).

Figure 5 Disque dur.

Système d'exploitation

Dans un ordinateur, les matériels et les logiciels sont très liés. En effet, un PC sans programme reste inerte. Même si vous l'allumez, aucun texte n'apparaîtra à l'écran. Pour une machine à café, son rôle est bien défini : elle fait du café, un point c'est tout. Pour l'ordinateur, ce sont les programmes qui définissent les tâches à effectuer. Contrairement à une machine à café, l'ordinateur peut donc avoir plusieurs fonctions, y compris celle d'allumer une cafetière à une heure précise.

Le système d'exploitation, Windows, gère toutes les activités du PC. Il contrôle tous les périphériques, lance les applications quand vous en avez besoin et permet de gérer et d'organiser vos documents sur les disques (trie, copie, déplacement, visualisation, impression, suppression, *etc.*).

Windows est une interface graphique. Au tout début du PC, l'utilisateur devait utiliser un programme appelé DOS *(Disk Operating System)*. Pour exécuter une action, il fallait taper au clavier des lignes de commandes, ce qui était long et fastidieux, et bien souvent source d'erreurs.

Spécial "Débutants"

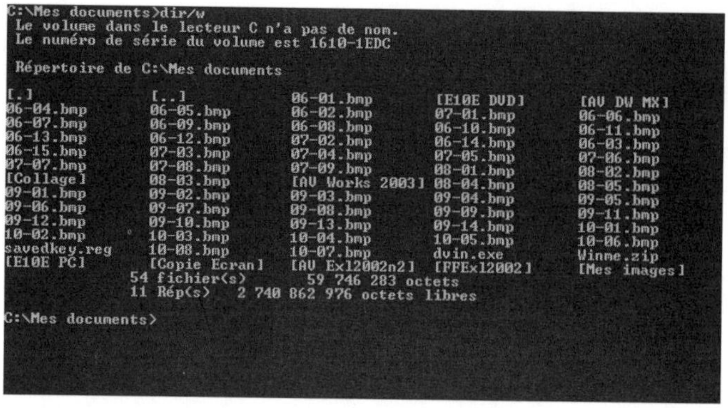

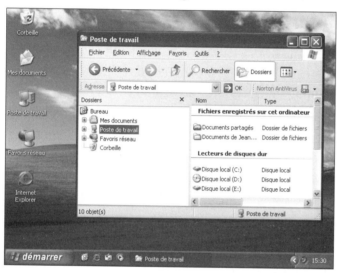

Figure 6 Écran du DOS, l'ancien système d'exploitation des PC.

Avec l'interface graphique de Windows, vous pouvez réaliser les mêmes commandes avec la souris, sans écrire aucune ligne, mais surtout sans connaître le langage propre au DOS.

Figure 7 L'interface graphique de Windows.

Logiciels d'application

Les logiciels d'application permettent d'accomplir des tâches et de créer des documents.

Chaque logiciel gère un type de document particulier. Par exemple, un tableur crée des feuilles de calcul. Il ne peut pas créer du courrier. À l'inverse, un traitement de texte ne peut pas gérer des feuilles de calcul.

Certaines applications ne créent pas de documents mais exécutent simplement des tâches. C'est le cas, par exemple, d'une calculatrice. Elle permet d'effectuer des calculs mais ne crée pas un fichier contenant les résultats. C'est aussi le cas de la plupart des jeux.

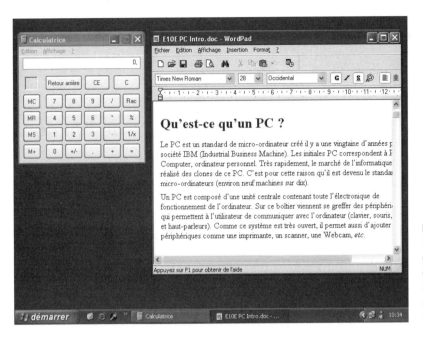

Figure 8
L'interface
graphique
de Windows
avec deux
applications
ouvertes.

Quand vous lancez une application avec Windows, elle est placée en mémoire vive. Au fur et à mesure que vous créez un document, les données saisies sont elles aussi placées dans cette mémoire.

N'oubliez pas que la mémoire vive s'efface quand vous éteignez l'ordinateur ou lors d'une coupure de courant. Il est donc nécessaire d'effectuer des sauve-gardes de vos documents. Cette sauvegarde consiste à copier le document de la mémoire vive vers le disque dur. Vous pourrez ensuite recharger le document, même si entre temps vous avez éteint l'ordinateur.

Note ⊗ **L'intégralité du document est-elle chargée en mémoire ?** Cela dépend des logi-ciels. Dans un tableur, les feuilles de calcul sont effectivement chargées en mémoire. Dans un traitement de texte, si le document est très long et contient des images, seules les parties nécessaires sont chargées en mémoire. Dans un gestionnaire de bases de données, seules les fiches en cours sont chargées, jamais la base elle-même.

Comme Windows est « multitâches », il est possible d'exécuter en même temps plusieurs applications. Cela permet de travailler sur des documents différents, mais aussi d'effectuer des copies entre ces documents. Par exemple, si vous avez trouvé un texte intéressant sur Internet, vous pouvez le recopier dans le docu-ment en cours de votre traitement de texte.

Installer Windows XP

L'installation de Windows XP est très simple, mais elle dépend de l'état actuel de votre ordinateur.

Cas d'un PC avec une version précédente de Windows

Si une version précédente de Windows est déjà présente sur le disque dur de votre ordinateur, l'installation est alors très simple :

1. Démarrez l'ordinateur.

2. Insérez le CD de Windows XP dans le lecteur de CD ou de DVD.

Le programme d'installation s'exécute automatiquement.

Note ⊗ S'il ne se passe rien, exécutez le programme **Setup.exe** qui se trouve à la racine du CD-ROM. Si vous hésitez pour réaliser cette opération, consultez le chapitre 5 pour trouver et exécuter ce programme avec l'Explorateur ou le Poste de travail.

3. Cliquez le bouton **Installer Microsoft Windows XP** (figure 9).

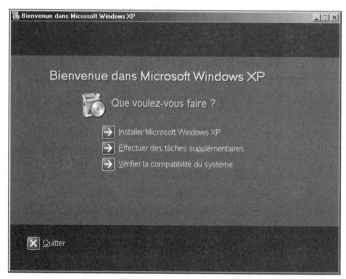

Figure 9 Programme d'installation de Windows XP.

À partir d'une version existante de Windows, l'installation s'effectue avec une suite de boîtes de dialogue.

La fenêtre en arrière plan indique la phase en cours ainsi que le temps d'installation (figure 10).

4. Sélectionnez le type de mise à jour dans la liste **Type d'installation**.

5. Cliquez le bouton **Suivant**.

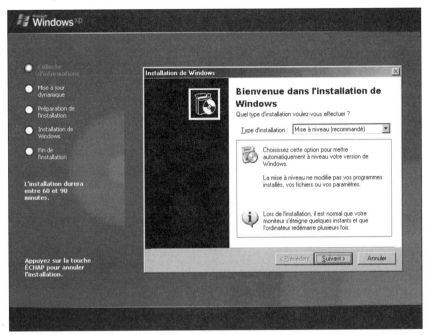

Figure 10
Assistant d'installation de Windows XP.

6. Suivez les instructions à l'écran.

Cas d'un PC sans Windows

Si le PC est neuf ou si le disque dur a été effacé, il est nécessaire de le démarrer au préalable avec un système DOS sur disquette. La version commerciale « Pour les PC sans Windows » propose cette disquette en plus du CD-ROM. Si vous avez reformaté le disque dur, vous devrez vous procurer une disquette du même type, ou utiliser celle fournie avec la version précédente de Windows (98 ou Me).

1. Insérez la disquette de démarrage dans le lecteur.

2. Allumez l'ordinateur.

3. Insérez le CD-ROM d'installation de Windows XP dans le lecteur.

4. Sélectionnez l'option **1 - Installer Windows**.

5. Suivez les instructions à l'écran.

Spécial "Débutants"

Note ⊗ Vous trouverez dans la boîte du produit un fascicule d'explications sur l'installation.

Utiliser la souris

L'utilisation de la souris est très simple. Vous verrez qu'après quelques heures ont la maîtrise très bien. Pour déplacer le curseur à l'écran, posez votre main sur la souris, avec l'index et le majeur sur les deux boutons, puis déplacez-la.

Tout au long de ce livre nous utilisons différents termes pour désigner les manipulations de la souris.

- **Pointer** : consiste à déplacer le curseur de souris sur un élément à l'écran (une icône par exemple). En fonction de l'élément pointé, le curseur peut prend des formes différentes.

- **Cliquer** : consiste à pointer un élément, puis à appuyer un bref instant sur le bouton gauche de la souris. Ceci a pour effet de sélectionner l'élément pointé (il est en surbrillance quand il est sélectionné).

- **Double-cliquer** : consiste à pointer un élément, puis à appuyer rapidement deux fois sur le bouton de gauche de la souris. Ceci a pour effet, par exemple, d'exécuter le programme correspondant à une icône, ou de sélectionner un mot dans un traitement de texte.

- **Cliquer avec le bouton droit** : consiste à pointer un élément, puis à appuyer un bref instant sur le bouton droit de la souris. Ceci a pour effet d'afficher une zone (appelé menu contextuel) contenant des commandes applicables à l'élément sur lequel vous avec cliqué.

- **Faire glisser** (ou glisser-déposer) : consiste à pointer un élément, à appuyer sur le bouton de gauche sans le relâcher, à déplacer la souris sur un second élément ou une zone de destination, puis à relâcher le bouton. Ceci a pour effet de déplacer le premier élément vers le second. Cette manipulation peut aussi s'effectuer dans certains cas avec le bouton de droite.

- **Roulette** : cet accessoire, placé entre les deux boutons de certaines souris (figure 11), permet de faire défiler les pages d'un traitement de texte ou d'un site Internet à la place des traditionnels barres de défilement (voir plus loin dans ce chapitre).

Figure 11 Souris avec roulette.

Note ⊗ Si vous êtes gaucher, vous pouvez inverser le rôle des boutons droit et gauche.
Consultez pour cela le chapitre 19.

Découvrir le bureau

Après le démarrage, le bureau de Windows s'affiche (figure 12). Sur ce bureau sont placées des icônes (des dessins) qui correspondent à des outils à votre disposition. Le nombre d'icônes varie en fonction de l'installation de Windows et des programmes déjà installés sur votre PC.

Figure 12 Bureau de Windows.

Spécial "Débutants"

43

Icônes du bureau

Ces icônes correspondent à celles installées par défaut par Windows, et celles des programmes que vous avez installés. Elles permettent de lancer des applications (traitement de texte, tableur, *etc.*) ou des outils Windows (Poste de travail, Corbeille, *etc.*).

Pour utiliser une icône du bureau, il suffit de la double-cliquez (deux clics rapides avec le bouton gauche de la souris). Après ce double clic, l'application ou l'outil choisi s'ouvre dans une fenêtre.

Figure 13 Icônes du bureau.

Menu Démarrer

Vous vous doutez bien que les quelques icônes du bureau ne suffiront pas à utiliser Windows et les applications. Les autres icônes sont regroupées dans le menu Démarrer pour ne pas encombrer le bureau.

Les icônes sont en réalité des liens vers les programmes. Cette technique permet d'ajouter des liens vers les mêmes programmes à des endroits différents (le bureau et le menu Démarrer par exemple). De plus, la suppression de ces icônes ne supprime pas le programme lui-même.

1. Cliquez le bouton **Démarrer** en bas à gauche de l'écran (figure 14).

2. Le menu qui s'ouvre, affiche deux colonnes :

    La colonne de gauche affiche la liste des dernières applications utilisées, avec au tout début l'accès à Internet (Internet Explorer) et à la messagerie (Outlook Express). Le lien « Tous les programmes » permet d'accéder à toutes les applications installées sur votre ordinateur.

    La colonne de droite affiche les outils de Windows ainsi que les dossiers qui contiennent vos documents.

Figure 14 Menu Démarrer.

Pour accéder aux autres icônes :

1. Cliquez le bouton **Démarrer**.

2. Cliquez **Tous les programmes**.

3. Cliquez l'icône de l'application à ouvrir.

Si l'icône de l'application n'est pas disponible dans le premier menu, c'est qu'elle se trouve peut-être dans un dossier, signalée par l'icône 🗀 et suivie d'une flèche. Cliquez alors ce dossier pour ouvrir un nouveau menu (figure 15).

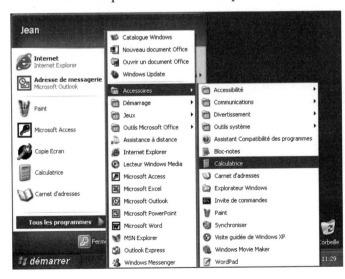

Figure 15 Exécution d'une application avec le menu Démarrer.

Barre des tâches

Dès qu'une application est ouverte, un nouveau bouton apparaît dans la barre des tâches. Cette barre permet donc de voir les applications en cours d'exécution, mais aussi de passer de l'une à l'autre.

1. Cliquez dans la barre des tâches le bouton de l'application à placer au premier plan.

La fenêtre de l'application choisie s'affiche au-dessus des autres fenêtres.

Figure 16   Barre des tâches.

Zone de notification

La barre des tâches affiche aussi l'heure et éventuellement la date, ainsi que des petites icônes pour les programmes exécutés par Windows lui-même (son, imprimante, modem, connexion Internet, anti-virus, *etc.*). La zone contenant ces éléments est appelée Zone de notification.

Note ☑   Pour afficher la date, pointez l'heure dans la barre des tâches. Après une seconde, une petite zone, appelée info-bulle, affiche la date (figure 17).

Figure 17   Zone de notification de la Barre des tâches et info-bulle de la date.

Découvrir les éléments des fenêtres

Toutes les fenêtres des applications sont constituées de divers éléments que vous devez connaître. Découvrez-les à partir de la figure 18.

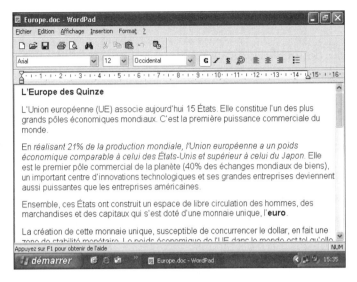

Figure 18 Fenêtre type d'une application Windows.

Barre de titre

Située en haut des fenêtres, elle indique le nom de l'application et éventuelle-ment le nom du document.

Barre de menus

Elle regroupe toutes les fonctions de l'application. Pour accéder à une commande, cliquez le nom du menu puis cliquez la commande dans la liste qui s'ouvre.

Barres d'outils

Elles regroupent les commandes les plus utilisées pour vous éviter de chercher dans les menus. Chaque bouton contient un dessin qui représente la commande à exécuter.

Spécial "Débutants"

Barre d'état

Située en bas des fenêtres, elle donne des indications sur les opérations effectuées par l'application ou des renseignements sur le document.

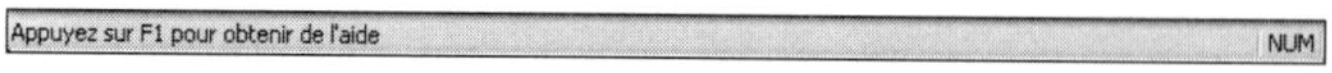
Appuyez sur F1 pour obtenir de l'aide
NUM

Barres de défilement

Si la fenêtre de l'application ne permet pas de voir l'intégralité du document, des barres de défilement apparaissent, soit à la verticale (des éléments sont cachés en haut et en bas - figure 18), soit à l'horizontale (des éléments sont cachés à droite et à gauche).

Les barres de défilements s'utilisent de trois façons :

- Pour déplacer le document lentement, cliquez les flèches aux extrémités.
- Pour vous déplacer à l'endroit de votre choix, cliquez et faites glisser le curseur.
- Pour vous déplacer rapidement, cliquez les parties claires (en dehors des flèches et du curseur).

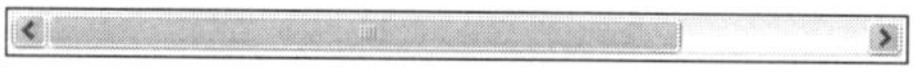

Figure 19 Barre de défilement horizontale.

Modifier une fenêtre

Agrandir, réduire ou fermer une fenêtre

Les boutons en haut à droite permettent de réduire, restaurer, agrandir ou fermer une fenêtre. Quand elle est réduite, elle reste accessible par son bouton dans la barre des tâches (figure 20).

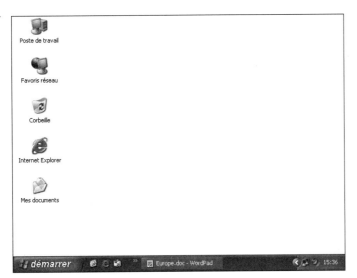

Figure 20 Fenêtre réduite.

Quand elle est agrandie, elle occupe toute la surface de l'écran et masque donc toutes les autres fenêtres (figure 18). Quand elle est restaurée, la fenêtre de l'application retrouve sa taille normale (figure 21). Quand elle est fermée, l'application se termine. Si vous avez des documents non enregistrés, vous êtes invité à effectuer une sauvegarde.

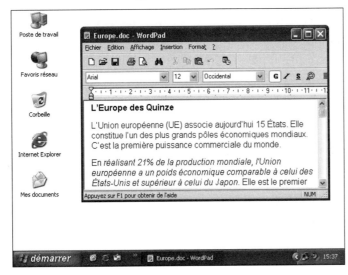

Figure 21 Fenêtre restaurée.

Astuce ⊙ Pour agrandir ou restaurer rapidement une fenêtre, double-cliquez sa barre de titre.

Spécial "Débutants"

Déplacer une fenêtre

En faisant glisser la barre de titre, vous pouvez déplacer une fenêtre sur toute la surface de l'écran. Vous ne pouvez donc pas déplacer une fenêtre agrandie puisqu'elle occupe déjà toute la surface de votre écran.

Redimensionner

Quand une fenêtre n'est pas agrandie, vous pouvez modifier sa taille de trois façons :

- Pointez le bord gauche ou droit de la fenêtre. Le curseur prend la forme ↔. Cliquez et faites glisser pour modifier la largeur de la fenêtre.

- Pointez le bord en haut ou en bas de la fenêtre. Le curseur prend la forme ↕. Cliquez et faites glisser pour modifier la hauteur de la fenêtre.

- Pointez un des quatre coins de la fenêtre. Le curseur prend la forme ↖ ou ↗. Cliquez et faites glisser pour modifier la hauteur et la largeur en même temps.

Boîte de dialogue

Une boîte de dialogue est une fenêtre qui donne accès aux paramètres et aux options d'une application. Elle n'est ni redimensionnable ni réductible. Tant qu'elle est ouverte, il est impossible d'accéder à la fenêtre principale de l'application qui l'a ouverte.

Figure 22 Boîte de dialogue pour la saisie de paramètres.

Une boîte de dialogue est composée de divers éléments permettant d'effectuer des choix sous des formes différentes.

Cases d'option

Les cases d'option sont toujours en groupe de deux au minimum. Au moins une des cases est cochée. En cochant une nouvelle case, vous décochez automatiquement celle précédemment sélectionnée.

Cases à cocher

Les cases à cocher sont indépendantes les unes des autres. Vous pouvez cocher ou décocher une case sans modifier le contenu des autres cases.

Zones de texte

Les zones de texte permettent de saisir des textes, des nombres, des mots de passe, *etc*.

Zones de liste

Les zones de liste permettent de sélectionner une valeur parmi celles proposées. Vous ne pouvez pas saisir d'autres valeurs.

Listes déroulantes

Les listes déroulantes n'affichent qu'une seule valeur. Pour choisir cette dernière, cliquez la flèche en regard pour afficher la liste de celles disponibles. Certaines listes déroulantes dites « modifiables » permettent de saisir des valeurs autres que celles proposées.

Listes combinées

Les listes combinées associent une zone de texte et une zone de liste. Vous pouvez saisir une donnée ou la choisir directement dans la liste en dessous.

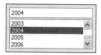

Compteurs

Les compteurs permettent de saisir des nombres. Tapez directement le nombre dans la zone de texte associée ou cliquez les flèches en regard pour augmenter ou le diminuer la valeur.

Barres de défilement

Les barres de défilement peuvent aussi être proposées pour saisir des valeurs. Utilisez-les comme vu plus haut dans ce chapitre pour modifier le nombre associé.

Onglets

Si les paramètres à modifier sont très nombreux, ils sont regroupés par thème dans des onglets comme dans un répertoire téléphonique. Cliquez ces onglets pour trouver les valeurs à modifier.

Raccourcis clavier

Raccourcis des menus

Si vous ne désirez pas utiliser la souris, vous pouvez ouvrir un menu en maintenant la touche **Alt** et en appuyant sur la touche de la lettre soulignée. Quand le menu est ouvert, appuyez sur la touche qui correspond à la lettre soulignée de la commande à exécuter.

Dans l'exemple de la figure 23, la commande **Ouvrir** peut être exécutée avec la combinaison **Alt**+**F** (menu **F**ichier) puis la touche **O** (commande **O**uvrir).

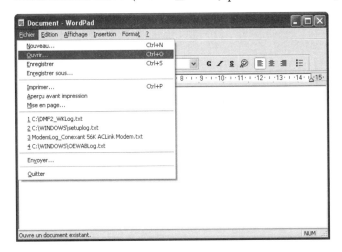

Figure 23 Exécution d'une commande avec des touches.

Raccourcis directs

Certaines commandes sont accessibles par des combinaisons de touches. Ces combinaisons sont affichées dans les menus des applications. Dans l'exemple de la figure 23, la commande **Ouvrir** peut être exécutée directement par la combinaison de touches **Ctrl**+**O** (maintenez pour cela la touche **Ctrl** de droite ou de gauche du clavier, puis appuyez sur la touche **O**).

Note Vous trouverez dans l'annexe de ce livre l'essentiel des raccourcis clavier à utiliser dans Windows.

Conseil L'informatique utilise un « jargon » qu'il est nécessaire de connaître. Vous trouverez à la fin de ce livre un glossaire qui regroupe les termes les plus utilisés.

Spécial "Débutants"

Partie

> > Bien commencer avec Windows XP

Chapitre 1

>> La Barre des tâches : un point d'accès central

La barre des tâches et le bouton Démarrer sont le centre d'accès aux fonctions principales de votre ordinateur. Ce chapitre vous dévoilera bien sûr ces fonctions, mais il vous fera aussi découvrir l'essentiel des éléments nécessaires pour maîtriser totalement la barre des tâches. Citons, entre autre, le déplacement de la barre des tâches, le réglage de la date et du son et la fermeture de Windows.

Gérer les applications

Windows XP est « multitâches ». Cela veut dire que vous pouvez ouvrir plusieurs applications en même temps et passer de l'une à l'autre. C'est le rôle principal de la barre des tâches.

Changer d'application

Pour chaque application, un bouton apparaît dans la barre des tâches. Le bouton enfoncé correspond à celui de l'application active (au premier plan).

1. Cliquez dans la barre des tâches le bouton de l'application à placer au premier plan.

Note ⊗ Pour ouvrir une application, consultez le chapitre précédent, « Démarrer en douceur avec Windows XP ».

La fenêtre de l'application choisie passe au premier plan. Son bouton est enfoncé, et celui de l'autre application ne l'est plus (figure 1-1).

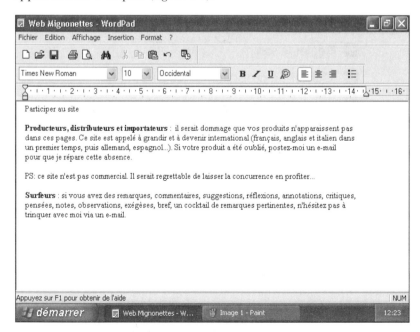

Figure 1-1 Barre des tâches avec plusieurs applications ouvertes.

S'il y a trop d'applications ouvertes en même temps, les noms sont tronqués dans les boutons de la barre des tâches. Pointez alors un bouton pour afficher le nom complet dans un petit cadre appelé « info-bulle » (figure 1-2).

Figure 1-2 Info-bulles d'applications dans la barre des tâches.

Vous pouvez changer rapidement d'application en maintenant la touche **Alt** enfoncée, puis en appuyant plusieurs fois sur la touche **Tab** pour choisir l'une d'elles. Une fenêtre avec les icônes des applications en cours et le nom de l'application choisie vous y aidera (figure 1-3). Relâchez la touche **Alt** quand la bonne application est sélectionnée.

Figure 1-3 Boîte de changement d'application.

Organiser les fenêtres

Quand les fenêtres se superposent, organisez-les afin de pouvoir visualiser toutes les applications. Vous y verrez plus clair. Windows propose trois modes d'affichage.

Cascade

1. Cliquez avec le bouton droit une zone vide de la barre des tâches.

2. Cliquez la commande **Cascade** dans le menu contextuel.

    Les fenêtres se superposent. Toutes les barres de titre sont visibles (figure 1-4).

3. Cliquez la barre de titre de l'application à placer au premier plan.

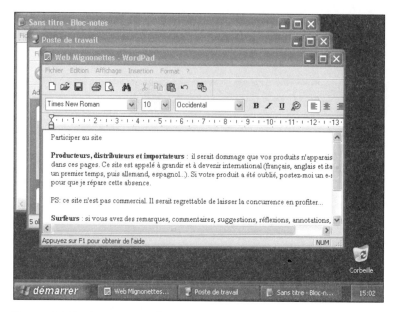

Figure 1-4 Fenêtres en cascade.

Mosaïque horizontale

1. Cliquez avec le bouton droit une zone vide de la barre des tâches.

2. Cliquez la commande **Mosaïque horizontale** dans le menu contextuel.

Les fenêtres sont les unes au-dessus des autres. Toutes sont visibles (figure 1-5).

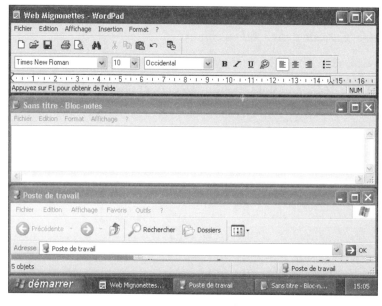

Figure 1-5 Fenêtres en mosaïque horizontale.

Mosaïque verticale

1.   Cliquez avec le bouton droit une zone vide de la barre des tâches.

2.   Cliquez la commande **Mosaïque verticale** dans le menu contextuel.

Les fenêtres sont côte à côte. Toutes sont visibles (figure 1-6).

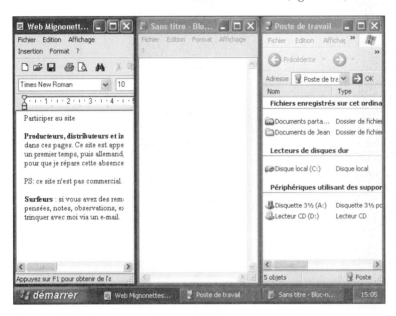

Figure 1-6 Fenêtres en mosaïque verticale.

Note   Pour annuler l'organisation des fenêtres, cliquez avec le bouton droit une zone vide de la barre des tâches, puis cliquez **Annuler**… dans le menu contextuel.

Afficher le bureau sans fermer les applications

Pour revenir au bureau, inutile de fermer ou réduire une à une les applications en cours. Windows propose plusieurs solutions pour afficher directement le bureau.

Dans la barre des tâches :

1.   Cliquez avec le bouton droit une zone vide de la barre des tâches.

2.   Cliquez la commande **Afficher le bureau** dans le menu contextuel.

Avec la barre d'outils Lancement rapide :

1.   Cliquez ⬚ dans la barre d'outils Lancement rapide.

Note   Pour afficher et utiliser la barre d'outils Lancement rapide, consultez le chapitre 16.

Avec le clavier :

1. Tapez ⊞+**D** (D pour *Desk*, bureau en anglais).

Note ⊗ La touche ⊞ n'est disponible que sur les claviers destinés à l'utilisation de Windows.

Figure 1-7 Affichage du bureau et réduction des applications.

Pour réafficher les applications :

1. Répétez une des solutions utilisées pour afficher le bureau (cliquez la commande **Afficher les fenêtres ouvertes** dans la première solution).

Modifier la barre des tâches

Verrouiller et déverrouiller la barre des tâches

Par défaut, la barre des tâches est verrouillée pour qu'elle ne soit pas modifiée par erreur. Vous devez la déverrouiller pour la modifier.

1. Cliquez avec le bouton droit une zone vide de la barre des tâches.

2. Cliquez la commande **Verrouiller la barre des tâches** dans le menu contextuel pour ôter la coche.

Figure 1-8 Barre des tâches déverrouillée.

Les symboles █ indiquent que la barre des tâches peut être modifiée.

3. Pour verrouiller de nouveau la barre des tâches, répétez les étapes **1** et **2** pour cocher l'option.

Déplacer la barre des tâches

La barre des tâches peut se placer sur l'un des quatre côtés de l'écran. À vous de choisir !

1. Pointez une zone vide de la barre des tâches.

2. Cliquez et faites glisser vers l'un des trois autres côtés de l'écran.

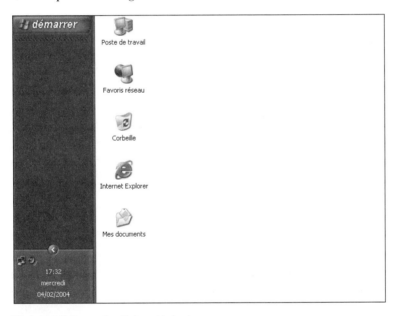

Figure 1-9 Barre des tâches déplacée.

La barre se trouve maintenant sur l'un des autres côtés de l'écran.

Redimensionner la barre des tâches

Lorsque vous ouvrez de nombreuses applications en même temps, choisissez d'agrandir la barre des tâches. Cela permet aussi d'ajouter vos propres barres d'outils.

1. Pointez le bord de la barre des tâches (le pointeur de souris prend la forme ↔ ou ↕).

2. Cliquez et faites glisser pour augmenter ou diminuer la hauteur.

Figure 1-10 Barre des tâches redimensionnée.

La barre des tâches adopte la nouvelle taille. Elle affiche plus de boutons pour vos applications. En plus de l'heure, la date est maintenant affichée (figure 1-10).

Attention ⊗ Si la barre des tâches a disparu, c'est que vous l'avez trop réduite. Pointez les quatre bords de l'écran pour que le curseur ait la forme ↔ ou ↕. Cliquez et faites glisser pour agrandir la barre des tâches.

Modifier l'affichage de la barre des tâches

La barre des tâches est très flexible. Vous pouvez la masquer pour gagner de la place à l'écran, supprimer l'horloge, regrouper les boutons similaires, *etc.*

1. Cliquez avec le bouton droit une zone vide de la barre des tâches.

2. Cliquez la commande **Propriétés** dans le menu contextuel.

La boîte Propriétés de la barre de tâches propose plusieurs options (figure 1-11) :

- **Masquer automatiquement…** : la barre des tâches est masquée dès qu'une fenêtre est active. Cela libère de la place pour vos applications.

- **Conserver la barre des tâches…** : si vous cochez cette option, vous pourrez toujours accéder à la barre des tâches. Si vous la décochez, la barre des tâches sera masquée par les applications.

- **Grouper les boutons similaires** : si cette option est cochée, tous les boutons des documents de la même application sont regroupés dans un bouton unique qu'il suffit de cliquer pour en obtenir la liste.

- **Afficher l'horloge** : l'horloge est une application qui utilise des ressources de l'ordinateur. Vous pouvez la désactiver.

Note ⊗ Si vous avez décoché l'option **Conserver la barre des tâches…**, tapez **Ctrl+Echap** ou la touche 🪟 pour afficher la barre des tâches quand elle n'est plus visible.

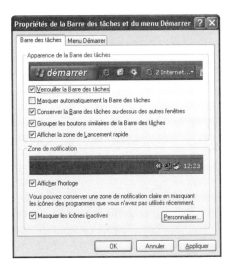

Figure 1-11 Boîte des propriétés de la barre des tâches.

Si vous avez coché l'option **Masquer automatiquement**, la barre des tâches s'efface dès qu'elle n'est plus utilisée. Sa position est signalée par une ligne. Pointez le bord de l'écran où se trouve la barre des tâches pour la faire réapparaître.

Si vous avez coché l'option **Grouper les boutons similaires**, les boutons des documents de la même application sont regroupés dans un bouton unique. Cliquez simplement le bouton pour ouvrir un menu, puis cliquez le document voulu (figure 1-12). Pour fermer tous les documents d'un groupe, cliquez avec le bouton droit de la souris le bouton du groupe dans la barre des tâches, puis cliquez la commande **Fermer le groupe** dans le menu contextuel.

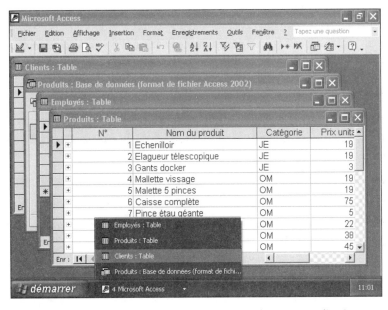

Figure 1-12 Bouton regroupant les documents de la même application.

Modifier le menu Démarrer

Le menu Démarrer offre toute une palette d'options. À vous de les adapter à vos habitudes.

1. Cliquez avec le bouton droit une zone vide de la barre des tâches.

2. Cliquez la commande **Propriétés** dans le menu contextuel.

3. Cliquez l'onglet **Menu Démarrer**.

   - Option **Menu Démarrer :** cochez cette option pour utiliser le nouveau style de menu de Windows XP.

   - Option **Menu Démarrer classique :** cochez cette option si vous ne désirez pas modifier vos habitudes et conserver le style de menu des anciennes versions de Windows.

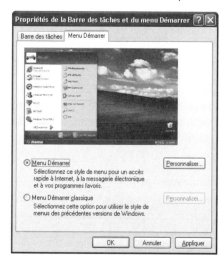

Figure 1-13 Choix du style du menu Démarrer : version XP ou ancienne version.

4. Cochez l'option **Menu Démarrer** puis cliquez le bouton **Personnaliser** en regard.

   - Options **Grandes icônes** : les icônes sont moins nombreuses mais plus facilement identifiables (raccourcis vers les derniers programmes utilisés). Choisissez cette option si vous utiliser toujours les mêmes applications.

   - Options **Petites icônes** : les icônes sont plus petites mais plus nombreuses (raccourcis vers les derniers programmes utilisés). Choisissez cette option si vous utiliser beaucoup d'applications différentes.

   - Option **Nombre de programmes…** : nombre de raccourcis que Windows doit afficher dans le menu Démarrer. Ce nombre est tributaire de votre résolution d'écran (voir chapitre 17) et de la taille des icônes.

- Option **Internet** : affiche un raccourci vers votre navigateur Internet dans le menu Démarrer. Sélectionnez ce dernier dans la liste en regard.

- Option **Courrier électronique** : affiche un raccourci vers votre logiciel de messagerie dans le menu Démarrer. Sélectionnez ce dernier dans la liste en regard.

Figure 1-14 Nombre et taille des icônes du menu Démarrer.

5. Cliquez l'onglet **Avancé**.

- Option **Ouvrir les sous-menus…** : les sous-menus s'ouvrent par pointage et non en cliquant.

- Option **Afficher les programmes…** : les raccourcis vers les applications que vous venez d'installer sont mis en évidence dans le menu Démarrer avec une couleur différente.

- Options de la liste **Éléments du menu Démarrer…** : cochez les éléments que vous désirez voir apparaître ou décochez ceux à masquer.

- Si un élément présente plusieurs options, cochez **Afficher en tant que lien** pour l'ouvrir dans une fenêtre, cochez **Afficher en tant que menu** pour voir les éléments qu'il contient ou cochez **Ne pas afficher cet élément** pour le masquer dans le menu Démarrer.

- Options **Afficher les documents ouverts récemment** : cochez cette option pour afficher un dossier proposant la liste de vos derniers documents utilisés. Cliquez le bouton **Effacer la liste** pour la réinitialiser.

Note Le bouton **Effacer la liste** supprime la liste des raccourcis vers vos documents, pas les documents eux-mêmes.

6. Cliquez le bouton **OK** dans la boîte Personnaliser le menu Démarrer.

7. Cliquez le bouton **OK** dans la boîte Propriétés de la Barre des tâches.

Figure 1-15 Éléments affichés dans le menu Démarrer.

Gérer la zone de notification

Certaines applications placent des icônes dans la zone de notification (à gauche de l'horloge). Si elles sont inactives, vous pouvez les masquer pour ne pas encombrer la barre des tâches.

1. Cliquez avec le bouton droit une zone vide de la barre des tâches.

2. Cliquez la commande **Propriétés** dans le menu contextuel.

3. Cochez l'option **Masquer les icônes inactives**.

4. Cliquez le bouton **Personnaliser**.

Cette boîte permet de choisir le comportement de chaque icône (figure 1-16).

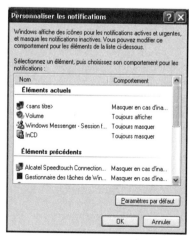

Figure 1-16 Comportement des boutons de la zone de notification.

5.   Cliquez la liste de chaque élément puis sélectionnez le comportement voulu.

6.   Cliquez le bouton **OK** dans la boîte Personnaliser les notifications.

7.   Cliquez le bouton **OK** dans la boîte Propriétés de la Barre des tâches.

Modifier la date et l'heure

Dans un ordinateur, la date et l'heure sont des éléments importants. Ils permettent de connaître le jour de création et de modification des fichiers et donc faciliter les recherches ultérieures.

Mettre à jour manuellement la date et l'heure

1.   Double-cliquez l'heure dans la barre des tâches.

2.   Cliquez la liste des mois puis cliquez le mois actuel.

3.   Cliquez la zone des années puis saisissez-la. Vous pouvez aussi utiliser les boutons en regard pour augmenter ou diminuer la valeur.

4.   Cliquez le jour dans le calendrier.

5.   Cliquez les heures dans l'horloge numérique, puis saisissez-les ou utilisez les flèches en regard pour les augmenter ou les diminuer.

6.   Répétez l'étape **5** pour les minutes et les secondes.

Figure 1-17 Réglage de la date et de l'heure.

Changer de fuseau horaire

Si vous utilisez un portable avec lequel vous voyagez, il est possible d'ajuster facilement l'heure en fonction de votre position géographique.

1.   Cliquez l'onglet **Fuseau horaire** dans la boîte Propriétés de Date et heure.

2.   Cliquez la liste en dessous des onglets et choisissez le pays.

3.   Cochez **Ajuster l'horloge...** pour que Windows applique automatiquement l'heure d'été.

Note   ⊗   Lors du passe à l'heure d'hiver ou d'été, une boîte de dialogue s'ouvre pour vous avertir de ce changement.

Figure 1-18 Modification du fuseau horaire.

Mettre à jour la date et l'heure par Internet

1.   Cliquez l'onglet **Temps Internet** dans la boîte Propriétés de Date et heure.

2.   Cliquez le bouton **Mettre à jour** (vous devez être connecté à Internet).

3.   Cliquez **OK**.

Note   ⊗   Si vous êtes connecté en permanence à Internet (ADSL, câble, *etc.*), la mise à jour de votre horloge sera effectuée automatiquement. La boîte de la figure 1-19 indique la date et l'heure de la prochaine mise à jour (Synchronisation suivante).

Figure 1-19 Mettre à jour la date et l'heure par Internet.

Régler le volume du son

Dans un ordinateur, le son provient de différentes sources : fichiers sons, CD audio, microphone, périphériques extérieurs, *etc*. Vous pouvez régler le volume du son, soit globalement, soit pour chacune de ces sources.

Régler le volume global

1. Cliquez l'icône 🔊 qui se trouve dans la partie droite de la barre des tâches (zone de notification).

    Une boîte avec un curseur permet d'effectuer le réglage du son.

2. Cliquez et faites glisser le curseur pour régler le volume global du son (figure 1-20).

3. Pour supprimer tous les sons, cochez la case **Muet**.

4. Cliquez n'importe où en dehors de la boîte du curseur pour fermer cette dernière.

Note ⊗ Si vous avez coché la case **Muet**, l'icône du son dans la barre des tâches devient 🔇.

Figure 1-20 Réglage global du volume du son.

Régler le volume de chaque source

1. Double-cliquez l'icône 🔊 qui se trouve dans la partie droite de la barre des tâches.

    La boîte affiche un curseur et une case **Muet** pour chacune des sources. Le premier curseur correspond au réglage global.

2. Cliquez et faites glisser le curseur de chaque source pour la régler indépendamment des autres.

3. Cochez les cases **Muet** des sources dont vous n'avez pas besoin.

4. Cliquez ❌ pour fermer la boîte.

Note ⊗ Le nombre de sources audio dépend de la configuration de votre ordinateur.

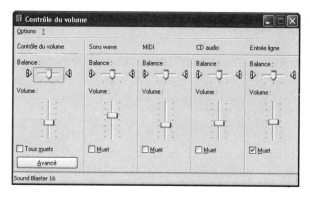

Figure 1-21 Réglage du volume de chaque source.

Choisir les sources de la boîte Contrôle du volume

Comme les sources sonores sont nombreuses dans un ordinateur, vous pouvez afficher celles que vous utilisez et masquer les autres.

1. Dans la boîte Contrôle du volume, cliquez le menu **Options** ➔ **Propriétés**.

2. Cliquez l'option **Lecture**.

3. Cochez les contrôles à afficher et décochez ceux à masquer.

4. Cliquez l'option **Enregistrer** et répétez l'étape **3**.

5. Cliquez le bouton **OK**.

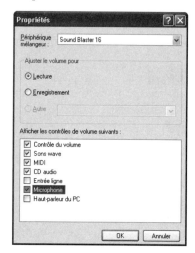

Figure 1-22 Choix des sources à afficher.

Quitter un programme récalcitrant

Si une application pose des problèmes, vous pouvez l'arrêter. Vous perdrez cependant le travail en cours. Si vous décidez de prendre cette décision, c'est probablement parce que le programme ne répond plus. Dans ce cas, de toute façon, votre travail sera perdu.

1. Appuyez sur **Ctrl+Alt+Suppr**.

2. Si vous êtes en réseau, cliquez le bouton **Gestionnaire des tâches** dans la boîte Sécurité Windows.

Note ⊗ Vous pouvez aussi cliquer avec le bouton droit une zone vide de la barre des tâches, puis cliquer **Gestionnaire des tâches** dans le menu contextuel.

3. Cliquez l'onglet **Applications**.

   Vous retrouvez dans cette boîte (figure 1-23) toutes les applications en cours d'exécution (les applications que vous avez vous-même lancées).

4. Cliquez l'application à arrêter dans la liste **Tâches** pour la sélectionner.

5. Cliquez le bouton **Fin de tâche**.

Figure 1-23 Liste des applications en cours.

6. Cliquez ☒ pour fermer la boîte Gestionnaire des tâches de Windows.

Fermer, redémarrer ou mettre en veille Windows

Fermer Windows

La fermeture de Windows nécessite une manipulation simple mais indispensable. En effet, si vous arrêtez votre ordinateur avec l'interrupteur, vos documents non enregistrés seront irrémédiablement perdus.

1. Cliquez le bouton **Démarrer** → **Arrêter**.

   - Si vous n'êtes pas en réseau, cliquez le bouton **Arrêter** (figure 1-24).

   - Si vous êtes en réseau, cliquez la liste **Que voulez-vous faire ?**, sélectionnez **Arrêter le système** puis cliquez le bouton **OK** (figure 1-25).

Figure 1-24 Boîte de fermeture de Windows.

Figure 1-25 Boîte de fermeture de Windows en réseau.

Avant d'éteindre l'ordinateur, Windows ferme toutes les applications qui sont encore ouvertes. Si un document n'est pas enregistré, une boîte de dialogue vous invitera à le faire.

Dés que Windows est arrêté, il affiche l'écran de la figure 1-26. Vous pouvez maintenant éteindre l'ordinateur avec le bouton marche/arrêt.

Figure 1-26 Écran vous invitant à éteindre l'ordinateur.

Astuce ⊗ Sur certains PC, le bouton marche/arrêt est en réalité un bouton poussoir. Pour arrêter définitivement la machine, maintenez le bouton enfoncé pendant 5 secondes. Cela vous épargne
d'utiliser l'interrupteur qui se trouve généralement à l'arrière du boîtier et est donc difficile
d'accès.

Redémarrer Windows

Si une application vous le demande ou si vous observez des dysfonctionnements, vous devez redémarrer l'ordinateur pour qu'il prenne en compte les nouveaux paramètres ou pour qu'il soit plus
stable.

1. Cliquez le bouton **Redémarrer** (figure 1-24) ou sélectionnez **Redémarrer** dans liste **Que
voulez-vous faire ?** puis cliquez le bouton **OK** (figure 1-25).

Mettre l'ordinateur en veille prolongée

Pour accélérer le démarrage ou retrouver les applications ouvertes actuellement, mettez votre ordinateur en veille prolongée.

Lors de la mise en veille, Windows recopie le contenu de la mémoire vive sur le disque dur. Quand vous rallumez l'ordinateur, Windows recopie les données du disque dur vers la mémoire vive.

1. Cliquez le bouton **Veille prolongée** (figure 1-24) ou sélectionnez **Mettre en veille prolongée** dans liste **Que voulez-vous faire ?**, puis cliquez le bouton **OK** (figure 1-25).

>> Utiliser les applications et gérer les documents

dans ce chapitre

→ Enregistrer et ouvrir des documents

→ Imprimer des documents

→ Saisir du texte

→ Créer un tableau

→ Retoucher des images

Un ordinateur sert essentiellement à créer des documents. Pour illustrer cela, nous avons choisi trois logiciels très courants : un traitement de texte, un tableur et un logiciel de retouche d'images. Pour le traitement de texte et le tableur, nous avons opté pour les désormais « classiques » Microsoft Word et Microsoft Excel. Pour le logiciel de retouche d'images, notre choix s'est porté sur Adobe Photoshop Elements, car c'est une application simple d'emploi et peu coûteuse à l'achat.

Même si vous ne possédez pas ces applications, bon nombre de procédures présentées ici sont réalisables avec d'autres logiciels, et particulièrement la gestion des documents (ouverture, enregistrement, *etc.*).

Gérer les documents

Nous présentons séparément la gestion des documents, car toutes ces procédures sont identiques, quelle que soit l'application utilisée.

Enregistrer un nouveau document

Avant même d'avoir terminé votre document, vous pouvez l'enregistrer et lui donner un nom. Notez que, dans la barre de titre, le document non enregistré porte un nom par défaut, comme Document1, Classeur1, *etc.*

1. Cliquez 🖫 ou le menu **Fichier** ➜ **Enregistrer**.

    La zone **Enregistrer dans**, en haut à gauche, affiche le dossier qui contiendra votre document (le dossier « Mes documents » par défaut). Vous pouvez bien sûr choisir un autre emplacement.

Note ⊗ Pour créer un nouveau dossier, consultez le chapitre 4.

2. Cliquez la flèche en regard de la zone **Enregistrer dans**, puis cliquez le nom du disque.

3. Double-cliquez le nom du dossier où doit être placé le document. Répétez cette étape si vous utilisez des sous-dossiers.

4. Dans la zone **Nom de fichier**, tapez un nom explicite et facile à retrouver pour votre document.

5. Cliquez le bouton **Enregistrer**.

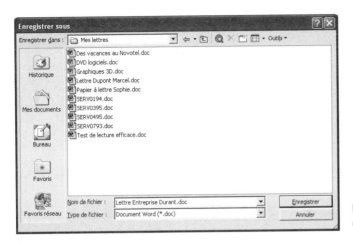

Figure 2-1 Enregistrement
d'un document.

Maintenant, dans la barre de titre, le nom du document apparaît à côté de celui de l'application.

Enregistrer un document existant

Vous devez régulièrement enregistrer vos documents, car nul n'est à l'abri d'un dysfonctionne-
ment de l'ordinateur ou d'une coupure de courant.

1.   Cliquez 🔲 ou le menu **Fichier → Enregistrer**.

En apparence, cette action n'a pas d'effet. En réalité, comme votre document a déjà un nom, l'application s'est contentée de l'enregistrer sans que vous ayez besoin d'intervenir.

Ouvrir un document

Même si vous fermez l'application ou votre ordinateur, vous pouvez retravailler sur un document
sauvegardé.

1.   Cliquez 📂 ou le menu **Fichier → Ouvrir**.

Si la boîte qui s'ouvre (figure 2-2) ne propose pas le bon dossier de sauvegarde (il apparaît
dans la zone **Enregistrer dans**), vous devez d'abord le rechercher. Pour les autres cas, passez
à l'étape **4**.

2.   Cliquez la flèche en regard de la zone **Enregistrer dans**, puis cliquez le nom du disque.

3.   Double-cliquez le nom du dossier où se trouve le document. Répétez cette étape s'il se trouve
dans un sous-dossier.

4.   Cliquez le nom du document pour le sélectionner puis cliquez le bouton **Ouvrir**. Vous pouvez
aussi double-cliquez le nom du document.

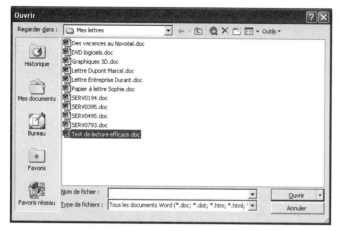

Figure 2-2 Ouverture d'un document.

Enregistrer un document sous un autre nom

Pour ne pas ressaisir des éléments existants, il est parfois plus simple de débuter un nouveau document en le basant sur un document existant. Dès que vous aurez ouvert l'ancien document, enregistrez-le immédiatement sous un autre nom, puis modifiez-le.

1. Cliquez le menu **Fichier → Enregistrer sous**.

2. Éventuellement, sélectionnez un dossier de sauvegarde comme précédemment.

3. Dans la zone **Nom de fichier**, tapez un nouveau nom.

4. Cliquez le bouton **Enregistrer**.

Imprimer des documents

Même s'il est possible d'imprimer un document à partir du Poste de travail, il est préférable d'utiliser l'application qui l'a créé pour bénéficier de toutes les options.

Note ⊗ Pour imprimer un document à partir du Poste de travail, cliquez son nom avec le bouton droit, puis cliquez **Imprimer** dans le menu contextuel. Pour plus de détails, consultez le chapitre 5.

1. Ouvrez le document à imprimer dans l'application d'origine.

2. Cliquez le menu **Fichier → Imprimer**.

Attention ⊗ En cliquant le bouton 🖶 dans la barre d'outils, vous imprimez directement le document avec l'imprimante par défaut. L'application ne propose pas la boîte **Imprimer**.

Dans la majorité des applications, la boîte qui s'ouvre est presque identique à celle de la figure 2-3.

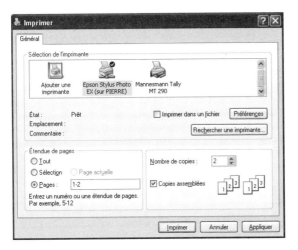

Figure 2-3 Boîte d'impression des applications.

Choisir les options d'impression

1. Dans la liste du haut, sélectionnez l'imprimante à utiliser. Le symbole ✔ indique l'imprimante par défaut.

2. Si vous désirez modifier les options de l'imprimante (format du papier, qualité d'impression, *etc.*), cliquez le bouton **Préférences** ou **Propriétés**.

3. La zone **Étendue** définit les pages à imprimer. Tapez les numéros des pages dans les zones prévues à cet effet. Si vous désirez n'imprimer que les éléments sélectionnés actuellement dans le document, cochez l'option **Sélection**.

4. Tapez dans la zone **Nombre de copie** le nombre d'exemplaires à imprimer.

Note ⊗ Si vous avez choisi d'imprimer plusieurs copies, cochez **Copies assemblées** pour obtenir des pages triées (pages 1, 2, 3, *etc.*, puis 1, 2, 3, *etc.*) ou décochez l'option pour une impression plus rapide (pages 1, 1, *etc.*, puis 2, 2, *etc.*).

5. Cliquez le bouton **Imprimer** ou **OK**.

Contrôler l'impression

L'icône 🖨 dans la partie droite de la barre des tâches (zone de notification) indique que l'impression est en cours.

1. Double-cliquez l'icône 🖨 dans la barre des tâches.

   La fenêtre qui s'ouvre liste tous les travaux d'impression en cours (figure 2-4).

2. Cliquez une impression dans la liste pour la sélectionner.

3. Cliquez le menu **Document**.

4. Cliquez dans le menu la commande à appliquer au document (**Suspendre**, **Annuler**, *etc.*).

5. Cliquez le bouton ⊠ pour fermer la fenêtre. Même si cette dernière est fermée, l'impression continue.

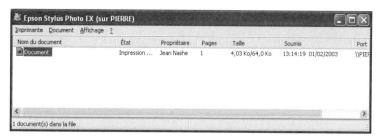

Figure 2-4 Contrôle des travaux d'impression.

Éditer des textes avec Word

Word est un traitement de texte très complet, mais il n'est pas nécessaire de connaître toutes ses fonctions pour éditer rapidement un courrier ou une documentation.

Saisir un texte

À l'ouverte de Word, la fenêtre affiche un document vierge (la zone blanche au milieu de l'écran). Le trait que vous voyez clignoter représente le curseur. Vous ne devez pas le perdre de vue. Tous les caractères que vous taperez au clavier apparaîtront à la position de ce curseur.

Word utilise la saisie « au kilomètre ». Cela veux dire que vous ne devez pas vous soucier des sauts de lignes dans un paragraphe. Word passe tout seul à la ligne suivante quand c'est nécessaire. Dès que toutes les lignes du paragraphe sont saisies, il suffit d'appuyer sur la touche **Entrée** pour créer un nouveau paragraphe en dessous du précédent.

Conseil ⊗ Pour afficher les marques de paragraphe, cliquez le bouton ¶ dans la barre d'outils. Les symboles « ¶ » représentent la fin des paragraphes (là où vous avez appuyé sur **Entrée**). Les symboles « • » représentent les espaces entre les mots. Ces symboles ne sont jamais imprimés.

1. Tapez toutes les lignes du premier paragraphe jusqu'au point final.

2. Appuyez sur **Entrée** pour passer au paragraphe suivant.

3. Répétez les étapes **1** et **2** pour les autres paragraphes.

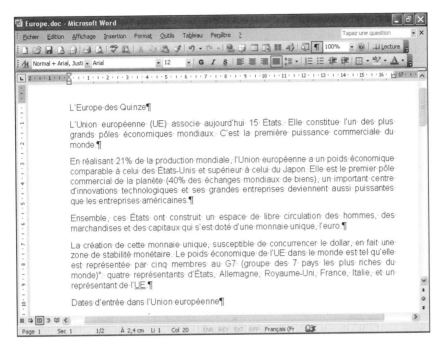

Figure 2-5
Saisie d'un texte
dans Word.

Si vous désirez insérer des lignes vides, appuyez autant de fois que nécessaire sur la touche **Entrée**.
Si vous désirez insérer un paragraphe, cliquez à la fin du paragraphe précédent pour y placer le
curseur, puis appuyez sur **Entrée**. Pour scinder un paragraphe en deux parties, cliquez la position
d'insertion pour y placer le curseur, généralement après un point, puis appuyez sur **Entrée**. Pour
fusionner deux paragraphes, cliquez à la fin du premier, puis appuyez sur **Suppr**.

Sélectionner un texte

Pour faire des modifications sur un texte, il est nécessaire de le sélectionner au préalable. Le texte
sélectionné apparaît en surbrillance.

- **Sélectionner des caractères** : pointez le curseur de souris avant la première lettre, puis cliquez
et faites glisser jusqu'au dernier caractère.

- **Sélectionner un mot** : double-cliquez le mot.

- **Sélectionner une ligne** : placez le curseur de souris dans la marge de gauche en regard de la
ligne. Le curseur de souris prend la forme ⤢. Cliquez pour sélectionner la ligne.

- **Sélectionner un paragraphe** : placez le curseur de souris dans la marge de gauche en regard
de la première ligne du paragraphe. Le curseur de souris prend la forme ⤢. Cliquez et faites
glisser vers le bas jusqu'à la dernière ligne.

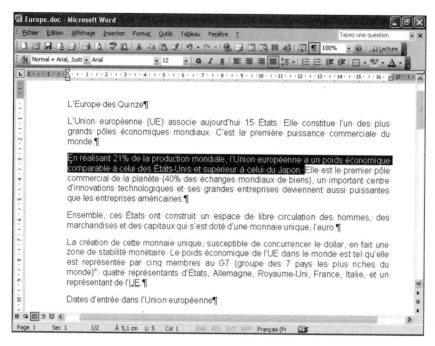

Figure 2-6
Sélection d'un
texte dans Word.

Copier ou déplacer un texte

Si vous devez répéter un texte à plusieurs endroits, copiez-le.

1. Sélectionnez le texte à copier.

2. Cliquez le bouton ⊞. Le texte est copié dans le presse-papiers.

Définition ⊗ **Presse-papiers** : zone temporaire dans laquelle est stockée une partie ou l'intégralité d'un document quel que soit son type (texte, image, *etc.*). Vous pouvez à tout moment récupérer le contenu de ce presse-papiers pour l'insérer dans un document.

3. Cliquez à la position d'insertion du texte.

4. Cliquez le bouton ⊞ pour insérer le texte actuellement dans le presse-papier.

Définition ⊗ **Copier/Coller** : copier une partie d'un document dans le presse-papiers, puis coller le contenu du presse-papiers à un autre endroit. Le presse-papiers étant commun à toutes les applications, vous pouvez échanger des portions de document dans des logiciels différents.

Si vous désirez déplacer un texte :

1. Sélectionnez le texte à copier.

2. Cliquez le bouton ✂. Le texte est copié dans le « presse-papiers ». Le texte sélectionné est supprimé.

3. Cliquez à la position d'insertion du texte.

4. Cliquez le bouton 📋 pour insérer le texte actuellement dans le presse-papier.

Supprimer un texte

Pour supprimer un texte, rien de plus simple : vous sélectionnez le texte et vous appuyez sur la touche **Suppr**.

Conseil ⊗ Si vous avez supprimé un texte par mégarde, cliquez le bouton ↺ dans la barre d'outils pour annuler cette action. Pour rétablir des actions annulées, cliquez le bouton ↻.

Mettre en forme des caractères

Pour donner du relief à certains mots, modifiez leurs attributs (gras, italique et souligné).

1. Sélectionnez le texte à mettre en forme.

2. Cliquez le bouton **G** (gras), *I* (italique) ou S (souligné).

Changer la police de caractères

Word permet de changer les polices, c'est-à-dire la forme et la taille des caractères.

1. Sélectionnez le texte dont vous désirez modifier la police.

2. Cliquez la flèche en regard de la liste des polices (figure 2-7).

3. Cliquez le nom de la police souhaitée dans la liste.

4. Dans la zone à droite des polices, cliquez la flèche puis cliquez la taille des caractères.

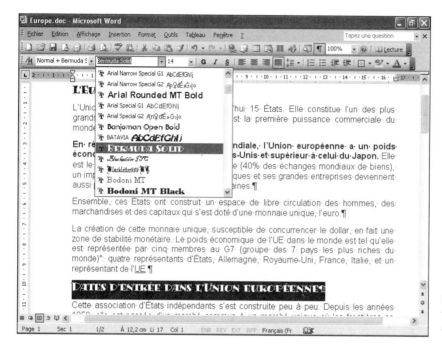

Figure 2-7 Mise en forme de caractères dans Word.

Mettre en forme des paragraphes

Avec la mise en forme des paragraphes, vous pouvez, par exemple, aligner à droite une adresse ou centrer une signature.

1. Cliquez dans le paragraphe à modifier.

2. Cliquez le bouton ▤ (aligné à gauche), ▤ (centré), ▤ (aligné à droite) ou ▤ (justifié). La justification aligne le texte à gauche et à droite.

Mettre en retrait des paragraphes

Pour attirer l'attention sur certains paragraphes ou pour marquer une énumération, mettez-les en retrait.

1. Cliquez dans le paragraphe à modifier.

2. Cliquez le bouton ▤ (diminuer le retrait) ou ▤ (augmenter le retrait).

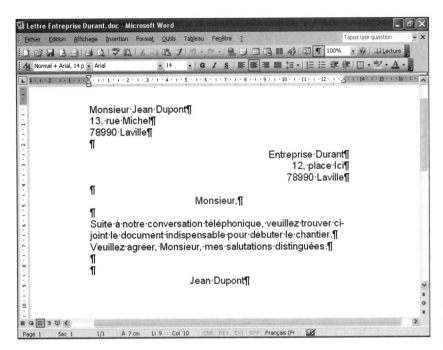

Figure 2-8 Mise en forme de paragraphes dans Word.

Appliquer un style prédéfini

Les styles prédéfinis vous évitent d'appliquer manuellement une mise en forme aux caractères et aux paragraphes. Ils permettent notamment de créer facilement des titres.

1. Cliquez dans le paragraphe à modifier.

2. Cliquez la flèche de la liste des styles (à gauche de la liste des polices ; voir figure 2-7).

3. Cliquez un style dans la liste.

Ajouter une liste à puces ou numérotée

Pour montrer une énumération, ajoutez des puces ou des numéros à certains paragraphes.

1. Sélectionnez les paragraphes à modifier.

2. Cliquez le bouton ▦ (liste à puces) ou ▦ (liste numérotée).

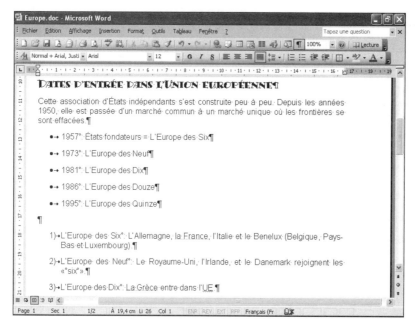

Figure 2-9
Liste à puces et liste
numérotée dans Word.

Vérifier l'orthographe et la grammaire

Une dernière vérification de l'orthographe n'est jamais inutile. Word peut vous aider dans cette
tâche.

1.   Cliquez le bouton [icône].

     S'il trouve des erreurs dans le texte, Word ouvre une petite fenêtre pour vous proposer des
     solutions.

2.   Suivez les instructions de la boîte **Grammaire et orthographe**.

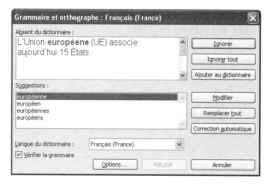

Figure 2-10 Vérification de l'orthographe
et de la grammaire dans Word.

Note ⊗ Les fautes d'orthographe sont soulignées en rouge dans le texte au fur et à mesure de la frappe. Les fautes de grammaire, elles, sont soulignées en vert. Suivez aussi ces indications pour vérifier votre texte.

Rechercher un synonyme

Pour ne pas répétez plusieurs fois le même mot dans un paragraphe, il est nécessaire de trouver des synonymes.

1. Cliquez avec le bouton droit le mot dont vous désirez trouver un synonyme.

2. Cliquez la commande **Synonymes** dans le menu contextuel.

3. Cliquez un des synonymes proposés ou cliquez **Dictionnaire des synonymes** pour afficher la liste complète.

Figure 2-11 Recherche d'un synonyme dans Word.

Réaliser des tableaux avec Excel

Excel permet de construire des tableaux. Un tableau est un ensemble de cases appelées « cellules ». Chaque cellule peut contenir des textes, des nombres et des formules. Comme ces dernières sont basées sur le contenu d'autres cellules, une simple modification engendre la réactualisation de l'intégralité du tableau. Par exemple, si vous avez un tableau de remboursement d'un prêt, le changement du taux du crédit entraîne le calcul de toutes les lignes de l'échéancier.

Sélectionner des cellules

Chaque cellule porte un nom qui correspond à la lettre de sa colonne et au numéro de sa ligne, un peu comme à la bataille navale. La cellule en haut à gauche porte donc le nom A1. Pour sélectionner une cellule, il suffit de la cliquer. Si, par exemple, vous avez cliqué la cellule C3, elle est entourée d'un cadre noir, et la lettre de la colonne C ainsi que le chiffre de la ligne 3 sont sur un fond de couleur.

Si vous désirez sélectionner plusieurs cellules pour leur appliquer la même action, cliquez la première cellule, puis faites glisser jusqu'à la dernière. Une telle sélection s'appelle une « plage de cellules ». Dans l'exemple de la figure 2-12, c'est la plage B3:E6 qui est sélectionnée.

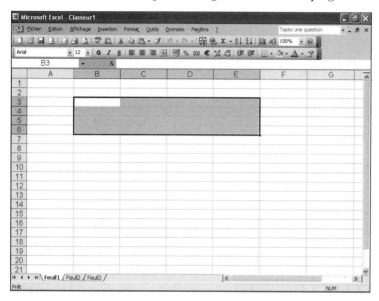

Figure 2-12
Sélection de cellules dans Excel.

Saisir des textes et des nombres

Une fois sélectionnée, vous pouvez saisir des données dans une cellule. Tapez simplement le texte ou le nombre qu'elle doit contenir. Validez la saisie en appuyant sur la touche **Entrée**. Par défaut, les nombres sont alignés à droite et les textes à gauche.

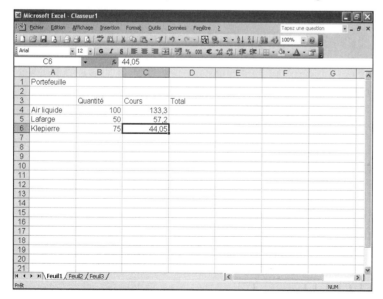

Figure 2-13
Saisie de données dans Excel.

Saisir des formules

Les formules permettent d'effectuer des calculs d'après le contenu des autres formules ou en utilisant des valeurs littérales. Pour les distinguer des autres valeurs, les formules commencent toujours par le signe égal « = ».

Dans une formule, vous pouvez utiliser des nombres, les quatre opérations (+, -, * et /) et le contenu d'autres cellules en donnant leur nom. Par exemple, la formule =A1*10, retourne la valeur 50 si la cellule A1 contient la valeur 5. Si vous modifiez le contenu de la cellule A1 en lui donnant la valeur 6, la formule retourne automatiquement la valeur 60.

Pour saisir une formule :

1. Sélectionnez la cellule qui doit contenir la formule.

2. Tapez le signe égal =.

3. Tapez la formule.

4. Validez la formule avec la touche **Entrée**.

Dans l'exemple de la figure 2-14, la cellule D6 calcule le produit de la quantité par le cours. Elle contient donc la formule =B6*C6.

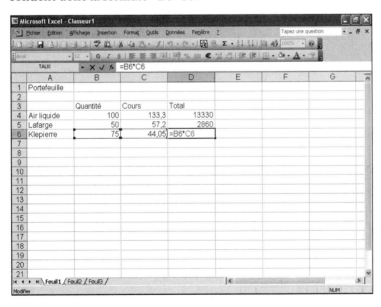

Figure 2-14 Saisie de formules dans Excel.

Utiliser une fonction dans une formule

Les quatre opérations ne sont pas toujours suffisantes. Excel propose donc des fonctions pour réaliser vos calculs. Les fonctions de base s'appliquent à une plage de cellules. Par exemple, si vous demandez la somme de la plage A1:A3, la formule retourne la somme de A1+A2+A3.

1. Sélectionnez la plage de cellules sur laquelle doit s'appliquer la fonction.

2. Cliquez la flèche en regard du bouton Σ (voir figure 2-15).

3. Cliquez la fonction à utiliser dans la liste. La fonction **Compteur** retourne le nombre de cellules contenant des nombres. Les fonctions **Min** et **Max** retournent la plus petite ou la plus grande valeur de la plage.

Excel ajoute la formule avec la fonction dans la première cellule vide en dessous ou à droite de la plage sélectionnée à l'étape **1**.

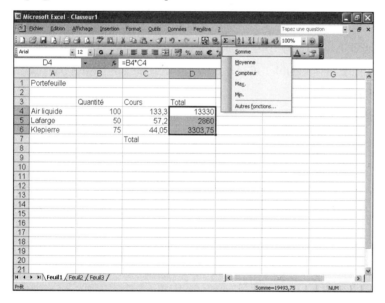

Figure 2-15 Saisie de fonctions dans Excel.

Modifier une cellule

1. Cliquez la cellule à modifier.

    La zone qui se trouve sous les barres d'outils affiche le contenu de la cellule sélectionnée. On appelle cette zone la « barre de formule ».

2. Cliquez dans la barre de formule et modifiez le contenu de la cellule. Vous pouvez vous déplacer entre les caractères en utilisant les flèches gauche et droite du clavier. Validez les modifications avec la touche **Entrée**.

Insérer ou supprimer des lignes et des colonnes

Pour ne pas retaper toutes les données d'un tableau, vous pouvez ajouter ou supprimer des lignes ou des colonnes. C'est le cas si vous avez oublié des valeurs au milieu d'un tableau, ou si des valeurs ne sont plus nécessaires.

1. Cliquez avec le bouton droit le numéro de la ligne ou la lettre de la colonne à supprimer ou celle de la ligne ou de la colonne à insérer.

2. Cliquez **Insertion** ou **Supprimer**, selon le cas, dans le menu contextuel (figure 2-16).

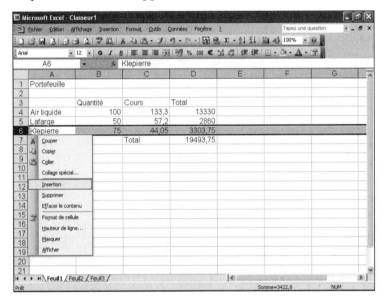

Figure 2-16 Insertion d'une ligne dans Excel.

Toutes les lignes ou les colonnes sont déplacées en conséquence.

Incrémenter une série

Si vous avez une suite de nombres ou de dates, vous pouvez demander à Excel de compléter automatiquement cette série. Par exemple, si vous avez la suite 2-4, Excel peut la compléter avec les chiffres 6-8-10, *etc.* De même pour la suite janvier-mars, elle sera complétée par mai-juillet-septembre, *etc.*

1. Saisissez et sélectionnez au minimum les deux premières valeurs de la série.

2. Pointez le coin en bas à droite de la dernière cellule de la sélection. Le curseur de souris prend la forme **+**.

3. Cliquez et faites glisser pour étendre la sélection.

Recopier une formule

Comme pour les séries, vous pouvez recopier une formule pour vous éviter de la retaper. Excel se charge de modifier le nom des cellules auxquelles la formule fait référence. Par exemple, si une cellule contient la formule =A1*B1, les cellules recopiées vers le bas contiendront les formules =A2*B2, =A3*B3, *etc.*

1. Sélectionnez la cellule qui contient la formule.

2. Pointez le coin en bas à droite de la cellule sélectionnée. Le curseur de souris prend la forme **+**.

3. Cliquez et faites glisser pour recopier la formule de la cellule sélectionnée.

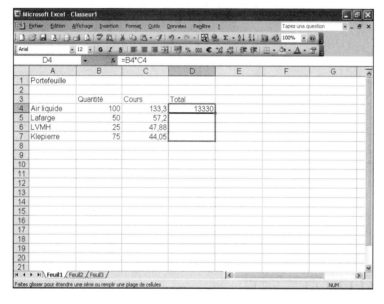

Figure 2-17 Feuille de calcul avant recopie d'une formule.

4. Éventuellement, cliquez la balise ⊞▾ puis cliquez le type de recopie (figure 2-18).

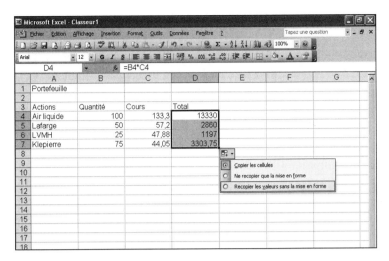

Figure 2-18 Feuille de calcul après recopie d'une formule.

Mettre en forme une cellule

La mise en forme des cellules s'effectue avec des boutons identiques à ceux de Word.

1. Sélectionnez les cellules à mettre en forme.

2. Cliquez un des boutons suivants : **G** (gras), *I* (italique), **S** (souligné), ≡ (aligné à gauche), ≡ (centré) ou ≡ (aligné à droite). Sélectionnez la police et la taille des caractères comme dans Word. Les boutons ⬜ et **A** permettent de modifier la couleur de fond de la cellule et celle des caractères.

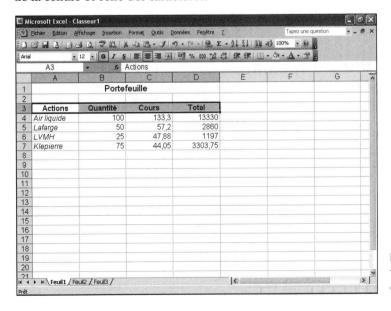

Figure 2-19 Mise en forme du contenu des cellules.

Modifier le format d'affichage

Chaque contenu de cellule peut être affiché de manière différente. Par exemple, la valeur 0,5 peut correspondre à 0,5 € ou à 50 %. Modifiez en conséquence le format d'affichage. Cela ne modifie pas le contenu de la cellule : si une cellule affiche 50 %, elle contiendra toujours la valeur 0,5.

1. Sélectionnez la (ou les) cellule(s) à mettre en forme.

2. Cliquez € (euros), % (pourcentage) ou 000 (nombre avec séparateur des milliers). Les boutons et permettent d'ajouter ou de supprimer une décimale.

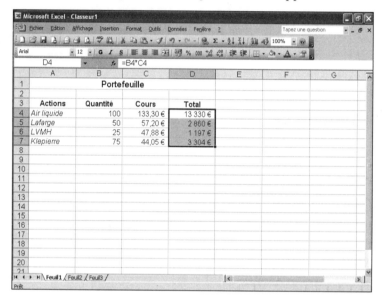

Figure 2-20 Modification du format d'affichage des cellules.

Mettre en forme un tableau

Pour mieux délimiter votre tableau, ajoutez-lui des quadrillages.

1. Sélectionnez la (ou les) cellule(s) à quadriller.

2. Cliquez la flèche en regard du bouton .

3. Cliquez le type de quadrillage dans la liste.

Pour vous simplifier la vie, Excel propose des mises en forme prédéfinies pour vos tableaux.

1. Sélectionnez les cellules du tableau.

2. Cliquez le menu **Format ➜ Mise en forme automatique**.

3. Sélectionnez une mise en forme dans la boîte **Format automatique**.

4. Cliquez le bouton **OK**.

La mise en forme choisie s'applique à l'ensemble des cellules sélectionnées.

Astuce ⊗ Si le tableau est délimité par des lignes ou des colonnes vides et/ou par la colonne A et la ligne 1, sélectionnez une cellule de ce tableau, puis tapez **Ctrl+***. Le tableau sera entièrement sélectionné, quelle que soit sa taille.

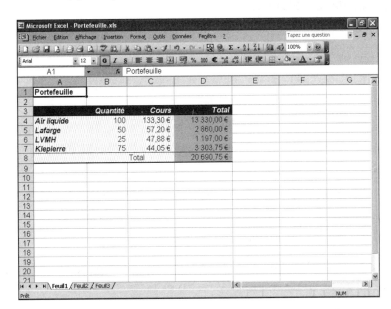

Figure 2-21 Mise en forme automatique d'un tableau dans Excel.

Réaliser un graphique

Avec un graphique, vous pourrez présenter vos données de manière plus parlante.

1. Sélectionnez toutes les cellules du tableau, y compris les en-têtes de ligne et de colonne.

2. Cliquez le bouton 📊.

   Excel ouvre une boîte de dialogue pour vous permettre de choisir le type de graphique.

3. Cliquez un type de graphique dans la liste de gauche.

4. Cliquez un sous-type dans la liste de droite.

5. Cliquez le bouton **Terminer**.

   Excel insère le graphique dans la feuille de calcul.

6. Éventuellement, faites glisser le bord du graphique pour le placer à un autre endroit.

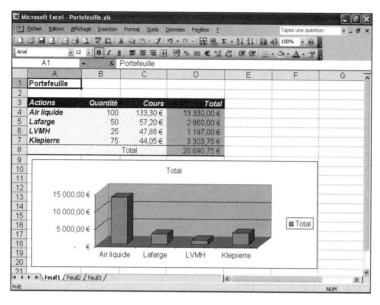

Figure 2-22 Graphique dans Excel.

Insérer une nouvelle feuille

Les documents d'Excel, les classeurs, peuvent contenir plusieurs feuilles de calcul (3 par défaut). Pour passer de l'une à l'autre, cliquez les onglets en bas de la fenêtre.

Pour insérer une nouvelle feuille :

1. Cliquez le menu **Insertion → Feuille**.

Conseil ⊗ N'oubliez pas d'enregistrer régulièrement vos classeurs, comme expliqué au début de ce chapitre.

Retoucher des photographies

Qu'elles proviennent d'un appareil photo numérique ou d'un scanner, les photographies souffrent parfois de défauts qu'il est bon de corriger avec un logiciel adéquat, comme Photohsop Elements.

1. Ouvrez Photoshop Elements.

2. Dans le panneau qui s'affiche, cliquez **Retoucher rapidement les photos**.

3. Ouvrez une photo (consultez l'ouverture d'un document au début de ce chapitre).

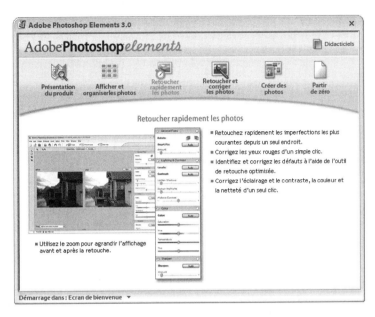

Figure 2-23 Panneau à l'ouverture de Photoshop Elements.

Corriger la luminosité

Si l'exposition lors de la prise de vue n'était pas correcte, vous pouvez modifier la luminosité et le contraste de vos photos.

1. Dans la zone Affichage au bas de la fenêtre, cliquez **Avant et après (Portrait)** ou **(Paysage)** pour visualiser l'image avant et après chaque réglage.

2. Dans le panneau de droite, rubrique Eclairage, déplacez les différents curseurs vers la gauche ou la droite pour assombrir ou éclaircir la photo et pour modifier le contraste. Vous pouvez également cliquer le bouton **Auto** en face de **Niveaux** pour effectuer une correction automatique de la luminosité.

   Les deux images vous montrent la photographie avant et après les réglages.

3. Si le résultat vous convient, enregistrez l'image. Sinon, cliquez le bouton **Réinitialiser** au-dessus de la photo de droite pour revenir à la version d'origine.

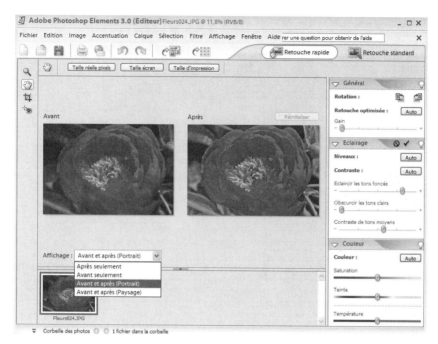

Figure 2-24
Réglage de la luminosité dans Photoshop Elements.

Corriger les couleurs

Les couleurs de votre photographie ne correspondent pas à la réalité ou vous désirez les améliorer ? Modifiez-les.

1. Dans la zone Affichage au bas de la fenêtre, cliquez **Avant et après (Portrait)** ou **(Paysage)** pour visualiser l'image avant et après chaque réglage.

2. Dans le panneau de droite, rubrique Couleur, déplacez les différents curseurs vers la gauche ou la droite pour modifier la saturation, la teinte et la température de l'image. Vous pouvez également cliquer le bouton **Auto** pour effectuer une correction automatique des couleurs.

3. Si le résultat vous convient, enregistrez l'image. Sinon, cliquez le bouton **Réinitialiser** au-dessus de la photo de droite pour revenir à la version d'origine.

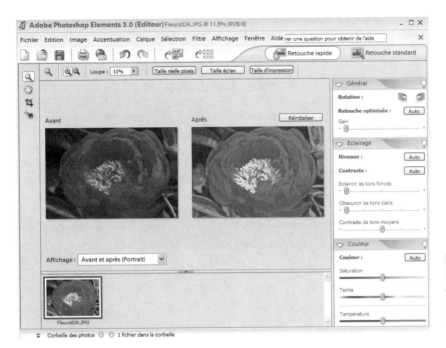

Figure 2-25
Réglage des couleurs dans Photoshop Elements.

Modifier la perspective

Si vous avez pris une photographie d'un bâtiment ou d'un objet, il se produit un effet de perspective si l'objectif de l'appareil n'était pas parfaitement parallèle au sujet. Pour corriger cela :

1. Cliquez le bouton **Retouche standard** dans le haut de la fenêtre de Photoshop Elements ou cliquez **Retoucher et corriger les photos** dans le panneau qui s'affiche au lancement de Photoshop Elements (figure 2-23).

2. En maintenant la touche **Alt**, cliquez l'image pour effectuer un zoom arrière et faire apparaître une zone grise autour de celle-ci.

3. Tapez **Ctrl+A** pour sélectionner l'intégralité de l'image. Un cadre en pointillé entoure cette dernière.

4. Cliquez le menu **Image** → **Transformation** → **Perspective**.

5. Cliquez et faites glisser les petits carrés autour de la photographie vers l'extérieur du cadre (zone grise) pour supprimer l'effet de perspective.

6. Appuyez sur **Entrée** pour valider les modifications.

7. Tapez **Ctrl+D** pour supprimer la sélection en pointillé.

Figure 2-26 Modification d'une perspective dans Photoshop Elements.

Chapitre

>> Utiliser l'aide

3

Tous les logiciels proposent une aide en ligne pour venir à votre secours en cas de problème. Windows n'échappe donc pas à la règle.

Comme la gestion de l'aide est commune à toutes les l'applications, vous ne serez pas dépaysé. Que vous utilisiez un traitement de texte ou un tableur, son fonctionnement est identique.

Pour les cas difficiles, Windows XP propose en plus une base de connaissances, disponible *via* Internet.

Obtenir de l'aide

L'aide de Windows se présente comme un livre. Les rubriques d'aide sont classées dans un sommaire. Le fonctionnement est semblable à celui d'une page Web sur Internet.

1. Cliquez le bouton **Démarrer → Aide et support**.

Note Cliquez le fond du bureau, puis appuyez sur la touche **F1** pour ouvrir rapidement l'aide. Dans les applications, appuyez simplement sur la touche **F1** ou utilisez le menu **?**.

2. Cliquez une rubrique pour afficher l'aide correspondante (figure 3-1).

Note Cliquez le bouton 🏠 pour revenir au sommaire de l'aide.

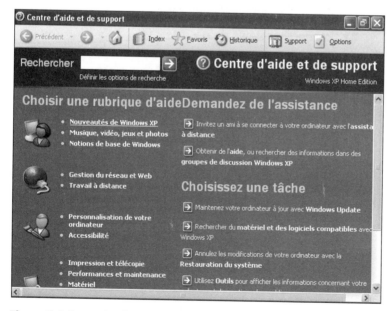

Figure 3-1 Sommaire de l'aide de Windows XP.

L'aide affiche les sous-rubriques de la rubrique choisie à l'étape **2**.

3. Cliquez la sous-rubrique dans la partie de gauche pour afficher la liste des documents d'aide correspondants.

4. Cliquez un lien dans la partie de droite pour affiner l'aide.

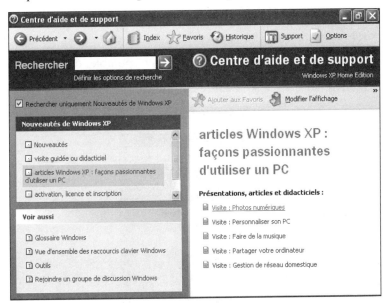

Figure 3-2
Sous-rubriques de l'aide
de Windows XP.

Comme la navigation sur l'Internet, la recherche dans l'aide en ligne reste intuitive.

L'aide propose aussi des écrans et des illustrations.

1. Cliquez un lien vers un écran ou une illustration pour l'agrandir.

L'écran ou l'illustration s'affiche dans une fenêtre séparée (figure 3-3).

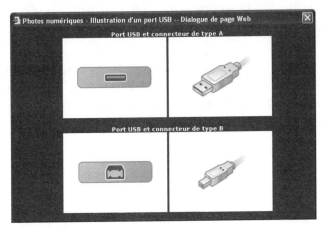

Figure 3-3 Illustration
dans l'aide de Windows XP.

2. Cliquez ✕ pour fermer la fenêtre.

Rechercher de l'aide dans l'index

L'index permet une recherche dans les titres des rubriques à partir d'un mot clé. Ne négligez pas cette aide, qui est utile, voire indispensable.

1. Affichez l'aide.

2. Cliquez le bouton ⬛ Index .

   La liste de gauche propose tous les titres de rubriques disponibles dans l'aide.

3. Tapez le mot à rechercher dans la zone **Entrez le mot clé**.

   La rubrique correspondante est sélectionnée dans la liste.

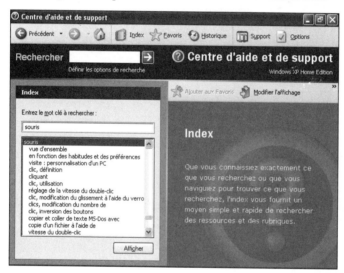

Figure 3-4 Recherche d'une rubrique d'aide.

4. Double-cliquez la rubrique qui vous intéresse.

   La partie de droite affiche l'aide correspondante.

Note ⊗ Les liens précédés par l'icône ▦ permettent de suivre une procédure dans Windows. Dans l'exemple de la figure 3-5, le lien ▦ **Souris** ouvre directement la boîte de dialogue qui permet de modifier la vitesse du double clic. Vous n'avez donc pas besoin d'ouvrir le Panneau de configuration puis de rechercher cette boîte.

5. Cliquez ☒ pour fermer la fenêtre Centre d'aide et de support.

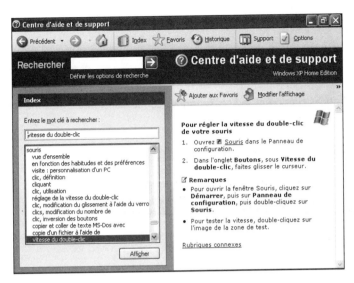

Figure 3-5 Recherche d'une rubrique d'aide.

Rechercher de l'aide par mots clés

La recherche par mots clés permet de trouver les rubriques contenant des textes précis. Utilisez-la si les autres solutions ne vous donnent pas satisfaction.

1. Afficher l'aide.

2. Tapez dans la zone **Rechercher** le(s) mot(s) correspondant aux textes à trouver dans l'aide, puis appuyez sur **Entrée**.

   - Windows effectue une recherche dans l'intégralité des rubriques de l'aide.

   - Après la recherche, la liste de gauche affiche toutes les rubriques contenant le(s) mot(s) clé(s).

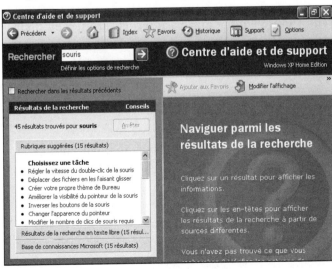

Figure 3-6 Recherche d'une rubrique par mots clés.

3.   Double-cliquez la rubrique qui vous intéresse.

La partie de droite affiche l'aide correspondante. Les mots clés saisis à l'étape **2** sont en surbrillance.

Note ⊗ La plupart des rubriques proposent le lien **Rubriques connexes** (figure 3-7). Il permet de trouver d'autres rubriques traitant du même sujet.

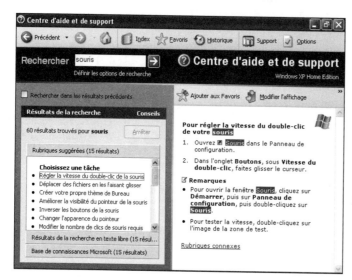

Figure 3-7 Rubrique correspondant aux mots clés recherchés.

4.   Cliquez ❌ pour fermer la fenêtre Centre d'aide et de support.

Rechercher de l'aide sur Internet

Microsoft offre une assistance plus étendue grâce à Internet. Profitez-en pour résoudre les problèmes qui ne sont pas répertoriés dans l'aide en ligne standard.

1.   Afficher l'aide de Windows XP.

2.   Cliquez le bouton 🛈 Support .

3.   Cliquez le lien **Obtenir de l'assistance de Microsoft**.

4.   Si vous n'êtes pas connecté actuellement, cliquez le bouton **Connecter**.

5.   Cliquez dans la liste de droite le type d'aide que vous désirez obtenir (figure 3-8).

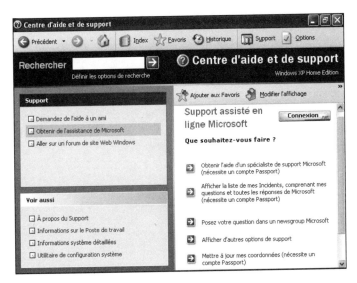

Figure 3-8 Accès à l'aide sur Internet

6. Suivez les instructions du site Web de Microsoft.

Partie

II

> > **Explorer l'ordinateur avec Windows XP**

ant Recherche ✕

OK   Annuler

Chapitre 4

>> Notions fondamentales de l'ordinateur

Ce chapitre explique l'organisation de l'ordinateur à partir du Poste de travail. Ce dernier regroupe tous les éléments qui composent le PC, et en particulier les disques et les dossiers. Comprendre le Poste de travail, c'est connaître la structure de votre ordinateur : disques, périphériques, réseaux, *etc.* Sa maîtrise est donc indispensable.

Poste de travail

Comprendre l'organisation de votre PC est une étape indispensable pour retrouver facilement vos documents ou utiliser les périphériques. Tous ces éléments sont regroupés dans un outil appelé Poste de travail.

1. Double-cliquez l'icône **Poste de travail** sur le Bureau, ou cliquez le bouton **Démarrer → Poste de travail**.

Définition ⊗ **Explorateur Windows** : L'Explorateur et le Poste de travail fonctionnent de la même manière. À l'ouverture, dans la partie de gauche, l'Explorateur propose la liste des dossiers et le Poste de travail un volet de commandes. Pour ces deux outils, il suffit de cliquer le bouton [Dossiers] pour passer d'un affichage à un autre. L'Explorateur est accessible à partir du menu **Démarrer → Tous les programmes → Accessoires**.

Toutes les icônes de la figure 4-1 représentent les éléments présents dans le PC : dossiers principaux, disques durs, disques amovibles, lecteurs partagés par d'autres personnes si votre ordinateur est connecté à un réseau, et périphériques connectés (scanner, appareil photo numérique, webcam, caméscope numérique, *etc.*).

Note ⊗ Pour modifier l'apparence des icônes, cliquez le bouton [▦] puis le type d'affichage.

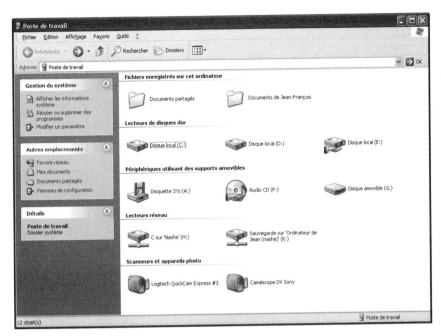

Figure 4-1
Poste de travail.

Disques de stockage

Dans un PC classique, vous devez avoir au moins trois types de lecteurs ou de disques : lecteur de disquettes, disque dur et lecteur de CD.

Chaque disque est nommé par une lettre : A: pour le lecteur de disquettes, C: pour le disque dur, et D: pour le lecteur de CD s'il n'y a pas d'autres disques durs. Quand il y a d'autres disques durs, ils prennent les lettres après C et le lecteur de CD se trouve placé en dernier. .

Anecdote⊗ Les premiers PC contenaient deux lecteurs de disquettes, nommés A: et B:, pour effectuer des copies de l'un vers l'autre. Puis sont arrivés les disques durs qui ont pris tout naturellement la lettre C:. Dans les PC actuels, le second lecteur de disquettes a généralement disparu, mais la lettre B a été conservée, bien que rarement utilisée.

Comprendre la structure d'un disque

1. Éventuellement, cliquez le bouton [🗀 Dossiers] pour afficher dans la partie de gauche la liste des dossiers.

La fenêtre est divisée en deux parties. La partie de gauche affiche tous les éléments qui composent l'ordinateur. La partie de droite affiche le contenu de l'élément sélectionné dans la partie de gauche. Pour sélectionner un élément, cliquez simplement son nom ou son icône.

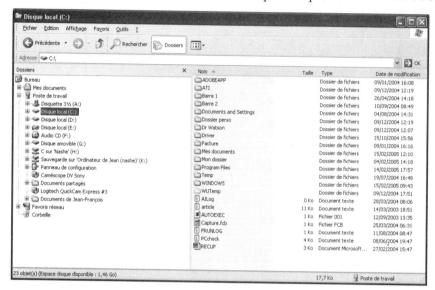

Figure 4-2
Contenu d'un disque.

Un signe ⊞ indique que l'élément contient d'autres éléments. En cliquant ce signe, vous développez l'arborescence. Les éléments contenus dans le disque ou le dossier apparaissent en dessous, dans la partie de gauche. Un signe ⊟ indique que l'arborescence est développée.

On peut comparer le Poste de travail à une armoire que l'on trouve dans les bureaux. Cette armoire contient des tiroirs que l'on peut comparer aux disques. Dans chaque tiroir on trouve des dossiers suspendus : ce sont les dossiers des disques. Dans chaque dossier on trouve des documents : ce sont les applications ou les documents du PC. Parfois, dans les dossiers suspendus, on trouve d'autres dossiers. Dans l'ordinateur, on les appelle les sous-dossiers.

Les dossiers permettent de classer les documents que vous allez créer avec les applications. Le disque C contient déjà un dossier nommé « Mes documents ». C'est ce dossier qui est proposé par défaut par les applications quand vous désirez enregistrer votre travail. Mais pour mieux classer vos documents, il est préférable de créer d'autres dossiers. Ils permettront, par exemple, de ne pas mélanger vos courriers avec votre comptabilité.

Conseil ⊗ Les applications sont stockées dans le dossier « Program Files », et les fichiers de Windows tout simplement dans le dossier « Windows ». Sauf pour des cas très précis, vous ne devez pas modifier le contenu de ces deux dossiers. Vos applications ou Windows risqueraient de ne plus fonctionner. Si vous désirez désinstaller une application, consultez le chapitre 19. Ne supprimez pas ses fichiers.

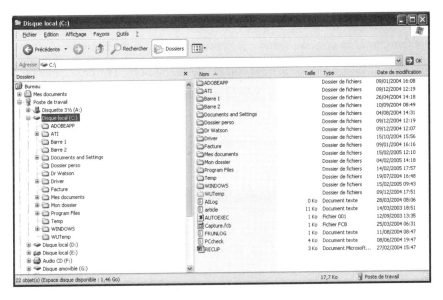

Figure 4-3
Contenu développé
d'un disque.

Créer un dossier

Pour mieux classer vos documents, n'hésitez pas à créer de nouveaux dossiers.

1. Cliquez le disque ou le dossier qui doit contenir le nouveau dossier.

Attention ⊘ L'étape **1** est importante. Si vous ne sélectionnez pas le bon élément au préalable, votre
dossier risque d'être créé à un endroit non désiré.

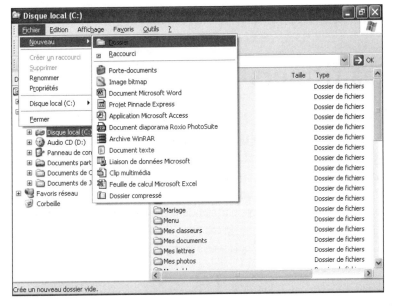

Figure 4-4
Création d'un nouveau
dossier.

2.   Cliquez le menu **Fichier** → **Nouveau** → **Dossier**.

3.   Tapez immédiatement le nom du dossier et appuyez sur la touche **Entrée**.

Si vous n'avez pas tapé de nom à l'étape **3**, mais appuyé simplement sur **Entrée** ou sélectionné avec la souris un autre élément, le dossier porte le nom par défaut « Nouveau dossier ».

Pour le renommer :

1.   Cliquez le nom du dossier avec le bouton droit de la souris.

2.   Cliquez la commande **Renommer** dans le menu contextuel.

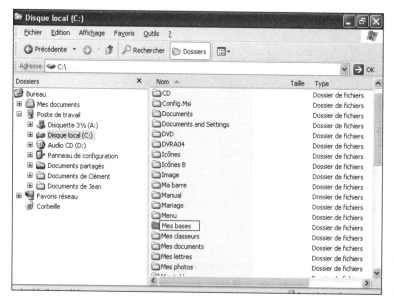

Figure 4-5
Modification du nom d'un dossier.

3.   Tapez le nom du dossier et appuyez sur la touche **Entrée** (figure 4-5).

Consulter les fichiers

1.   Cliquez dans la partie de gauche un dossier qui contient des fichiers.

La partie de droite affiche la liste des fichiers de ce dossier.

Définition ⊗ **Fichiers** et **documents** : Le mot « fichier » est un terme générique qui désigne tout les types de fichiers (documents, programmes, *etc.*). Le terme « document » concerne uniquement les fichiers que vous avez créés avec une application (un texte, une feuille de calcul, *etc.*).

Tous les fichiers correspondent à un type particulier. Pour les reconnaître, Windows les associe à une icône. Les documents ont une icône très proche de celle de l'application. Par exemple, si vous avez créé un texte avec l'application Word, donc en cliquant l'icône [W] sur le bureau ou dans le menu **Démarrer**, le nom de votre document est associé à l'icône [W].

En réalité, le document est reconnu grâce à son extension. Cette dernière est un groupe de trois lettres précédé d'un point et qui indique le type de document. Par exemple, un document créé avec Excel porte l'extension « .xls », et un document Word l'extension « .doc ». En fonction des options d'affichage, il est possible que cette extension ne soit pas visible dans votre Poste de travail, contrairement à la figure 4-6.

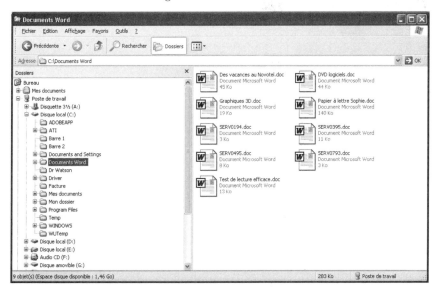

Figure 4-6
Icônes des fichiers.

Si Windows connaît le type d'un document, cela veut dire qu'il connaît aussi l'application qui l'a créé. Il est donc possible d'ouvrir directement un document à partir du Poste de travail tout simplement en le double-cliquant. Windows se charge alors d'ouvrir l'application correspondante et votre document.

Autres lecteurs

Dans le Poste de travail, vous pouvez trouver d'autres périphériques de stockages, en dehors des traditionnels disques durs ou lecteurs de disquettes. C'est le cas des lecteurs ou graveurs de CD/DVD, des lecteurs de bandes (sauvegardes de vos données), des lecteurs Zip (disquettes de grandes capacités ; figure 4-7), ou des lecteurs de cartes (Compact flash, Memory stick, SmartMedia, *etc.*). Ces périphériques sont, bien sûr, accessibles à partir du Poste de travail.

Figure 4-7 Lecteur Zip.

Périphériques

Les périphériques sont des éléments extérieurs qui permettent de communiquer avec l'utilisateur, que ce soit en entrée (souris, clavier, scanner, *etc.*) ou en sortie (son, imprimante, *etc.*). Tous les périphériques communiquent avec l'ordinateur *via* une interface. On nomme cette dernière « port » quand elle est présente sur le boîtier de l'unité centrale. L'interface est différente en fonction du périphérique. Par exemple, l'imprimante se connecte au port parallèle, alors qu'un modem se connecte au port série. Dans l'avenir, les périphériques se connecteront tous au même type de port : l'USB. C'est déjà le cas de beaucoup de scanners et d'appareils photos numériques.

La grande force des PC, c'est leur souplesse d'adaptation au monde extérieur. Windows XP tient compte de votre environnement et des périphériques qui sont connectés.

Figure 4-8 Carte d'acquisition
pour les Caméscopes DV

Par exemple, si vous êtes en possession d'un Caméscope numérique (DV ou Digital 8 ; figure 4-9), vous pouvez le connecter à votre ordinateur, *via* une carte d'acquisition. Il apparaîtra automatiquement dans le Poste de travail (figure 4-1). Vous pourrez ainsi effectuer vos opérations de montage sans l'aide d'un second Caméscope ou magnétoscope. De plus, les logiciels de montage offrent des possibilités auparavant irréalisables, comme les transitions 3D, les effets spéciaux ou les titrages sophistiqués.

Figure 4-9 Caméscope DV accessible dans le Poste de travail.

Réseaux

Dès que vous possédez deux ordinateurs, vous pouvez les mettre en réseau, c'est-à-dire les relier par des câbles ou par un système sans fil comme le Wi-Fi *(Wireless Fidelity)*. Cela permet de partager vos ressources, par exemple un disque dur, un dossier ou une imprimante.

Disques

Le partage de disques ou de dossiers permet d'échanger facilement des fichiers entre les ordinateurs d'un réseau.

Dans l'exemple de la figure 4-10, le disque E est partagé (icône ⊞) ainsi que le lecteur de CD-ROM F. Les autres utilisateurs peuvent accéder à leurs contenus. Les disques H et K sont des disques ou des dossiers partagés par d'autres utilisateurs du réseau (icônes ⊞). Vous pouvez les utiliser comme s'ils étaient présents dans votre ordinateur.

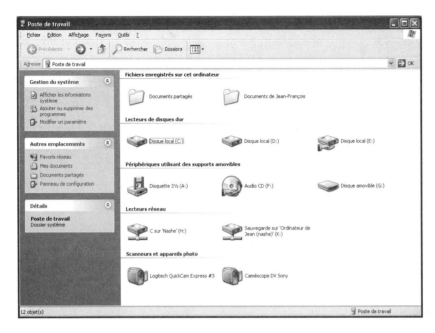

Figure 4-10 Disques partagés ou connectés.

Imprimantes

Comme pour les disques, vous pouvez partager votre imprimante ou utiliser celles des autres ordinateurs du réseau.

Dans l'exemple de la figure 4-11, votre imprimante est partagée (icône 🖨️). Les autres personnes du réseau pourront l'utiliser. L'imprimante avec l'icône 🖨️ est partagée par un autre utilisateur. Vous pouvez l'utiliser comme si elle était physiquement branchée à votre ordinateur.

Figure 4-11 Imprimantes partagées ou connectées.

Chapitre

Poste de travail et Explorateur

5

L'Explorateur Windows et le Poste de travail permettent d'accéder à tous les éléments de l'ordinateur. Découvrez dans ce chapitre l'essentiel des commandes pour bien les utiliser : copie, déplacement, apparence, impression, raccourcis, *etc.*

Connaître les propriétés d'un élément

Disques

Il est intéressant de connaître les caractéristiques d'un disque pour que vous puissiez en évaluer les capacités et, éventuellement, modifier son nom.

1. Ouvrez le Poste de travail ou l'Explorateur Windows.

Astuce ⊗ Pour ouvrir rapidement l'Explorateur Windows, tapez ⊞+**E**.

2. Cliquez avec le bouton droit le disque à vérifier (disque dur, lecteur de disquettes ou de CD-ROM, lecteur de cartes mémoires, *etc.*).

3. Cliquez la commande **Propriétés** dans le menu contextuel.

Figure 5-1 Propriétés d'un disque dur.

La boîte de la figure 5-1 donne des informations sur le nom du disque, sa taille, l'espace utilisé et l'espace restant.

Note ⊗ Vous pouvez attribuer un nouveau nom aux disques durs ou aux disquettes en le tapant dans la zone de texte sous les onglets. Vous ne pouvez pas modifier le nom des CD-ROM. Pour retrouver le nom par défaut, supprimer le contenu de cette zone.

4. Cliquez le bouton **OK**.

Dossiers

Comme pour les disques, il est nécessaire de connaître les caractéristiques d'un dossier pour évaluer la place qu'il occupe réellement.

1. Cliquez avec le bouton droit le dossier à vérifier.

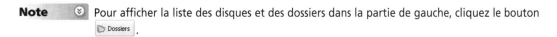

Note Pour afficher la liste des disques et des dossiers dans la partie de gauche, cliquez le bouton Dossiers .

2. Cliquez la commande **Propriétés** dans le menu contextuel.

Figure 5-2 Propriétés d'un dossier.

La boîte de la figure 5-2 indique le nombre de sous-dossiers et le nombre de fichiers présents dans le dossier. La taille affichée correspond à celle du dossier, incluant celles des sous-dossiers et des fichiers.

3. Cliquez le bouton **OK**.

Modifier l'apparence des dossiers

Changer l'affichage

Un dossier peut s'afficher de plusieurs façons : icônes, liste détaillée, *etc.* Choisissez celui qui convient le mieux aux actions que vous désirez effectuer.

1. Sélectionnez le dossier à modifier.

2. Cliquez le bouton 🞀 puis cliquez le type d'affichage dans la liste.

Note 🕸 Les dossiers contenant des images sont des cas particuliers. Consultez le chapitre 9.

Changer l'ordre de classement

Par défaut, les fichiers sont classés par ordre alphabétique. Les dossiers sont toujours placés en début de liste.

1. Sélectionnez le dossier à classer.

2. Cliquez le menu **Affichage → Réorganiser les icônes** puis l'ordre de classement (**Nom**, **Taille**, **Type** ou **Modifié le**).

Avec l'affichage détaillé, le classement est encore plus simple :

1. Cliquez le bouton 🞀 puis **Détails**.

2. Cliquez un en-tête de colonne, par exemple **Nom**.

   La liste est triée par ordre croissant ou décroissant de la colonne choisie.

3. Cliquez l'en-tête de la même colonne.

   ˥ liste est triée dans l'ordre inverse.

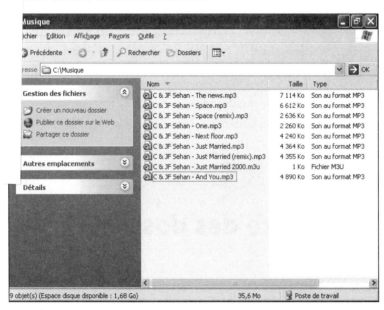

Figure 5-3 Affichage détaillé et classement par noms.

Classer les fichiers par groupe

Pour mieux classer vos fichiers, vous pouvez les réunir par groupe (par lettres de l'alphabet, par jours, mois ou années, *etc.*).

1. Cliquez le menu **Affichage** ➔ **Réorganiser les icônes par** ➔ **Afficher par groupe**.

2. Cliquez un en-tête de colonne, par exemple **Date de modification**.

    La liste est triée par groupe (**Aujourd'hui**, **Hier**, **Plus tôt cette semaine**, **Le mois dernier**, *etc.* comme dans l'exemple de la figure 5-4).

3. Cliquez le menu **Affichage** ➔ **Réorganiser les icônes par** ➔ **Afficher par groupe** pour ôter la coche et revenir à l'affichage d'origine.

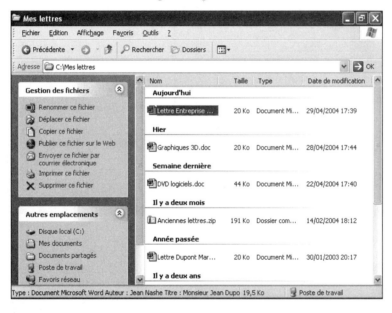

Figure 5-4
Affichage par groupe.

Sélectionner des éléments

Pour aller plus vite, il est beaucoup plus simple de sélectionner plusieurs éléments pour leur appliquer la même action. C'est le cas, par exemple, si vous désirez déplacer ou supprimer plusieurs documents.

Sélectionner des fichiers contigus

1. Cliquez le premier fichier pour le sélectionner.

2. Maintenez enfoncée la touche **Maj** (cette touche se trouve au-dessus de la touche **Ctrl**).

3. Cliquez le dernier fichier.

4. Relâchez la touche **Maj**.

Seuls les fichiers sélectionnés sont en surbrillance.

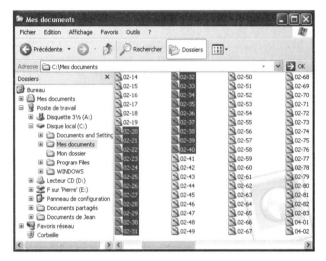

Figure 5-5 Sélection de fichiers contigus.

Sélectionner des fichiers non contigus

1. Cliquez le premier fichier pour le sélectionner.

2. Maintenez enfoncée la touche **Ctrl**.

3. Cliquez l'un après l'autre les autres fichiers à sélectionner.

4. Relâchez la touche **Ctrl**.

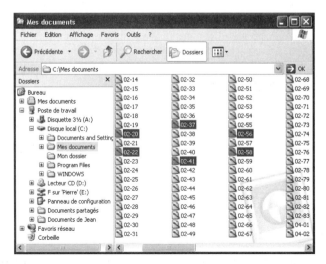

Figure 5-6 Sélection de fichiers non contigus.

Seuls les fichiers sélectionnés sont en surbrillance.

Note ⊗ Pour désélectionner un élément de la sélection, cliquez-le de nouveau en maintenant enfoncée la touche **Ctrl**. Pour sélectionner tout le contenu d'un dossier, cliquez un de ses fichiers puis tapez **Ctrl+A**.

Déplacer ou copier des documents

Il est parfois nécessaire de déplacer des documents entre deux dossiers pour mieux les classer. Il est par contre nécessaire d'effectuer des copies de vos documents pour en assurer la pérennité.

1. Sélectionnez le ou les documents à déplacer.

2. Cliquez et faites glisser un des fichiers de la sélection vers le nouveau dossier.

Les fichiers sont toujours copiés entre deux disques différents (par exemple du disque C vers le lecteur de disquette A). Pour forcer un déplacement entre deux disques, maintenez la touche **Maj** pendant l'étape **2**.

Si vous désirez faire une copie et non simplement un déplacement, répétez les étapes **1** et **2** mais en maintenant la touche **Ctrl** pendant l'étape **2**.

Astuce ⊗ Si vous n'êtes pas à l'aise pour utiliser en même temps la souris et le clavier, réalisez les étapes **1** et **2** mais en utilisant le bouton droit de la souris. Windows ouvre un menu contextuel dès que vous relâchez le bouton. Cliquez ensuite dans ce menu la commande **Déplacer ici** ou **Copier ici**.

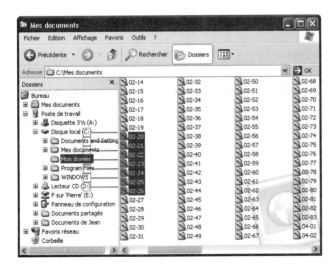

Figure 5-7 Copie de fichiers entre le dossier « Mes Documents » et le dossier « Mon dossier ».

Supprimer un document

Si vous n'avez plus besoin de certains fichiers, vous pouvez les supprimer pour gagner de la place sur votre disque dur.

1. Sélectionnez le ou les documents à supprimer.

2. Appuyez sur la touche **Suppr**.

Conseil ⊗ Ne supprimez que vos documents. Ne supprimez pas les autres fichiers. Ils appartiennent probablement à une application ou à Windows.

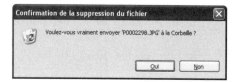

Figure 5-8 Suppression d'un fichier.

La boîte de la figure 5-8 vous demande de confirmer la suppression.

3. Cliquez le bouton **Oui**.

Les fichiers ne sont pas réellement supprimés. Ils sont déplacés dans un dossier spécial baptisé Corbeille (consultez le chapitre 7).

Annuler la dernière action

Que vous ayez déplacé, copié, renommé ou supprimé des éléments, vous pouvez toujours annuler la dernière action.

1. Cliquez le menu **Edition** → **Annuler**.

Note ⊗ La commande **Annuler** du menu **Edition** précise le type d'annulation : **Annuler Déplacer**, **Annuler Supprimer**, *etc.* (figure 5-9).

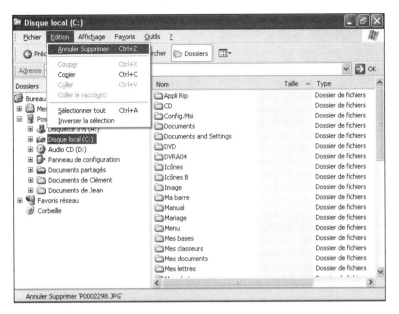

Figure 5-9 Annulation de la dernière action.

Utiliser le panneau du Poste de travail

Si vous êtes réfractaire au « cliquer-glisser » et aux touches du clavier, le Poste de travail vous propose un panneau contextuel pour déplacer, copier ou supprimer des fichiers et des dossiers.

1. Éventuellement, cliquez le bouton [Dossiers] pour qu'il ne soit pas enfoncé.

Commandes de déplacement

Dans le panneau de gauche, la zone **Autres emplacements** propose des commandes pour afficher directement un emplacement précis de l'ordinateur (figure 5-10).

2. Cliquez dans le panneau de gauche l'emplacement à atteindre.

Note ⊙ Cliquez les boutons ⊗ et ⊛ pour afficher ou masquer les zones du panneau de gauche.

Figure 5-10 Utilisation du panneau contextuel.

Commandes des dossiers

1.   Double-cliquez un dossier pour l'ouvrir.

   La zone **Gestion des fichiers** propose des commandes relatives au dossier ouvert (créer un nouveau dossier, publier le dossier sur Internet ou partager le dossier sur le réseau).

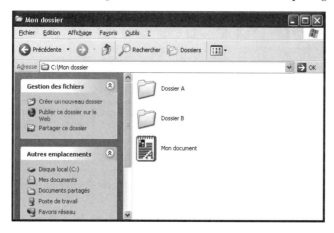

Figure 5-11 Commandes relatives aux dossiers.

2.   Cliquez un dossier pour le sélectionner (figure 5-11).

   La zone **Gestion des fichiers** propose de nouvelles commandes relatives au dossier ouvert (renommer, déplacer, copier, *etc.*).

3.   Cliquez dans le panneau de gauche la commande à exécuter.

Commandes des fichiers

1. Sélectionnez un ou des fichiers.

   La zone **Gestion des fichiers** propose des commandes relatives aux fichiers sélectionnés (renommer, déplacer, copier, *etc.*).

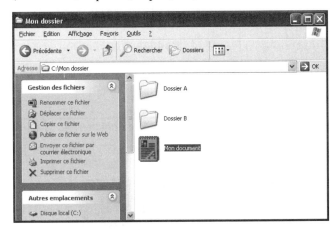

Figure 5-12 Commandes relatives aux fichiers.

2. Cliquez dans le panneau de gauche la commande à exécuter (figure 5-12).

Copier ou déplacer un fichier ou un dossier

Si vous avez choisi la commande **Déplacer** ou **Copier**, Windows affiche une boîte pour rechercher le dossier de destination.

1. Recherchez l'emplacement de destination dans la boîte de la figure 05-13. Cliquez les boutons ⊞ et ⊟ pour développer ou réduire l'arborescence. Cliquez le dossier de destination pour le sélectionner.

2. Cliquez le bouton **Déplacer** ou **Copier**.

Figure 5-13 Déplacement ou copie d'un fichier ou d'un dossier.

Ajouter un raccourci sur le bureau

Avec le Poste de travail vous pouvez ajouter directement un raccourci sur le bureau quel que soit l'élément (fichier, dossier, *etc.*).

Note ⊗ Pour gérer les raccourcis du bureau et du menu Démarrer, consultez le chapitre 18.

1. Cliquez le bouton 🗗 pour réduire la fenêtre du Poste de travail et voir le bureau.

2. Avec le bouton droit, cliquez et faites glisser vers le bureau le disque, le dossier, l'application ou le document dont vous désirez ajouter un raccourci.

Attention ⊗ Si vous n'utilisez pas le bouton droit, les dossiers et les documents sont déplacés vers le bureau.

3. Cliquez la commande **Créer les raccourcis ici** dans le menu contextuel.

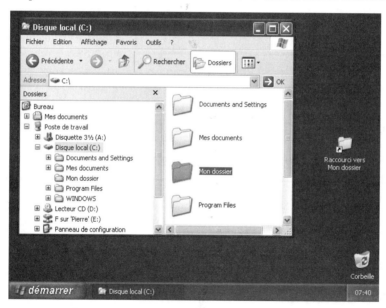

Figure 5-14
Ajout d'un raccourci
au bureau.

Le raccourci est ajouté sur le bureau. Vous n'avez plus besoin d'ouvrir le Poste de travail et de rechercher l'élément pour y accéder. Double-cliquez simplement le raccourci pour l'ouvrir.

Astuce ⊗ En sélectionnant plusieurs éléments, vous ajoutez plusieurs raccourcis en une seule fois.

Ouvrir une application ou un document

Si vous avez trouvé une application ou un document avec le Poste de travail, vous pouvez l'ouvrir immédiatement.

Ouvrir une application

1. Cliquez le dossier qui contient l'application.

2. Double-cliquez l'icône ou le nom de l'application.

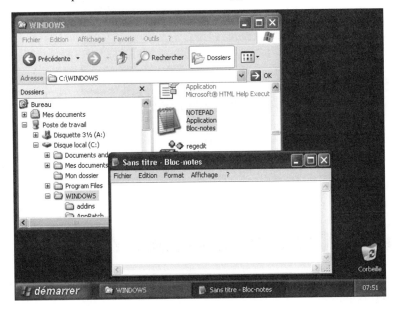

Figure 5-15 Ouverture d'une application.

La fenêtre de l'application s'ouvre.

3. Créez ou ouvrez un document comme à l'accoutumée.

4. Cliquez le bouton ☒ pour fermer l'application. Cliquez le bouton **Oui** si l'application vous demande d'enregistrer le nouveau document, puis saisissez son nom (consultez le début du chapitre 2 pour la gestion des documents).

Ouvrir un document

1. Cliquez le dossier qui contient le document.

2. Double-cliquez l'icône ou le nom du document.

Le document s'ouvre avec l'application correspondante.

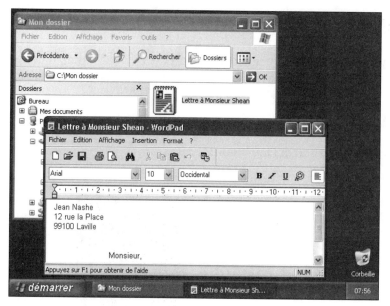

Figure 5-16 Ouverture d'un document.

3. Modifiez le document comme à l'accoutumée.

4. Cliquez le bouton ☒ pour fermer l'application et le document. Cliquez le bouton **Oui** si l'application vous demande d'enregistrer les modifications.

Imprimer directement un document

Vous pouvez imprimer directement un document à partir du Poste de travail sans même ouvrir l'application correspondante.

1. Cliquez avec le bouton droit le document à imprimer.

2. Cliquez la commande **Imprimer** dans le menu contextuel.

L'application correspondante est lancée, le document est imprimé avec l'imprimante par défaut, puis l'application est fermée.

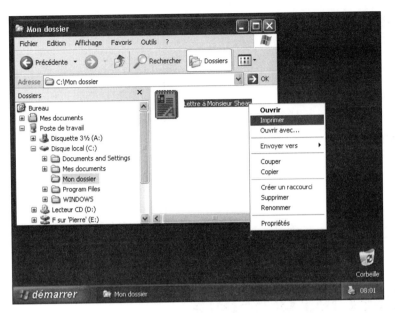

Figure 5-17 Impression d'un document.

L'icône 🖶 dans la barre des tâches indique que l'impression est en cours.

Afficher la liste des derniers éléments consultés

Le Poste de travail conserve pour vous des liens vers les derniers documents ou les dernières pages Web consultés. Vous pouvez ainsi y accéder facilement sans effectuer de fastidieuses recherches.

Note ☺ Pour retrouver des éléments par une recherche systématique, consultez le chapitre 6.

1. Cliquez le menu **Affichage** ➜ **Volet d'exploration** ➜ **Historique** ou tapez le raccourci **Ctrl+H**.

2. Cliquez la date de consultation dans le panneau de gauche.

3. Éventuellement, cliquez le dossier qui contient le document.

4. Cliquez le document pour l'ouvrir avec l'application correspondante.

Note ☺ Pour revenir à l'affichage de l'arborescence des dossiers dans le volet de gauche, cliquez le bouton 🗀 Dossiers .

Figure 5-18 Historique des éléments consultés.

Personnaliser les dossiers

Pour retrouver plus facilement un dossier dans le Poste de travail, personnalisez son icône ou son affichage en miniature.

1. Cliquez avec le bouton droit le dossier à personnaliser.

2. Cliquez la commande **Propriétés** dans le menu contextuel.

3. Dans la boîte **Propriétés...**, cliquez l'onglet **Personnaliser**.

Choisir l'image en miniature

1. Cliquez le bouton **Choisir une image**.

2. Sélectionnez dans la liste **Regarder dans** le dossier qui contient l'image.

3. Cliquez le nom du fichier de l'image.

4. Cliquez le bouton **Ouvrir**.

L'image du dossier est affichée dans la zone **Aperçu** (figure 5-19). Cette image représentera le dossier dans l'affichage en miniature (bouton ▦ puis **Miniatures**).

Figure 5-19 Image de personnalisation d'un dossier.

Choisir l'icône

1. Cliquez le bouton **Changer d'icône**.

2. Sélectionnez une icône dans la liste proposée (figure 5-20).

Figure 5-20 Choix de l'icône d'un dossier.

3. Cliquez le bouton **OK**.

   L'icône à côté du bouton **Changer d'icône** affiche la nouvelle présentation du dossier pour les affichages autres que **Miniatures** (figure 5-19).

4. Cliquez le bouton **OK** dans la boîte **Propriétés de…**.

Personnaliser l'affichage du Poste de travail

Le Poste de travail propose une multitude d'options d'affichage pour s'adapter à votre façon de travailler.

1. Cliquez le menu **Outils → Options des dossiers**.

2. Cliquez l'onglet **Affichage**.

Figure 5-21 Options d'affichage.

La boîte de la figure 5-21 propose une multitude d'options d'affichage.

3. Pour connaître leur fonction, cliquez le bouton ❓ puis cliquez une option. Cochez ou décochez les options voulues.

4. Cliquez le bouton **OK** pour valider vos choix.

Chapitre

>> Rechercher des fichiers

6

Dans le dédale de l'arborescence des lecteurs, on peut se perdre facilement et ne plus retrouver les siens (c'est-à-dire ses documents, bien sûr !). Quand on ne connaît plus le lecteur ou le dossier d'un document, qu'on a oublié jusqu'à son nom, la recherche évite bien des crises de nerfs. Ne cherchez plus à l'aveuglette vos fichiers : demandez à Windows de le faire à votre place !

Avec les mois et les années, vos documents ne vont cesser de se démultiplier. Il sera alors difficile de vous souvenir de leur nom. Windows peut vous aider à effectuer une recherche à partir de mots clés, soit sur le nom du document, soit sur son contenu, soit encore en fonction de la date ou de la taille.

Conseil ⊗ Pour ne pas ressaisir des éléments existants, il est parfois plus simple de commencer un nouveau document en le fondant sur un document existant. Retrouver facilement vos anciens documents est donc primordial dans ce cas.

Rechercher un fichier par son nom ou son contenu

1. Ouvrez le Poste de travail (menu **Démarrer** → **Poste de travail**).

2. Sélectionnez le disque ou le dossier où doit s'effectuer la recherche. Pour rechercher le fichier dans tous les éléments de l'ordinateur, sélectionnez **Poste de travail**.

3. Cliquez le bouton ⌕ Rechercher ou appuyez sur la touche **F3**.

Astuce ⊗ Si vous ne désirez pas utiliser le Poste de travail, cliquez le bouton **Démarrer** → **Rechercher**, puis sélectionnez la cible dans la liste **Rechercher dans**.

Le volet de gauche affiche maintenant les paramètres de la recherche.

4. Si vous obtenez le panneau de la figure 6-1, cliquez le lien **Tous les fichiers et tous les dossiers**.

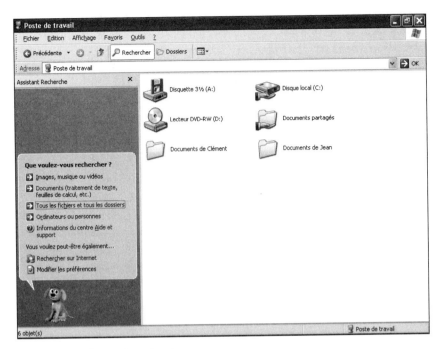

Figure 6-1 Assistant de recherche.

5. Tapez le nom du fichier dans la zone **Une partie ou l'ensemble du nom**.

Si vous ne vous souvenez pas du nom exact, vous pouvez remplacer une lettre par un point d'interrogation, ou un groupe de lettres par une étoile. Par exemple, le mot clé `Contrat ??-10-2004` permet de trouver les fichiers avec le nom `Contrat 10-10-2004` ou `Contrat 25-10-2004`. Le mot clé `*.xls` permet de retrouver tous les fichiers avec cette extension, c'est-à-dire uniquement les documents Excel. Il n'est pas nécessaire de taper le nom complet, mais, dans ce cas, la liste risque d'être longue. Si vous tapez uniquement le mot clé `Contrat`, tous les fichiers dont le nom contient ce mot seront trouvés.

6. Éventuellement, tapez le texte que contient le document dans la zone **Un mot ou une phrase**.

Note ⊗ Si vous tapez un texte, vous n'êtes pas obligé de saisir un nom de fichier. La recherche ciblée uniquement sur le contenu est très longue.

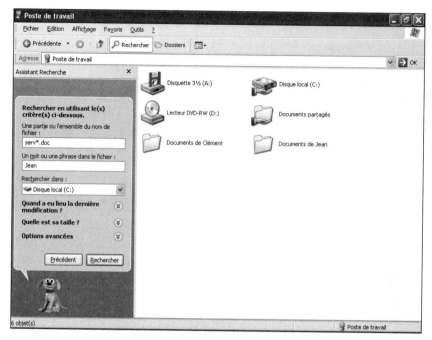

Figure 6-2 Recherche sur un nom et un contenu.

7. Éventuellement, sélectionnez une autre cible dans la liste **Rechercher dans**. Pour sélectionner plusieurs disques, si l'ordinateur en possède au moins deux, sélectionnez **Disques durs locaux**.

8. Cliquez le bouton **Rechercher**.

Conseil ⊗ Cliquez le bouton **Arrêter** pour stopper la recherche si elle vous paraît trop longue ou si Windows a trouvé les fichiers recherchés.

La partie de droite affiche tous les fichiers correspondant à la recherche (figure 6-3). Si vous désirez consulter ou modifier un des documents trouvés, double-cliquez son nom dans cette partie.

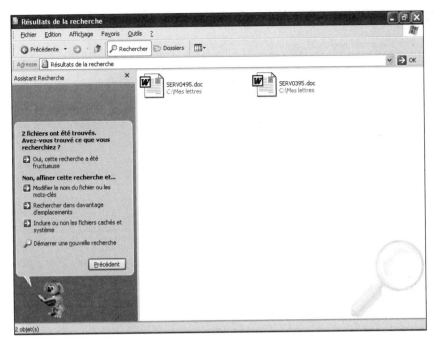

Figure 6-3 Résultats d'une recherche de fichiers.

9. Pour effectuer une nouvelle recherche, cliquez le bouton **Précédent**.

Rechercher des fichiers par date

Mais où est donc ce fichier ? Windows le recherche pour vous à partir de sa date de création, de modification ou d'accès.

1. Cliquez le bouton ⌕ Rechercher dans le Poste de travail, ou cliquez le bouton **Démarrer** ➜ **Rechercher**.

2. Cliquez le bouton ⊗ en regard de la zone **Quand a eu lieu la dernière modification ?** pour afficher les options de recherche par date.

Recherche sur des dates approximatives

1. Cochez l'option de la date approximative des fichiers à rechercher (semaine, mois ou année).

Conseil ⊗ Si vous voulez affiner la recherche, précisez un nom de fichier ou un texte à retrouver, comme vu précédemment.

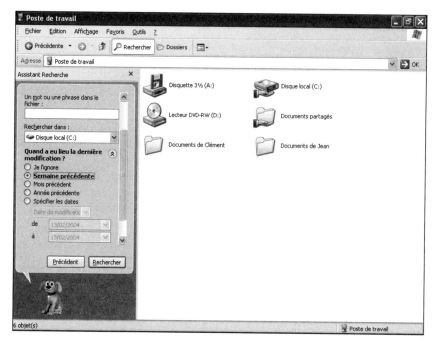

Figure 6-4 Recherche par date approximative.

2.   Cliquez le bouton **Rechercher**.

Recherche sur des dates précises

1.   Cochez l'option **Spécifier les dates**.

2.   Sélectionnez le type de date dans la liste en dessous de l'option **Spécifier les dates**.

3.   Cliquez la zone **de**, puis cliquez une date dans le calendrier (figure 6-5). Répétez cette étape pour la zone **à**.

4.   Cliquez le bouton **Rechercher**.

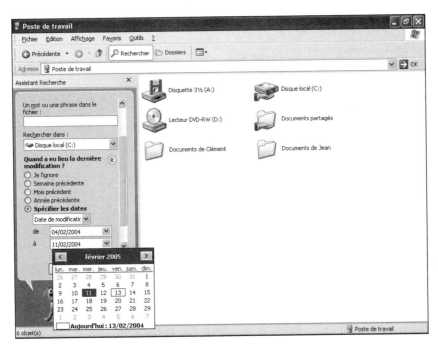

Figure 6-5 Recherche par dates précises.

Rechercher des fichiers par taille

1. Cliquez le bouton [Rechercher] dans le Poste de travail, ou cliquez le bouton **Démarrer →
   Rechercher**.

2. Cliquez le bouton en regard de la zone **Quelle est sa taille** pour afficher les options de
   recherche par tailles.

Recherche par taille approximative

1. Cochez l'option de la taille approximative des fichiers à rechercher (petite, moyenne ou
   grande).

Conseil Si vous désirez affiner la recherche, précisez un nom de fichier ou un texte à retrouver comme
vu précédemment.

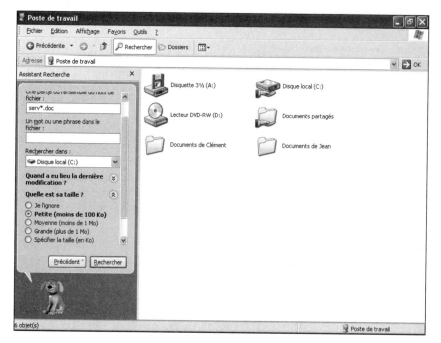

Figure 6-6 Recherche par taille approximative.

2. Cliquez le bouton **Rechercher**.

Recherche par taille précise

1. Cochez l'option **Spécifier la taille**.

2. Sélectionnez le type de taille dans la liste en dessous de l'option **Spécifier la taille**.

3. Tapez la taille dans le compteur en dessous de l'option **Spécifier la taille** (figure 6-7).

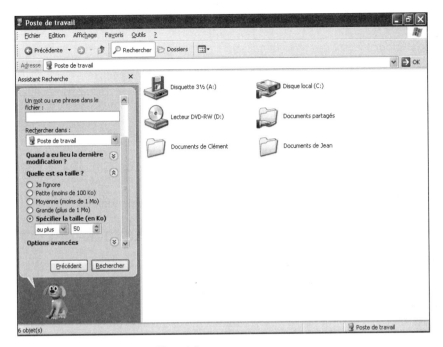

Figure 6-7 Recherche par taille précise.

4. Cliquez le bouton **Rechercher**.

Modifier ou supprimer le personnage de la recherche

L'assistant de recherche propose un personnage animé. Vous pouvez en choisir un autre parmi les quatre proposés. S'il prend trop de place dans la recherche avancée, vous pouvez aussi le supprimer.

1. Cliquez le bouton ![Rechercher] dans le Poste de travail, ou cliquez le bouton **Démarrer** → **Rechercher**.

2. Cliquez le lien **Modifier les préférences** dans le panneau de gauche (figure 6-1).

Figure 6-8 Suppression ou changement de personnage.

3. Cliquez le lien **Sans personnage animé à l'écran** pour le désactiver (figure 6-8).

4. Cliquez le lien **Avec un autre personnage** pour le modifier (figure 6-8).

5. Cliquez les boutons **Suivant** et **Précédent** pour choisir le personnage (figure 6-9).

Figure 6-9 Choix du personnage de l'assistant de recherche.

6. Cliquez le bouton **OK**.

Chapitre

>> Utiliser la Corbeille

7

La Corbeille conserve tous les fichiers que vous avez supprimés. Elle permet donc de retrouver les documents que vous pensiez avoir détruits par mégarde. Ne désespérez pas : le fichier qui vous manque s'y trouve peut-être encore.

Consulter les fichiers supprimés

La Corbeille est un dossier de transition pour les fichiers supprimés. Consultez régulièrement son contenu.

1. Double-cliquez l'icône **Corbeille** sur le bureau, ou cliquez l'icône **Corbeille** dans la partie de gauche du Poste de travail s'il est actuellement ouvert.

   Vous retrouvez dans la liste de droite, ou dans la fenêtre Corbeille, tous les fichiers que vous avez précédemment supprimés.

2. Au besoin, cliquez le bouton 🗁 Dossiers pour afficher le panneau de commandes dans la partie de gauche.

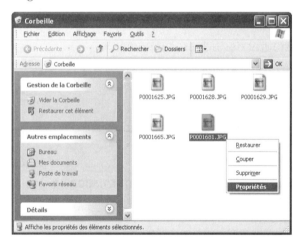

Figure 7-1 Contenu de la Corbeille.

Avant de restaurer ou de supprimer un fichier, il est intéressant de connaître ses propriétés.

1. Cliquez avec le bouton droit le fichier supprimé.

2. Cliquez la commande **Propriétés** dans le menu contextuel (figure 7-1).

   La boîte de la figure 7-2 affiche la date de création et de suppression du fichier ainsi que son dossier d'origine.

3. Cliquez le bouton **OK**.

Figure 7-2 Propriétés d'un fichier de la Corbeille.

Restaurer les fichiers supprimés

Les fichiers supprimés (à partir du Poste de travail, du bureau, *etc.*) ne sont pas perdus. Ils sont déplacés vers la Corbeille. Tant que vous ne décidez pas de leur sort, ils y restent.

1. Sélectionnez le ou les fichiers à restaurer (pour sélectionner plusieurs fichiers, consultez le chapitre 5).

2. Cliquez dans la partie de gauche **Restaurer cet élément** ou **Restaurer les éléments sélectionnés** selon le cas. Vous pouvez aussi effectuer un clic droit sur un des fichiers sélectionnés, puis cliquer la commande **Restaurer** dans le menu contextuel (figure 7-3).

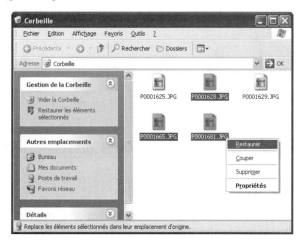

Figure 7-3 Restauration de fichiers.

Note ⊗ Si le dossier qui contenait les fichiers a été supprimé, Windows le recrée automatiquement.

Supprimer définitivement des fichiers

Les fichiers dans la Corbeille utilisent de la place sur votre disque dur. Il est donc nécessaire de faire du « ménage » de temps en temps pour gagner quelques mégaoctets.

1. Sélectionnez le ou les fichiers à supprimer.

2. Appuyez sur la touche **Suppr**.

3. Cliquez le bouton **Oui** pour confirmer la suppression.

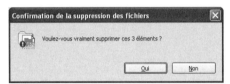

Figure 7-4 Suppression de fichiers.

Attention ⊗ La suppression est ici définitive. Vous devez donc vérifier avec soin les fichiers sélectionnés avant de les supprimer.

Vider totalement la Corbeille

Si vous n'avez aucune hésitation concernant les fichiers qu'elle contient, une seule opération suffit à vider l'intégralité de la Corbeille.

À partir du bureau

1. Cliquez avec le bouton droit l'icône **Corbeille**.

2. Cliquez la commande **Vider la Corbeille** dans le menu contextuel (figure 7-5).

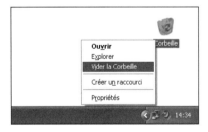

Figure 7-5 Suppression de tous les fichiers de la Corbeille.

3. Cliquez le bouton **Oui** pour supprimer définitivement tous les fichiers de la Corbeille.

Attention ⊗ N'oubliez pas qu'en supprimant un dossier, vous supprimez aussi les sous-dossiers et les fichiers qu'il contient !

À partir de la fenêtre Corbeille

1. Cliquez le lien **Vider la Corbeille** dans la partie de gauche.

2. Cliquez le bouton **Oui** pour supprimer définitivement tous les fichiers de la Corbeille.

Modifier les propriétés de la Corbeille

Pour mieux utiliser la Corbeille, modifiez certaines propriétés.

1. Sur le bureau, cliquez avec le bouton droit l'icône **Corbeille**.

2. Cliquez la commande **Propriétés** dans le menu contextuel.

Définir la taille de la Corbeille

La taille de la Corbeille varie en fonction de la capacité du ou des disques durs de votre ordinateur.

1. Faites glisser le curseur **Taille maximale...** pour définir la taille de la Corbeille (figure 7-6).

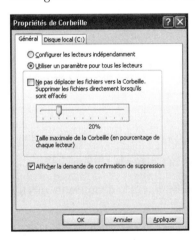

Figure 7-6 Modification de la taille de la Corbeille.

Note ⊗ Si les fichiers que vous supprimez dépassent la taille de la Corbeille, ils remplacent les anciens fichiers supprimés.

Définir différentes tailles si l'ordinateur contient plusieurs disques

1. Cochez l'option **Configurer les lecteurs indépendamment** (figure 7-6).

2. Cliquez l'onglet du disque dont vous désirez modifier la taille de la Corbeille (figure 7-7).

3. Faites glisser le curseur **Taille maximale…** pour définir la nouvelle taille de la Corbeille de ce disque.

Figure 7-7 Modification de la taille de la Corbeille d'un disque.

4. Éventuellement, répétez les étapes **2** et **3** pour les autres disques.

Contourner la Corbeille

Si vous êtes sûr et certain des fichiers que vous supprimez, contournez la Corbeille.

1. Cochez l'option **Ne pas déplacer les fichiers vers la Corbeille** (figure 7-8).

Les fichiers supprimés ne transiteront plus par la Corbeille et seront définitivement supprimés après confirmation.

Astuce ⊗ Si vous ne désirez pas contourner systématiquement la Corbeille, vous pouvez supprimer des fichiers définitivement avec la combinaison de touche **Maj+Suppr**.

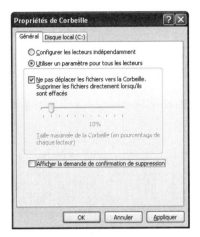

Figure 7-8 Inhibition de la Corbeille.

Supprimer les fichiers sans confirmation

À chaque suppression, Windows, prévoyant, demande confirmation. Passez outre si cela vous semble inutile.

1. Décochez l'option **Afficher la demande de confirmation de suppression** (figure 7-8).

2. Cliquez le bouton **OK** pour valider vos choix.

Chapitre

>> Sauvegarder vos données

8

Dans un ordinateur, seuls les documents sont importants. En effet, vous serez toujours en possession des disquettes ou des CD-ROM des logiciels que vous avez installés. En cas de panne, vous pourrez toujours les réinstaller à partir de ces supports. Il n'en va pas de même pour vos documents. Ceux-ci sont précieux car ils représentent des heures, des jours, voire des mois de travail. Vous devez donc en conserver des copies sur des supports amovibles, c'est-à-dire en dehors de votre ordinateur, au cas où le disque dur serait endommagé.

Unités de sauvegarde

Il existe plusieurs types d'unités de sauvegarde. Le lecteur de disquettes est la première unité à laquelle on pense, puisqu'elle est présente dans tous les PC. Les disquettes sont donc un support universel. Elles permettent d'échanger vos données avec d'autres personnes, ou d'effectuer des copies de sauvegarde de votre travail. Malheureusement, leur capacité est limitée à 1,4 Mo. Tant que vous les utilisez pour enregistrer des textes ou des feuilles de calcul, cette capacité est suffisante, mais n'espérez pas y stocker, par exemple, des images de bonne qualité. Le tableau 8-1 donne un ordre d'idée sur la taille des fichiers.

Logiciel ou document	Pour	Taille
Windows XP	Installation par défaut	1 Go
Office 2003 standard (Word, Excel, PowerPoint)	Installation par défaut	120 Mo
Office 2003 professionnel (Word, Excel, PowerPoint, Access, *etc.*)	Installation complète	400 Mo
Word 2003	Un texte de 10 pages	80 Ko
Word 2003	Le livre que vous avez entre les mains (sans les images)	4 Mo
Excel 2003	Un tableau de 100 lignes sur 100 colonnes	100 Ko
Image non compressée	Une image couleur de 1 024 x 1 536 points au format BMP	4,5 Mo
Images compressée	Une image couleur de 1 024 x 1 536 points au format JPEG	0,5 Mo
Textes et images	Le livre que vous avez entre les mains (y compris les images en N&B)	60 Mo

→

Logiciel ou document	Pour	Taille
Vidéo	Un fichier MPEG-2 (format DVD) de 1 min	45 Mo
Vidéo	Un fichier AVI (format DV des Caméscopes numériques) de 1 min	220 Mo
Vidéo	Un film de 1 h 30 au format DivX	700 Mo
Musique non compressée	Un morceau de musique de 4 min au format Wave (format des CD audio)	35 Mo
Musique compressée	Un morceau de musique de 4 min au format MP3	6 Mo

Tableau 8-1 Taille des fichiers des logiciels et des documents.

Aujourd'hui, les ordinateurs sont de plus en plus fréquemment livrés avec une nouvelle unité de sauvegarde : le graveur de CD. Celui-ci pallie le grand défaut des disquettes : il peut contenir jusqu'à 800 Mo de données, de quoi satisfaire la gourmandise des fichiers multimédias, et en particulier celle des fichiers vidéo. Avec des CD-RW, le graveur se comporte comme un disque dur, sans toutefois être aussi rapide.

Définition ⊗ **CD-R** et **CD-RW** : les CD-R sont des CD inscriptibles une seule fois. Une fois gravé, vous pouvez uniquement les lire. Les CD-RW sont des CD réinscriptibles un millier de fois.

Les graveurs de CD sont peu à peu remplacés en standard par des graveurs de DVD qui, eux, proposent une capacité de 4,7 Go (figure 8-1).

Figure 8-1 Graveur de DVD.

Compresser des fichiers

La compression des fichiers permet de gagner de la place sur votre disque dur, mais aussi d'ajouter plus de données sur les supports comme les disquettes. Elle s'effectue dans le Poste de travail.

1. Ouvrez le Poste de travail.

Créer un dossier compressé

1. Sélectionnez le disque ou le dossier qui doit contenir le dossier compressé.

2. Cliquez le menu **Fichier → Nouveau → Dossier compressé**.

3. Tapez immédiatement le nom du nouveau dossier compressé et validez avec la touche **Entrée**.

Note ⊗ Pour renommer un dossier, consultez le chapitre 4.

Les dossiers compressés sont représentés par l'icône.

Figure 8-2
Dossier compressé.

Note ⊗ Les dossiers compressés sont en réalité des fichiers Zip. Vous pouvez les échanger avec d'autres utilisateurs qui possèdent ce logiciel d'archivage ou les versions XP et Me de Windows.

Copier des fichiers dans un dossier compressé

Une fois que le dossier compressé est créé, ajoutez-lui des fichiers, maintenant ou ultérieurement en fonction de vos besoins.

1. Sélectionnez les fichiers à copier dans le dossier compressé.

2. Cliquez et faites glisser la sélection vers le dossier compressé.

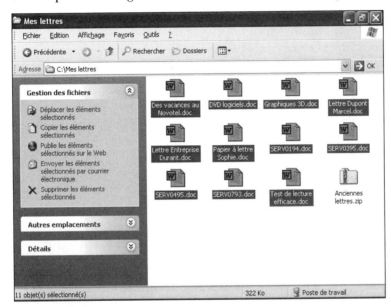

Figure 8-3 Copie vers un dossier compressé.

Les fichiers sont copiés et non déplacés vers le dossier compressé. Pour gagner de la place, vous devez supprimer les fichiers d'origine.

Compresser directement des fichiers

Vous pouvez compresser rapidement des fichiers dans le but, par exemple, d'en faire une copie sur disquette.

1. Sélectionnez les fichiers à compresser.

2. Cliquez le menu **Fichier** → **Envoyer vers** → **Dossier compressé**.

Le dossier compressé porte le nom du dernier fichier sélectionné. Vous pouvez bien sûr le renommer.

Vous pourrez ensuite copier ce dossier compressé vers un support amovible comme une disquette ou un CD-R.

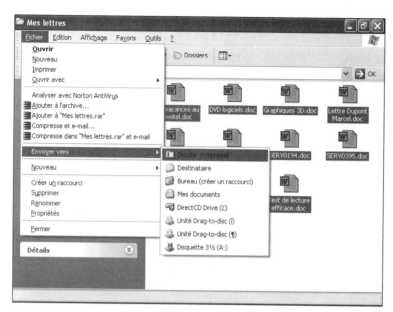

Figure 8-4 Compression de fichiers.

Sauvegarder des fichiers sur disquettes

Comme nous le disions plus haut, les disquettes sont un des supports les plus répandus. Elles permettent donc d'échanger des fichiers avec d'autres personnes en possession d'un PC, mais aussi avec ceux qui utilise un Mac de la société Apple.

Attention ⊗ Les disquettes sont des supports fragiles. Ne les stockez pas près d'une source magnétique (haut-parleur, écran, photocopieuse, *etc.*) ou près d'une source de chaleur (dessus d'écran, radiateur, *etc.*).

Formater une disquette

Le formatage consiste à préparer une disquette à recevoir des informations dans un format particulier. Les disquettes que vous achetez dans le commerce sont généralement formatées pour le PC. Mais il arrive parfois que des disquettes ne fonctionnent plus correctement. Si c'est le cas, ou si les disquettes en votre possession ne sont pas formatées ou proviennent d'un autre système, vous devez les formater ou les reformater.

Note ⊗ Les disquettes peuvent être protégées physiquement contre l'écriture comme une cassette audio ou vidéo. Poussez le loquet vers le haut pour la protéger. Deux trous sont alors visibles (figure 8-5).

Figure 8-5 Disquettes protégée (à gauche) et non protégée (à droite).

1. Insérez la disquette dans le lecteur.

Attention ⊗ Le formatage supprime toutes les données des disquettes. Insérez uniquement des disquettes ne contenant pas de fichiers importants ou celles que vous ne pouvez plus lire et qui nécessitent obligatoirement un formatage.

2. Dans le **Poste de travail**, cliquez avec le bouton droit le lecteur de disquette **A:**.

3. Cliquez la commande **Formater** dans le menu contextuel.

   Windows ouvre la boîte de dialogue Formater Disquette.

4. Cliquez le bouton **Démarrer** (figure 8-6).

Figure 8-6 Formatage d'une disquette.

Windows vous avertit de la perte des données après un formatage.

5. Cliquez le bouton **OK** pour lancer le formatage.

6. Dès que le formatage est terminé, cliquez le bouton **OK**

7. Cliquez le bouton **Fermer** dans la boîte Formater Disquette.

Vous pouvez maintenant utiliser votre disquette pour enregistrer vos documents.

Note ⊗ Si Windows affiche un message d'erreur pendant le formatage, votre disquette est très endommagée et le formatage n'y changera pas grand-chose. Vous ne pouvez plus l'utiliser.

Copier des fichiers ou des dossiers

La copie de fichiers ou de dossiers s'effectue comme pour les disques durs.

1. Sélectionnez les fichier ou les dossiers à copier, y compris les dossiers compressés (voir plus haut dans ce chapitre).

2. Cliquez et faites glisser la sélection vers le lecteur de disquettes.

Dupliquer une disquette

Même avec un seul lecteur de disquette, vous pouvez dupliquer une de vos disquettes.

1. Dans le Poste de travail, cliquez avec le bouton droit le lecteur de disquette **A:**.

2. Cliquez la commande **Copie de disquette** dans le menu contextuel.

3. Dans la boîte de dialogue Copie de disquette, cliquez le bouton **Démarrer**.

4. Insérez dans le lecteur la disquette à dupliquer, puis cliquez le bouton **OK** dans la boîte qui s'affiche.

5. Insérez dans le lecteur la disquette de destination, puis cliquez **OK** dans la boîte qui s'affiche.

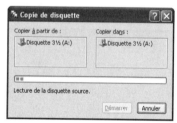

Figure 8-7 Duplication d'une disquette.

6. Cliquez le bouton **Fermer** dans la boîte Copie de disquette.

Conseil ⊗ Pour éviter des erreurs de manipulation, protégez en écriture la disquette à copier, et déprotégez la disquette de destination.

Graver des fichiers sur CD-R ou CD-RW

Si vous êtes l'heureux possesseur d'un graveur de CD, profitez de l'opportunité pour conserver durablement vos documents.

Préparer la gravure

1. Ouvrez le Poste de travail.

2. Éventuellement, cliquez le bouton 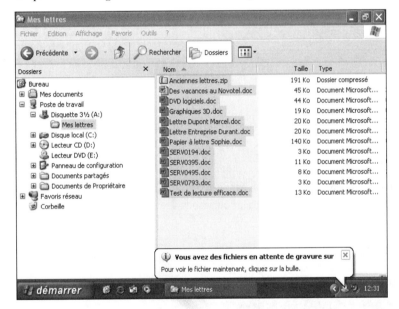 Dossiers pour afficher la liste des lecteurs et des dossiers.

3. Insérez un CD-R ou un CD-RW dans le graveur.

Note ⊗ Si une boîte de dialogue vous demande quelle action effectuer, cliquez l'icône **Ne rien faire**, puis cliquez le bouton **OK**. Si une fenêtre affiche le contenu du CD, cliquez le bouton ☒.

4. Sélectionnez les fichiers ou les dossiers à copier, y compris les dossiers compressés (voir plus haut dans ce chapitre).

5. Cliquez et faites glisser la sélection vers le graveur de CD.

Figure 8-8 Sélection des fichiers à graver.

6. Répétez les étapes **4** et **5** pour d'autres documents ou d'autres fichiers.

Conseil ⊗ À chaque fois que vous gravez des fichiers sur un CD, vous créez une nouvelle session. Or une session utilise environ 20 Mo du disque. Il est donc préférable de copier en une seule fois le maximum de fichiers pour faire un meilleur usage de l'espace de stockage.

7. Cliquez l'icône du graveur ou la bulle d'information de la barre des tâches (figure 8-8).

La liste de droite affiche les fichiers en attente de gravure.

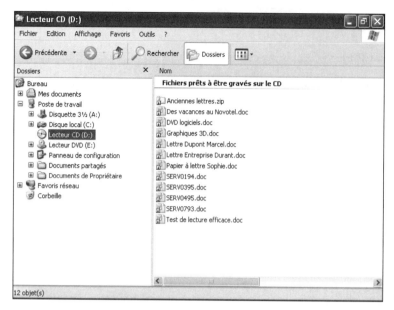

Figure 8-9 Fichiers
en attente de gravure.

Graver les fichiers

1. Cliquez avec le bouton de droite l'icône du graveur.

2. Cliquez **Graver ces fichiers sur le CD-ROM** dans le menu contextuel.

Note Si vous avez cliqué la bulle à l'étape **7**, le panneau de commandes s'affiche dans la partie gauche du Poste de travail. Cliquez dans ce cas la commande **Graver ces fichiers sur le CD-ROM** dans ce panneau puis passez à l'étape **10**.

Windows affiche un assistant (une suite de boîtes de dialogue) pour réaliser la gravure.

3. Tapez un nom pour le CD. Par défaut, la date du jour est proposée.

Figure 8-10 Assistant de gravure.

4. Cliquez le bouton **Suivant**.

Windows commence la gravure des fichiers sur le CD-R ou le CD-RW.

Conseil ⊗ Évitez d'utiliser en même temps des logiciels qui sollicitent fortement le microprocesseur ou le disque dur afin de ne pas faire échouer la gravure.

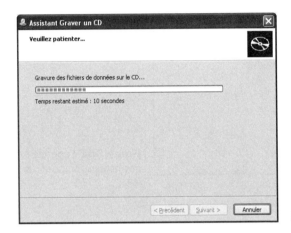

Figure 8-11 Gravure de fichiers sur un CD.

Dés que la gravure est terminée, le disque est éjecté du graveur (consultez le paragraphe « Modifier les options de gravure » plus bas dans ce chapitre pour éviter l'éjection).

Astuce ⊗ Pour graver plusieurs CD identiques, insérez un CD vierge à la place de celui qui vient d'être éjecté, cochez la case **Oui, graver ces fichiers...** puis cliquez le bouton **Suivant**.

5. Cliquez le bouton **Terminer**.

Effacer les fichiers temporaires

Si les fichiers n'ont pas été gravés, ils restent dans un dossier temporaire (cela ne concerne pas les fichiers originaux). Supprimez-les pour gagner de la place sur votre disque dur (consultez le paragraphe « Modifier les options de gravure » plus bas dans ce chapitre pour définir le disque de stockage).

1. Ouvrez le Poste de travail.

2. Double-cliquez le lecteur de CD.

3. Dans le panneau de gauche, cliquez la commande **Supprimer les fichiers temporaires**.

4. Cliquez **Oui** pour confirmer la suppression.

Figure 8-12 Suppression des fichiers temporaires.

Effacer les CD-RW

Si vous n'avez plus besoin des données d'un CD réinscriptible, effacez son contenu pour récupérer la place pour d'autres sauvegardes.

1.   Insérez le CD-RW à effacer dans le graveur.

2.   Dans le Poste de travail, cliquez avec le bouton droit le graveur de CD.

3.   Cliquez la commande **Effacer ce CD-RW** dans le menu contextuel.

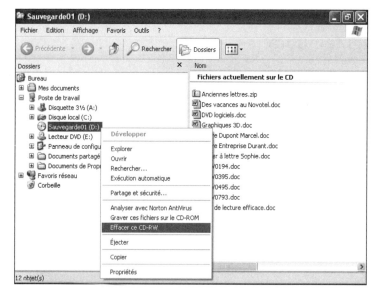

Figure 8-13 Effacement d'un CD-RW.

Windows affiche un assistant pour effacer le CD-RW.

4.   Cliquez le bouton **Suivant**.

5.   Dès que le CD-RW est effacé, cliquez le bouton **Terminer**.

Modifier les options de gravure

Pour gérer plus efficacement la gravure des CD, modifiez les options utilisées par l'assistant.

1.   Dans le Poste de travail, cliquez avec le bouton droit le graveur de CD.

2.   Cliquez la commande **Propriétés** dans le menu contextuel.

3.   Cliquez l'onglet **Enregistrement** (figure 8-14).

4.   Si vous avez un autre logiciel de gravure et que vous ne souhaitez pas utiliser celui proposé par Windows XP, décochez la case **Activer l'écriture**.

5.   Si vous avez plusieurs disques durs et que vous ne désirez pas utiliser le disque C pour les fichiers temporaires, sélectionnez-en un autre dans la liste **Sélectionnez le lecteur...**.

6.   Si vous désirez utiliser une vitesse de gravure particulière, sélectionnez-la dans la liste **Sélectionnez une vitesse...**.

7.   Si le disque ne doit pas être éjecté après la gravure, décochez la case **Éjecter automatiquement...**.

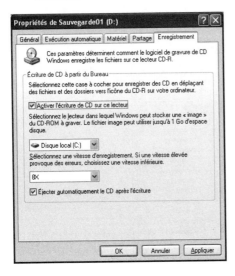

Figure 8-14 Options de gravure des CD.

8.   Cliquez le bouton **OK**.

Utiliser Backup

Il est impératif de sauvegarder vos documents régulièrement. L'application Backup accomplit cette tâche en copiant les données sur un ou plusieurs médias.

1. Cliquez le bouton **Démarrer** → **Tous les programmes** → **Accessoires** → **Outils système** → **Backup** ou **Utilitaire de sauvegarde**.

2. Si la boîte de l'assistant s'affiche, cliquez le lien **Mode avancé** pour ne pas l'utiliser.

Sauvegarder des fichiers

1. Cliquez l'onglet **Sauvegarder**.

2. Cliquez le bouton ⊞ du lecteur qui contient les données à sauvegarder.

3. Pour sélectionner tous les fichiers d'un dossier, cochez la case du dossier à sauvegarder.

Note ⊗ Quand le dossier est intégralement sélectionné, la coche est bleue. Quand il est partiellement sélectionné, la coche est grise.

4. Pour sélectionner certains fichiers d'un dossier, cliquez le nom du dossier, puis cochez les cases des fichiers à sauvegarder.

Conseil ⊗ Pour limiter le nombre de médias, sauvegardez plutôt des dossiers compressés.

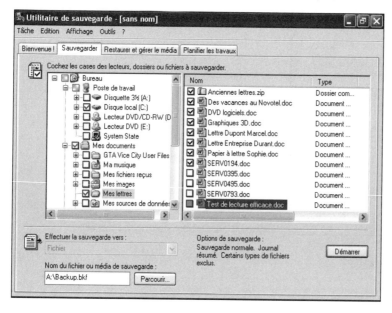

Figure 8-15 Sélection des dossiers et des fichiers à sauvegarder.

5. La zone **Nom du fichier…** indique le nom et le média de sauvegarde. Éventuellement, cliquez le bouton **Parcourir** pour utiliser un autre média ou pour changer de nom.

6. Insérez une disquette, ou un autre média, dans son lecteur.

Conseil ⊗ Mettez des étiquettes sur vos supports de stockage pour les retrouver plus facilement lors d'une restauration.

7. Cliquez le bouton **Démarrer**.

    Si vous avez déjà réalisé des sauvegardes sur le même support, vous pouvez prendre en compte uniquement les fichiers nouveaux ou modifiés.

8. Éventuellement, cochez l'option **Remplacer les données…**.

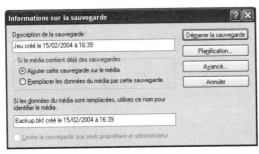

Figure 8-16 Options de sauvegarde.

9. Cliquez le bouton **Démarrer la sauvegarde**.

    La sauvegarde débute. Les différents éléments de la boîte vous informent de sa progression. Si la sauvegarde ne peut tenir sur un seul média, vous devrez en insérer d'autres.

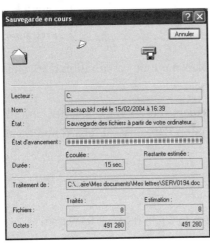

Figure 8-17 Sauvegarde des fichiers.

10. Cliquez le bouton **Fermer** quand la sauvegarde est terminée.

Restaurer des fichiers

En cas de problème (fichiers supprimés, panne de disque dur, *etc.*), vous devez restaurer les sauvegardes.

1. Cliquez l'onglet **Restaurer et gérer le média**.

2. Cliquez le bouton ⊞ en regard de **Fichier** pour développer l'arborescence (partie de gauche).

3. Cliquez le bouton ⊞ en regard de la sauvegarde qui contient les fichiers à restaurer (partie de gauche).

4. Comme pour la sauvegarde, sélectionnez les dossiers et les fichiers à restaurer.

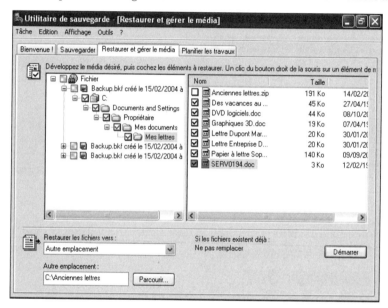

Figure 8-18 Sélection des dossiers et fichiers à restaurer.

5. Éventuellement, sélectionnez un autre emplacement de restauration que celui de la sauvegarde dans la liste **Restaurer les fichiers vers**.

6. Si vous avez modifié la liste **Restaurer les fichiers vers** à l'étape **5**, tapez la destination dans la zone **Autre emplacement** ou cliquez le bouton **Parcourir** en regard pour la choisir.

7. Cliquez le bouton **Démarrer**.

8. Insérez le média de la sauvegarde dans son lecteur.

Note ⊗ Le bouton **Avancé** permet de choisir la manière dont sont restaurés les fichiers.

Figure 8-19 Confirmation de restauration.

9. Cliquez le bouton **OK** pour lancer la restauration.

La restauration débute. Les différents éléments de la boîte vous informent de sa progression. Si la sauvegarde a été réalisée sur plusieurs médias, vous devrez insérer les suivants.

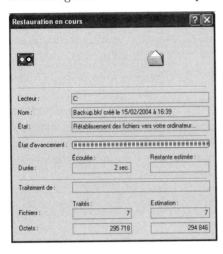

Figure 8-20 Restauration d'une sauvegarde.

10. Cliquez le bouton **Fermer** quand la sauvegarde est terminée.

Planifier les sauvegardes

Pour être assuré que vos données sont régulièrement sauvées, planifiez des sauvegardes automatiques.

1. Cliquez l'onglet **Planifier les travaux**.

2. Cliquez le jour de la sauvegarde dans le calendrier.

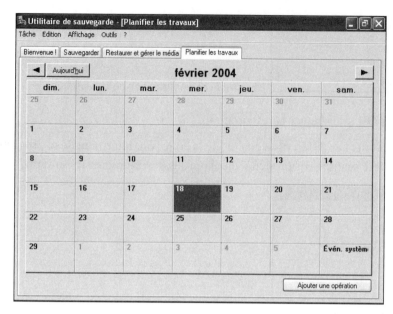

Figure 8-21 Planification d'une sauvegarde.

3. Cliquez le bouton **Ajouter une opération** pour exécuter l'assistant des sauvegardes.

4. Suivez les instructions de l'assistant.

Partie

>> Loisirs et multimédia

III

>> Exploiter les images et les photographies

9

Avec l'apparition des scanners et des appareils numériques, l'ordinateur est devenu un outil indispensable pour les amateurs de photographies et d'images. Il remplace à lui seul le laboratoire de développement, le studio de retouches et l'armoire de stockage.

Windows XP a été conçu pour vous faciliter la tâche dans ce domaine, en proposant des outils pour transférer, capturer ou scanner des images, mais aussi les classer, les visionner et les imprimer.

Transférer des photos d'un appareil numérique

Pour les consulter, les retoucher ou les imprimer, vous devez transférer les photos actuellement dans votre appareil numérique vers l'ordinateur.

Connecter l'appareil photo

En fonction du modèle, il existe trois solutions pour transférer vos photos vers l'ordinateur.

Port USB *(Universal Serial Bus)*

C'est sûrement le moyen le plus simple et le plus courant. Dès que le câble USB est connecté et que l'appareil photo est en marche, Windows le détecte automatiquement.

Figure 9-1 Câble USB.

Les connecteurs USB se présentent comme dans la figure 9-1. Le connecteur le plus grand (à gauche dans la figure 9-1) se branche sur un des ports USB de l'ordinateur. L'autre partie du câble se branche sur l'appareil photo. En fonction du modèle, le connecteur peut être différent de celui présenté dans la figure 9-1. Il peut s'agir, par exemple, d'une prise DIN ronde.

Interface série

Certains modèles plus anciens proposent une connexion série. Cette liaison est lente, mais elle a l'avantage d'être présente sur tous les ordinateurs, même ceux du « siècle dernier ». Les connecteurs séries se présentent comme dans la figure 9-2.

Figure 9-2 Câble série.

Carte mémoire

La lecture directe de la carte mémoire de votre appareil photos est le moyen le plus rapide pour effectuer un transfert. Cela nécessite cependant de posséder un lecteur comme celui de la figure 9-3. Les nouveaux modèles de PC sont généralement équipés d'un lecteur de cartes mémoire en façade. Ce lecteur apparaît dans l'Explorateur Windows comme un lecteur de disque dur. Le transfert s'effectue alors par un simple glisser-déposer.

Figure 9-3 Lecteur de cartes mémoire.

Note Il existe d'autres solutions pour transférer des photos d'un appareil numérique (liaison sans fil, infrarouge, *etc.*). Consultez la notice de votre appareil pour connaître toutes ses possibilités.

Transférer les photos

1. Branchez et allumez l'appareil photo.

2. Cliquez le bouton **Démarrer** → **Tous les programmes** → **Accessoires** → **Assist. Scanner-appareil photo**.

Note ⊗ Si vous êtes actuellement dans le Poste de travail, cliquez avec le bouton droit l'icône de l'appareil photo, puis cliquez **Obtenir les photos** dans le menu contextuel. Le Poste de travail est aussi un bon moyen de vérifier que votre appareil photo est correctement branché.

Si votre appareil photo n'est pas correctement connecté, la boîte d'erreur de la figure 9-4 s'affiche. Vérifiez la connexion entre l'ordinateur et l'appareil photo, et vérifiez aussi que ce dernier est bien allumé.

Figure 9-4 Boîte indiquant que l'appareil photo n'est pas connecté.

3. Si vous avez plusieurs appareils, sélectionnez celui à utiliser dans la liste puis cliquez le bouton **OK** (figure 9-5).

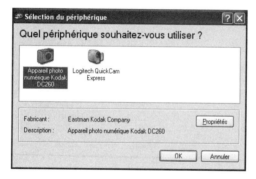

Figure 9-5 Choix d'un appareil numérique.

Windows commence le transfert des photos actuellement dans l'appareil numérique (figure 9-6). Vous devrez peut-être attendre quelques secondes pour qu'elles soient toutes affichées, le temps du transfert entre l'appareil photo et l'ordinateur pouvant être assez long.

Figure 9-6 Transfert des photos de votre appareil numérique.

Windows ouvre un assistant (une suite de boîtes de dialogue). Le modèle de l'appareil photo apparaît dans la première boîte.

4. Cliquez le bouton **Suivant**.

La boîte de la figure 9-7 affiche toutes les photos actuellement dans l'appareil.

Figure 9-7 Sélection des photos à transférer.

5. Cochez les photos que vous désirez placer sur votre disque dur. Si les photos sont nombreuses, utilisez les boutons **Effacer tout** ou **Sélectionner tout** pour les décocher ou les cocher toutes en même temps.

6. Pour modifiez l'orientation d'une photo, cliquez-la pour la sélectionner, puis cliquez les boutons ⬛ ou ⬛ .

7. Cliquez le bouton **Suivant**.

8. Tapez un nom explicite et court pour les images choisies, dans la zone **Entrez un nom**.

9. L'assistant propose d'enregistrer les photos dans le sous-dossier dont vous avez donné le nom à l'étape précédente. Si vous désirez changer de dossier, cliquez la zone **Choisissez un emplacement**, puis cliquez un dossier dans la liste. Si le dossier que vous désirez utiliser n'est pas dans la liste, cliquez le bouton **Parcourir**.

Note ⊗ Par défaut, les images sont stockées dans des sous-dossiers du dossier Mes images. Pour créer un nouveau dossier, consultez le chapitre 4.

10. Cliquez le bouton **Suivant**.

L'assistant transfère les photos choisies vers le disque dur.

L'étape suivante propose de publier vos images sur le Web, ou de les faire imprimer par une société spécialisée.

11. Cliquez le bouton **Suivant**.

12. Si vous désirez visionner les photos maintenant sans fermer l'assistant, cliquez le lien en bleu.

13. Cliquez le bouton **Terminer**.

Le dossier d'enregistrement s'ouvre dans une nouvelle fenêtre comme dans la figure 9-8.

Figure 9-8 Dossier contenant les photos transférées.

Scanner des images

Transférez des photographies, des dessins ou des documents de votre scanner vers un dossier du PC. Vous pourrez ainsi les retoucher, les imprimer et les archiver.

1. Branchez et allumez le scanner.

2. Cliquez le bouton **Démarrer → Tous les programmes → Accessoires → Assist. Scanner-appareil photo**.

Note Si vous êtes actuellement dans le Poste de travail, cliquez avec le bouton droit l'icône du scanner, puis cliquez **Obtenir les photos** dans le menu contextuel.

3. Si vous avez plusieurs appareils, sélectionnez celui à utiliser dans la liste puis cliquez le bouton **OK**.

Windows ouvre un assistant (une suite de boîtes de dialogue).

4. Insérez dans le scanner la photographie ou le document.

5. Cliquez le bouton **Suivant**.

6. Cliquez le bouton **Aperçu**.

7. Faites glisser les carrés autour de l'image pour délimiter la partie à scanner.

Figure 9-9 Aperçu de l'image avant la numérisation.

8. Cliquez le bouton **Suivant**.

9. Cliquez la zone **Sélectionner un format**, puis cliquez le format d'enregistrement pour l'image scannée.

Attention ⊗ Les images aux formats BMP et TIF sont de bonne qualité mais prennent énormément de place. Les images au format JPG sont de qualité inférieure, quoique tout à fait acceptable, mais prennent beaucoup moins de place. La plupart des appareils photo numériques enregistrent les clichés dans ce format.

Pour comprendre le format des images, consultez l'encadré « Compression des images » à la fin de ce chapitre.

10. Tapez un nom explicite et court pour l'image dans la zone **Entrez un nom**.

11. L'assistant propose d'enregistrer l'image dans le sous-dossier dont vous avez donné le nom à l'étape précédente. Si vous désirez changer de dossier, cliquez la zone **Choisissez un emplacement**, puis cliquez un dossier dans la liste. Si le dossier que vous désirez utiliser n'est pas dans la liste, cliquez le bouton **Parcourir**.

Note ⊗ Par défaut, les images sont stockées dans des sous-dossiers du dossier Mes images. Pour créer un nouveau dossier, consultez le chapitre 4.

12. Cliquez le bouton **Suivant**.

L'assistant scanne l'image et la transfère vers le disque dur.

Les étapes suivantes sont les mêmes que pour un appareil photo numérique (voir plus haut dans ce chapitre).

Prendre des photos avec une webcam

Une webcam peut aussi servir d'appareil photo d'appoint pour numériser des documents ou des objets. Les images obtenues sont souvent utilisées pour agrémenter des pages Web, leur qualité étant généralement médiocre comparativement à celle des appareils photos. En contrepartie, les fichiers sont de petite taille, ce qui permet de les utiliser sur Internet.

1. Éventuellement, branchez votre webcam.

Webcam pour communiquer par l'image sur Internet,
mais aussi pour prendre des photos.

2. Cliquez le bouton **Démarrer** → **Tous les programmes** → **Accessoires** → **Assist. Scanner-appareil photo**.

Note ⊗ Si vous êtes actuellement dans le Poste de travail, cliquez avec le bouton droit l'icône de la webcam, puis cliquez **Obtenir les photos** dans le menu contextuel.

3. Si vous avez plusieurs appareils, sélectionnez celui à utiliser dans la liste puis cliquez le bouton **OK**.

    Windows ouvre un assistant (une suite de boîtes de dialogue). Le modèle de webcam apparaît dans la première boîte.

4. Cliquez le bouton **Suivant**.

5. Pointez la webcam sur l'objet ou la personne à numériser.

6. Cliquez le bouton **Prendre une photo**.

Figure 9-10 Numérisation d'image avec une webcam.

7. Cochez les photos que vous désirez conserver sur votre disque dur. Si les photos sont nombreuses, utilisez les boutons **Effacer tout** ou **Sélectionner tout** pour les décocher ou les cocher toutes en même temps.

8. Pour modifiez l'orientation d'une photo, cliquez-la pour la sélectionner puis cliquez les boutons ▨ ou ▨ .

9. Cliquez le bouton **Suivant**.

Les étapes suivantes sont les mêmes que pour un appareil photo numérique (voir plus haut dans ce chapitre).

Consulter des images

Windows propose plusieurs modes pour consulter les images de vos dossiers à partir du Poste de travail.

1. Ouvrez le Poste de travail (tapez ▨+**E** pour l'ouvrir rapidement) puis sélectionnez le dossier qui contient les images.

Afficher les caractéristiques d'un cliché

Les appareils photo numériques conservent une foule de renseignements sur vos clichés (vitesse, focale, ouverture, distance, *etc.*) en plus des renseignements habituels des images numériques (taille, nombre de couleurs, date, *etc.*). Windows XP permet de consulter ces informations car elles sont enregistrées en même temps que le fichier de l'image.

Note ⊗ Les renseignements conservés diffèrent d'un appareil à l'autre.

1. Cliquez avec le bouton droit le nom du fichier de la photo.

2. Cliquez **Propriétés** dans le menu contextuel.

3. Cliquez l'onglet **Résumé**.

4. Éventuellement, cliquez le bouton **Avancé >>**. (Le bouton devient **<< Simple**.)

La boîte des Propriétés affiche toutes les informations connues sur votre cliché (figure 9-11).

Figure 9-11 Propriétés d'une photo conservées par votre appareil numérique.

Afficher des miniatures

1. Dans le Poste de travail, cliquez le bouton ▦▾ puis sélectionnez **Miniatures** dans la liste.

Chaque image est présentée sous forme de miniature à la place de son icône et de son nom (mode Icônes, Liste ou Détails du bouton ▦▾).

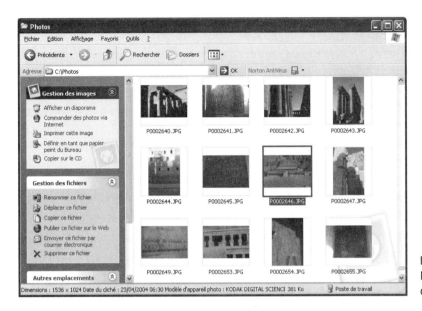

Figure 9-12
Images sous forme
de miniatures.

Afficher les images sous forme de pellicule

Pour faire défiler en miniature les images et consulter en grand format l'image sélectionnée,
passez en mode Pellicule.

1.   Cliquez le bouton ▦▾ puis sélectionnez **Pellicule** dans la liste.

Chaque image est présentée en bas de la fenêtre sous forme de miniature. L'image sélectionnée
est en grand format (figure 9-13).

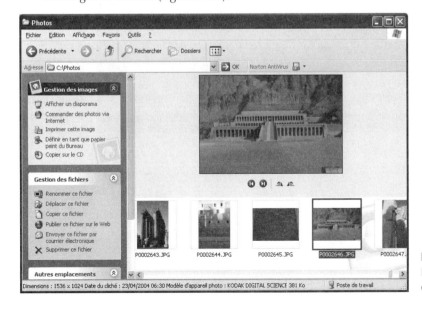

Figure 9-13
Images sous forme
de pellicule.

2. Cliquez les boutons 🔘 ou 🪟 pour changer d'image, ou utilisez la barre de défilement horizontale.

3. Cliquez les boutons ⟲ et ⟳ pour modifier l'orientation de l'image sélectionnée.

Afficher un diaporama

Pour faire défiler les images en plein écran, demandez à Windows de lancer un diaporama.

1. Dans la partie de gauche, cliquez le texte **Afficher un diaporama**.

2. Pour accéder aux boutons de commande, déplacez la souris. Des boutons apparaissent en haut à droite.

3. Cliquez les boutons de commande pour, respectivement, lire le diaporama, le mettre en pause, passer à l'image précédente ou suivante, ou arrêter le diaporama (voir figure 9-14).

Figure 9-14
Diaporama des
images d'un dossier.

Consulter un dossier image par image

Windows XP permet de visionner plus précisément chaque image d'un dossier, et d'effectuer certaines manipulations (zoom, rotation, suppression, copie, modification, *etc.*).

1. Quel que soit le mode d'affichage actuel, double-cliquez une image du dossier.

L'image s'ouvre dans une nouvelle fenêtre. Les boutons en bas permettent d'effectuer des actions sur l'image. Pointez chaque bouton pour afficher une info-bulle et connaître leur rôle (figure 9-15).

Figure 9-15
Diaporama des images d'un dossier.

Imprimer des photographies

L'impression de photographies nécessite l'aide d'un assistant. En effet, le coût du papier de qualité photo étant élevé, il est préférable d'imprimer plusieurs photos sur la même page. Par exemple, l'impression d'une seule image au format 9 x 13 sur une feuille A4 engendre une perte de 75 % du papier, alors qu'il serait possible d'imprimer quatre photos en même temps.

1. Sélectionnez le dossier qui contient les images à imprimer.

2. Dans la partie de gauche, cliquez le texte **Imprimer les images** (figure 9-16).

Figure 9-16 Impression des images d'un dossier.

Windows ouvre l'assistant Impression de photographies.

3. Cliquez le bouton **Suivant**.

4. Cochez les photos à imprimer. Si les photos sont nombreuses, utilisez les boutons **Sélectionner tout** ou **Effacer tout** pour les cocher ou les décocher toutes en même temps.

Sélectionnez le nombre de photos en fonction de ce que vous voulez imprimer. Par exemple, si vous désirez quatre photos par feuille, choisissez un nombre de photos multiple de quatre.

Figure 9-17 Sélection des images à imprimer.

5. Cliquez le bouton **Suivant**.

6. Si vous avez plusieurs imprimantes, sélectionnez celle à utiliser dans la liste **Quelle imprimante**.

7. Pour modifier la qualité d'impression ou le format du papier, cliquez le bouton **Options d'impression**. La boîte qui s'ouvre correspond uniquement à votre imprimante. Au besoin, consultez sa notice.

8. Cliquez le bouton **Suivant**.

9. Dans la liste **Configuration disponibles**, sélectionnez le format d'impression des photos.

   La partie de droite affiche un aperçu de ce qui sera imprimé.

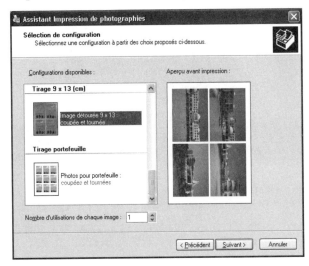

Figure 9-18 Choix du format d'impression et aperçu avant impression.

10. Cliquez le bouton **Suivant**.

    Windows imprime les photos.

11. Cliquez le bouton **Terminer** dans la dernière étape de l'assistant.

Établir une image comme papier peint du bureau

Vous désirez embellir votre bureau avec une image personnelle ? Ajoutez-la en papier peint.

1. Dans le Poste de travail, en mode **Miniatures** ou **Pellicule**, cliquez avec le bouton droit l'image à utiliser en fond d'écran du bureau.

2. Cliquez **Définir en tant que papier peint du Bureau** dans le menu contextuel.

3. Appuyez sur les touches ▦+**D** pour réduire toutes les applications et afficher le bureau.

Figure 9-19
Image comme papier
peint du bureau.

L'image s'affiche comme fond du bureau.

Note ⊗ Pour modifier les propriétés de l'image (étirement, mosaïque, *etc.*), consultez le chapitre 17.

Compression des images

Les images sont classées en trois grandes catégories :

- **Image Bitmap** : dans ce format, l'intégralité des points qui constituent l'image est enregistrée. Si l'image a une taille de 100 x 100 points, le fichier a donc une taille de 10 Ko environ (10 000 octets) en dégradé de gris ou en 256 couleurs (un octet par point), ou de 30 Ko en « vraies couleurs » (trois octets par points en RVB). Ici, l'image n'est pas compressée, elle utilise la taille maximale sur votre disque dur et ralentit les transferts sur Internet si vous devez l'expédier. Ce type d'images porte l'extension « BMP » dans Windows ou TIF sur Macintosh. L'image de la figure 9-20 est typique. Bien que composé pour l'essentiel de points identiques, le fichier conserve chaque point. Dans le format BMP, elle utilise 500 Ko sur le disque dur. Dans un format compressé sans perte, le PNG par exemple, sa taille serait de 10 Ko !

→

Figure 9-20 Image simple qui utilise cependant un demi mégaoctet au format BMP.

Définition ⊗ **RVB** : chaque point à l'écran est constitué de trois couleurs (Rouge, Vert et Bleu). Un octet correspond à une valeur variant de 0 à 255. Chaque couleur peut donc avoir 256 nuances différentes si elle est codée sur un octet. En associant ces trois couleurs, donc trois octets, on obtient une palette de 16 777 216 couleurs (256 x 256 x 256), donc proche de la réalité, d'où le terme « vraies couleurs ».

• **Image compressée sans perte** : ici l'image est au format Bitmap, mais le fichier lui-même est compressé. Prenons l'exemple de la photographie de la figure 9-21. Toute la partie du haut est composée de bleu presque uni. Quand le programme de compression trouve plusieurs pixels identiques, il n'écrit pas dans le fichier chaque point mais un seul ainsi que le nombre de points répétés. Les informations redondantes sont ainsi éliminées et le fichier final pèse moins lourd. Lors de la décompression, l'image retrouve tous ses points, comme pour une image BMP. L'image de la figure 9-21 pèse 5 Mo en BMP, mais seulement 1,5 Mo au format PNG.

Figure 9-21 Image compressée sans perte.

→

- **Image compressée avec perte** : ici l'image est compressée, mais en outre, pour diminuer la taille, le logiciel de compression omet certaines informations. Dans l'exemple de la figure 9-21, le ciel est presque uniforme. Pour gagner de la place, certains points de couleurs « presque identiques » sont regroupés lors de la compression. Tant que l'on conserve un taux de compression raisonnable, la différence n'est pas visible à l'œil nu. L'essentiel des images compressées avec perte sont au format JPG. Pour l'image de la figure 9-21, le fichier en JPG pèse 300 Ko et la différence de qualité avec celle au format BMP de 5 Mo n'est pas visible. Bien sûr, il est possible de diminuer cette taille en augmentant le taux de compression. Dans la figure 9-22, l'image ne pèse plus que 50 Ko, mais vous pouvez constater que le ciel comporte maintenant des « nuages » dus à une compression excessive. Notez qu'à partir de ce dernier exemple, il n'est plus possible de revenir en arrière, c'est-à-dire de l'image de la figure 9-22 à l'image de la figure 9-21. Les informations omises sont définitivement perdues.

Figure 9-22 Image compressée avec perte.

Chapitre
10

>> Profiter de la musique et de la vidéo

Ce chapitre vous fait découvrir la deuxième partie du monde du multimédia avec Windows XP : la musique et la vidéo. Une fois de plus, votre ordinateur a toutes les qualités requises pour exploiter ces deux supports.

Avec le Lecteur Windows Media, vous pourrez écouter de la musique, créer vos propres compilations pour votre baladeur ou votre autoradio, visionner des films téléchargés ou lire des DVD.

Avec Windows Movie Maker, vous pourrez capturez des séquences vidéo à partir de votre Caméscope, puis effectuer un montage pour réaliser un film complet.

Découvrir le Lecteur Windows Media

Le Lecteur Windows Media est le centre stratégique de toutes les sources multimédias : fichiers son ou vidéo, CD audio, DVD, *etc*.

1.   Cliquez le bouton **Démarrer** → **Tous les programmes** → **Lecteur Windows Media**.

Note   Pour ouvrir rapidement le Lecteur Windows Media, cliquez le bouton ⬛ dans la barre d'outils Lancement rapide qui se trouve à côté du bouton **Démarrer**. Pour afficher la barre d'outils Lancement rapide, consultez le chapitre 16.

Figure 10-1 Le Lecteur Windows Media (interface complète).

Conseil ⊗ Nous utilisons ici la version 10 du Lecteur Windows Media. Pour mettre à jour votre version, cliquez le menu **?** → **Vérifier si des mises à jour...**.

Découvrir l'interface

L'interface étant à « géométrie variable », quelques explications sont nécessaires pour bien l'utiliser. Le but est d'obtenir un lecteur de petite taille pour lire des CD audio, ou avec la plus grande surface libre pour visionner des vidéos. Pour cela il est indispensable de masquer certains éléments.

Masquer la barre de menus

Comme l'essentiel des commandes se trouve dans l'interface, la barre de menus n'est pas utile lors des lectures.

1. Cliquez le menu **Affichage** → **Options de la barre de menus** → **Masquer automatiquement**.

   La barre de menus est masquée.

2. Pour faire réapparaître momentanément la barre de menus, placez le curseur de souris au-dessus de l'interface. Vous pouvez aussi cliquer le bouton ◈ en haut à droite.

3. Pour réafficher la barre de menus, cliquez le menu **Affichage** → **Options de la barre de menus** → **Afficher la barre de menus**.

Masquer la barre des tâches

Toutes les fonctions du Lecteur Windows Media sont regroupées par tâches accessibles dans une barre située dans la partie supérieure de l'interface. Lors de la lecture d'un fichier ou d'un disque, cette dernière devient inutile.

1. Cliquez le menu **Affichage** → **Options de la barre de menus** → **Masquer la barre des tâches** pour cocher l'option.

   La barre des tâches est masquée, libérant ainsi de la place pour la lecture d'une vidéo.

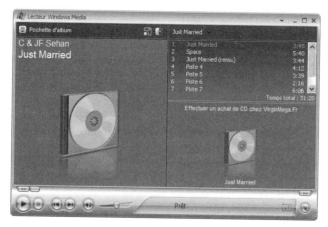

Figure 10-2 Lecteur Windows Media (interface réduite, sans menu ni barre).

2. Cliquez le menu **Affichage** → **Options de la barre de menus** → **Masquer la barre des tâches** pour décocher l'option et réafficher la barre des tâches.

Masquer le lecteur dans la barre des tâches de Windows

Pour écouter de la musique ou visualiser une vidéo dans une petite fenêtre, vous pouvez réduire l'interface dans la barre des tâches de Windows.

1. Cliquez avec le bouton droit une zone vide de la barre des tâches.

2. Cliquez **Barres d'outils** → **Lecteur Windows Media** dans le menu contextuel pour cocher l'option.

Maintenant, si vous réduisez le Lecteur Windows Media avec le bouton ■, ses principales commandes apparaissent dans la barre des tâches.

Figure 10-3 Lecteur Windows Media réduit dans la barre des tâches de Windows.

Changer l'apparence

La présentation par défaut du Lecteur Windows Media ne vous convient pas ? Choisissez-en une parmi la vingtaine proposée.

1. Cliquez le menu **Affichage** → **Sélecteur d'apparence**.

2. Cliquez une apparence dans la liste de gauche.

3. Cliquez le bouton **Appliquer l'apparence**.

    Le Lecteur Windows Media s'affiche avec l'apparence choisie (figure 10-4).

Figure 10-4 Lecteur Windows Media sous une nouvelle apparence.

4. Cliquez le bouton ⧉ pour basculer en mode complet.

5. Cliquez le bouton 🖼 pour basculer en mode apparence (dernière apparence sélectionnée).

Trouver d'autres apparences

Le bouton **Autres apparences** permet de trouver sur Internet d'autres formes pour le Lecteur Windows Media. Si vous avez une connexion Internet, vous trouverez sur le site des apparences étonnantes.

1. Cliquez le bouton **Autres apparences**.

   Le site de Windows Media s'affiche dans votre navigateur (figure 10-5).

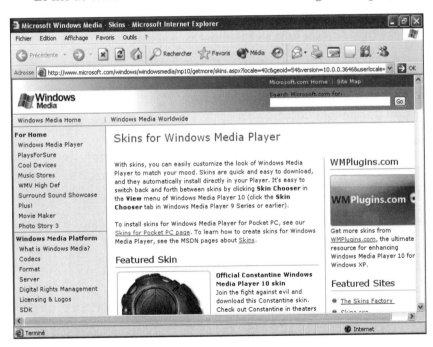

Figure 10-5 Site de téléchargement dédié au Lecteur Windows Media.

Astuce ⊗ La page d'accueil propose des liens vers des sites spécialisés dans les apparences pour le Lecteur Windows Media. Consultez-les pour obtenir davantage de choix.

2. Consultez dans les pages Web du site les apparences proposées.

3. Cliquez le lien d'une apparence pour la télécharger. (Certaines sont réservées à Windows XP. Vérifiez le nom du lien.)

4. Cliquez le bouton **Ouvrir** dans la boîte de téléchargement.

Note ⊗ Les apparences pour les lecteurs de média sont appelées « skins » (*peaux* en anglais). Les skins de la version 9 sont compatible avec la version 10.

5. Après le téléchargement, choisissez dans la liste des apparences celle que vous venez de télécharger.

Figure 10-6 Lecteur Windows Media avec une apparence téléchargée *via* Internet.

Rôle de la barre des tâches

Voici le rôle principal des boutons de la barre des tâches du Lecteur Windows Media :

Lecture en cours : pour lire un CD ou un DVD.

Bibliothèque : pour classer vos fichiers et vos disques.

Extraire : pour copier des morceaux de musique sur votre disque dur.

Graver : pour créer une compilation des fichiers de musique de votre disque dur vers un CD-R.

Synchroniser : pour maintenir à jour le contenu de votre appareil mobile multimédia.

Guide : pour trouver des contenus multimédia sur Internet.

Ouvrir un fichier multimédia

Le Lecteur Windows Media permet de lire tous les types de fichiers vidéo (AVI, MPEG, WMV, ASF, DivX, *etc.*) ou musicaux (MP3, WAV, MID, WMA, AIF, *etc.*). Si le codec correspondant n'est pas installé, il tente de le trouver directement *via* Internet. Pour certains codecs, comme ceux du DivX, il est préférable de faire l'installation manuellement à partir du site officiel.

Définition ⊗ Codec : programme de *compression* et de *décompression* d'une vidéo ou d'un fichier son. Pour lire un DivX, par exemple, vous devez installer le codec correspondant.

1. Cliquez le menu **Fichier → Ouvrir** ou tapez **Ctrl+O**.

   Si le menu n'apparaît pas, cliquez le bouton ⬥.

2. Sélectionnez dans la zone **Regarder dans** le dossier qui contient les fichiers audio ou vidéo.

3. Sélectionnez le ou les fichiers à lire. Pour sélectionner plusieurs fichiers en même temps utiliser les touches **Ctrl** et **Maj** comme dans le Poste de travail (au besoin, consultez le chapitre 5).

4. Cliquez le bouton **Ouvrir**.

Le fichier audio ou vidéo est ouvert dans le lecteur. Utilisez les boutons en bas de l'interface pour les piloter comme vous le faites d'habitude avec un lecteur de CD ou de DVD. Le curseur permet de choisir une position particulière dans la musique ou la vidéo.

Figure 10-7 Lecture d'une vidéo avec le Lecteur Windows Media.

Si vous avez sélectionné plusieurs fichiers à l'étape **3**, leur nom apparaît dans la partie de droite de l'interface. Double-cliquez-les pour passer de l'un à l'autre.

Si vous avez choisi une vidéo, vous pouvez la lire en plein écran.

1. Cliquez le bouton ⬛.

2. Pour accéder aux boutons de commande du lecteur, déplacez la souris.

Figure 10-8 Lecture d'une vidéo en plein écran.

3.   Pour revenir à l'interface standard, cliquez le bouton ⬤.

Lire un DVD vidéo

Les DVD vidéo font maintenant partie de la vie courante. Votre PC sait aussi lire ce type de média.

1.   Insérez le DVD dans le lecteur.

2.   Cliquez le bouton de lecture en bas de l'interface.

Contrairement à un lecteur de DVD de salon, vous pouvez cliquer ici les liens pour changer de menu à la place des traditionnels boutons de navigation des télécommandes.

La partie de droite affiche les chapitres du DVD. Vous pouvez donc accéder directement à un chapitre d'un titre sans utiliser les menus. Vous y découvrirez peut-être des bonus cachés. Cliquez les signes plus (+) en regard des titres pour afficher la liste des chapitres, puis double-cliquez un chapitre pour le lire.

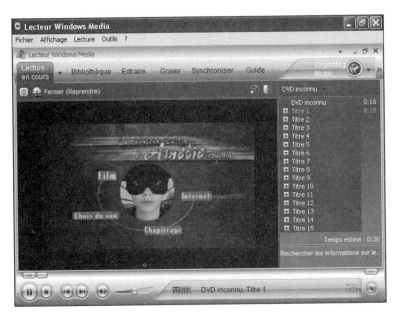

Figure 10-9 Lecture d'un DVD.

Attention ⊗ Pour lire un DVD, il est nécessaire de posséder un décodeur matériel ou logiciel. Ce dernier n'est pas fourni avec Windows XP. Pour vous procurer un décodeur, recherchez le mot « DVD » dans l'aide en ligne (bouton **Démarrer → Aide et support**), puis cliquez la rubrique **Si vous n'avez pas de décodeur DVD**.

Écouter un CD audio

Le Lecteur Windows Media ne se contente pas seulement de lire les CD audio. Si vous êtes connecté à Internet, il peut retrouver le titre d'un album, le nom de l'interprète et les titres des morceaux. Pour certains disques, il peut aussi obtenir la jaquette du boîtier, des informations et des critiques du disque, la biographie et la discographie de l'auteur, ainsi que des liens vers des pages Web.

Lire un CD audio

1. Insérez le CD audio dans le lecteur.

2. Cliquez le bouton de lecture en bas de l'interface.

Utilisez les boutons en bas de l'interface pour changer de morceaux comme vous le faites d'habitude avec un lecteur de CD ou de DVD.

Si vous êtes connecté à Internet, le Lecteur Windows Media recherche automatiquement la réfé-rence du CD et affiche la liste des titres dans la partie de droite de l'interface. Au centre, il affiche la jaquette du boîtier comme dans la figure 10-10 (cette information prend parfois quelques minutes).

Note Si vous êtes effectivement connecté à Internet et que la jaquette ne s'affiche pas après plusieurs minutes, cliquez le menu **Affichage** → **Visualisations** → **Pochette d'album** pour véri-fier que l'option est bien cochée.

Figure 10-10 Lecture d'un CD audio.

Obtenir des informations sur un CD

1. Cliquez le bouton **Extraire** dans la barre des tâches.

2. Cliquez le bouton **Rechercher les informations sur l'album**.

    La partie inférieure du lecteur affiche les renseignements sur l'album en cours.

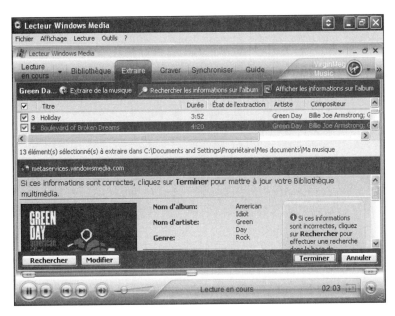

Figure 10-11 Informations sur un CD audio.

3. Cliquez les boutons **Afficher les informations sur l'album** pour obtenir d'autres renseignements.

Certains liens de couleur verte mènent vers des pages Web. Si vous les cliquez, ces pages s'ouvrent dans le navigateur par défaut (généralement, Internet Explorer).

Copier des musiques et créer un CD audio

Vous souhaitez effectuer une copie d'un de vos CD ou réaliser une compilation des meilleurs titres de votre CDthèque ? Rien de plus simple si vous possédez un graveur de CD.

Copier des titres sur le disque dur

Avant de graver un CD, vous devez copier chaque morceau sur le disque dur. Cela vous permettra par la suite de les écouter sans réinsérer le CD audio correspondant.

1. Insérez le CD audio dans le lecteur.

2. Cliquez le bouton **Extraire** dans la barre des tâches.

3. Cochez les titres que vous désirez copier.

4. Cliquez le bouton **Extraire la musique**.

   Les morceaux sont copiés du CD vers le disque dur.

5. Répétez les étapes **1** à **4** pour ajouter les morceaux d'autres CD.

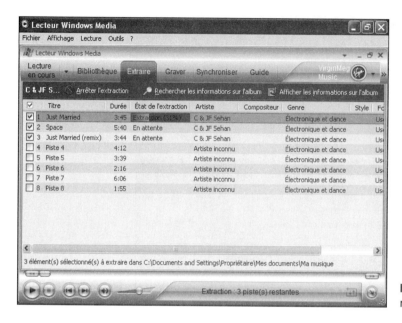

Figure 10-12 Copie de musique sur le disque dur.

Écouter les musiques enregistrées

Les musiques copiées sont placées sur le disque dur dans un sous dossier du dossier Ma Musique. Vous pouvez les écouter comme tout autre fichier audio (consultez le paragraphe « Ouvrir un fichier multimédia » au début de ce chapitre).

Mais ces fichiers font aussi partie d'un catalogage dans la bibliothèque multimédia.

1. Cliquez le bouton **Bibliothèque** dans la barre des tâches

2. Dans l'arborescence de gauche, sélectionnez l'album copié.

   La partie de droite affiche la liste des titres de l'album.

3. Double-cliquez les titres à écouter.

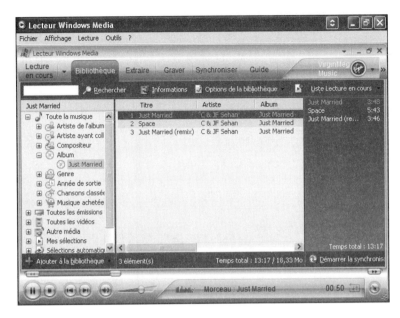

Figure 10-13 Bibliothèque multimédia du Lecteur Windows Media.

Créer un CD audio

Maintenant que vos morceaux sont copiés sur le disque dur et sont présents dans la Bibliothèque multimédia, vous pouvez les copier sur un CD-R ou un CD-RW.

1. Insérez un CD-R ou un CD-RW dans le graveur.

2. Cliquez le bouton **Graver** dans la barre des tâches.

3. Cliquez le bouton **Modifier la sélection**, puis sélectionnez l'album.

4. Cochez les titres à copier vers le CD.

5. Cliquez le bouton **Démarrer la gravure**.

Conseil Évitez d'utiliser en même temps des logiciels qui sollicitent fortement le microprocesseur ou le disque dur afin de ne pas faire échouer la gravure.

Les titres choisis sont copiés sur le CD.

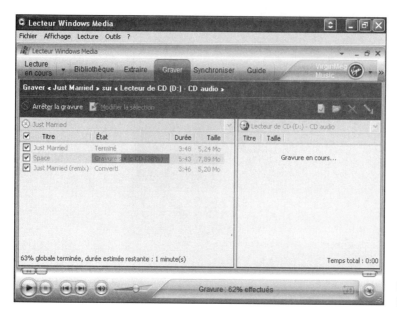

Figure 10-14 Copie de musique sur un CD-R.

Créer des films

Windows XP propose un logiciel simple mais efficace pour créer vos vidéos : Movie Maker. Il permet de capturer des clips à partir d'un Caméscope ou d'une autre source vidéo, de les découper, de les assembler, puis de créer un film complet.

Matériel nécessaire

La source vidéo est un appareil extérieur à l'ordinateur, comme un Caméscope ou un magnéto-scope numérique ou analogique. Pour le relier au PC, ce dernier doit donc contenir une carte d'interface. Pour les Caméscopes numériques (DV ou Digital 8), vous devez installer une carte IEEE-1394, appelée aussi FireWire ou i-Link. Pour les Caméscopes analogiques (VHS ou HI-8), vous devez installer une carte d'acquisition analogique. La liaison entre les deux est réalisée avec des câbles, fournis avec les cartes d'interface. Si vous avez besoin d'explications sur les connexions, demandez conseils à votre revendeur.

1. Cliquez le bouton **Démarrer** ➜ **Tous les programmes** ➜ **Accessoires** ➜ **Windows Movie Maker**.

La fenêtre de Movie Maker s'affiche.

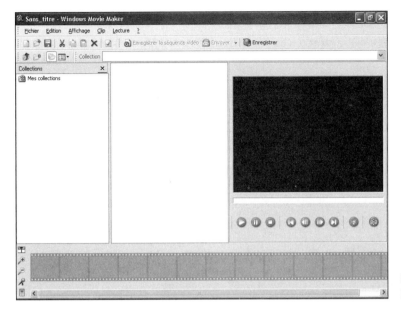

Figure 10-15 Windows Movie Maker.

Capturer des vidéos

1. Cliquez le bouton **Enregistrer** dans la barre d'outils.

    La boîte de capture s'affiche.

2. Si vous possédez plusieurs sources vidéo, cliquez le bouton **Modifier le périphérique**, puis choisissez-la dans la boîte qui s'ouvre.

3. Cliquez la zone **Paramètres**, puis choisissez la qualité de la capture. Si vous avez choisi **Autre**, sélectionnez dans la liste au-dessous une autre qualité.

Conseil ⊗ La taille des fichiers vidéo dépendant du type de qualité. Meilleure est la qualité, plus gros sera le fichier. Ne choisissez donc pas, par exemple, une bonne qualité, si vous destinez votre film à une diffusion sur Internet. Une vidéo au format DV prend 220 Mo par minute sur votre disque dur. Prévoyez de la place pour ce type de fichier.

La réalisation de la capture est fonction du type de Caméscope.

Caméscope numérique

Si vous possédez un Caméscope numérique, allumez-le en le mettant en mode **Magnétoscope**, **Lecteur** ou **Player**. Il n'est pas nécessaire d'utiliser les boutons comme Lecture ou Pause : ils sont présents dans la boîte de capture. Vous pouvez donc piloter le Caméscope directement à partir du PC. Utilisez les boutons de commande de Movie Maker pour rechercher la séquence à capturer.

1. Cliquez le bouton **Enregistrer**. Movie Maker se charge de mettre en route le Caméscope.

2. Dés que la séquence est capturée, cliquez le bouton **Arrêt**. Movie Maker se charge d'arrêter le Caméscope.

Caméscope analogique

Pour un Caméscope analogique, recherchez manuellement la séquence à capturer, puis placez vous en **Pause**.

1. Appuyez sur le bouton **Lecture** du Caméscope.

2. Cliquez immédiatement sur le bouton **Enregistrer** dans Movie Maker.

3. Dés que la séquence est capturée, cliquez le bouton **Arrêt** dans Movie Maker.

4. Appuyez sur le bouton **Pause** ou **Arrêt** du Caméscope.

Figure 10-16 Capture de vidéo avec Movie Maker.

Dès la fin de la capture Movie Maker ouvre une boîte pour enregistrer la séquence.

1. Par défaut, les vidéos sont enregistrées dans le dossier Mes vidéos. Cliquez la zone **Enregistrer dans** si vous désirez sauvegarder le fichier à un autre emplacement.

2. Tapez le nom de la séquence dans la zone **Nom du fichier**.

3. Cliquez le bouton **Enregistrer**.

Figure 10-17 Enregistrement d'une vidéo.

Consulter les vidéos

Après la capture d'une vidéo, Movie Maker revient à l'interface principale.

La liste de gauche affiche toutes les séquences capturées dans des dossiers de « collections ».

1.   Cliquez le nom d'une collection.

     Movie Maker divise automatiquement chaque vidéo en segments plus petits appelés « clips ». La présence d'un clip est détectée dans le film d'origine à chaque fois que vous avez mis en pause ou arrêté le Caméscope lors de la prise de vue. Le nom des clips est alors remplacé par la date et l'heure. Cela ne s'applique qu'aux vidéos numériques.

2.   Cliquez un clip dans une collection pour le sélectionner.

3.   Utilisez les boutons en dessous de la fenêtre de visualisation pour lire le clip choisi.

Note ⊗ Vous pouvez ajouter au projet des vidéos existantes ou des images. Cliquez pour cela le menu **Fichier → Importer**.

Monter les vidéos

Maintenant que vous avez des clips, vous pouvez les mettre bout à bout et dans l'ordre qui vous plaît pour créer un film complet.

1.   Cliquez et faites glisser le clip de votre choix vers la pellicule en bas de la fenêtre. (Cette zone s'appelle la table de montage.)

2. Répétez l'étape **1** pour tous les clips à utiliser. Vous pouvez entre-temps changer de collection.

Figure 10-18 Ajout de clips à la table de montage.

Si, après coup, l'ordre ne vous convient pas, modifiez-le :

1. Cliquez et faites glisser le clip à déplacer dans la table de montage pour modifier l'ordre.

Découper et associer des clips

Si le début ou la fin d'un clip n'est pas indispensable, vous pouvez le scinder en deux parties pour ne conserver que la partie qui vous intéresse. Vous pouvez aussi assembler deux clips pour n'en former qu'un seul.

Pour scinder un clip :

1. Cliquer le clip dans la liste des collections.

2. Utilisez les boutons en dessous de la fenêtre de visualisation pour trouver la position de coupure.

3. Cliquez le menu **Clip → Fractionner**.

Note Movie Maker ne coupe pas vos vidéos si vous fractionnez un clip en deux parties. Les fichiers des vidéos capturées ne sont pas modifiés. Movie Maker conserve juste les positions des clips à l'intérieur de la vidéo. Il utilise ces informations au moment de créer le film complet.

Pour associer deux clips :

1.   Cliquer le premier clip dans la liste des collections.

2.   Maintenez la touche **Ctrl** puis cliquez le second clip.

3.   Cliquez la sélection avec le bouton droit de la souris.

4.   Cliquez **Associer** dans le menu contextuel.

Conseil ⊗ Vous ne pouvez associer que deux clips qui se suivent. Si ce n'est pas le cas, commencez par les déplacer dans la table de montage.

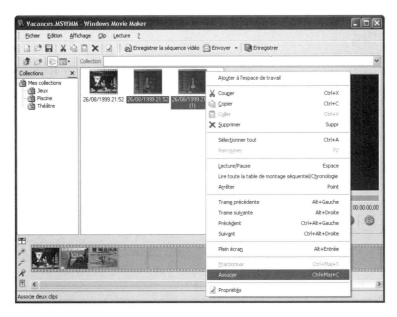

Figure 10-19 Association de deux clips.

Enregistrer un projet

Comme toutes les applications, Movie Maker permet d'enregistrer des « documents ». Il s'agit ici de conserver toutes les informations sur le projet, c'est-à-dire la liste des vidéos capturées, la position et la durée de chaque clip dans les vidéos, et leur position dans la table de montage. Le projet ne conserve pas les vidéos elles-mêmes, puisqu'elles sont déjà sur le disque dur.

1.   Cliquez le menu **Fichier** ➜ **Enregistrer** ou tapez **Ctrl+S**.

2.   Éventuellement, sélectionnez dans la zone **Enregistrer dans** le dossier de sauvegarde.

3.   Tapez un nom pour le projet dans la zone **Nom du fichier**.

4.   Cliquez le bouton **Enregistrer**.

Note ⊗ Pour créer un nouveau dossier, consultez le chapitre 4. Pour plus de renseignements sur l'enregistrement des documents, consultez le chapitre 2.

Lire le film

Avant d'enregistrer le film complet, visionnez-le intégralement.

1. Dans la table de montage, cliquez une zone sans clip.

2. Utilisez les boutons au-dessous de la fenêtre de visualisation pour lire le film tel qu'il sera enregistré.

Enregistrer le film

C'est maintenant le moment d'enregistrer le film complet, c'est-à-dire un seul fichier vidéo créé à partir des clips et lisible dans le Lecteur Windows Media.

1. Cliquez le bouton **Enregistrer la séquence vidéo**.

    La boîte Enregistrer la séquence vidéo s'affiche.

2. Cliquez la zone **Paramètre**, puis choisissez la qualité de la vidéo. Si vous avez choisi **Autre**, sélectionnez dans la liste **Profil** une autre qualité.

    Les zones au-dessous affichent le format d'enregistrement de la vidéo, ainsi que les temps de téléchargement (si vous la destinez à une diffusion sur Internet).

3. Tapez dans la zone **Afficher les informations** les renseignements sur la vidéo (titre, auteur, date, *etc.*).

4. Cliquez le bouton **OK.**

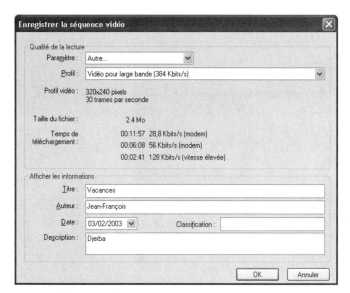

Figure 10-20 Enregistrement du fichier vidéo final.

5.   Par défaut, la vidéo est enregistrée dans le dossier Mes vidéos comme les vidéos capturées. Cliquez la zone **Enregistrer dans** si vous voulez sauvegarder le fichier à un autre emplacement.

6.   Tapez le nom de la vidéo dans la zone **Nom du fichier**.

7.   Cliquez le bouton **Enregistrer**.

Dès que le fichier est enregistré, Movie Maker propose de l'ouvrir avec le Lecteur Windows Media.

8.   Cliquez le bouton **Oui** pour lire la vidéo.

La vidéo est immédiatement lue avec le Lecteur Windows Media.

Figure 10-21 Lecture de la vidéo dans le Lecteur Windows Media.

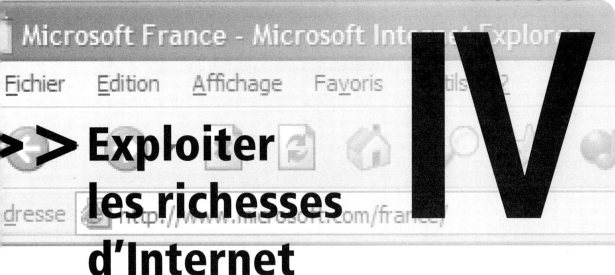

Partie IV

Exploiter les richesses d'Internet

Chapitre 11

Profiter d'Internet

Internet offre de multiples facettes. De la simple navigation dans des pages Web à la messagerie, cet outil n'est pas près de cesser de vous étonner.

Une fois votre connexion établie, vous pouvez visiter les millions de pages proposées par les sites du monde entier. Les internautes appellent cela « surfer » : vous vous déplacez de page en page grâce aux liens proposés pour approfondir le sujet qui vous intéresse ou en découvrir de nouveaux.

Ce chapitre vous explique le moyen d'effectuer des recherches et d'organiser vos liens vers les sites que vous consultez fréquemment, ainsi que l'exploitation du contenu des pages pour les conserver durablement. N'oubliez pas qu'Internet est en perpétuelle évolution, et que certaines pages peuvent disparaître d'un jour à l'autre.

Se connecter à Internet

Pour se connecter à Internet, vous devez installer un modem. Celui-ci permet de transférer des données *via* le réseau téléphonique. Les modems les plus courants se connectent sur un port USB ou un port série à l'arrière du boîtier. Il existe aussi des modems internes, qui nécessitent d'ouvrir l'unité centrale pour les installer. Pour tous ces branchements, consultez leur notice ou demandez conseils à votre revendeur.

Définition ⊗   **Internet** : ensemble de réseaux interconnectés à travers le monde. Internet est donc le réseau des réseaux. En vous connectant à Internet, votre ordinateur fait partie de ce réseau.

Installer un modem

Si votre modem est « plug and play » (c'est généralement le cas des modèles USB ou internes), Windows XP le détectera immédiatement et se chargera d'installer les logiciels nécessaires à son fonctionnement. Si le modèle est très récent, il vous demandera peut-être d'insérer la disquette ou le CD-ROM fourni par le constructeur.

Figure 11-1 Modem ADSL USB.

Définition ⊗ **ADSL** : connexion Internet très rapide qui utilise votre ligne de téléphone mais vous laisse quand même la possibilité de téléphoner. C'est donc une avancée technologique importante par rapport aux connexions traditionnelles, qui sont lentes et occupent la ligne téléphonique. De plus, l'abonnement étant illimité, vous pouvez vous connecter quand vous le désirez, voire 24 heures sur 24.

Si votre modem est ancien (c'est le cas des modèles qui se connectent sur le port série), Windows risque de ne pas le détecter. Dans ce cas, vous devez utiliser un assistant qui se chargera de le trouver et d'installer les logiciels *ad hoc*.

1.   Cliquez le bouton **Démarrer** ➜ **Panneau de configuration**.

2.   Si la page Choisissez une catégorie est affichée, cliquez **Imprimantes et autres périphériques** puis cliquez **Options de modems et téléphonie**. Dans les autres cas, double-cliquez directement **Options de modems et téléphonie**.

3.   Cliquez l'onglet **Modems**.

4.   Si votre modem apparaît dans la liste, il est déjà installé. Cliquez dans ce cas le bouton **Annuler**.

5.   Si votre modem n'apparaît pas dans la liste, cliquez le bouton **Ajouter**.

Figure 11-2 Boîte d'ajout d'un modem.

Windows ouvre un assistant.

1.   Si votre modem possède sa propre alimentation, allumez-le. (Les modèles internes et USB sont alimentés par l'ordinateur.)

2.   Cliquez le bouton **Suivant**.

Windows tente de détecter votre modem « plug and play »». En réalité, s'il ne l'a pas détecté précédemment, il y a peu de chance qu'il le trouve maintenant. S'il le trouve effectivement, cliquez **Terminer** dans la dernière boîte de l'assistant.

3. Cliquez le bouton **Suivant**.

4. Cliquez le modèle dans la liste de droite.

Note ⊗ Si votre modem n'apparaît pas dans la liste, insérez la disquette ou le CD-ROM fourni par le constructeur, puis cliquez le bouton **Disque fourni**. Sachez cependant que presque tous les modems sont standards. Regardez le boîtier : il y a sûrement un nombre inscrit qui correspond à sa vitesse. Par exemple, si vous voyez le chiffre 28 800, sélectionnez le modèle « Modem standard 28 800 ». Un modem 56K ou V90 correspond à un modèle 56 000 bps.

Figure 11-3 Sélection du type de modem.

5. Cliquez le bouton **Suivant**.

6. Cliquez dans la liste des ports celui sur lequel est connecté le modem.

Astuce ⊗ Les modems externes sont connectés aux ports série nommés COM1 et COM2. Ces derniers correspondent aux prises série à l'arrière du PC. Si l'assistant vous en propose plusieurs et que vous ne sachiez pas lequel est utilisé, choisissez le port COM1. Si le modem ne fonctionne pas, supprimez-le dans la boîte Options de modems, puis réinstallez-le en utilisant le port COM2.

7. Cliquez le bouton **Suivant**.

8. Cliquez le bouton **Terminer** après l'installation.

Définir les données de connexion

Pour établir une connexion, vous devez souscrire un abonnement à un fournisseur d'accès Internet (FAI). Il existe de nombreux FAI (qui vous ont sûrement déjà sollicité par leur publicité) : Club-Internet, Free, Wanadoo, AOL, *etc.* Si vous ne savez pas encore si Internet peut vous apporter quelque chose, souscrivez un petit forfait, vous pourrez toujours le changer ultérieurement. Certains FAI proposent même des mois d'accès gratuits. Profitez-en.

Si votre FAI vous a fourni un CD-ROM, insérez-le dans le lecteur, puis suivez les instructions à l'écran.

Dans les autres cas, l'installation de la connexion s'effectue avec un assistant.

1. Cliquez le bouton **Démarrer** → **Tous les programmes** → **Accessoires** → **Communications** → **Assistant nouvelle connexion**.

2. Cliquez le bouton **Suivant** pour commencer la création de la connexion.

3. Cliquez l'option **Établir une connexion à Internet**.

4. Cliquez le bouton **Suivant**.

5. Cliquez l'option **Configurer ma connexion manuellement**.

6. Cliquez le bouton **Suivant**.

    Cette étape permet de choisir le type de connexion en fonction du type de modem.

7. Si vous avez un modem standard, cochez la première option. Si vous avez un modem ADSL, cochez la deuxième option. Si vous utilisez le câble, cochez la troisième option (voir figure 11-4).

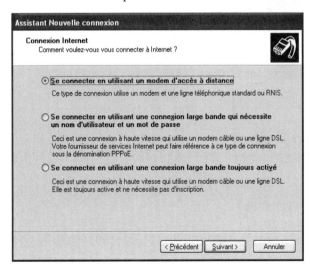

Figure 11-4 Choix du type de connexion.

8. Cliquez le bouton **Suivant**.

Tous les renseignements des étapes suivantes de l'assistant vous ont été communiqués par courrier par votre FAI. Consultez ces documents pour répondre aux dernières questions de l'assistant.

Se connecter

Maintenant que le modem est installé et la connexion créée, vous pouvez vous connecter à Internet.

1. Cliquez le bouton **Démarrer** → **Connexions** puis le nom de la connexion.

Note ⊗ Il est possible qu'une application qui a besoin d'un accès à Internet demande elle-même la connexion. Dans ce cas, la boîte de dialogue de la figure 11-5 s'affiche automatiquement.

2. Si les zones **Nom d'utilisateur** et **Mot de passe** ne sont pas renseignées, tapez les données fournies par votre FAI.

3. Pour ne pas retaper les données de l'étape **2**, cochez la case Enregistrer….

4. Cliquez le bouton **Numéroter**. Si vous avez l'ADSL, cliquez le bouton **Se connecter**.

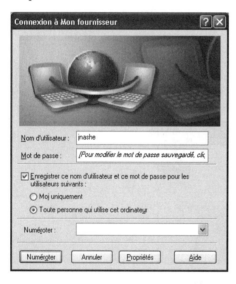

Figure 11-5 Boîte de connexion à Internet.

L'icône 🖳 s'affiche dans la partie droite de la barre des tâches (zone de notification). Elle indique que vous êtes connecté à Internet.

Se déconnecter

Si vous avez un forfait Internet et non une connexion illimitée, vous devez penser à vous déconnecter pour ne pas gâcher des minutes qui vous sont facturées.

1. Double-cliquez l'icône ![icône] dans la partie droite de la barre des tâches (zone de notification).

   Cette boîte affiche l'état de la connexion actuelle.

2. Cliquez le bouton **Se déconnecter**.

Définition ⊗   **IP** : adresse composée de quatre groupes de chiffres de 0 à 255 et qui identifie de façon unique votre ordinateur sur le réseau.

Conseil ⊗   Si vous avez besoin de connaître un jour votre adresse IP, par exemple pour des applications comme NetMeeting, cliquez l'onglet **Détails** de la boîte de dialogue État de... (figure 11-6). La zone **Adresse IP du client** vous donne l'IP de votre connexion.

Figure 11-6 État de la connexion Internet.

Visiter des sites Web

La navigation sur le Web est la principale activité des internautes. Son principe est très simple : vous saisissez l'adresse d'un site, puis vous cliquez les liens proposés pour « naviguer » ou « surfer » de page en page sur les sujets qui vous intéressent.

Définition ⊗   **World Wide Web** ou tout simplement **Web** : service sur Internet qui permet de consulter des pages au format HTML. L'adresse des sites qui utilisent ce service commence par les lettres « www ».

Définition ⊗   **HTML** *(HyperText Markup Language)* : langage pour décrire des pages Web avec des fonctions qui n'existent pas dans un texte ordinaire : liens vers d'autres pages ou sites, insertions de tableaux ou d'images, sons, animations, vidéos, *etc.*

1. Cliquez le bouton **Démarrer** ➜ **Internet Explorer**.

Note ⊗ Pour surfer, vous devez être connecté. Vous pouvez aussi naviguer « hors connexion », mais seulement pour les dernières pages que vous avez visitées.

Vous êtes maintenant dans l'interface d'Internet Explorer, qui va vous permettre de découvrir toutes les possibilités du Web.

2. Cliquez la zone **Adresse**.

3. Tapez l'adresse du site et appuyez sur la touche **Entrée**.

Conseil ⊗ Il n'est pas nécessaire de faire précéder l'adresse du protocole http://. Pour les adresses se terminant par .com, tapez uniquement le nom du site et appuyez sur **Ctrl+Entrée**. L'adresse est automatiquement complétée : par exemple, google devient www.google.com.

La page correspondant à l'adresse saisie est affichée. Si vous avez tapé uniquement l'adresse du site, c'est la page principale qui s'affiche (figure 11-7).

Figure 11-7 Page Web affichée dans Internet Explorer.

Maintenant, vous pouvez naviguer de page en page. Comment ? Tout simplement en recherchant les liens qui vous dirigent vers d'autres pages. Certains liens sont facilement reconnaissables : ils ont une couleur différente du reste du texte et sont généralement soulignés. Mais ce n'est pas toujours le cas. Pour repérer un lien, déplacez la souris. Si le curseur prend la forme 🖑, il s'agit d'un lien. Dans ce cas, cliquez-le pour passer à une autre page ou à une autre partie de la page en cours.

Si l'adresse saisie n'est pas disponible, c'est peut-être tout simplement qu'elle est mal orthographiée. Corrigez dans ce cas votre saisie, puis appuyez sur **Entrée**.

Si vous avez cliqué le mauvais lien ou si vous désirez parcourir les pages déjà visitées, Internet Explorer vous propose des boutons pour accéder aux pages suivantes et précédentes, mais aussi à une page précise.

1. Pour revenir à la page précédente, cliquez le bouton 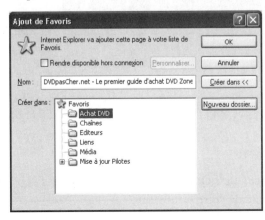.

2. Pour voir la page suivante, cliquez le bouton.

   Ces boutons ne sont disponibles que si vous avez déjà consulté au minimum deux pages depuis l'ouverture d'Internet Explorer.

3. Pour choisir une page précise, cliquez les flèches en regard des boutons et, puis le nom de la page dans la liste qui s'ouvre.

Conserver les adresses

Avec le temps, vous verrez que l'on revient très souvent sur les mêmes sites. Généralement parce qu'ils correspondent à des hobbies, des informations pour le travail, ou des sites marchands que l'on privilégie.

Pour ne pas retaper l'adresse de ces sites, vous pouvez les conserver dans un dossier appelé « favoris ».

Ajouter une adresse aux favoris

1. Affichez la page dont vous voulez conserver l'adresse.

2. Cliquez le menu **Favoris → Ajouter aux Favoris**.

3. Éventuellement, cliquez le bouton **Créer dans >>>** pour afficher la liste des dossiers.

4. Tapez le nom du site ou de la page dans la zone **Nom**. Ce nom n'a aucune influence sur le lien.

5. Cliquez le dossier qui doit contenir l'adresse (voir figure 11-8).

Figure 11-8 Ajout de la page Web en cours dans les favoris.

6. Cliquez le bouton **OK**.

Utiliser une adresse favorite

Tous les liens ajoutés sont disponibles dans un menu. Vous pouvez donc y accéder très facilement.

1. Cliquez le menu **Favoris**.

2. Éventuellement, pointez le dossier dans lequel se trouve le lien.

3. Cliquez le lien de la page à afficher.

Si vous trouvez le menu Favoris difficile d'emploi, affichez le volet des favoris. Cette solution permet de continuer à naviguer dans la partie de droite d'Internet Explorer tout en ayant la liste des liens dans la partie de gauche.

1. Cliquez le bouton **Favoris**, ou cliquez le menu **Affichage ➜ Volet d'exploration ➜ Favoris**.

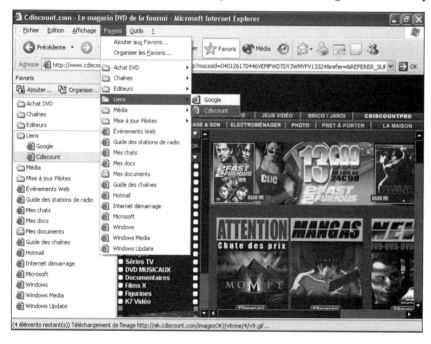

Figure 11-9 Menu et volet Favoris.

Organiser les favoris

Pour ne pas être submergé par une quantité importante de liens, mieux vaut les organiser en les classant par thème dans des dossiers.

1. Cliquez **Favoris ➜ Organiser les favoris**.

   La boîte qui s'affiche permet de créer, de renommer ou de supprimer des dossiers. Il s'agit d'une arborescence semblable à celle de votre disque dur.

2. Utilisez les boutons correspondants pour modifier les dossiers (voir figure 11-10).

Figure 11-10 Organisation du menu des Favoris.

Définir la page de démarrage

Si vous consultez toujours la même page à chaque connexion, définissez-la comme page par défaut.

1. Affichez la page à utiliser par défaut.

2. Cliquez le menu **Outils** → **Options Internet**.

3. Cliquez l'onglet **Général** (figure 11-11).

4. Cliquez le bouton **Page actuelle** pour qu'elle devienne la page de démarrage.

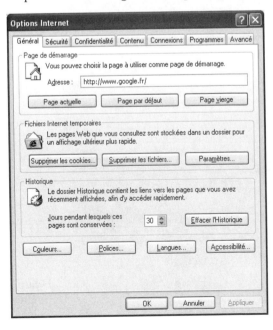

Figure 11-11 Choix de la page de démarrage.

5. Cliquez le bouton **OK**.

Note ⊗ Si vous cliquez le bouton **Page par défaut**, le site de MSN sera ouvert au démarrage. Si vous cliquez le bouton **Page vierge**, vous n'aurez pas de site affiché à l'ouverture d'Internet Explorer.

Utiliser l'historique

Internet Explorer conserve l'adresse des dernières pages visitées. Elles sont regroupées par semaine, et par jour pour la dernière semaine.

1. Cliquez le menu **Affichage** ➜ **Volet d'exploration** ➜ **Historique**.

    Le volet Historique s'affiche dans la partie gauche d'Internet Explorer.

2. Cliquez le jour ou la semaine à consulter.

    Chaque dossier correspond à un site visité.

3. Cliquez un dossier pour l'ouvrir.

    Chaque lien correspond à une page visitée.

4. Cliquez un lien pour afficher la page correspondante.

    La page s'ouvre dans la partie de droite d'Internet Explorer.

5. Cliquez le bouton en forme de croix pour fermer le volet Historique.

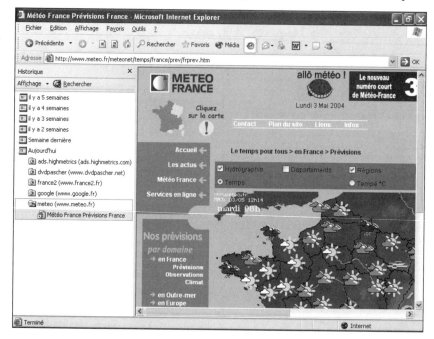

Figure 11-12
Historique des pages visitées.

Effectuer des recherches

Si vous ne disposez pas de l'adresse Web d'un site, vous devez effectuer une recherche.

1. Cliquez le bouton **Rechercher** dans la barre d'outils.

   Internet Explorer ouvre un nouveau volet dans la partie de gauche.

2. Tapez dans la zone de recherche des mots clés correspondant au site auquel vous désirez accéder.

3. Cliquez le bouton **Rechercher** (**OK**, **Aller**, *etc.*) ou appuyez sur la touche **Entrée**.

   Le volet **Rechercher** vous propose alors plusieurs liens correspondant aux mots clés de votre recherche.

4. Cliquez un lien pour l'ouvrir dans la partie de droite.

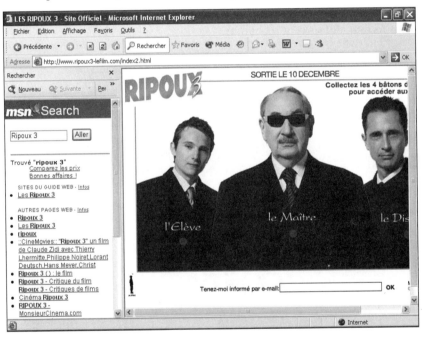

Figure 11-13
Recherche d'une
page Web.

Utiliser directement les moteurs de recherche

Les « moteurs de recherche » permettent de retrouver des pages Web en fonction de mots clés. Ce sont en fait des sites comme tous les autres. Il suffit donc de taper leur adresse dans la zone du même nom pour y accéder. Voici quelques adresses indispensables :

www.google.com

www.voila.fr

www.yahoo.fr

www.nomade.fr

www.lycos.fr.

Ces sites proposent généralement une aide pour affiner votre recherche. Consultez-la pour accéder plus facilement à l'information que vous désirez consulter.

Effectuer une recherche avec Google

Le moteur de recherche Google répertorie actuellement plus de huit milliards de pages Web. C'est le meilleur moyen de trouver rapidement l'information qui vous manque.

Recherche simple

1. Tapez www.google.fr **Entrée** dans la barre Adresse.

2. Tapez le ou les mot(s) clé(s) de la recherche.

Note ⊗ L'encadré de la page suivante donne des conseils sur l'utilisation des mots clés.

3. Cochez une des options proposées pour effectuer une recherche précise (toutes les langues, langue française ou site français).

Figure 11-14 Page d'accueil de Google.

4. Cliquez le bouton **Recherche Google** pour afficher tous les liens vers les pages concernées. Cliquez le bouton **J'ai de la chance** pour afficher la page la plus pertinente.

    Google affiche une liste de liens vers les pages qui contiennent les mots clés saisis à l'étape **2**.

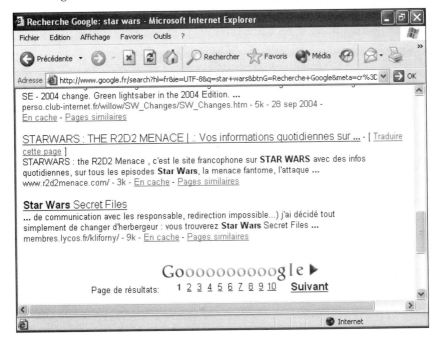

Figure 11-15
Pages proposées par Google.

5. Cliquez le lien dont vous souhaitez consulter la page.

6. Si vous ne trouvez pas de lien intéressant, cliquez le lien **Suivant** pour en afficher d'autres.

Améliorer les recherches avec Google

- Google recherche les pages contenant tous les mots que vous avez saisis. Cependant, ces derniers ne sont pas forcément dans l'ordre où vous les avez tapés, et ne sont pas obligatoirement les uns à la suite des autres.

- Pour rechercher une expression complète, par exemple le titre d'un film ou d'un livre, placez les mots entre guillemets (« star wars »).

- Pour exclure un mot de la recherche, faites-le précéder d'un signe moins (-).

- Google ne tient pas compte des mots de liaison (de, la, *etc.*), ainsi que des chiffres et des lettres seules. Pour forcer la recherche avec ces mots, faites-les précéder du signe plus (+).

- Google ne tient pas compte des majuscules. Il est donc inutile de les saisir.

Recherche avancée

1. Ouvrez la page d'accueil de Google.

2. Cliquez le lien **Recherche avancée**.

3. Saisissez les renseignements de la recherche dans la page qui s'affiche.

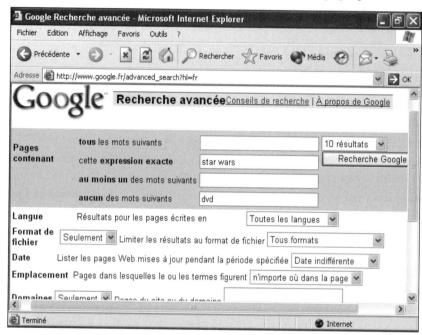

Figure 11-16
Recherche avancée avec Google.

4. Cliquez le bouton **Recherche Google**.

Rechercher des images

1. Ouvrez la page d'accueil de Google.

2. Cliquez le lien **Image**.

3. Tapez le ou les mot(s) clé(s) de la recherche.

4. Cliquez le bouton **Recherche Google**.

    Google affiche les images correspondant aux mots clés saisis.

5. Cliquez l'image pour la visualiser dans sa page d'origine.

Note Pour limiter le nombre d'images en fonction de la taille, cliquez les liens **Grandes**, **Moyennes** ou **Petites**.

Figure 11-17
Recherche d'images
avec Google.

Effectuer une recherche dans un site

Les grands sites proposent eux aussi une zone de recherche pour vous permettre de trouver une donnée ou un produit. Ils utilisent généralement le système de mots clés pour vous donner accès à l'information. Mais, parfois, ils proposent des listes dans lesquelles vous pouvez sélectionner des thèmes.

Conseil ⊗ Les pages Web sont généralement organisées de façon rationnelle : c'est donc à vous de les parcourir et de rechercher les informations qui vous intéressent. Comme tous les sites ont leur propre interface, il serait vain d'expliquer ici le fonctionnement des millions de pages disponibles sur Internet. Fiez-vous donc à votre intuition et n'hésitez pas à user de votre souris !

Exploiter les pages Web

Pour exploiter les pages en dehors de la navigation, vous pouvez les enregistrer sur votre disque dur, les imprimer, ou copier des portions de texte pour les exploiter dans un autre logiciel.

Rechercher un texte

La recherche d'un texte permet de se positionner directement à un endroit précis, quelle que soit la longueur de la page. Cette recherche se limite à la page en cours.

1. Cliquez le menu **Edition → Rechercher**. Pour aller plus vite, utilisez le raccourci **Ctrl+F**.

2. Dans la boîte qui s'affiche, tapez le texte à trouver dans la zone **Rechercher** et choisissez d'éventuelles options.

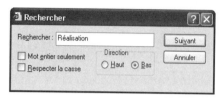

Figure 11-18 Recherche d'un texte dans une page Web.

3. Cliquez le bouton **Suivant**.

   Le texte trouvé est en surbrillance à l'intérieur de la page Web.

4. Cliquez le bouton **Suivant** pour trouver une nouvelle occurrence du texte. Cliquez le bouton **Annuler** à tout moment pour arrêter la recherche.

Sélectionner et copier un texte

En sélectionnant une portion de page, vous pourrez copier ou imprimer cette sélection.

1. Cliquez avant le premier caractère du texte, puis, sans relâcher le bouton de souris, faites glisser jusqu'au dernier caractère.

2. Tapez **Ctrl+C** pour copier la sélection dans le presse-papiers.

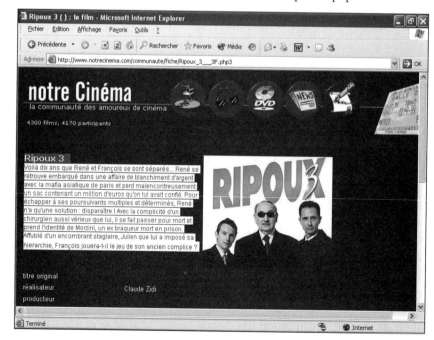

Figure 11-19
Sélection et copie
d'un texte dans une
page Web.

3. Ouvrez l'application et le document (ou un document vierge) qui doit contenir le texte copié.

Note Toutes les applications n'acceptent pas ce type de copie. Faites des tests avec la vôtre.

4. Cliquez la position d'insertion.

5. Tapez **Ctrl+V** pour coller le contenu du presse-papiers à la position du curseur.

   Le texte de la page Web est inséré dans le document de votre application.

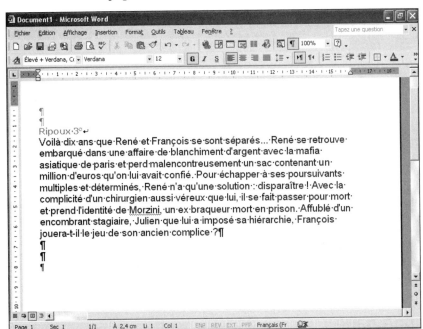

Figure 11-20 Copie d'un texte d'une page Web dans un document Word.

6. Éventuellement, mettez en forme le texte avec votre application.

Conseil Il est parfois difficile de sélectionner uniquement du texte car les pages Web contiennent souvent des images. Recommencez la sélection pour ne sélectionner que le texte désiré. Si nécessaire, copiez le texte en plusieurs fois. Certains textes sont en réalité des images. Vous ne pourrez donc que copier l'image et vous ne pourrez pas la modifier comme du texte après collage.

Enregistrer une page

Internet Explorer ne conserve les pages visitées que dans la limite de la taille allouée sur le disque. Pour être sûr de conserver durablement une page, vous devez l'enregistrer.

1. Cliquez le menu **Fichier ➜ Enregistrer sous**.

2. Sélectionnez le dossier de destination dans la zone **Enregistrer dans**.

3. Tapez le nom de la page dans la zone **Nom du fichier**.

4. Dans la liste Type, sélectionnez **Page Web complète** pour enregistrer les éléments de la page dans un dossier séparé. Sélectionnez **Archive Web** pour enregistrer tous les éléments dans un unique fichier.

5. Cliquez le bouton **Enregistrer**.

À tout moment, vous pourrez accéder à la page enregistrée en cliquant le menu **Fichier → Ouvrir**.

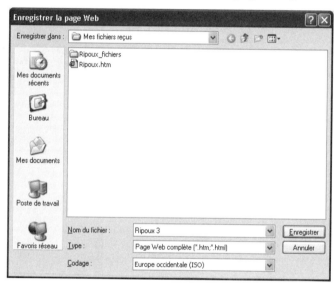

Figure 11-21 Enregistrement d'une page Web.

Imprimer une page

Pour conserver une trace d'une page Web, par exemple une commande ou une facture, imprimez-la. Internet Explorer propose une mise en page complète avant l'impression.

Définir la mise en page

1. Cliquez le menu **Fichier → Mise en page**.

2. Sélectionnez le format du papier dans la liste **Taille**.

3. Tapez dans les zones **En-têtes** et **Pied de page** le texte à imprimer en haut et en bas de chaque page. Pour ajouter des informations particulières, utilisez les codes du tableau 11-1.

Codes	Informations imprimées
&b	Centrer le texte qui suit
&b texte1 &b texte 2	Texte 1 centré et texte 2 aligné à droite
&d	Date abrégée
&D	Date format long
&p	Numéro de la page
&P	Nombre de pages
&t	Heure au format par défaut
&T	Heure sur 24 heures (t pour time)
&&	Pour afficher le symbole &
&u	Adresse de la page (u pour URL)
&w	Titre de la fenêtre (w pour window)

Tableau 11-1 Codes à utiliser pour les en-têtes et les pieds de pages.

4. Cochez l'orientation de la page : **Portrait** pour une impression verticale et **Paysage** pour une impression horizontale.

Conseil ⊗ Il est presque toujours nécessaire d'imprimer en mode **Paysage** pour adapter l'impression à la largeur des pages.

5. Tapez dans les zones **Gauche**, **Droite**, **Haut** et **Bas** les dimensions des marges non imprimables.

Figure 11-22 Mise en page avant l'impression.

6. Cliquez le bouton **OK**.

Imprimer une page

1. Cliquez le menu **Fichier** → **Imprimer**.

2. Dans la zone **Sélection de l'imprimante,** choisissez celle à utiliser (le symbole ✔ indique l'imprimante par défaut).

3. Cliquez le bouton **Préférences** si vous souhaitez modifier les options de l'imprimante (résolution d'impression, taille du papier, *etc.*).

4. Sélectionnez les pages à imprimer. Si vous choisissez l'option **Pages**, tapez le numéro de la première page, un tiret puis le numéro de la dernière page. L'option **Sélection** est disponible si une partie de la page Web est sélectionnée.

5. Sélectionnez le nombre de copies à imprimer Si vous avez choisi d'en imprimer plusieurs, cochez l'option **Copies assemblées** pour obtenir des pages triées (pages 1, 2, 3, *etc.*, puis 1, 2, 3, *etc.*) ou décochez l'option pour une impression plus rapide (pages 1, 1, *etc.*, puis 2, 2, *etc.*).

Figure 11-23 Impression de pages Web.

6. Cliquez le bouton **Imprimer**.

Exploiter les images des pages Web

Vous êtes intéressé par une image ? Conservez-la sur votre disque dur, sur papier ou expédiez-la à un ami par e-mail.

Imprimer une image

1. Cliquez avec le bouton droit l'image à imprimer.

2. Cliquez la commande **Imprimer l'image** dans le menu contextuel.

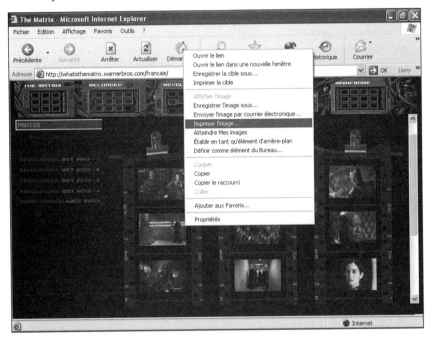

Figure 11-24
Utilisation du menu contextuel pour exploiter une image d'une page Web.

3. Modifiez les options proposées (consultez le chapitre 2).

4. Cliquez le bouton **Imprimer**.

Enregistrer une image

En enregistrant une image vous pourrez l'utiliser ultérieurement pour l'insérer dans un document ou pour l'imprimer.

1. Cliquez avec le bouton droit l'image à conserver.

2. Cliquez **Enregistrer l'image sous** dans le menu contextuel.

3. Sélectionnez dans la zone **Enregistrer dans** le dossier de destination. Par défaut, l'image est enregistrée dans le dossier Mes images.

4. Tapez dans la zone **Nom du fichier** le nom de l'image. Vous pouvez aussi conserver le nom d'origine.

Figure 11-25 Sauvegarde d'une image.

5. Cliquez le bouton **Enregistrer**.

Expédier une image par courrier électronique

Si vous avez trouvé l'image que tout le monde cherche, expédiez-la par e-mail à vos amis.

1. Cliquez avec le bouton droit l'image à expédier.

2. Cliquez **Envoyer l'image par courrier électronique** dans le menu contextuel.

3. Comme l'image peut être de taille imposante, la boîte de la figure 11-26 s'affiche. Indiquez dans ce cas ce que vous souhaitez faire en cliquant les options appropriées, puis cliquez le bouton **OK**.

Figure 11-26 Redimensionnement des images avant l'expédition par e-mail.

Le nom du fichier de l'image apparaît dans la zone Joindre.

4. Tapez le nom ou l'adresse e-mail du destinataire dans la zone **À**.

5. Éventuellement, modifiez la zone **Objet**.

6.   Éventuellement, tapez un commentaire dans la zone du bas.

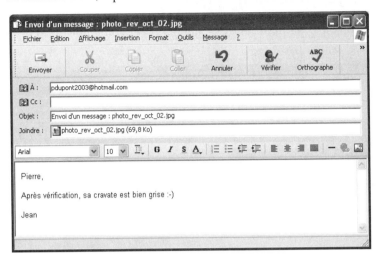

Figure 11-27 Expédition d'une image par e-mail.

7.   Cliquez le bouton **Envoyer**.

Note ⊗ Si vous n'êtes pas actuellement connecté, le message reste dans le dossier Boîte d'envoi d'Outlook Express.

Utiliser une image isolée

Dans le cas d'une image isolée, Internet Explorer propose directement des boutons sur l'image pour exécuter diverses actions.

1.   Pointez l'image désirée.

Internet Explorer affiche une ou deux barres d'outils sur l'image.

2.   Cliquez l'un des boutons ci-après.

- Bouton 🖬 : pour enregistrer l'image sur votre disque dur ou sur une disquette.

- Bouton 🖨 : pour imprimer l'image (consultez le chapitre 2 pour des informations complémentaires sur l'impression).

- Bouton 🖾 : pour ouvrir OutLook Express et ajouter en pièce jointe l'image sélectionnée.

- Bouton 🖼 : pour ouvrir le dossier « Mes Images » (dossier de sauvegarde par défaut des images).

- Bouton 🔍 : pour afficher en grand format l'image si la taille de celle-ci a été réduite faute de place à l'écran. L'image est alors tronquée. Utilisez ensuite les barres de défilement.

Placer une image en fond d'écran

On trouve sur le Web de plus en plus d'images. Changer régulièrement le fond de votre bureau en les installant comme papier peint.

1.   Cliquez avec le bouton droit l'image qui vous intéresse.

2.   Cliquez **Établir en tant qu'élément d'arrière-plan** dans le menu contextuel.

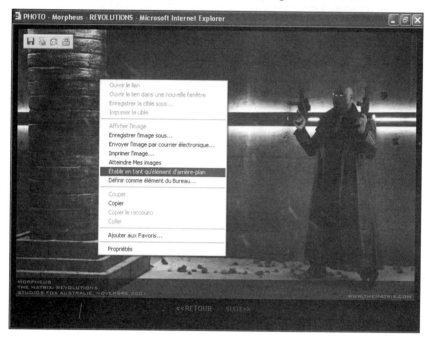

Figure 11-28
Enregistrement d'une image comme papier peint.

3.   Réduisez la fenêtre d'Internet Explorer pour voir le bureau.

L'image apparaît en fond d'écran.

Note   Pour définir la taille de l'image (Centrer, Mosaïque ou Étirer), cliquez avec le bouton droit le fond du bureau puis cliquez **Propriétés**. Dans l'onglet **Bureau**, cliquez la zone **Position** puis cliquez une option. Pour plus de précision, consultez le chapitre 17.

Écouter de la musique

Même si Windows propose une alternative avec le Windows Media, le format RealMedia est devenu incontournable sur Internet. Il permet de lire des vidéos et des sons en continu : une petite partie du début du film ou du son est téléchargée, puis la lecture commence. La suite du film ou du son est téléchargée en même temps que vous regardez ou que vous écoutez les parties déjà chargées. On appelle cela le « streaming ».

Il est donc indispensable d'installer RealOne Player pour écouter de la musique ou regarder des vidéos, et ce, pour une grande majorité des sites Web.

Installer RealOne Player

Le lecteur simple est téléchargeable gratuitement sur Internet (RealOne Player). La version complète est payante (RealOne Player Plus), mais elle permet de lire plus d'une cinquantaine de formats différents, dont les DVD. Elle permet aussi de graver des CD au format MP3.

1. Ouvrez le site `france.real.com`.

2. Téléchargez sur le site la dernière version de RealOne Player.

Figure 11-29 Site de téléchargement de RealOne Player.

3. Suivez les instructions pour l'installation du logiciel.

Même la version simple permet de lire une foule de formats différents (images, sons et vidéo). Pour les connaître, cliquez le menu **Fichier → Ouvrir** puis le bouton **Parcourir**. Cliquez la zone **Fichiers de type** pour lister ceux pris en charge.

Écouter de la musique sur un site

Après l'installation du lecteur RealOne, vous pouvez écouter de la musique à partir de la plupart des sites. Les autres formats sont pris en charge par le lecteur par défaut, Windows Media.

1. Recherchez une page qui propose de la musique.

2.   Cliquez le lien pour lancer la lecture.

Dans le cas d'un format Real Media, la musique est lue dans une fenêtre séparée, proposant parfois une image correspondant au morceau écouté (figure 11-30). Cependant, certains sites intègrent directement le lecteur dans la page Web.

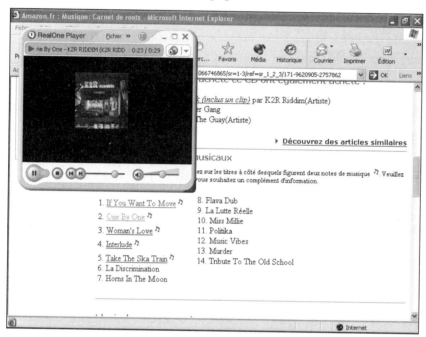

Figure 11-30
Lecture d'un
morceau de musique
avec RealOne Player.

Pour les formats pris en charge par Windows Media player, la lecture s'effectue directement dans la partie de gauche de la fenêtre d'Internet Explorer.

Le lecteur s'utilise comme un lecteur habituel de CD ou de DVD : pilotez l'écoute des musiques, mais aussi le visionnage des vidéos, avec les boutons lecture, pause, *etc.*

Conseil ⊗   Certains sites proposent plusieurs qualités d'enregistrement qui correspondent à la vitesse de votre modem (28k ou 56k pour un modem classique, 256k pour le câble ou l'ADSL). Choisissez une vitesse raisonnable par rapport à la vitesse de votre modem pour que la musique ou la vidéo soit « fluide ». Avant de commencer la lecture, une partie de la musique ou de la vidéo est chargée en mémoire. Soyez patient !

Visionner des vidéos

Comme pour la musique, les sites proposent des vidéos. Les chaînes de télévision mettent à votre disposition des émissions déjà diffusées, et particulièrement les journaux télévisés. Vous pouvez donc regarder votre émission préférée à l'heure qui vous convient, et bénéficier de l'information télévisuelle en continu comme avec le câble ou le satellite.

Avec l'arrivée de l'ADSL, cette technologie devrait prendre un essor important et engendrer la naissance d'une multitude de sites proposant des émissions de télévision et des films. Avec une connexion classique, n'espérez pas obtenir une qualité d'image acceptable.

Regarder la télévision

Outre les chaînes nationales, Internet met à votre portée des dizaines de chaînes de télévision dans les domaines les plus variés et dans toutes les langues. Si vous êtes à l'étranger, vous pouvez suivre vos émissions préférées ou vous maintenir au courant de l'actualité de votre pays.

Pour les chaînes payantes, vous devez souscrire un abonnement, généralement au mois, au trimestre ou à l'année. À titre d'exemple, la chaîne d'information LCI coûte 7 € par mois, 15 € par trimestre et 50 € pour l'année. Son accès est limité aux possesseurs d'une connexion haut débit de 512 Kbits au minimum (www.lci.fr).

Pour visionner ces émissions, RealOne Player (voir plus haut dans ce chapitre) ou le Lecteur Windows Media (voir le chapitre 10) doivent être installés sur votre ordinateur.

Figure 11-31 Journal télévisé d'une chaîne nationale.

Voici la liste des sites des chaînes hertziennes nationales :

www.tf1.fr

www.france2.fr

www.france3.fr

www.canalplus.fr

www.france5.fr

www.arte-tv.com

www.m6.fr

Projeter des films

Et si vous alliez au cinéma en restant devant votre PC ? Maintenant, avec Internet, vous pouvez regarder les films récents sans vous déplacer. Là aussi, il est nécessaire d'avoir une connexion haut débit ADSL ou câble (512 Kbits au minimum).

Le principe est simple : vous créditez votre compte, puis vous regardez les films de votre choix quand vous vous voulez. Le débit de votre compte est fonction du type de films demandés : récents, anciens, promotions, etc. À titre d'exemple, sur le site www.netcine.com, un film récent coûte 3,33 €.

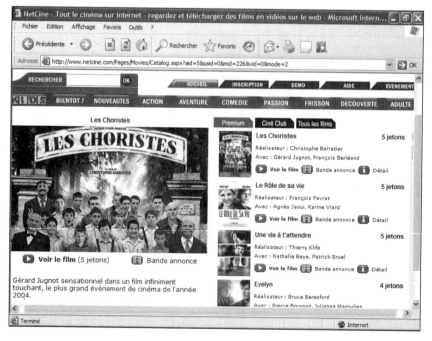

Figure 11-32 Site proposant des films à la carte.

Écouter la radio

Vous désirez écouter les radios françaises que vous ne captez pas habituellement, voire les radios du monde entier ? Aujourd'hui, la quasi-totalité des stations de radio ont leur propre site Web. Vous pouvez donc les écouter en direct avec votre PC via votre connexion Internet. Il existe même des stations de radio qui n'« émettent « que sur Internet.

1. Cliquez le menu **Favoris** ➜ **Média** ➜ **Guide des stations de radio**.

Note Si le lien n'existe plus, tapez **windowsmedia.com/radiotuner** dans la barre **Adresse** et appuyez sur **Entrée**.

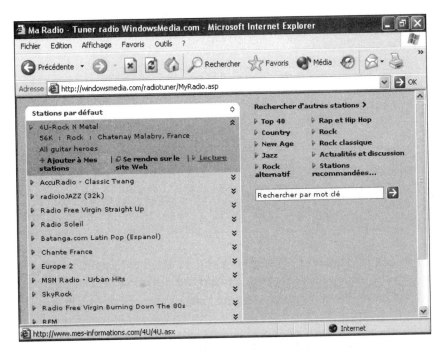

Figure 11-33
Le site de
Windowsmedia.com.

Le site correspondant s'affiche.

2. Cliquez la station de radio à écouter.

3. Cliquez le lien **Lecture** ou le lien **Se rendre sur le site Web**.

Note Utilisez la zone de recherche du site pour trouver d'autres stations de radio dans le monde.

Les sites proposent généralement plusieurs qualités d'enregistrements qui correspondent à la vitesse de votre modem (28k ou 56k pour un modem classique, 256k pour le câble ou l'ADSL). Choisissez une vitesse raisonnable qui corresponde à celle de votre connexion pour que la diffusion de musique soit « fluide ».

Avant de commencer la lecture, une partie de la musique est chargée en mémoire. Soyez patient !

Toutes les radios ne sont pas proposées par le site Windowsmedia.com. Pour écouter d'autres radios, effectuez des recherches avec Internet Explorer et le moteur de recherche `www.google.fr`. Tapez, par exemple, les mots clés « Radio FM Rire Chansons » pour trouver la radio Rire & Chansons.

Figure 11-3 Site d'une radio FM.

Les sites des radios proposent généralement un lecteur personnalisé. Ce dernier offre l'avantage de vous donner des informations sur la musique que vous écoutez actuellement (nom du groupe ou du chanteur, nom du morceau, pochette d'album, date des prochains concerts, *etc.*).

Figure 11-35 Station de radio dans Internet Explorer.

Télécharger des fichiers sur le Web

Dans des temps plus reculés, les téléchargements s'effectuaient à partir de sites spécialisés : les sites FTP *(File Transfer Protocol)*. Pour simplifier la procédure de téléchargement, les sites Web permettent aujourd'hui d'enregistrer des fichiers sur votre disque dur ou d'ouvrir directement des documents.

1. Recherchez sur le Web le fichier à télécharger (musique, vidéo, programme, *etc.*).

2. Cliquez avec le bouton droit le lien de téléchargement.

3. Cliquez **Enregistrer la cible sous** dans le menu contextuel pour enregistrer le fichier sur votre disque dur. Vous pouvez aussi cliquez la commande **Ouvrir** pour exécuter le programme ou ouvrir le document dans l'application appropriée.

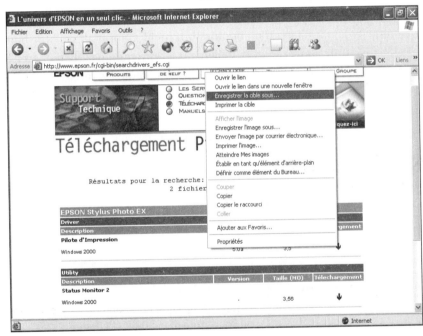

Figure 11-36
Téléchargement d'un fichier sur un site Web.

Si vous avez choisi d'enregistrer la cible, une boîte de dialogue s'ouvre pour définir l'emplacement du fichier sur votre disque dur.

1. Sélectionnez dans la zone **Enregistrer dans** le dossier de destination.

2. Tapez le nom du fichier dans la zone **Nom du fichier**. Vous pouvez aussi conserver celui d'origine.

3. Cliquez le bouton **Enregistrer**.

Le fichier est téléchargé, puis enregistré. Une boîte affiche la progression de l'opération.

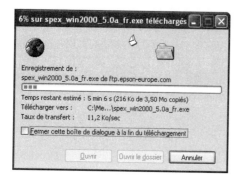

Figure 11-37 Progression du téléchargement d'un fichier.

Astuce ☑ Vous pouvez télécharger d'autres fichiers en même temps, sans attendre la fin du téléchargement des premiers. Plusieurs boîtes s'ouvriront dans ce cas. Cela permet d'utiliser au maximum votre connexion Internet.

Si vous avez cliqué directement un lien ou un bouton, Internet Explorer affiche une boîte pour choisir l'action à effectuer. Cela concerne essentiellement les programmes (fichier avec l'extension .exe) ou les documents non reconnus. Certains fichiers comme les vidéos ou les musiques s'ouvrent directement dans le lecteur Windows Media ou RealOne, sans vous proposer de les enregistrer.

1. Cliquez le bouton **Exécuter** ou **Enregistrer**, selon l'action désirée.

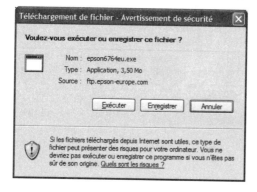

Figure 11-38 Boîte pour choisir l'enregistrement ou l'ouverture d'un fichier téléchargé.

Conseil ☑ Il est préférable d'utiliser le bouton droit pour avoir le choix de l'action à effectuer. Si vous avez des doutes sur le contenu du fichier à télécharger, enregistrez-le, puis vérifiez-le avec un logiciel antivirus. Si votre logiciel antivirus tourne en tâche de fond, le fichier sera vérifié automatiquement dès l'enregistrement.

Télécharger des fichiers sur un site FTP public

Pour les sites FTP publics dont l'accès est anonyme (pas de nom d'utilisateur ni de mot de passe), vous pouvez utiliser Internet Explorer. Vous serez ici limité au téléchargement.

1. Tapez l'adresse du site FTP comme une adresse Web. Il n'est pas nécessaire de faire précéder l'adresse du protocole ftp://.

    Le site affiche le ou les dossiers disponibles.

2. Double-cliquez les dossiers pour les ouvrir, comme dans l'Explorateur Windows, et recherchez le fichier à télécharger.

3. Cliquez avec le bouton droit le fichier à télécharger.

4. Dans le menu contextuel, cliquez la commande **Ouvrir** pour lire le fichier dans l'application correspondante, ou cliquez la commande **Copier dans un dossier** pour en conserver une copie.

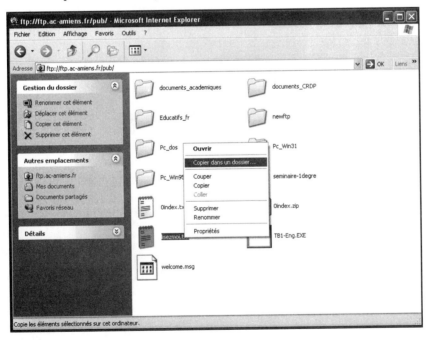

Figure 11-39
Téléchargement d'un fichier sur un site FTP public.

5. Sélectionnez le dossier de destination du fichier.

6. Cliquez le bouton **OK** pour lancer le téléchargement du fichier.

Publier des fichiers sur Internet

Pourquoi poster avec la messagerie le même document à vos amis ou relations à chaque fois qu'ils en font la demande ? Publiez plutôt ce document sur Internet pour qu'il soit disponible à partir d'une simple adresse sur le Web.

1. Cliquez le bouton **Démarrer** → **Poste de travail**.

2. Sélectionnez le ou les documents à publier.

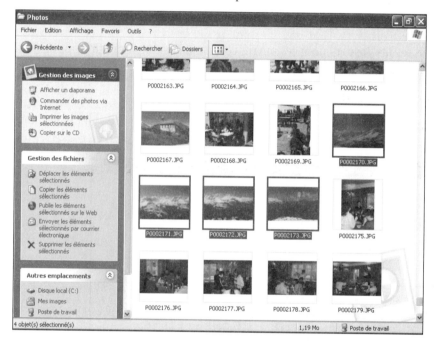

Figure 11-40
Sélection des fichiers à publier.

3. Dans le volet de gauche, cliquez **Publier ce fichier sur le Web** ou **Publie les éléments sélectionnés sur le Web**.

La publication s'effectue avec un assistant. Suivez pas à pas cet assistant en saisissant les renseignements nécessaires. N'oubliez pas de noter l'adresse de publication fournie à la dernière étape. C'est cette adresse que vous devez donner à vos amis.

Publier vos photos numériques

Si vous désirez mettre vos photos à la disposition de vos proches et de vos amis, il existe sur le Web des dizaines de sites qui sont prêts à vous héberger. L'avantage de ces sites commerciaux est de proposer 100, 200 voire 400 Mo pour le stockage de vos clichés. Chacun pourra les consultez, et, bien sûr, en demander un tirage papier moyennant quelques euros.

Les photos peuvent provenir d'un appareil numérique ou de tirages argentiques préalablement scannés.

Voici quelques sites qui proposent ce service :

www.photoweb.fr

www.photoreflex.com

www.photostation.fr

www.photoservice.com

www.photoways.com

www.photosapiens.com

Figure 11-41 Site proposant de stocker vos photos et d'effectuer des tirages papier.

Télécharger et publier des fichiers

Pour utiliser intégralement un site FTP, c'est-à-dire télécharger et transférer des fichiers, il est préférable d'utiliser un logiciel spécialisé. Cela est nécessaire si vous désirez publier votre propre site.

Un tel logiciel est simple à utiliser. Vous donnez l'adresse du site FTP, votre nom d'utilisateur et votre mot de passe. Après connexion, le logiciel affiche l'arborescence de votre disque et celui du site. Il suffit de faire glisser vos fichiers vers un dossier du site pour en effectuer le transfert, ou de faire glisser les fichiers du site vers un dossier de votre disque dur pour les télécharger.

Il existe beaucoup de logiciels FTP. Nous vous conseillons FileZilla, un outil simple d'emploi et qui à l'avantage d'être en freeware. Vous pouvez le télécharger sur le site de sourceforge.net, ou effectuez une recherche avec le mot clé « FileZilla » sur google.fr.

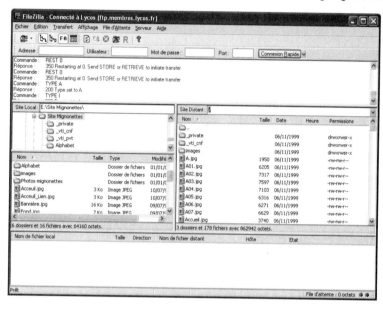

Figure 11-42 FileZilla, un logiciel pour accéder aux sites FTP.

Communiquer en permanence avec Windows Messenger

La messagerie instantanée est incontestablement l'innovation Internet la plus importante dans Windows XP. Outre envoyer des messages instantanés et expédier des fichiers, vous pouvez prendre le contrôle à distance des applications de vos correspondants, et même modifier leurs documents. Le logiciel spécialisé Windows Messenger propose également des conversations vocales et vidéo avec une webcam, les jeux en ligne et probablement d'autres innovations à venir.

Logiciels de messagerie instantanée

Windows Messenger

Installé par défaut avec Windows XP, Windows Messenger permet d'accéder à toutes les fonctionnalités présentées dans l'introduction de ce chapitre. Sachez cependant que Windows Messenger est disponible gratuitement sur le site www.messenger.msn.fr pour les versions 95/98/NT4/2000 et Me. Dites-le à vos contacts pour qu'ils téléchargent la dernière version sur ce site.

Note Windows Messenger est le nom de la version installée par défaut avec Windows XP. Il existe une version « parallèle », nommée MSN Messenger, disponible en téléchargement sur Internet (figure 12-1). Ces deux logiciels sont compatibles. Pour des informations supplémentaires sur MSN Messenger, consultez la fin de ce chapitre.

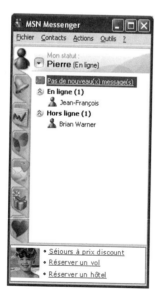

Figure 12-1 MSN Messenger.

NetMeeting

NetMeeting est le logiciel de conférence proposé dans les anciennes versions de Windows (figure 12-2). À partir de Windows XP, NetMeeting est avantageusement remplacé par Windows Messenger. Pour des raisons de compatibilité avec les anciennes versions, NetMeeting est toujours proposé dans Windows XP.

Si vous désirez utiliser NetMeeting à partir de Windows XP, exécutez les étapes suivantes :

1. Cliquez **Démarrer** → **Exécuter** ou tapez 🪟 + **R**.

2. Tapez Conf puis appuyez sur **Entrée** dans la boîte Exécuter.

3. Suivez les étapes proposées par l'assistant.

Note Le programme NetMeeting se trouve dans le dossier C:\Program Files\NetMeeting\Conf.exe. Vous pouvez aussi créer un raccourci à partir de ce chemin.

Figure 12-2 NetMeeting.

Obtenir un passeport pour Windows Messenger

Pour converser avec d'autres personnes via Windows Messenger, vous devez posséder une adresse électronique particulière, appelée Passport.NET. Sa création est rapide et gratuite. Vous pouvez aussi utiliser votre adresse e-mail actuelle.

Conseil ⊗ Pour simplifier l'installation et l'utilisation de Messenger, créez directement une adresse sur le site www.hotmail.com. Comme il est préférable de ne pas mélanger votre courrier et Messenger, nous vous conseillons vivement cette solution.

1. Ouvrez Windows Messenger en double-cliquant l'icône 🔩 dans la zone de notification (à côté de l'heure). Si l'icône n'est pas présente dans la zone de notification, cliquez **Démarrer** ➔ **Tous les programmes** ➔ **Windows Messenger**.

Note ⊗ Pour afficher les icônes actuellement masquées de la zone de notification, cliquez le bouton 📎 dans la barre des tâches.

2. Cliquez le lien **Cliquez ici** pour ouvrir une session.

   Comme vous n'avez pas encore de compte, l'assistant de Messenger vous propose d'en créer un immédiatement.

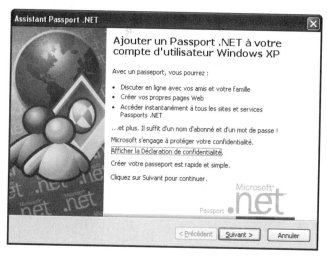

Figure 12-3 Assistant de Messenger pour obtenir un passeport.

3. Cliquez le bouton **Suivant**.

4. Comme vous avez déjà probablement une adresse de messagerie, cochez l'option **Oui** puis cliquez le bouton **Suivant**.

Note ⊗ Si vous désirez ouvrir un compte sur MSN.com, cliquez **Non** puis le bouton **Suivant**.

5. Si vous avez un Passport ou un compte Hotmail, cochez **Oui**. Si vous désirez utiliser votre adresse e-mail actuelle, cochez **Non**. Cliquez ensuite le bouton **Suivant**.

Si vous avez choisi d'utiliser votre adresse e-mail actuelle, vous serez redirigé vers le site .Net Passport. Suivez les instructions sur ces pages Web, puis revenez à l'assistant.

6. Tapez votre adresse et votre mot de passe.

7. Cliquez le bouton **Suivant**.

8. Cliquez **Terminer** dans la dernière boîte de l'assistant.

La fenêtre de Windows Messenger s'affiche. Vous êtes maintenant en ligne pour communiquer avec tous vos correspondants actuellement connectés.

Ajouter des contacts

Sans contacts, point de communication. Ajoutez vos relations pour restez en communication avec elles. Ces dernières doivent vous fournir l'adresse électronique correspondant à leur passeport.

Figure 12-4 Messenger avant l'ajout de vos contacts.

1. En bas de la fenêtre de Messenger, cliquez le lien **Ajouter un contact** (figure 124).

2. Cochez **Par adresse de messagerie** si vous connaissez le passeport du contact. Cochez **Rechercher un contact** pour le rechercher sur Internet.

3. Cliquez le bouton **Suivant**.

4. Tapez l'adresse e-mail correspondant au passeport du contact puis cliquez le bouton **Suivant** (figure 125).

Figure 12-5 Ajout d'un contact dans Messenger.

La boîte suivante vous indique que le contact est bien ajouté. Si ce n'est pas le cas, cliquez le bouton **Précédent** et vérifiez l'adresse que vous avez tapée.

5.   Cliquez le bouton **Terminer** si vous n'avez plus de contact à ajouter. Dans le cas contraire cliquez le bouton **Suivant**.

Messenger affiche la liste de vos contacts en ligne ou hors ligne.

Note   ⊗   Les nouveaux contacts ne s'affichent en ligne qu'après leur autorisation d'accès (voir ci-après).

Figure 12-6 Messenger après l'ajout de vos contacts.

Conseil   ⊗   Pour afficher un nom plus convivial que votre adresse e-mail, cliquez le menu **Outils → Options**, puis saisissez votre nom ou votre prénom dans la zone **Tapez votre nom**.

Confirmer un nouveau contact

Quand une personne se connecte, comme vous l'avez demandé précédemment en ajoutant un contact, une boîte d'autorisation s'affiche.

1. Cochez l'option **L'autoriser à vous voir**.

2. Cochez la case **Ajouter cette personne** pour vous éviter de le faire manuellement.

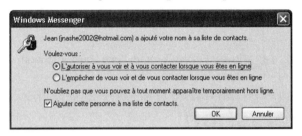

Figure 12-7 Autorisation d'accès d'un nouveau contact.

3. Cliquez le bouton **OK**.

Quand une personne refuse de vous ajouter à sa liste de contacts, une boîte de dialogue vous en avertit.

Note Si vous avez coché l'option **Ajouter cette personne**, le contact est aussi ajouté au carnet d'adresses.

Ouvrir une nouvelle session

Si vous avez plusieurs adresses e-mail ou si plusieurs personnes utilisent le même ordinateur, vous pouvez choisir un compte à l'ouverture de Messenger.

1. Cliquez le lien **Pour se connecter en utilisant un compte différent** dans la boîte d'ouverture.

2. Sélectionnez le compte à utiliser dans la liste **Adresse e-mail**.

3. Tapez le mot de passe.

Note Cochez **Ouvrir ma session automatiquement** pour utiliser par défaut le compte choisi à l'ouverture de Messenger. Pour fermer la session en cours et changer de compte, cliquez le menu **Fichier → Fermer la session**.

4. Cliquez le bouton **OK**.

Figure 12-8 Ouverture d'une nouvelle session.

Engager une conversation

À tout moment vous pouvez expédier des messages aux personnes en ligne et débuter une nouvelle conversation.

1. Double-cliquez le nom du destinataire du message instantané.

   Une fenêtre de conversation s'affiche.

2. Cliquez la zone en bas de la fenêtre et tapez votre message.

3. Cliquez le bouton **Envoyer** ou appuyez sur la touche **Entrée**.

Conseil ⊗ Pour passer à la ligne dans votre message sans l'expédier, utilisez les touches **Maj+Entrée**.

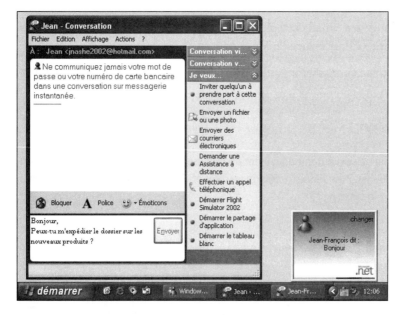

Figure 12-9 Début d'une conversation.

Les messages expédiés et leurs réponses s'affichent dans la fenêtre de conversation. La barre d'état affiche la date et l'heure du dernier message reçu ou si le correspondant est en train de taper une réponse.

Recevoir un message

Lorsque vous recevez un message (en dehors de la conversation en cours), une petite fenêtre s'affiche en bas à droite de l'écran comme dans la figure 12-9.

1. Cliquez la petite fenêtre pour répondre au message.

Note ⊗ Si la petite fenêtre est fermée, cliquez le bouton **Conversation** dans la barre des tâches.

Personnaliser vos messages

Pour distinguer vos messages des autres personnes, modifiez les caractères de votre texte (police, couleur, *etc.*).

1. Cliquez le bouton **Police**.

2. Sélectionnez le type de caractères à utiliser dans les listes **Police**, **Style**, **Taille** et **Couleur** (figure 12-10).

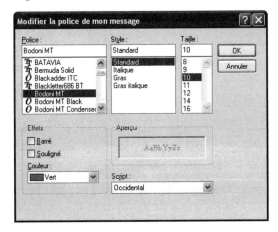

Figure 12-10 Modification de la police des messages.

3. Cliquez le bouton **OK**.

Ajouter des émoticônes

Pour exprimer vos émotions, ajoutez des émoticônes.

Définition ⊗   Émoticône, émoticon ou smiley : suite de caractères qui indiquent vos émotions. Par exemple, la suite :-) correspond à « heureux » ou à un « sourire ». Windows Messenger transforme automatiquement ces suites par une icône (⊡ dans notre exemple) et permet de les insérer directement à partir d'une liste.

1.   Tapez le début du message.

2.   Cliquez le bouton **Émoticons** (figure 12-11).

3.   Cliquez l'émoticône à insérer dans le message.

Figure 12-11 Insertion d'une émoticône dans un message.

Conseil ⊗   Dans la liste des émoticônes, cliquez le dernier bouton (trois points) pour afficher la liste complète et les codes associés.

Vous pouvez aussi saisir directement les codes du tableau 12-1.

Pour obtenir...	Tapez...	Pour obtenir...	Tapez...
👍	(y)	😀	(a)
👎	(n)	♥	(l)
🍺	(b)	💔	(u)
🍸	(d)	💎	(k)
🕺	(x)	🎁	(g)
🕺	(z)	🌷	(f)
🦇	:[	👁	(w)
🐢	(})	📷	(p)
🐱	(6)	🎞	(~)
🐢	({)	☎	(t)
🙂	:)	🐱	(@)
😀	:d	☕	(&)
😮	:o	☕	(c)
😛	:p	💡	(i)
😉	;)	🌙	(S)
🙁	:(	☆	(*)
😖	:s	🎵	(8)
😐	:|	✉	(e)
😢	:'(	🎂	(^)
😳	:$	🕐	(o)
😎	(h)	👥	(m)
😡	:@		

Tableau 12-1 Liste des codes des émoticônes.

Inviter une autre personne à la conversation en cours

Pourquoi se limiter à deux personnes ? Windows Messenger vous permet d'inviter d'autres contacts dans la conversation en cours.

1. Cliquez le lien **Inviter quelqu'un...** dans la partie droite de la fenêtre de conversation.

2. Cliquez la personne à inviter dans la liste des contacts.

Figure 12-12 Ajout d'une personne à la conversation en cours.

3. Cliquez le bouton **OK**.

Note L'onglet **Autre** permet d'ajouter une personne qui n'est pas présente dans la liste de vos contacts.

La zone **À**, en haut de la fenêtre, affiche les personnes qui participent actuellement à la conversation.

À tout moment vous pouvez supprimer un invité de la conversation en cliquant le bouton **Bloquer** puis en sélectionnant son nom.

Définir votre statut actuel

Même si vous êtes connecté, vous souhaitez peut-être ne pas être dérangé. Modifiez dans ce cas votre statut.

1. Dans la fenêtre principale de Messenger, cliquez votre nom.

2. Cliquez le nouveau statut dans la liste.

Figure 12-13 Modification du statut actuel.

Ce statut apparaîtra dans la fenêtre Windows Messenger de vos contacts.

Vous pouvez aussi définir des paramètres de statut automatiquement.

1. Dans la fenêtre principale de Messenger, cliquez votre nom puis **Paramètres personnels** dans la liste (figure 1213).

2. Dans l'onglet **Préférences**, de la boîte **Options**, tapez le nombre de minutes après lesquelles vous êtes considéré comme absent dans la zone **Afficher le statut "Absent(e)"…**.

3. Cliquez le bouton **OK**.

Bloquer une personne

Si vous ne désirez pas être dérangé par une personne, vous pouvez momentanément la bloquer dans votre liste de contact, sans toutefois la supprimer définitivement.

1. Cliquez avec le bouton droit le nom du contact à bloquer.

2. Cliquez **Bloquer** dans le menu contextuel.

L'icône du contact bloqué est barrée.

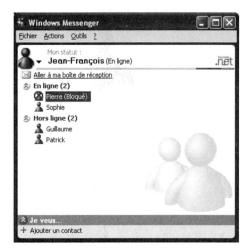

Figure 12-14 Blocage d'un contact.

Pour la personne bloquée, vous apparaissez « hors ligne ». Pour la débloquer, répétez les étapes **1** et **2** en choisissant **Débloquer** dans le menu contextuel.

Transmettre des fichiers

Lors d'une conversation, vous pouvez expédier immédiatement un fichier à un contact, et cela quelle que soit sa taille.

Astuce Les serveurs de messagerie limitent la taille globale des messages stockés dans votre boîte à lettres. Il n'est donc pas possible de faire transiter en pièce jointe un film de plusieurs dizaines de mégaoctets par e-mail. Messenger est donc une solution mieux adaptée.

1. Dans une conversation, cliquez le lien **Envoyer un fichier**.

2. Sélectionnez l'emplacement du fichier.

3. Cliquez le fichier.

4. Cliquez le bouton **Ouvrir**.

Pour que le fichier soit expédié, le destinataire doit accepter sa réception. Messenger expédie donc une demande de confirmation. La transmission débute dès que le contact accepte la demande. Vous pouvez continuer la conversation en cours pendant ce temps.

Note Pour vérifier les fichiers reçus, cliquez le menu **Fichier ➔ Ouvrir le dossier des fichiers reçus**.

Utiliser le tableau blanc

Le tableau blanc est une fenêtre dans laquelle tous les participants d'une conversation peuvent dessiner ou ajouter des copies de leur écran ou de leurs documents.

1. Commencez une conversation.

2. Cliquez le lien **Démarrer le tableau blanc**.

    Vous devez maintenant attendre que l'autre contact accepte votre demande.

    Dés que le contact a accepté, le tableau s'affiche.

3. Dessinez directement sur le tableau en utilisant les outils à gauche (consultez l'aide en ligne pour des précisions).

Vous pouvez coller des parties de documents. Pour cela, sélectionnez les éléments à copier (paragraphes dans Word, cellules dans Excel, portion de dessin ou de photo dans Paint, *etc.*) et tapez **Ctrl+C**. Dans le tableau blanc, tapez **Ctrl+V** pour coller les éléments préalablement copiés. Les possibilités du tableau blanc étant assez vaste, nous vous conseillons de consulter l'aide en ligne.

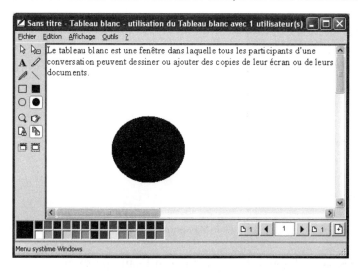

Figure 12-15 Utilisation du tableau blanc dans Messenger.

Si vous fermez la fenêtre du tableau blanc, une boîte vous demande de l'enregistrer. Si c'est votre souhait, cliquez **Oui** pour conserver une trace (sélectionnez le dossier et saisissez un nom dans la boîte qui s'ouvre, puis cliquez **Enregistrer**).

Partager des applications

Windows Messenger vous propose de partager en temps réel un document avec un autre participant. Cette personne pourra le voir mais aussi le modifier comme s'il était sur son ordinateur.

Afficher des applications

1. Ouvrez l'application et le document à partager.

2. Commencez une conversation.

3. Cliquez le lien **Démarrer le partage d'application**.

   Vous devez maintenant attendre que l'autre contact accepte votre demande et que la boîte Partage s'affiche.

4. Cliquez l'application à partager pour la sélectionner puis cliquez le bouton **Partager** (figure 12-16).

Conseil ⊗ Pour mieux vous concentrer sur le document en cours, ne partagez pas plusieurs applications, même si c'est possible en répétant l'étape **4**.

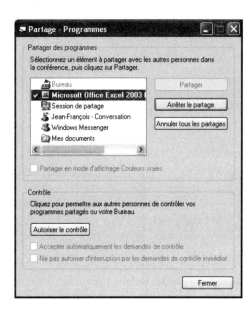

Figure 12-16 Partage d'applications avec Messenger.

5. Cliquez dans la barre des tâches l'application que doit voir l'autre personne.

Toutes les modifications que vous effectuez seront répercutées en temps réel sur l'autre ordinateur.

Pour l'autre personne, les applications partagées sont visibles dans une fenêtre. Les autres sont masquées par des mosaïques. Dans l'exemple de la figure 12-17, Excel est partagé, mais la calculatrice qui se trouve au premier plan ne l'est pas.

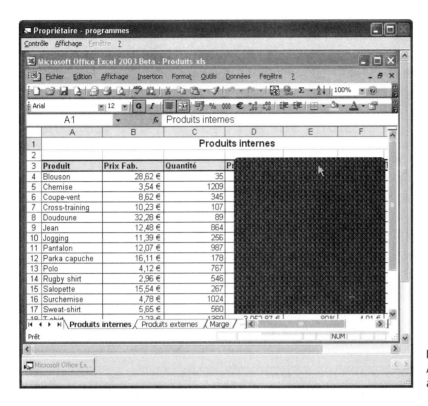

Figure 12-17
Applications partagées
avec Messenger.

Donner le contrôle au contact

Pour donner la main à votre contact, vous devez afficher la boîte de partage :

1. Dans la barre des tâches, cliquez le bouton **Session de partage**.

2. Cliquez le bouton **Partage** dans la boîte Session de partage.

Conseil ⊗ Si la boîte **Partage - Programmes** n'est pas fermée, cliquez directement son bouton dans la barre des tâches à la place des étapes **1** et **2**.

3. Cliquez le bouton **Autoriser le contrôle**.

4. Cochez la case **Accepter automatiquement les demandes** pour autoriser le contrôle sans demande au préalable dans une boîte de dialogue.

5. Cliquez le bouton **Fermer**.

Pour prendre le contrôle de l'application à distance :

1. Cliquez le menu **Contrôle** ➔ **Demander le contrôle**.

Le contact peut maintenant accéder à vos applications partagées. Il peut modifier directement vos documents.

Le contrôle se termine dès que vous cliquez sur une application.

Quelques précisions sur le partage d'applications

- En partageant le bureau, vous partagez l'intégralité de votre ordinateur, y compris la barre des tâches et le menu Démarrer. L'autre personne pourra donc exécuter d'autres applications et accéder au Poste de travail et à l'intégralité de vos ressources, dont vos disques, vos dossiers et vos fichiers.

- Si le partage du bureau n'est pas accessible, supprimer le partage des autres applications. Cliquez le bouton **Annuler tous les partages** dans la boîte Partage, puis partagez le bureau.

- Si vous êtes actuellement occupé, cochez la case **Ne pas autoriser d'interruption…** dans la boîte Partage.

- Windows Messenger respecte la taille de chaque écran. Si vous êtes en 800 x 600 et l'autre personne en 640 x 480, la fenêtre sera plus petite. Dans le cas inverse, vous devez utiliser les barres de défilement pour voir l'intégralité de l'écran.

- Dès que vous avez cédé le contrôle de vos applications, votre curseur de souris n'est plus disponible. Cliquez simplement pour retrouver le contrôle de vos applications. L'autre contact devra de nouveau en faire la demande pour accéder à votre ordinateur.

- Pour améliorer l'affichage, cochez la case **Partager en mode d'affichage Couleurs vraies** dans la boîte Partage avant de commencer à partager des applications. Cela risque cependant de ralentir les transmissions entre les ordinateurs si votre vitesse de connexion est faible.

- Si deux personnes partagent leur bureau, il s'ensuit un effet de mise en abyme (comme deux miroirs face à face). À éviter !

Converser vocalement et visuellement

Avec un simple microphone et des haut-parleurs, vous pouvez correspondre vocalement avec vos contacts. Un bon moyen pour remplacer le téléphone. Pour obtenir de bons résultats, il est cependant nécessaire d'avoir une connexion Internet rapide (ADSL ou câble).

Configurer votre matériel audio et vidéo

Avant d'utiliser les fonctionnalités audio et vidéo, vous devez configurer votre matériel (webcam, microphone, haut-parleurs ou casque).

1.   Cliquez le menu **Outils → Assistant Ajustement des paramètres audio et vidéo**.

Note ⊗ Si vous êtes amené à modifier votre matériel audio et vidéo, relancez cet assistant.

L'ajustement s'effectue avec un assistant (une suite de boîtes de dialogue).

2.   Cliquez le bouton **Suivant**.

Si vous ne possédez pas de webcam, passez directement à l'étape **7**.

3.   Sélectionnez votre webcam dans la liste **Appareil photo**.

4.   Cliquez le bouton **Suivant**.

5.   Réglez votre webcam pour vous voir au milieu de la fenêtre (figure 12-18).

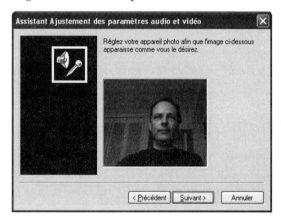

Figure 12-18 Réglage de la webcam.

6.   Cliquez le bouton **Suivant**.

Conseil ⊗ Pour bien régler votre micro, placez-le à l'opposé des haut-parleurs pour éviter l'effet Larsen.
Éventuellement, s'il possède un bouton Marche/Arrêt, positionnez ce dernier sur Marche.

7.   Faites les réglages de votre micro, puis cliquez le bouton **Suivant**.

8.   Sélectionnez dans les listes **Microphone** et **Haut-parleurs** les matériels correspondants.

9.   Si vous avez opté pour un casque à la place des haut-parleurs et du microphone, cochez l'option **J'utilise un casque**.

10. Cliquez le bouton **Suivant**.

11. Cliquez le bouton **Cliquez pour tester les haut-parleurs**.

12. Faites glisser le curseur pour régler le volume.

13. Cliquez le bouton **Suivant**.

14. Parlez dans le microphone.

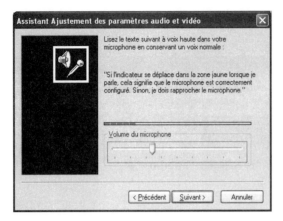

Figure 12-19 Réglage du microphone.

15. Faites glisser ce curseur pour que la zone au-dessus arrive jusqu'à la couleur jaune (figure 12-19).

Note Si la zone arrive dans le rouge, le curseur diminue automatiquement.

16. Cliquez le bouton **Suivant** puis le bouton **Terminer** dans la dernière boîte.

Converser avec une webcam

Encore mieux que le téléphone : le visiophone. Avec votre webcam, vous pourrez converser avec vos contacts et les voir.

1. Commencez une conversation.

2. Cliquez le bouton **Conversation vidéo**.

   Vous devez attendre que l'autre contact accepte votre demande.

   Après acceptation, vous devez voir l'image de votre correspondant.

3. Cliquez le bouton **Options** sous l'image du correspondant.

4. Si la vidéo ralentit la connexion, cliquez la commande **Arrêter la vidéo**.

5. Pour ajouter votre propre image, cliquez la commande **Afficher ma vidéo en incrustation d'image**.

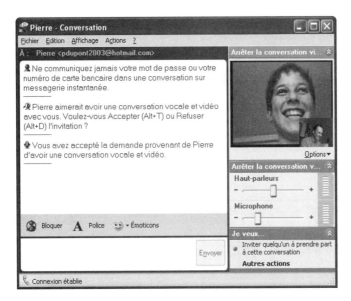

Figure 12-20 Conversation Audio-Vidéo.

6. Cliquez le bouton **Arrêter la conversation vidéo** pour la terminer.

MSN Messenger

Si Windows Messenger est installé par défaut avec Windows XP, Microsoft développe parallèlement une version « plus commerciale » baptisée MSN Messenger. Si vous désirez aller plus loin dans la messagerie instantanée, vous pouvez tester ce produit en le téléchargeant sur le site www.msn.fr. Il apporte une multitude de nouvelles fonctions, et offre l'avantage d'être mis à jour plus régulièrement.

Voici quelques-unes des fonctionnalités proposées :

- enregistrement dans un fichier texte de vos conversations,

- liste plus complète d'émoticônes, dont certaines animées,

- personnalisation de votre connexion avec une photographie,

- personnalisation de l'arrière-plan de la fenêtre de conversation,

- interface plus conviviale.

Figure 12-21
Conversation avec
MSN Messenger.

Ajouter votre photo

Pour plus de convivialité, ajoutez votre photo ou une image qui représente un point de repère pour vos correspondants.

1.   Cliquez votre nom dans la fenêtre principale.

2.   Cliquez la commande **Modifier ma photo** dans la liste qui s'ouvre (figure 12-22).

Figure 12-22 Fenêtre principale de MSN Messenger.

Note Pour effectuer ces actions dans une conversation, cliquez votre photo.

3. Sélectionnez une image dans la liste de gauche, ou cliquez le bouton **Parcourir** pour la rechercher sur votre disque dur.

Note Cliquez le lien **Télécharger d'autres images** pour élargir votre choix *via* le site MSN.

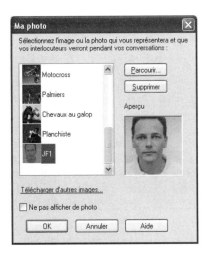

Figure 12-23 Ajout d'une photo personnalisée.

4. Cliquez le bouton **OK**.

Modifier l'arrière-plan

Pour égayer l'interface de MSN Messenger, ajoutez une image d'arrière-plan.

1. Cliquez le bouton **Arrière-plan** → **Changer mon arrière-plan**. (figure 12-24).

Note Pour effectuer ces actions dans la fenêtre principale, cliquez le menu **Outils** → **Changer mon arrière-plan**.

2. Sélectionnez une image dans la liste de gauche, ou cliquez le bouton **Parcourir** pour la rechercher.

Note Cliquez le lien **Télécharger d'autres images** pour élargir votre choix *via* le site MSN.

3. Cliquez le bouton **OK**.

Figure 12-24 Conversation avec les photos ou les images des correspondants et changement d'arrière-plan.

Créer vos propres émoticônes

MSN Messenger propose la possibilité de compléter la liste des émoticônes avec vos propres images.

1. Cliquez le bouton 😃 (figure 12-25).

   MSN Messenger propose une liste d'émoticônes plus complète, dont certaines sont animées.

Figure 12-25 Interface avec une image d'arrière-plan et modification des émoticônes.

2. Cliquez la commande **Mes émoticônes**.

Note Cliquez la commande **Afficher d'autres émoticônes** pour élargir votre choix *via* le site MSN.

3. Cliquez le bouton **Ajouter** dans la boîte Mes émoticônes.

4. Cliquez le bouton **Rechercher l'image** pour indiquer le fichier à utiliser pour votre émoticône.

Note MSN Messenger accepte les formats d'images les plus courants (jpg, bmp, gif, *etc.*).

5. Pour insérer plus facilement votre émoticône, tapez un code de raccourci dans la zone **2**. Cette information est obligatoire.

6. Tapez un nom pour votre émoticône dans la zone **3**. Cette information est facultative.

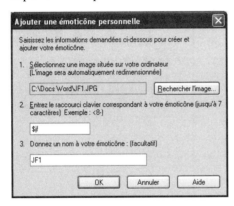

Figure 12-26 Ajout d'une émoticône.

7. Cliquez le bouton **OK**.

   La boîte de la figure 12-27 liste vos propres émoticônes.

Note Les 12 premières émoticônes apparaîtrons dans la liste 😃.

Figure 12-27 Liste des émoticônes personnelles.

8. Cliquez le bouton **OK** dans la boîte Mes émoticônes.

Enregistrer vos conversations

Pour garder une trace de vos conversations, enregistrez-les dans un fichier.

1. Cliquez le menu **Outils** → **Options**.

2. Cliquez l'onglet **Messages**.

3. Cochez la case **Conserver automatiquement un historique...**.

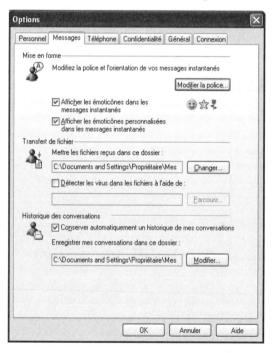

Figure 12-28 Options d'enregistrement des conversations.

4. Cliquez le bouton **OK**.

Note ⊗ Par défaut, chaque conversation est enregistrée dans le dossier Mes documents (fichier .xml). Cliquez le bouton **Modifier** pour changer de dossier.

Messenger Plus!

Outils complémentaires avec plus d'une cinquantaine de nouvelles fonctions, Messenger Plus! se greffe sur MSN et Windows Messenger (c'est un add-on). Il est développé par PatChou et disponible sur le site www.msgplus.net. Avec plus de deux millions de téléchargement par mois, c'est un complément indispensable si vous utilisez intensivement Messenger.

Voici quelques possibilités offertes par Messenger Plus! :

• définir vos propres statuts (autres que Occupé(e) ou Absent(e) par exemple),

• répondeur automatique lors des absences,

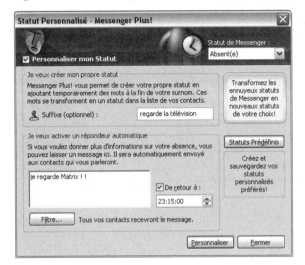

Figure 12-29 Nouveau statut et répondeur automatique.

• renommer les contacts,

• statistiques sur les contacts (pour faire le ménage de temps en temps),

• personnaliser son pseudo (couleurs, icônes, *etc.*),

• plus grand choix d'émoticônes animées,

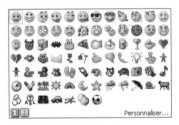

Figure 12-30 Nouvelles émoticônes.

• archivage avec mot de passe et historique des événements,

• plus grand choix de mises en forme.

• masquer Messenger avec un raccourci clavier et expédition d'un message aux contacts en cours,

• avertissement de nouveaux emails autres que ceux de Hotmail.

Figure 12-31 Préférences de Messenger Plus!.

>> Gérer le carnet d'adresses

dans ce chapitre

→ Ajouter et modifier des contacts

→ Créer des listes de distribution

→ Changer d'utilisateur

→ Importer ou exporter un carnet d'adresses

Le carnet d'adresses regroupe toutes les informations sur vos relations, comme les adresses électroniques, les adresses postales ou les numéros de téléphone. Il est utilisé par d'autres logiciels comme Outlook Express pour l'expédition des messages électroniques ou tout simplement pour téléphoner à vos contacts.

Gérer les contacts

Le carnet d'adresses est une application à part. Vous pouvez cependant y accéder directement avec Outlook Express, pour expédier des messages électroniques, par exemple.

1. Cliquez **Démarrer** → **Tous les programmes** → **Accessoires** → **Carnet d'adresses**.

Note ⊗ Si Outlook Express est ouvert et actif, cliquez le bouton [Adresses] ou choisissez le menu **Outils** → **Carnet d'adresses**.

Ajouter un contact

Pour constituer votre carnet d'adresses, vous devez saisir un à un vos contacts.

1. Cliquez le bouton [Nouveau].

2. Cliquez la commande **Nouveau contact** dans le menu contextuel du bouton [Nouveau].

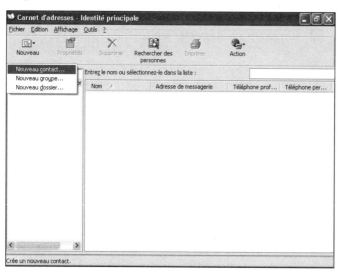

Figure 13-1 Carnet d'adresses de Windows XP.

Saisir les références du contact

1. Tapez le prénom et le nom du contact dans les zones correspondantes.

2. Éventuellement, tapez le surnom du contact.

3. Cliquez la flèche de la zone **Afficher** et sélectionner le nom complet qui sera affiché. Vous pouvez aussi saisir un autre nom que ceux proposés par la liste.

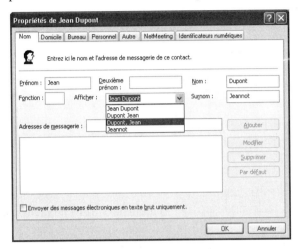

Figure 13-2 Saisie des noms du contact.

4. Tapez l'adresse e-mail du contact dans la zone **Adresses de messagerie**.

5. Cliquez le bouton **Ajouter** pour placer l'adresse e-mail dans la liste en dessous.

6. Répétez les étapes **4** et **5** afin d'ajouter d'autres adresses e-mail.

7. Pour définir l'adresse par défaut, cliquez-la dans la liste puis cliquez le bouton **Par défaut**.

8. Cochez la case **Envoyer des messages…** si le logiciel de messagerie du contact ne prend pas en charge le format HTML.

Note ⊗ Pour modifier ou supprimer une adresse, cliquez-la dans la liste puis cliquez les boutons **Modifier** ou **Supprimer**.

Saisir l'adresse postale du contact

1. Cliquez l'onglet **Domicile**.

2. Tapez dans les zones proposées l'adresse complète du contact.

3. Cochez **Par défaut** si cette adresse doit être utilisée pour des expéditions (un publipostage avec Word par exemple).

Note ⊗ Le bouton **Afficher la carte** ouvre un site pour localiser l'adresse saisie.

4. Tapez les numéros de téléphone dans les zones appropriées.

5. Si le contact a un site Web, tapez l'adresse dans la zone **Page Web**. Cliquez le bouton **Atteindre** pour ouvrir le site.

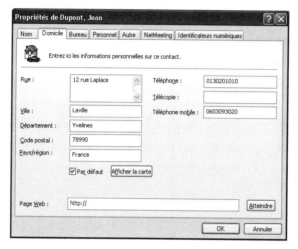

Figure 13-3 Saisie de l'adresse du contact.

6. De la même manière, saisissez les autres renseignements sur le contact dans les onglets **Bureau**, **Personnel**, *etc.*

7. Cliquez le bouton **OK** dès que tous les renseignements sont saisis.

Pour modifier un contact, double-cliquez son nom dans la fenêtre principale du Carnet d'adresses. Pour supprimer un contact, cliquez-le pour le sélectionner, puis appuyez sur la touche **Suppr**. Cliquez ensuite le bouton **Oui** pour confirmer la suppression.

Ajouter un dossier au carnet d'adresses

Si vous désirez classer vos contacts, par exemple personnels et professionnels, créez pour cela de nouveaux dossiers.

1. Cliquez le dossier qui doit contenir le sous-dossier.

2. Cliquez le bouton 🔲, puis la commande **Nouveau dossier**.

Note ⊗ Le dossier Contacts partagés permet de partager des contacts avec d'autres utilisateurs.

3. Tapez le nom du dossier.

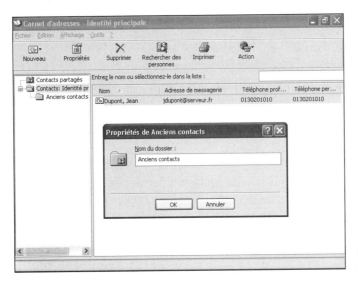

Figure 13-4 Création d'un nouveau dossier.

4.   Cliquez le bouton **OK**.

Le dossier apparaît sous celui sélectionné à l'étape **1**.

Créer un groupe de contacts

Si vous vous adressez souvent au même groupe de contacts, il est plus simple de les réunir sous un seul nom. Vous pourrez ainsi leur expédier rapidement le même message.

1.   Cliquez le bouton ⬚ puis la commande **Nouveau groupe**.

2.   Saisissez le contenu de la zone **Nom du groupe**.

3.   Cliquez le bouton **Sélectionner les membres**.

4.   Double-cliquez les noms des contacts à ajouter dans la liste (figure 13-5).

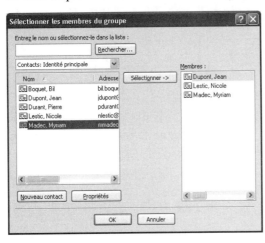

Figure 13-5 Ajout de contacts à un groupe.

5. Cliquez le bouton **OK**.

6. Cliquez le bouton **OK** dans la boîte Propriétés de.

Note ⊚ Pour modifier la liste des contacts, cliquez avec le bouton droit le nom du groupe puis cliquez **Propriétés**.

Rechercher un contact

Si votre carnet d'adresses contient beaucoup de contacts, effectuez des recherches simples ou avancées. Vous pouvez aussi obtenir des adresses en les recherchant sur Internet.

1. Tapez le début du nom du contact dans la zone **Entrez le nom…**.

Le contact correspondant est sélectionné.

Effectuer une recherche avancée

1. Cliquez le bouton ⊞ Rechercher des personnes.

2. Tapez les renseignements sur le contact dans la zone **Personne**.

3. Cliquez le bouton **Rechercher maintenant**.

La liste en bas de la boîte Rechercher des personnes affiche les contacts correspondants.

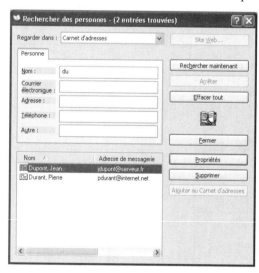

Figure 13-6 Recherche avancée d'une personne.

4. Cliquez le bouton **Fermer**.

Effectuer une recherche sur Internet

1. Sélectionnez le nom d'un service dans la liste **Regarder dans**.

2. Tapez les renseignements sur le contact dans la zone **Personne**.

3. Cliquez le bouton **Rechercher maintenant**.

Figure 13-7 Recherche d'une personne sur Internet.

La liste en bas de la boîte Rechercher des personnes affiche les noms et les adresses des contacts qui ont laissé leurs coordonnées sur le site choisi à l'étape **1** (figure 13-7).

4. Cliquez le contact dans la liste.

5. Cliquez le bouton **Ajouter au carnet d'adresses**.

Effectuer une recherche avancée sur Internet

1. Sélectionnez le nom d'un service dans la liste **Regarder dans**.

2. Cliquez le bouton **Site Web**.

Astuce ⊗ Pour gérer la liste des sites proposés, cliquez le menu **Outils** → **Comptes** dans la fenêtre principale.

Le site correspondant s'affiche.

3. Effectuez une recherche en suivant les indications de la page.

4. Éventuellement, laissez vos coordonnées sur le site pour que d'autres personnes puissent vous contacter.

Modifier l'affichage

Outlook Express propose plusieurs types d'affichage de la liste des contacts.

1. Cliquez le menu **Affichage**.

2. Cliquez un des quatre types d'affichage proposés (**Grandes icônes**, **Petite icône**, **Liste** ou **Détails**).

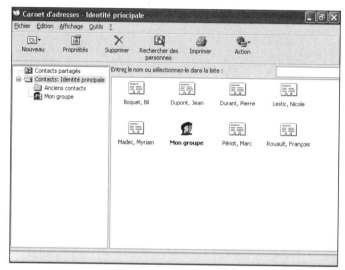

Figure 13-8 Modification de l'affichage des contacts.

L'affichage sélectionné est appliqué. Dans l'exemple de la figure 13-8, l'option **Grandes icônes** a été choisie.

Conseil 🗸 Cliquez le menu **Affichage** → **Dossiers et groupes** pour afficher uniquement les contacts. Cliquez de nouveau ce menu pour revenir à l'état initial.

Utiliser le carnet d'adresses

Téléphoner à un contact

Comme le carnet d'adresses conserve les numéros de téléphone des contacts, vous pouvez les appeler directement sans composer les numéros.

1. Cliquez le contact à appeler.

2. Cliquez le bouton 🗸 puis cliquez la commande **Numéroter** dans le menu du bouton.

3. Sélectionnez le numéro à composer dans la liste **Numéro de téléphone**.

Figure 13-9 Appel d'un contact.

4. Cliquez le bouton **Appeler**.

5. Suivez les instructions à l'écran.

Attention ⊗ Votre ordinateur doit posséder un modem capable de composer un numéro de téléphone. Cela ne fonctionne pas avec un modem ADSL.

Expédier un message à un contact

Sans ouvrir Outlook Express, vous pouvez expédier un message à un contact à partir du carnet d'adresses.

1. Cliquez le contact dans la fenêtre principale du Carnet d'adresses.

2. Cliquez le bouton [Action] puis cliquez la commande **Envoyer un message** dans le menu du bouton.

Note ⊗ Si le contact possède plusieurs adresses, cliquez la commande **Envoyer du courrier à**.

La zone **À** est déjà renseignée.

3. Tapez l'objet et le message.

4. Cliquez le bouton **Envoyer** pour expédier le message.

Note ⊗ Pour des informations complémentaires sur la messagerie, consultez le chapitre 14.

Imprimer les contacts

Pour emporter avec vous votre carnet d'adresses, imprimez-le.

1. Éventuellement, sélectionnez les contacts à imprimer (en utilisant les touche **Maj** et **Ctrl** comme dans l'Explorateur Windows ; voir le chapitre 5).

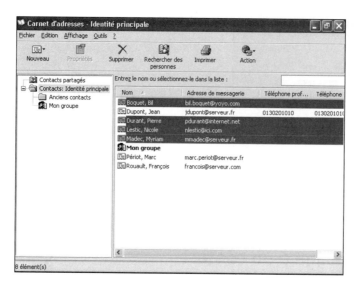

Figure 13-10 Sélection de contacts avant impression.

2.   Cliquez le bouton [Imprimer].

Note ⊗ Vous pouvez aussi utiliser le raccourci Ctrl+P.

3.   Cliquez l'imprimante à utiliser dans la zone Sélection de l'imprimante (le symbole ✅ indique l'imprimante par défaut).

4.   Cliquez le bouton **Préférences** si vous souhaitez modifier les options de l'imprimante (résolution d'impression, taille du papier, *etc.*).

Note ⊗ La boîte Options d'impression qui s'ouvre en cliquant **Préférences** dépend de l'imprimante. Au besoin, consultez sa notice.

5.   Cliquez l'option **Tout** pour imprimer l'intégralité des contacts, ou cliquez l'option **Sélection** si vous avez sélectionné des contacts à l'étape **1**.

6.   Cliquez le format dans la zone **Style d'impression**.

Note ⊗ Il n'existe pas d'aperçu avant impression. Imprimez le carnet d'adresses avec chacune des options pour choisir celle qui vous convient le mieux.

Figure 13-11 Impression du carnet d'adresses.

7.   Cliquez le bouton **Imprimer**.

Note ⊗ Le bouton **Rechercher une imprimante** permet de parcourir le réseau pour trouver une imprimante partagée.

Changer d'identité

Si l'ordinateur est partagé par plusieurs personnes, vous pouvez gérer plusieurs carnets d'adresses.

1.   Cliquez le menu **Fichier** → **Changer d'identité**.

Note ⊗ Si le carnet d'adresses est ouvert à partir d'Outlook Express, cette commande n'est pas disponible. Cliquez le menu **Fichier** → **Changer d'identités** dans Outlook Express pour y accéder.

2.   Cliquez votre identité dans la liste.

3.   Si le carnet est protégé, tapez le mot de passe.

Figure 13-12 Changement d'identité.

4.   Cliquez le bouton **OK**.

Gérer et ajouter des identités

1. Dans la boîte Changer d'identité, cliquez le bouton **Gérer les identités** (figure 13-12).

Note ⊗ Dans Outlook Express, cliquez le menu **Fichier → Identités → Gérer les identités** et **Fichier → Identités → Ajouter une identité**.

2. Cochez la case **Utiliser cette identité…** pour choisir l'identité au démarrage et sélectionnez-la dans la liste en dessous.

3. Sélectionnez dans la liste du bas l'identité par défaut (figure 13-13).

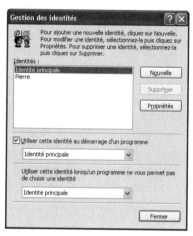

Figure 13-13 Gestion des identités.

4. Cliquez le bouton **Nouvelle**.

5. Tapez le nom de la nouvelle identité.

6. Cochez la case **Exiger un mot de passe** pour protéger le carnet d'adresses.

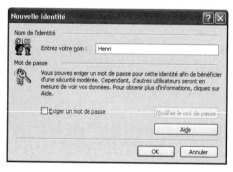

Figure 13-14 Ajout d'une identité.

7. Si vous avez coché la case **Exiger un mot de passe** à l'étape **6**, tapez le mot de passe dans la première zone.

8. Confirmez le mot de passe dans la seconde zone.

9. Cliquez le bouton **OK**.

10. Cliquez le bouton **OK** dans la boîte Nouvelle identité.

    Une boîte s'affiche pour vous demander si vous désirez changer d'identité (figure 13-15).

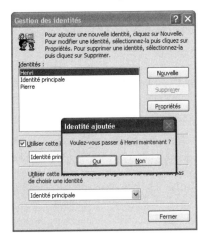

Figure 13-15 Changement d'identité après une création.

11. Si vous désirez passer immédiatement à la nouvelle identité, cliquez le bouton **Oui**.

12. Si vous avez cliqué le bouton **Non**, cliquez le bouton **Fermer** dans la boîte Gestion des identités.

Exporter ou sauvegarder le carnet d'adresses

Pour utiliser votre carnet d'adresses sur un autre ordinateur ou pour conserver un double, exportez-le sous forme de fichier.

1. Cliquez **Fichier** → **Exporter** → **Carnet d'adresses**.

Note ⊗ La commande **Fichier** → **Exporter** → **Autre Carnet d'adresses** permet de choisir un autre format que celui par défaut.

2. Sélectionnez dans la liste **Enregistrer dans** le dossier qui doit contenir le carnet d'adresses.

3. Tapez un nom pour le carnet d'adresses.

4. Cliquez le bouton **Enregistrer**

5. Cliquez le bouton **OK** dans la boîte qui confirme la sauvegarde.

Note ⊗ Les fichiers de carnets d'adresses portent l'extension .wab.

Importer un carnet d'adresses

Importez un carnet d'adresses si vous avez changé d'ordinateur ou de logiciel de messagerie électronique (comme Netscape, par exemple), ou tout simplement pour réinstaller une sauvegarde.

1. Cliquez **Fichier → Importer → Carnet d'adresses**.

Note ⊗ La commande **Fichier → Importer → Autre Carnet d'adresses** permet d'ouvrir des carnets d'un autre format (Netscape, par exemple).

2. Sélectionnez dans la liste **Regarder dans** le dossier qui contient le carnet d'adresses.

3. Cliquez le fichier du carnet pour le sélectionner.

4. Cliquez le bouton **Ouvrir**.

5. Cliquez le bouton **OK** dans la boîte qui confirme l'importation.

Les contacts importés sont ajoutés à votre carnet d'adresses. Les contacts ajoutés entre l'exportation et l'importation ne sont pas supprimés.

>> Expédier et recevoir des messages

Le courrier électronique permet d'envoyer en quelques secondes des messages à votre voisin ou à un collègue de bureau, mais aussi à des destinataires à l'autre bout du monde. Ici, plus de papier, d'enveloppes ou de timbres : tout est pris en charge par Outlook Express.

Ce chapitre vous explique comment créer un compte de messagerie pour utiliser une nouvelle adresse e-mail, ainsi que l'expédition et la réception de fichiers (pièces jointes).

Créer un compte de messagerie

Avant d'expédier et de recevoir des messages, vous devez indiquer les différents paramètres remis par votre fournisseur de messagerie. Comme il est courant aujourd'hui de posséder plusieurs comptes, il est nécessaire de maîtriser cette étape. Vous devez ajouter autant de comptes que vous possédez d'adresses e-mail.

1. Ouvrez Outlook Express (menu **Démarrer** ➜ **Courrier électronique**).

2. Cliquez le menu **Outils** ➜ **Comptes**.

3. Cliquez le bouton **Ajouter** ➜ **Courrier**.

4. Tapez le nom qui doit apparaître chez vos correspondants lors de la réception de vos messages.

5. Cliquez le bouton **Suivant**.

6. Tapez votre adresse e-mail.

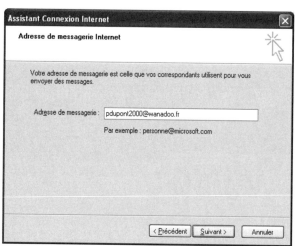

Figure 14-1 Création d'un nouveau compte de messagerie.

7. Cliquez le bouton **Suivant**.

Note Toutes les indications nécessaires à la création d'un compte vous sont transmises par votre fournisseur d'accès ou le site qui vous propose d'héberger vos messages. Consultez les documents
en votre possession.

8.   Dans la liste **Mon serveur de messagerie**, sélectionnez le type. POP3 est le type courant des
serveurs proposés aux particuliers. HTTP permet d'ajouter un compte Web comme Hotmail.

9.   Dans la première zone, tapez le nom du serveur pour les messages à recevoir. (Il commence
généralement par le mot POP.)

10. Dans la seconde zone, tapez le nom du serveur pour les messages à expédier. (Il commence
généralement par le mot SMTP.)

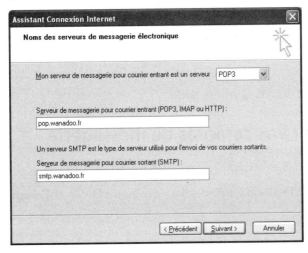

Figure 14-2 Informations
sur votre serveur de messagerie.

11. Cliquez le bouton **Suivant**.

12. Dans la première zone, tapez votre identifiant de connexion à la messagerie.

13. Dans la seconde zone, tapez votre mot de passe.

14. Cochez **Mémoriser le mot de passe** pour ne pas le retaper à chaque connexion.

Note Si vous cochez l'option **Mémoriser le mot de passe**, cela permet à tous les autres utilisateurs
de votre ordinateur de télécharger vos messages.

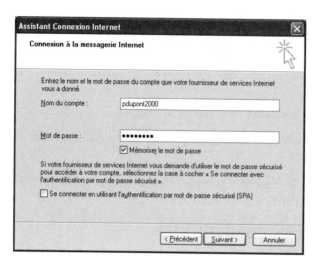

Figure 14-3 Informations de connexion au serveur de messagerie.

15. Cliquez le bouton **Suivant**.

16. Cliquez le bouton **Terminer** dans la dernière boîte.

Consulter et modifier vos comptes de messagerie

Vous pouvez à tout moment vérifier un compte et modifier ses paramètres.

1. Dans la fenêtre principale d'Outlook Express, cliquez le menu **Outils ➔ Comptes**.

2. Cliquez l'onglet **Courrier**.

3. Cliquez le nom du compte (figure 14-4).

4. Cliquez le bouton **Propriétés**.

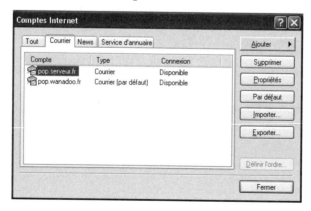

Figure 14-4 Modifications des comptes de messagerie.

Pour modifier le compte, utilisez les boutons suivants :

- **Supprimer** : retire le compte de messagerie sélectionné. Cliquez **Oui** dans la boîte qui s'affiche pour confirmer la suppression.

- **Propriétés** : affiche tous les éléments nécessaires au fonctionnement du compte.

- **Par défaut** : le compte par défaut est utilisé pour expédier des messages.

- **Importer** : importe les renseignements d'un compte précédemment exporté.

- **Exporter** : crée un fichier avec tous les éléments du compte. Utilisez cette possibilité pour installer un compte existant sur un autre ordinateur.

Rédiger un message

La composition d'un message est très simple. Vous donnez l'adresse de votre correspondant, saisissez une phrase définissant l'objet du message, puis tapez le message lui-même.

1. Cliquez le bouton **Créer un message** dans la barre d'outils.

Conseil ⊗ Si vous avez déjà expédié des messages, les noms des destinataires apparaissent dans le volet **Contacts** en bas à gauche de la fenêtre principale d'Outlook Express. Double-cliquez le nom d'un destinataire dans cette liste pour créer directement un message sans ressaisir son adresse e-mail.

Une fenêtre s'ouvre pour vous permettre de rédiger votre message.

2. Tapez dans la zone **À** l'adresse e-mail du correspondant. Si vous expédiez le message à plusieurs personnes, séparez les adresses par des points-virgules. Vous pouvez aussi expédier une copie à d'autres destinataires en tapant leur adresse dans la zone **Cc**. Pour expédier le message à l'insu des personnes des zones **À** et **Cc**, tapez les adresses dans la zone **Cci**. Les destinataires sont automatiquement ajoutés au volet **Contacts** de la fenêtre principale d'Outlook Express. Pour accéder à votre carnet d'adresses, cliquez le bouton **À**. (consultez le paragraphe « Utiliser le carnet d'adresses » ci-après).

Note ⊗ Si la zone **Cci** n'apparaît pas, cliquez le menu **Affichage → Tous les en-têtes**.

3. Tapez dans la zone **Objet** quelques mots pour décrire l'objet du message. Votre correspondant verra cette phrase avant de découvrir le contenu du message.

4. Tapez le contenu du message dans la zone inférieure de la fenêtre.

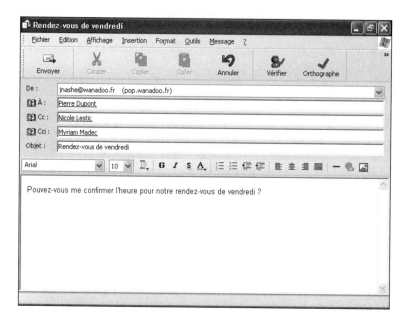

Figure 14-5
Composition d'un message électronique.

5.   Cliquez le bouton **Envoyer** dans la barre d'outils.

Note   Le message n'est pas expédié immédiatement. Il est conservé dans le dossier **Boîte d'envoi**. C'est vous qui déciderez du moment de son expédition.

Utiliser le carnet d'adresses

Comme il n'est pas facile de se souvenir de toutes les adresses e-mail, accédez directement au carnet d'adresses pour les ajouter à vos messages.

1.   Pour rechercher les destinataires dans le carnet d'adresses, cliquez le bouton.

Note   L'utilisation du carnet d'adresses est décrite au chapitre 13.

2.   Tapez dans la zone **Entrez le nom...** le début du nom du contact pour le localiser plus facilement.

3.   Cliquez le contact souhaité dans la liste **Nom**.

4.   Cliquez le bouton **À**, afin d'ajouter le contact à la zone **À**.

Note   Vous pouvez aussi ajouter un contact dans la zone **À** en le double-cliquant dans la liste de gauche.

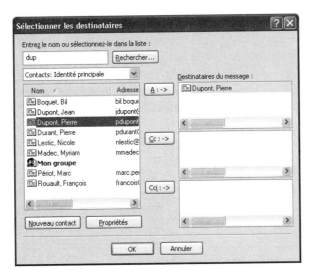

Figure 14-6 Ajout de destinataires à partir du carnet d'adresses.

5. Pour adresser une copie du message à un autre contact, répétez les étapes **2** et **3** puis cliquez **Cc**.

6. Pour ajouter une copie du message à un autre contact à l'insu des destinataires des zones **À** et **Cc**, répétez les étapes **2** et **3**, puis cliquez **Cci**.

7. Cliquez le bouton **OK**.

Vérifier les destinataires

Si vous tapez les adresses e-mail sans passer par le carnet d'adresses, vérifiez-les.

1. Cliquez le bouton **Vérifier** dans la barre d'outils.

Les noms vérifiés sont soulignés dans les zones **À**, **Cc** et **Cci**.

Note Si des noms ne sont pas vérifiés, Outlook ouvre une boîte pour trouver une correspondance ou pour créer un nouveau contact.

Changer de compte de messagerie

Si vous avez plusieurs comptes de messagerie, choisissez celui à utiliser avant l'expédition du message.

1. Cliquez la zone **De** puis sélectionnez le compte à utiliser.

Note Consultez le début de ce chapitre pour ajouter d'autres comptes de messagerie et définir celui par défaut.

Vérifier l'orthographe

Outlook Express peut vous aider à traquer les fautes d'orthographe.

1. Cliquez le texte du message.

2. Cliquez le bouton **Orthographe** dans la barre d'outils.

3. Suivez les instructions de la boîte qui s'ouvre pour corriger l'orthographe.

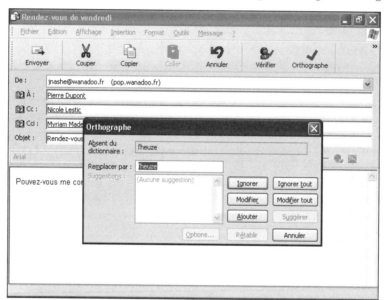

Figure 14-7
Vérification de
l'orthographe
des messages.

Mettre en forme un message

Outlook Express propose deux formats pour l'expédition des messages. Si vous utilisez le format HTML, vous pouvez les mettre en forme comme dans un traitement de texte.

1. Créez un nouveau message.

2. Assurez-vous que l'option du menu **Format → Texte enrichi (HTML)** est bien cochée.

3. Sélectionnez le texte à mettre en forme dans le corps du message.

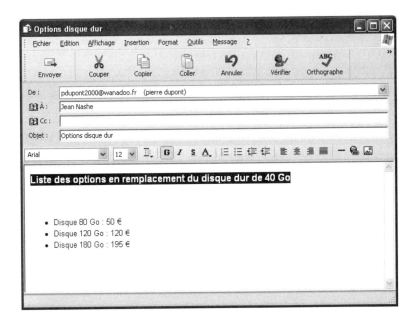

Figure 14-8 Mise en forme d'un message.

4. Cliquez un des boutons de mise en forme dans la barre d'outils au dessus du texte du message (consultez le tableau ci-après).

Boutons	Mise en forme
Arial	Police de caractères
10	Taille de la police
	Style du paragraphe
G	Gras
I	Italique
S	Souligné
A	Couleur des caractères
	Liste numérotée
	Liste à puces
	Diminuer le retrait à gauche du paragraphe
	Augmenter le retrait à gauche du paragraphe
	Aligner le paragraphe à gauche
	Centrer le paragraphe

→

Boutons	Mise en forme
≣	Aligner le paragraphe à droite
≡	Justifier le paragraphe
—	Insérer une ligne horizontale
🔗	Insérer un lien : pour qu'un texte soit transformé en lien, sélectionnez-le, cliquez 🔗 , tapez l'adresse puis cliquez OK.
🖼	Insérer une image

Tableau 14-1 Boutons de mise en forme d'un message.

Personnaliser vos messages

En plus des mises en forme au format HTML, Outlook Express vous propose de personnaliser vos messages avec des couleurs, des images et des papiers à lettres.

Colorer le fond du message

1. Cliquez le menu **Format** ➜ **Arrière-plan** ➜ **Couleur**.

2. Cliquez la couleur souhaitée dans la liste.

Insérer une image d'arrière-plan

1. Cliquez le menu **Format** ➜ **Arrière-plan** ➜ **Image**.

2. Sélectionnez une image dans la liste **Fichier**. Cliquez le bouton **Parcourir** pour insérer une image personnelle.

3. Cliquez le bouton **OK**.

Insérer une image

1. Cliquez là où devra apparaître l'image dans le corps du message.

2. Cliquez le menu **Insertion** ➜ **Image**.

3. Cliquez le bouton **Parcourir**, puis recherchez l'image sur votre disque dur.

4. Cliquez le bouton **OK**.

L'image apparaît là où se trouvait le point d'insertion.

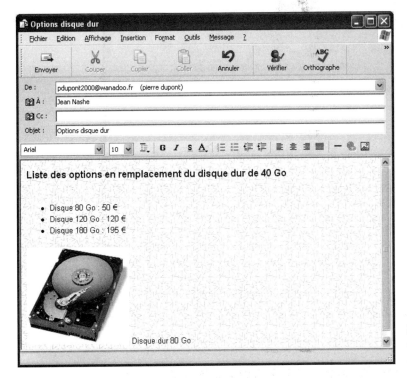

Figure 14-9 Message avec une image de fond et une image insérée.

Choisir un papier à lettres

L'application d'un papier à lettres personnalise vos messages. Il applique une image d'arrière plan et modifie aussi les polices et les marges.

1. Cliquez le menu **Format → Appliquer le papier à lettres**, puis le papier à utiliser.

Conseil ⊘ Cliquez le menu **Format → Appliquer le papier à lettres → Plus de papier à lettres** pour agrandir le choix. Pour définir le papier à lettres à la création d'un message, cliquez la flèche en regard du bouton **Créer un message**, puis cliquez un papier à lettre.

Le papier à lettres choisi est appliqué au corps du message.

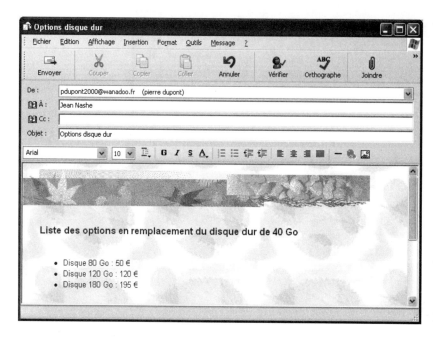

Figure 14-10
Message après
l'application d'un
papier à lettres.

Ajouter un fichier au message

En plus du texte des messages, vous pouvez expédier des fichiers de différents types : documents, images, logiciels, *etc.*

1.   Dans la fenêtre du message, cliquez le menu **Insertion → Pièce jointe**.

2.   Sélectionnez le dossier qui contient le fichier dans la zone **Regarder dans**.

3.   Cliquez le nom du fichier à expédier en même temps que le message.

4.   Cliquez le bouton **Joindre**.

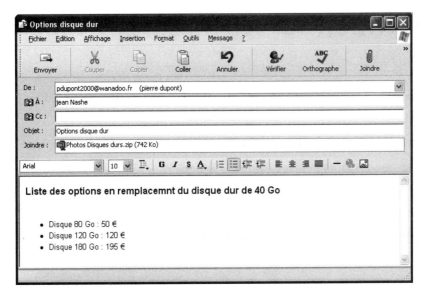

Figure 14-11
Expédition d'un fichier
en pièce jointe.

Le nom du fichier apparaît dans la zone **Joindre**.

Conseils pour l'expédition des pièces jointes

- N'expédiez des fichiers de grande taille que si c'est indispensable. L'envoi et la réception risquent sinon d'être très longs.

- Si votre envoi est refusé, vous avez peut-être dépassé certaines limites fixées par votre fournisseur d'accès (taille maximale des messages ou taille globale de la boîte de réception). Utilisez plutôt la messagerie instantanée pour les gros fichiers quand votre correspondant est connecté à Windows Messenger (consultez le chapitre 12).

- Si vous expédiez un document d'un format particulier, assurez-vous que le destinataire possède le logiciel adéquat pour l'ouvrir.

Attirer l'attention sur les messages expédiés et reçus

Pour attirer l'attention sur un message, ajoutez un niveau de priorité. Vous pouvez aussi indiquer au destinataire que vous désirez qu'il confirme sa réception.

1.   Cliquez le menu **Message → Définir la priorité**.

2.   Cliquez la priorité à appliquer (**Élevé**, **Normal** ou **Basse**).

Note Le niveau ne change pas le délai de remise du message.

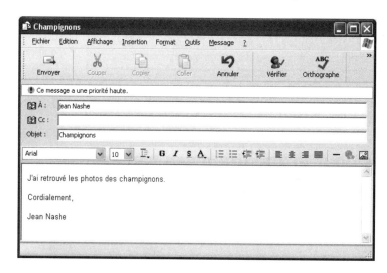

Figure 14-12 Message avec une priorité haute.

Outlook indique par un message au-dessus de la zone **À** ou **De,** le niveau de priorité (uniquement pour une priorité élevée ou basse. Figure 14-12).

Note Les symboles de priorité ! ou ↓ apparaissent à gauche du message dans la colonne !.

3.   Pour demander une confirmation de votre message, cliquez le menu **Outils → Demandez une confirmation de lecture** pour cocher l'option.

Recevoir une demande de confirmation

1.   Cliquez un message avec confirmation pour le lire.

En cas de demande de confirmation, la boîte de la figure 14-13 s'affiche.

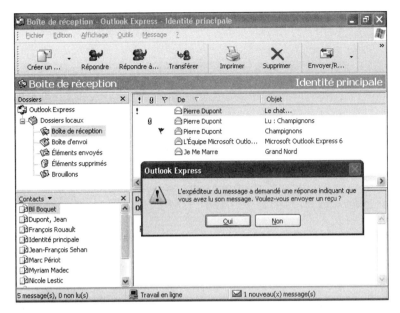

Figure 14-13 Message avec demande de confirmation.

2. Cliquez le bouton **Oui** pour qu'Outlook Express génère automatiquement un message de confirmation de lecture, ou cliquez le bouton **Non** pour ignorer la demande.

Note L'objet d'un message de confirmation est précédé du mot **Lu:**.

Ajouter un indicateur aux messages importants

Pour les distinguer rapidement ou faciliter les recherches, ajoutez un indicateur aux messages importants.

1. Cliquez dans la colonne ▽ en regard du message à traiter en priorité.

La colonne ▽ contient alors le symbole ▼ en regard du message (3ᵉ message dans la figure 14-13).

Ajouter une signature

Pour vous éviter de saisir toujours le même texte à la fin de vos messages, ajoutez plutôt une signature.

Créer une signature

1. Cliquez **Outils → Options** à partir de la fenêtre principale d'Outlook Express.

Note ⊗ Cette commande n'est pas disponible si vous avez déjà débuté la rédaction d'un nouveau message.

2. Cliquez l'onglet **Signatures**.

3. Cliquez le bouton **Nouveau**.

    Une signature avec un nom par défaut s'affiche dans la liste **Signatures**.

4. Tapez dans la zone **Texte** le message à ajouter comme signature.

Note ⊗ Vous pouvez aussi cochez l'option **Fichier**, puis cliquez le bouton **Parcourir** pour rechercher le fichier texte (format .txt ou .html).

5. Répétez les étapes **3** et **4** pour ajouter d'autres signatures.

6. Pour ajouter la signature à tous les nouveaux messages, cochez la case **Ajouter les signatures…**.

7. Pour ne pas ajouter la signature aux réponses et aux transferts, cochez la case **Ne pas ajouter de signature…**.

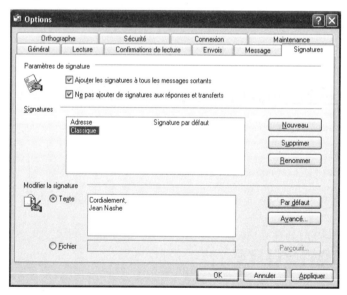

Figure 14-14 Création de signatures.

8. Cliquez le bouton **OK**.

Renommer une signature

Pour bien classer vos signatures, renommez-les.

1. Cliquez la signature dans la liste **Signatures**.

2. Cliquez le bouton **Renommer**.

3. Tapez le nouveau nom.

Note ⊗ Pour supprimer une signature, sélectionnez-la puis cliquez le bouton **Supprimer**.

Définir la signature par défaut

Si vous avez créé plusieurs signatures, définissez celle par défaut.

1. Cliquez la signature dans la liste (figure 14-14).

2. Cliquez le bouton **Par défaut**.

Note ⊗ Pour associer une signature à un compte de messagerie, cliquez le bouton **Avancé**.

Insérer une signature dans un message

1. Créez un nouveau message.

2. Cliquez la position d'insertion de la signature dans le message.

3. Cliquez le menu **Insertion → Signature**.

4. Cliquez la signature à insérer.

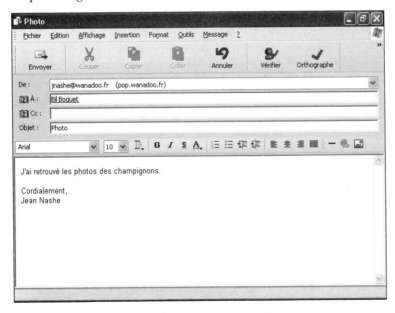

Figure 14-15 Ajout d'une signature dans un message.

La signature apparaît là où se trouvait le point d'insertion.

Envoyer et recevoir des messages

Vous devez vous connecter à votre serveur de messagerie pour expédier les messages en attente dans le dossier Boîte d'envoi, et vérifier si de nouveaux messages sont arrivés pour vous.

Note Le chiffre entre parenthèses qui suit le dossier Boîte d'envoi indique le nombre de messages à expédier.

1.   Cliquez le bouton **Envoyer/Recevoir**.

Note Si vous n'êtes pas en ce moment connecté à Internet, Outlook Express demande automatiquement une connexion.

La boîte de dialogue de la figure 14-16 indique la progression de l'expédition et de la réception du courrier.

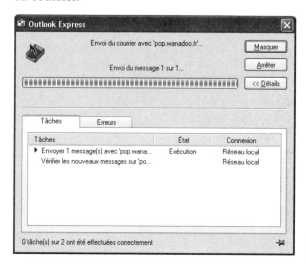

Figure 14-16 Réception et expédition des messages.

Lire les messages reçus

Le nouveau courrier est placé dans le dossier Boîte de réception. Ouvrez-le pour lire vos messages.

Note Le chiffre entre parenthèses qui suit le dossier Boîte de réception indique le nombre de messages non lus.

1.   Cliquez le dossier **Boîte de réception** dans la partie de gauche.

La partie de droite affiche la liste des messages de ce dossier. Les messages non lus sont en gras.

2. Cliquez le message à lire.

Le message s'affiche dans la partie inférieure droite (volet de visualisation).

Bloquer les images des messages

Certains messages proposent des images qui ne sont disponibles que sur le site de l'expéditeur. Cela permet de vérifier que votre e-mail est valide et de vous envahir de messages publicitaires.

1. Cliquez le menu **Outils → Options**.

2. Cliquez l'onglet **Sécurité**.

3. Cochez la case **Bloquer les images…**.

4. Cochez la case **Ne pas autoriser l'ouverture…** pour bloquer aussi les pièces jointes.

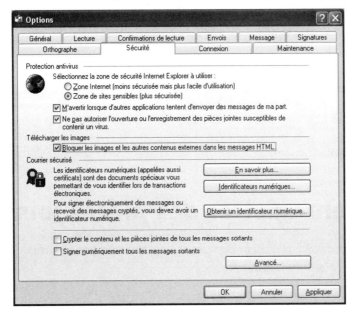

Figure 14-17 Options pour bloquer les images indésirables.

5. Cliquez le bouton **OK**.

Lire un message avec images

Si vous avez demandé à bloquer les images (voir paragraphe précédent), vous pouvez quand même afficher celles qui vous intéressent.

1.   Cliquez le message contenant des images.

     Outlook affiche un message d'avertissement en dessous de l'objet de l'e-mail : « Certaines images ont été bloquées... ».

2.   Cliquez le message d'avertissement (figure 14-18).

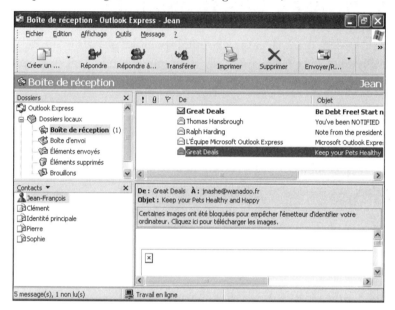

Figure 14-18 Image bloquée dans un message.

Les images du message sont affichées.

Visualiser ou enregistrer des pièces jointes

Si le message contient une pièce jointe, le bouton apparaît en haut à droite du message. Consultez-la ou enregistrez-la pour la conserver.

1.   Cliquez le bouton dans le message.

2.   Cliquez le nom du fichier dans la liste qui s'ouvre.

Pour des questions de sécurité, Outlook Express propose d'ouvrir ou d'enregistrer le fichier. En effet, si le fichier est en réalité un virus, il est plus prudent de ne pas l'ouvrir mais de l'enregistrer pour le vérifier avec un anti-virus. Dans tous les cas, n'ouvrez pas des fichiers dont vous ne connaissez pas l'expéditeur.

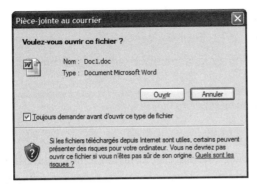

Figure 14-19 Ouverture d'une pièce jointe.

Note Pour protéger votre PC avec un antivirus, consultez le chapitre 21. Certains fichiers comme les images s'ouvrent directement sans ouvrir la boîte d'avertissement.

3. Cliquez l'option **Ouvrir** si vous connaissez la provenance du fichier.

4. Cliquez le bouton **OK**.

Le fichier s'ouvre avec l'application qui lui est associée.

Pour enregistrer directement une pièce jointe :

1. Cliquez le bouton 📎 dans le message.

2. Cliquez la commande **Enregistrer les pièces jointes** dans la liste qui s'affiche.

3. Cliquez le nom du fichier à enregistrer dans la boîte qui s'ouvre.

4. Cliquez le bouton **Enregistrer**.

Conseils pour la réception des pièces jointes

- Méfiez-vous des fichiers joints dont vous ne connaissez pas la provenance. Ils peuvent contenir des virus et détruire les données de votre ordinateur. Méfiez-vous particulièrement des fichiers avec l'extension .exe, .com, .scr, .js ou .vb.

- Si votre logiciel antivirus ne vérifie pas le contenu des messages reçus, il est préférable d'enregistrer la pièce jointe puis de demander à l'antivirus de la vérifier.

- Méfiez-vous des types de fichiers. À chaque type de fichier est associé une icône précise. Pour vérifier l'association type/icône, visualisez des fichiers du même type dans l'Explorateur Windows. Si l'icône ne correspond pas, n'ouvrez pas le fichier. Certains fichiers sont nommés avec un nom ordinaire (par exemple Image.jpg), suivi d'une centaine d'espaces puis de la véritable extension (par exemple .exe).

Répondre à un message

Si vous devez donner suite à un message, vous pouvez facilement y répondre sans ajouter le nom de l'expéditeur d'origine.

1. Cliquez le message auquel vous désirez répondre.

2. Cliquez le bouton **Répondre** dans la barre d'outils.

   Vous retrouvez la même fenêtre que pour la création d'un message. Le nom du destinataire se trouve déjà dans la zone **À**. L'objet du message est le même que celui de l'expéditeur, mais il est précédé du **Re:** pour indiquer une réponse. La zone du message contient le texte d'origine.

3. Ajoutez votre réponse dans le corps du message, puis cliquez le bouton **Envoyer**.

Transférer un message

Si un message reçu peut intéresser une ou plusieurs personnes, transférez-le pour ne pas avoir à le retaper.

1. Cliquez le message que vous désirez transférer.

2. Cliquez le bouton **Transférer**.

3. Tapez ou recherchez le(s) destinataire(s) du transfert comme pour tous les messages.

4. Tapez le motif de transfert avant le début du texte du message d'origine.

5. Cliquez le bouton **Envoyer**.

Note Si le message d'origine contenait des pièces jointes, elles sont transférées aussi.

Rechercher un message

Vous voulez retrouver un message parmi les centaines enregistrés dans vos dossiers ? Demandez un coup de main à Outlook Express.

1. Cliquez avec le bouton droit le dossier où doit s'effectuer la recherche.

2. Cliquez la commande **Rechercher** dans le menu contextuel.

Note Choisissez **Dossiers locaux** à l'étape **1** pour une recherche sur tous les dossiers.

3. Tapez les mots recherchés dans les zones proposées.

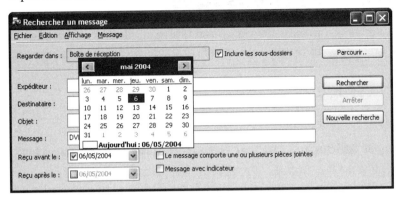

Figure 14-20
Recherche de
messages.

4. Cliquez les flèches des zones **Reçu avant le** et **Reçu après le** pour sélectionner des dates dans un calendrier (figure 14-20).

Note Décochez les cases des zones **Reçu...** pour ne pas limiter la recherche dans le temps.

5. Cliquez le bouton **Rechercher**.

La liste en bas de la boîte de recherche (figure 14-21) affiche les messages répondant aux critères.

6. Pour ouvrir un message, double-cliquez-le.

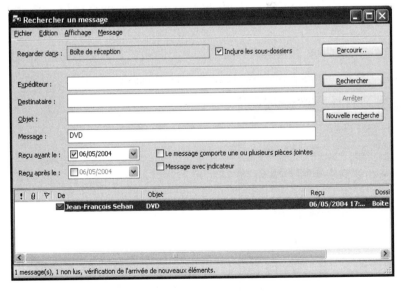

Figure 14-21 Listes
des messages trouvés.

7. Cliquez le bouton ⊠ pour fermer la boîte de recherche.

Filtrer et trier les messages

Pour accéder rapidement aux messages qui vous intéressent, filtrez-les et triez-les. Vous pourrez ainsi masquer les messages lus et vous concentrer sur les derniers messages reçus.

Filtrer les messages

1. Cliquez le dossier à réorganiser.

2. Cliquez le menu **Affichage** → **Affichage en cours** → **Masquer les messages lus**.

Note ⊗ Choisissez **Afficher tous les messages** à l'étape **2** pour rétablir la liste normale. Les messages non lus sont en gras.

Trier les messages

1. Cliquez un en-tête pour trier les messages d'après cette colonne.

2. Répétez l'étape 1 pour inverser le tri (ordre croissant ou décroissant).

Organiser la fenêtre d'Outlook

Outlook Express propose plusieurs types d'affichage pour réorganiser sa fenêtre en fonction de vos habitudes.

1. Cliquez le menu **Affichage** → **Disposition**.

2. Pour voir tous les éléments proposés, cochez toutes les cases.

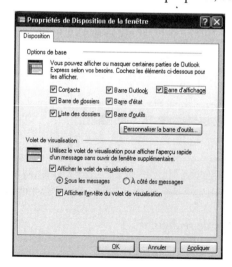

Figure 14-22 Modification des options d'affichage.

3.   Cliquez le bouton **OK.**

La fenêtre d'Outlook Express affiche maintenant tous les volets disponibles.

Figure 14-23 Fenêtre d'Outlook avec tous les volets.

4.   Répétez l'étape **1**, puis décochez les éléments qui ne vous intéressent pas.

Imprimer les messages

Afin de garder une trace de vos messages, imprimez-les.

1.   Cliquez le message à imprimer.

2.   Éventuellement, sélectionnez la partie du message à imprimer.

3.   Cliquez le bouton .

4.   Choisissez les options d'impression.

5.   Cliquez le bouton **Imprimer**.

Définir les options de la messagerie

Outlook Express propose une multitude d'options pour mieux gérer vos messages électroniques et les groupes de discussion.

1. Cliquez le menu **Outils → Options**.

2. Cliquez l'un des onglets proposés.

3. Cliquez le bouton ? puis une option pour en connaître sa fonction.

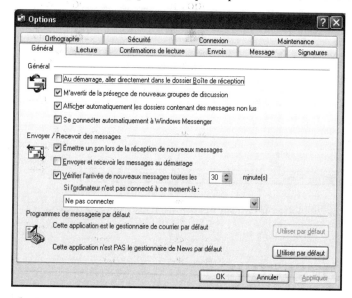

Figure 14-24 Options de configuration d'Outlook Express.

4. Modifiez les options qui vous concernent.

5. Cliquez le bouton **OK**.

Créer un nouveau dossier

Comment classer vos messages dans Outlook ? Rien de plus simple : créez de nouveaux dossiers.

1. Cliquez le menu **Fichier → Dossier → Nouveau**.

Astuce ⊗ Pour éviter l'étape **3**, cliquez avec le bouton droit le dossier qui doit contenir le sous-dossier, puis cliquez la commande **Nouveau dossier** dans le menu contextuel.

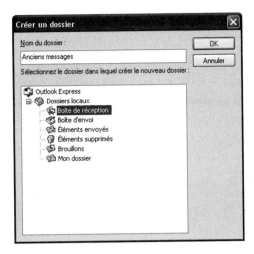

Figure 14-25 Création d'un nouveau dossier.

2. Tapez le nom du nouveau dossier.

3. Cliquez dans la liste le dossier qui doit contenir le nouveau dossier.

4. Cliquez le bouton **OK**.

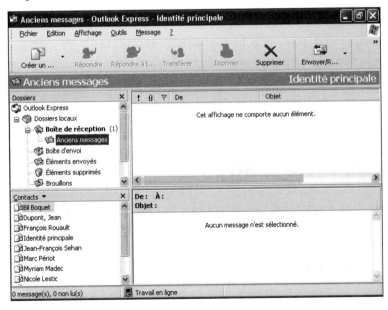

Figure 14-26 Dossier personnel dans Outlook Express.

Le nouveau dossier apparaît dans la liste des dossiers à l'endroit choisi.

Note ⊗ Utilisez les boutons ⊞ et ⊟ pour développer ou réduire l'arborescence des dossiers.

- Pour renommer un dossier : cliquez-le pour le sélectionner, puis cliquez-le une seconde fois et tapez le nouveau nom. Vous pouvez aussi utiliser le bouton droit sur le dossier, puis cliquer **Renommer** dans le menu contextuel.

- Pour supprimer un dossier : cliquez-le pour le sélectionner, puis appuyez sur la touche **Suppr**. Cliquez le bouton **Oui** pour confirmer la suppression. Le dossier est supprimé et son contenu est déplacé vers le dossier **Éléments supprimés**.

Déplacer des messages

Si vous avez créé plusieurs dossiers, vous pouvez déplacer entre eux les messages qu'ils contiennent.

1. Cliquez le dossier qui contient le message à déplacer.

2. Cliquez et faites glisser le message à déplacer vers l'autre dossier.

Attention ⊗ Il n'est pas possible de déplacer un message vers le dossier Boîte d'envoi.

3. Cliquez l'autre dossier pour le sélectionner.

L'élément se trouve maintenant dans ce dossier.

Conseil ⊗ Pour déplacer plusieurs messages en même temps, sélectionnez-les au préalable avec les touches **Ctrl** et **Maj,** comme dans l'Explorateur Windows.

Supprimer des messages

N'encombrez pas inutilement vos dossiers : supprimez les messages obsolètes, inutiles, voire parasites.

Supprimer un message

1. Cliquez le message à supprimer pour le sélectionner.

2. Appuyez sur la touche **Suppr**.

Le message est transféré dans le dossier Éléments supprimés.

Astuce ⊗ Pour supprimer directement le message, appuyez sur les touches **Ctrl+Suppr** puis cliquez le bouton **Oui** pour confirmer.

Supprimer définitivement un message

1. Cliquez le dossier **Éléments supprimés**.

2. Cliquez le message pour le sélectionner puis appuyez sur la touche **Suppr**.

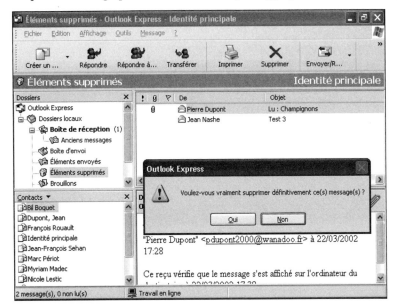

Figure 14-27
Suppression définitive
d'un message.

3. Cliquez le bouton **Oui** pour confirmer (figure 14-27).

Conseil ⊗ Pour supprimer tous les messages, cliquez avec le bouton droit le dossier **Éléments supprimés** puis cliquez la commande **Vider le dossier** dans le menu contextuel.

>> Participer aux groupes de discussion

Vous avez un hobby, comme l'équitation, le bricolage ou la photographie ? Discutez-en avec des milliers d'autres passionnés. Parmi plus de 100 000 groupes, vous trouverez bien celui qui correspond à votre sujet favori.

Les groupes de discussion sont des messageries publiques, par opposition à la messagerie personnelle du chapitre précédent. Vous pouvez lire les messages, et les autres personnes peuvent lire les vôtres. Ils permettent aussi de répondre aux messages dans le groupe, ou de répondre directement à leur auteur. Comme la messagerie personnelle, les groupes de discussion sont gérés par Outlook Express.

Configurer un serveur de groupes

Pour accéder aux groupes de discussion, vous devez configurer votre serveur de news. Cela n'est pas toujours fait automatiquement à l'installation de votre connexion Internet, ni à la création d'un compte de messagerie.

1. Ouvrez Outlook Express (bouton **Démarrer → Courrier électronique**).

2. Cliquez le menu **Outils → Comptes**.

3. Cliquez le bouton **Ajouter → News**.

4. Tapez le nom qui doit apparaître quand vous postez un message (votre nom ou un pseudonyme).

Conseil Il est d'usage de rester anonyme dans les groupes. Les utilisateurs des news utilisent presque toujours un pseudonyme. Ne fournissez jamais de données personnelles : nom et prénom, adresse, téléphone, *etc.* Ces renseignements ne doivent être communiqués que dans des messages personnels.

5. Cliquez le bouton **Suivant**.

6. Tapez votre adresse de messagerie pour que l'on puisse vous répondre directement sans passer par le groupe.

Conseil Tapez une fausse adresse si vous ne désirez pas que l'on vous réponde directement (anonyme@anonyme.ici, par exemple). Attention ! des robots lisent les messages des groupes de discussion à la recherche d'adresses électroniques pour expédier des courriers non désirés, généralement des publicités (*spam*). Pour éviter cela, et si vous voulez quand même donner votre adresse, modifiez-la légèrement et préciser dans votre texte la manière d'obtenir la véritable adresse : par exemple, tapez l'adresse durant@wanadoo.com et précisez qu'il est nécessaire de remplacer .com par .fr. Le robot expédiera des messages à l'adresse durant@wanadoo.com et non à l'adresse durant@wanadoo.fr.

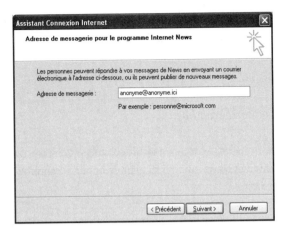

Figure 15-1 Vraie ou fausse adresse de réponse pour les groupes de discussion.

7. Cliquez le bouton **Suivant**.

8. Tapez le nom du serveur (qui débute généralement par le mot news).

Note ⊗ Toutes les indications nécessaires à la création d'un compte de news vous sont transmises par votre fournisseur d'accès ou le site qui vous propose ce service. Consultez les documents en votre possession.

9. Cochez la case **Connexion à mon serveur de News requise** si le serveur nécessite un nom d'utilisateur et un mot de passe (figure 15-2).

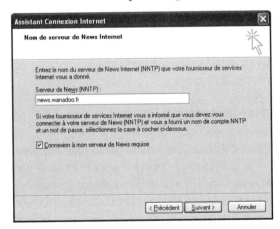

Figure 15-2 Informations sur votre serveur de news.

10. Cliquez le bouton **Suivant**. Si vous n'avez pas coché la case **Connexion à mon serveur...**, passez à l'étape **15**.

11. Saisissez votre nom d'utilisateur dans la première zone.

12. Saisissez votre mot de passe dans la seconde zone.

13. Cochez **Mémoriser le mot de passe** pour ne pas le retaper à chaque connexion.

Note ⊗ Contrairement au mot de passe de la messagerie personnelle, vous pouvez cocher sans remord l'option **Mémoriser le mot de passe**. Il n'y a pas ici de problème de confidentialité puisque les groupes de discussion sont publics !

14. Cliquez le bouton **Suivant**.

15. Cliquez le bouton **Terminer** dans la dernière boîte.

Conseil ⊗ Vous pouvez à tout moment vérifier un compte en cliquant le menu **Outils → Comptes**, en sélectionnant le nom du compte dans l'onglet **News**, puis en cliquant le bouton **Propriétés**. Vous pouvez créer plusieurs comptes de news.

Pour accéder aux groupes de discussion, vous devez en télécharger la liste. Cette opération peut être longue, mais elle n'a lieu qu'une seule fois. Outlook Express téléchargera automatiquement les nouveaux groupes, et uniquement eux, à chaque nouvelle session.

1. Cliquez le bouton **Oui** dans la boîte qui demande de télécharger la liste des groupes.

Outlook Express se connecte au serveur de news et télécharge la liste des groupes de discussion disponibles.

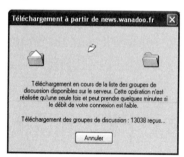

Figure 15-3 Téléchargement de la liste des groupes de discussion.

Un nouveau dossier apparaît en dessous de ceux réservés à la messagerie.

Astuce ⊗ Il est fort probable que votre fournisseur d'accès ne vous propose pas les 100 000 groupes dont nous avons parlé dans l'introduction de ce chapitre. En réalité, chaque fournisseur décide de ceux auxquels vous pouvez vous abonner. Si vous ne trouvez pas le groupe qui vous intéresse, faites une demande auprès de votre FAI. Si ce dernier n'accepte pas, vous pouvez toujours souscrire un abonnement à un serveur spécialisé comme www.newsfeed.com. Il vous en coûtera 10 à 30 € par mois en fonction des services proposés. Sachez cependant que beaucoup de groupes ne sont pas accessibles car illégaux ou traitant de sujets sensibles. L'accès aux groupes est aussi régi par les lois de votre pays.

S'abonner à des groupes de discussion

Comme il existe des dizaines de milliers de groupes, vous devez vous abonner à ceux qui vous intéressent. Sélectionnez les plus intéressants : ne vous abonnez pas à des groupes que vous ne lirez jamais.

1.   Cliquez le dossier du compte de news.

Note   Si vous venez de créer un compte, cliquez **Oui** dans la boîte qui vous indique que vous n'êtes abonné à aucun groupe de discussion, puis passez à l'étape **3**.

2.   Cliquez le bouton **Groupes de discussion**.

Le tableau 15-1 donne la liste de quelques mots clés pour trouver plus facilement des groupes de discussion.

Mot clé	Signification	Type de groupe
Alt	*Alternative*	Mélange de tous
Binaries		Propose des fichiers (images, programmes, vidéos, *etc.*)
Biz	*Business*	Affaires
Comp	*Computer*	Informatique
Ieee		Électronique
K12		Éducation
News		Nouveautés Internet
Rec	*Recreation*	Loisirs, divertissements
Soc	*Society*	Problèmes de société
Fr		France
Franco		Francophone
Be		Belgique
UK		Angleterre
De		Allemagne
US		États-Unis
Can		Canada

Tableau 15-1 Mots clés dans les noms des groupes de discussion.

3. Tapez dans la zone **Afficher les groupes** un ou plusieurs mots clés pour sélectionner des groupes (par exemple « fr. » pour obtenir la liste des groupes français).

4. Cliquez le nom du groupe qui vous intéresse dans la liste en dessous.

5. Cliquez le bouton **S'abonner**.

Astuce ⊗ Pour obtenir la liste des groupes de discussion francophones, consultez le site www.usenet-fr.net.

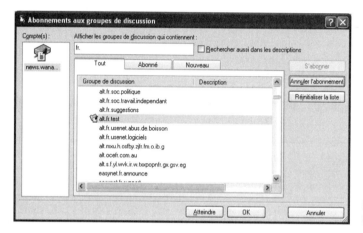

Figure 15-4 Abonnements à des groupes de discussion.

Une icône indique les groupes auxquels vous êtes abonnés.

6. Répétez les étapes **4** et **5** pour les autres groupes.

Note ⊗ Le bouton **Réinitialiser la liste** permet de télécharger l'intégralité des groupes proposés sur votre serveur de news.

7. Cliquez le bouton **OK**.

Attention ⊗ Pour tester les groupes de discussion, choisissez-en un contenant le mot « test ». N'expédiez pas de messages d'essai dans les autres groupes sous peine de vous faire « invectiver ».

Vous pouvez à tout moment modifier la liste des abonnements en cliquant le menu **Outils → Groupe de discussion** puis l'onglet **Abonné**.

Lire et répondre à des messages

Outlook Express ne charge que les en-têtes des messages. Pour télécharger et lire un message, il suffit de cliquer son en-tête. Si les messages sont longs à télécharger, parce qu'ils contiennent des images par exemple, il suffit d'en cliquer plusieurs pour qu'ils soient téléchargés automatiquement les uns après les autres.

Lire les messages

1. Cliquez le groupe à consulter dans la liste de gauche.

2. Cliquez le message à lire dans la liste de droite.

Note Utilisez les boutons ⊞ et ⊟ pour développer ou réduire une discussion.

Le volet en bas à droite affiche le contenu du message après son téléchargement.

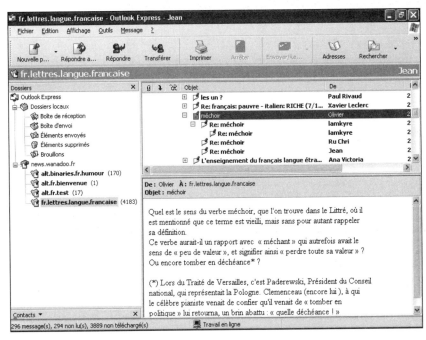

Figure 15-5 Lecture des messages dans les groupes de discussion.

Outlook Express ne charge que les premiers en-têtes. C'est à vous de demander les en-têtes suivants.

1. Cliquez le menu **Outils → Obtenir les x en-têtes suivants**.

Note Pour définir le nombre d'en-têtes chargés sur le serveur quand vous cliquez le menu **Outils → Obtenir les x en-têtes suivants**, cliquez le menu **Outils → Options**. Cliquez l'onglet **Lecture** puis tapez le nombre d'en-têtes dans la zone **Télécharger** (entre 1 et 1000).

Répondre à un message

1. Cliquez le message auquel vous désirez répondre.

2. Cliquez le bouton **Répondre au groupe** dans la barre d'outils.

Outlook ouvre une fenêtre de message. La zone **Groupes de discussion** contient le nom du groupe.

3. Éventuellement, si vous désirez expédier une copie à une personne en plus du groupe, tapez son adresse e-mail dans la zone **Cc**.

4. Saisissez votre réponse dans le corps du texte.

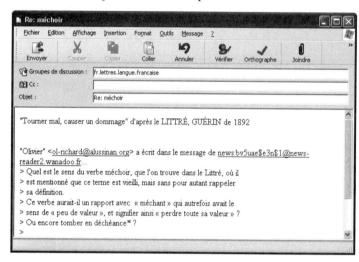

Figure 15-6 Répondre à un message d'un groupe de discussion.

5. Cliquez le bouton **Envoyer**.

Comme pour tous les messages, votre réponse est stockée dans le dossier Boîte d'envoi.

6. Cliquez le bouton **Envoyer/Recevoir** pour expédier vos messages.

Reconstituer un message en plusieurs parties

Dans les groupes contenant le mot Binaries, on trouve des fichiers multimédias tels que des images ou des vidéos. Comme les serveurs n'acceptent pas les messages supérieurs à 1 Mo, les fichiers sont répartis dans plusieurs messages.

1. Cliquez la première partie du message. (Les différentes parties sont numérotées.)

2. Maintenez la touche **Maj** enfoncée, puis cliquez la dernière partie du message.

Toutes les parties du message sont alors sélectionnées.

3. Cliquez avec le bouton droit un des messages sélectionnés.

4. Cliquez **Combiner et décoder** dans le menu contextuel.

5. Si les messages ne sont pas dans le bon ordre, cliquez les messages à déplacer puis cliquez **Monter** ou **Descendre**.

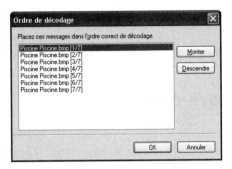

Figure 15-7 Reconstitution d'un message en plusieurs parties.

6. Cliquez le bouton **OK**.

    Outlook Express télécharge tous les messages sélectionnés pour recréer le ou les messages. Le message reconstitué s'affiche dans une fenêtre séparée.

7. Si le message contenait des pièces jointes, cliquez l'une d'elle avec le bouton droit puis sélectionnez une action (ouverture ou enregistrement).

Conseils pour les messages en plusieurs parties

- Certaines pièces jointes sont compressées. Vous devez utiliser un utilitaire extérieur pour les décompresser. Windows reconnaît les fichiers Zip. Pour les fichiers Rar ou Ace, consultez le site `www.rarsoft.com`.

- Certaines pièces jointes sont codées. Vous devez utiliser un utilitaire extérieur pour les décoder. Pour les fichiers « splitter » (qui portent l'extension .000, .001, *etc*), consultez le site `www.tomasoft.com`. Pour les fichiers Ydec, consultez le site `www.yenc.org`.

Poster un nouveau message

Pour poser des questions en rapport avec le sujet d'un groupe, postez un message. Consultez au préalable les FAQ : elles contiennent peut-être déjà les réponses à vos questions.

Définition ⊗ **FAQ** (*Frequently Asked Questions* ou Foire Aux Questions) : messages (généralement posté par la personne qui gère le groupe de discussion) contenant les questions et les réponses les plus fréquemment posées. Consultez ces messages (le mot FAQ se trouve dans l'objet), ils vous informeront sur l'usage du groupe et vous apporteront rapidement des réponses à vos questions.

1. Cliquez le groupe de discussion dans lequel vous désirez poster votre message.

2. Cliquez le bouton **Nouvelle publication** dans la barre d'outils.

Outlook ouvre la même fenêtre que pour un message ordinaire. Consultez le chapitre 14 pour des informations complémentaires.

Conseils pour joindre des fichiers

- Vous pouvez joindre des fichiers à vos messages dans les groupes de discussion prévus à cet effet. Comme la procédure à suivre est la même que pour la messagerie, consultez le chapitre 14.

- Si vous postez des fichiers joints, il est peut-être nécessaire de les scinder en plusieurs parties. Pour définir la taille maximale des parties d'un message, cliquez le menu Outils → **Comptes**. Dans l'onglet **News**, cliquez le nom du compte puis le bouton **Propriétés**. Dans l'onglet **Avancé**, tapez la taille en Ko dans la zone **Scinder les messages…** (figure 15-8).

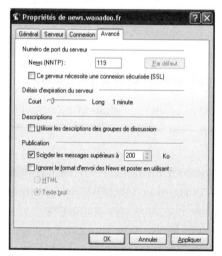

Figure 15-8 Taille des messages.

Télécharger des messages pour les lire hors connexion

Pour lire les messages qui vous intéressent sans être connecté, marquez-les au préalable pour les télécharger et les lire hors connexion.

Conseil ⊗ Cette solution est à utiliser si vous ne possédez pas une connexion permanente ADSL ou câble.

1. Cliquez le groupe pour charger les derniers en-têtes.

2. Cliquez le menu **Fichier → Travailler hors connexion** et déconnectez-vous d'Internet.

3. Cliquez avec le bouton droit le message qui vous intéresse.

4. Cliquez **Télécharger le message plus tard** dans le menu contextuel (figure 15-9).

Figure 15-9 Choix des messages à lire hors connexion.

Note ⊗ Pour télécharger le message et ses réponses, cliquez **Télécharger la conversation plus tard**.

5. Répétez les étapes **3** et **4** pour les autres messages à télécharger.

6. Cliquez le menu **Outils → Synchroniser les groupes de discussion**.

7. Cliquez le bouton **OK** pour télécharger les messages marqués.

8. Cliquez le bouton **Oui** pour rétablir la connexion à Internet.

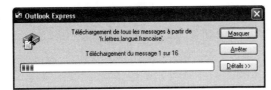

Figure 15-10 Téléchargement des messages marqués.

Outlook Express télécharge les messages marqués.

9. Cliquez le menu **Fichier → Travailler hors connexion** et déconnectez-vous d'Internet.

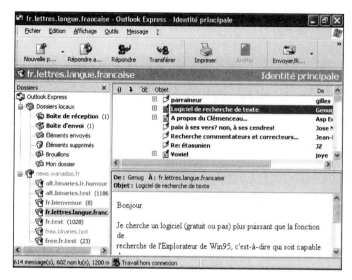

Figure 15-11 Messages disponibles hors connexion.

10. Cliquez les messages avec l'icône 🖹 pour les lire.

Note ⊗ Les messages avec l'icône 🔌 ne sont pas disponibles hors connexion.

Synchroniser les groupes de discussion

La synchronisation permet de choisir les éléments à télécharger (en-têtes et corps de message) pour les consulter hors connexion. Le téléchargement du corps des messages peut être long. Faites des essais.

Définir la synchronisation

1. Cliquez le nom du serveur de news (`news.wanadoo.fr` dans l'exemple de la figure 15-12).

2. Cliquez le groupe pour lequel vous comptez définir une synchronisation (`fr.bienvenue` dans l'exemple de la figure 15-12).

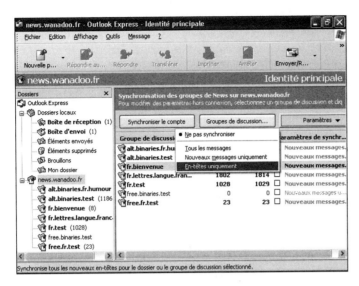

Figure 15-12 Synchronisation d'un groupe.

3. Cliquez le bouton **Paramètres** puis le type de synchronisation (consultez le tableau 15-2).

Paramètre	Type de synchronisation
Ne pas synchroniser	Ne télécharge ni les en-têtes, ni le corps des messages. Cliquez le groupe pour télécharger au moins les derniers en-têtes.
Tous les messages	Télécharge tous les messages du groupe (en-têtes et corps du message).
Nouveaux messages uniquement	Télécharge tous les nouveaux messages du groupe (en-têtes et corps du message) depuis la dernière synchronisation.
En-têtes uniquement	Télécharge uniquement les en-têtes des messages.

Tableau 15-2 Paramètres de synchronisation.

Synchroniser les groupes de discussion

1. Cliquez le bouton **Synchroniser le compte**.

Note Si vous êtes hors connexion, Outlook Express demande de vous connecter.

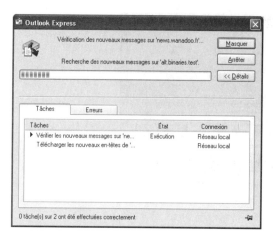

Figure 15-13 Progression de la synchronisation.

2. Dès que la synchronisation est terminée, déconnectez-vous et consultez hors connexion les en-têtes ou les corps des messages en fonction du type de synchronisation choisi.

Effectuer la maintenance

Outlook Express conserve les en-têtes et même les corps des messages si vous en faites la demande. Faites du ménage de temps en temps pour libérer de la place sur votre disque dur.

1. Cliquez le menu **Outils → Options**.

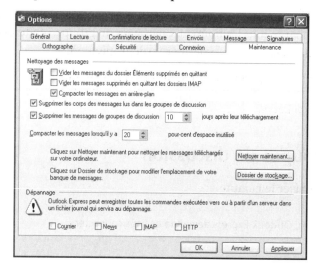

Figure 15-14 Options de maintenance.

2. Cliquez l'onglet **Maintenance**.

3. Cochez la case **Supprimer les corps…** pour ne pas les conserver.

4. Cochez la case **Supprimer les messages…** puis tapez le nombre de jours.

5. Cliquez le bouton **Nettoyer maintenant**.

Figure 15-15 Compactage et suppression des messages.

6. Cliquez un de ces quatre boutons proposés (figure 15-15) en fonction du type de nettoyage à effectuer.

7. Après l'opération de nettoyage, cliquez le bouton **Fermer**.

Conseils de maintenance

• Les fichiers Outlook Express sont par défaut stockés sur le disque C. Si vous désirez changer de disque ou de dossier, cliquez le bouton **Dossiers de stockage** dans la boîte **Options**.

• Les fichiers sont conservés sans être compressés. Pour forcer Outlook à les compacter, tapez le pourcentage à partir duquel il est nécessaire d'effectuer cette opération dans la zone **Compacter les messages lorsqu'il y a** de la boîte **Options**. Si vous tapez un pourcentage faible, la compression s'effectuera plus souvent mais sera de courte durée. L'inverse se produit si vous tapez un pourcentage élevé.

Profiter d'Internet avec Windows XP

Que diriez-vous de rendre votre ordinateur encore plus proche d'Internet ? Alors sachez que vous pouvez ajouter votre page Web favorite sur le bureau, convertir les éléments du Poste de travail et les icônes du bureau en liens accessibles par un seul clic, ou taper directement les adresses Internet dans la barre des tâches.

Ce chapitre vous explique toutes les astuces pour rendre Internet encore plus accessible à partir de Windows.

Ajouter des pages Web au bureau

Si vous désirez accéder à votre page favorite sans ouvrir le navigateur, ajoutez-la directement sur le bureau de Windows. Cette solution est intéressante pour les pages dont les données changent fréquemment, par exemple les sites de cotation boursière ou d'informations météorologique.

1. Cliquez avec le bouton droit le fond du bureau.
2. Cliquez **Propriétés** dans le menu contextuel.
3. Cliquez l'onglet **Bureau**.
4. Cliquez le bouton **Personnalisation du Bureau**.
5. Cliquez l'onglet **Web**.

Ajouter votre page d'accueil

Si vous avez déjà défini une page d'accueil dans votre navigateur, ajoutez-la sur le bureau.

Note ⓥ Pour définir la page de démarrage dans Internet Explorer, consultez le chapitre 11.

1. Cochez l'option **Ma page d'accueil**.
2. Cliquez le bouton **OK** dans la boîte Éléments du bureau.
3. Cliquez le bouton **OK** dans la boîte Propriétés de Affichage.

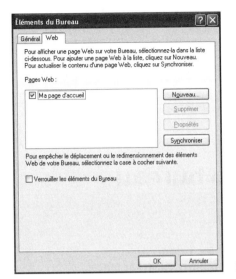

Figure 16-1 Ajout de la page d'accueil sur le bureau.

Ajouter une autre page que la page d'accueil

Vous pouvez ajouter la page de votre choix sur le bureau et même en ajouter plusieurs. N'en abusez pas pour laisser de la place aux autres éléments (icônes, liens, *etc.*).

1. Dans la boîte Éléments du Bureau, cliquez le bouton **Nouveau**.

2. Dans la zone **Emplacement**, tapez l'adresse de la page.

3. Cliquez le bouton **OK**.

    L'ajout d'une page au bureau implique que le site soit disponible hors connexion.

4. Cliquez le bouton **OK** dans la boîte Ajout d'un élément.

    Windows télécharge le site pour qu'il soit disponible sur le bureau hors connexion. On appelle cela la synchronisation. Après cette synchronisation, le site est ajouté à la liste des pages Web disponibles.

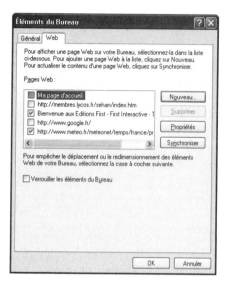

Figure 16-2 Liste des pages
que vous pouvez ajouter au bureau.

5.   Cliquez le bouton **Propriétés** pour définir les paramètres de synchronisation.

6.   Cliquez le bouton **Synchroniser** pour mettre à jour la page.

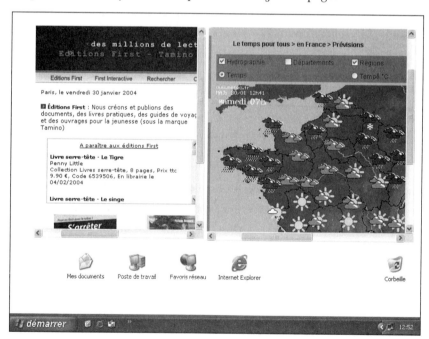

Figure 16-3 Deux pages Web affichées sur le bureau.

Ajouter une page personnelle

Et pourquoi ne pas ajouter votre propre page ? Vous pouvez la réaliser avec des outils de création de pages Web comme Dreamweaver ou FrontPage, ou plus simplement avec Microsoft Word en enregistrant votre texte au format HTLM.

1. Dans la boîte Éléments du Bureau, cliquez le bouton **Nouveau**.

2. Cliquez le bouton **Parcourir**.

3. Recherchez et sélectionnez le fichier HTML à utiliser.

4. Cliquez le bouton **Ouvrir**.

Gérer les pages Web du bureau

Une fois les pages Web définies sur le bureau, elles sont placées dans des fenêtres indépendantes que vous pouvez utiliser comme toutes les fenêtres de Windows.

1. Pointez le haut de la page pour afficher la barre de modification (cette barre est visible dans la fenêtre du site Web dans la figure 16-4).

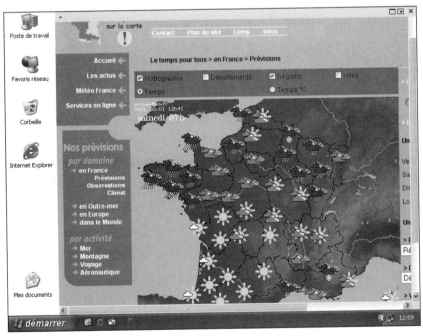

Figure 16-4 Page Web agrandie partiellement sur le bureau : les icônes restent visibles dans la partie de gauche.

2. Cliquez et faites glisser une zone vide de la barre pour déplacer la fenêtre ou un bord pour modifier sa taille.

3. Cliquez les boutons en haut à droite pour agrandir la page, l'agrandir partiellement, la réduire ou la fermer.

Quand la page est agrandie partiellement, elle couvre l'écran mais laisse une place pour les icônes dans la partie de gauche. Si cela est nécessaire, les icônes sont déplacées.

Verrouiller les pages Web du bureau

Pour que les pages Web du bureau ne soient pas modifiées, verrouillez-les.

1. Cliquez avec le bouton droit le fond du bureau.

2. Cliquez **Réorganiser les icônes par** ➜ **Verrouiller les éléments Web sur le Bureau** dans le menu contextuel.

Note ⊗ Pour déverrouiller les éléments du bureau, répétez les étapes **1** et **2**.

Ajouter un lien Internet sur le bureau

Vous désirez accéder plus facilement à vos pages Web favorites ? Ajoutez des liens sur le bureau.

1. Cliquez avec le bouton droit le fond du bureau.

2. Cliquez **Nouveau** ➜ **Raccourci** dans le menu contextuel.

3. Tapez l'adresse de la page Web.

4. Cliquez le bouton **Suivant**.

Note ⊗ Si vous avez déjà visité le lien, Windows propose dans une liste les chemins correspondants aux premières lettres que vous tapez. Dans ce cas, cliquez simplement l'adresse dans la liste.

5. Tapez un nom pour le lien.

6. Cliquez le bouton **Terminer**.

Figure 16-5 Liens Internet sur le bureau.

Afficher et utiliser la barre Lancement rapide

Comment accéder rapidement aux outils Internet ou afficher le bureau ? Il suffit d'utiliser la barre Lancement rapide.

1. Cliquez avec le bouton droit une zone vide de la barre des tâches.

2. Cliquez **Barres d'outils** ➜ **Lancement rapide** dans le menu contextuel pour cocher l'option.

La barre Lancement rapide apparaît dans la barre des tâches (figure 16-6). Les boutons de cette barre permettent d'accéder au bureau, d'ouvrir Internet Explorer, Outlook Express et le Lecteur Windows Media.

Afficher et utiliser la barre d'adresses

Si vous souhaitez naviguer aussi bien sur le Web qu'à l'intérieur de votre ordinateur, rien de plus simple : utilisez la barre Adresse qui s'insère dans la barre des tâches.

1. Cliquez avec le bouton droit une zone vide de la barre des tâches.

2. Cliquez **Barres d'outils** ➜ **Adresse** dans le menu contextuel pour cocher l'option.

Note 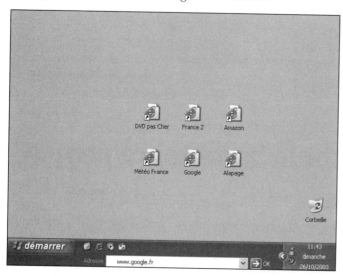 Pour agrandir la taille de la barre Adresse, la barre des tâches doit être déverrouillée. Cliquez une zone vide de la barre des tâches, puis cliquez **Verrouiller la Barre des tâches** dans le menu contextuel pour ôter la coche.

Pour utiliser la barre Adresse :

1. Double-cliquez la zone **Adresse**.

2. Tapez l'adresse Internet dans la barre Adresse. Validez avec la touche **Entrée**.

La page s'ouvre avec votre navigateur Internet.

Figure 16-6 Barres d'outils Lancement rapide et Adresse dans la barre des tâches.

Transformer les icônes du bureau et du Poste de travail en liens

Voilà de quoi réjouir les internautes ! Les icônes du bureau et du Poste de travail peuvent aussi se comporter comme les liens des pages Web. Un simple clic suffit à les ouvrir.

1. Cliquez le bouton **Démarrer** → **Poste de travail**.

2. Cliquez le menu **Outils** → **Options des dossiers**.

3. Cochez l'option **Ouvrir les éléments par simple clic**.

4. Cochez le type de soulignement.

5. Cliquez le bouton **OK**.

Les noms des icônes sont soulignés ou se soulignent si vous les pointez. Un simple clic permet de les ouvrir.

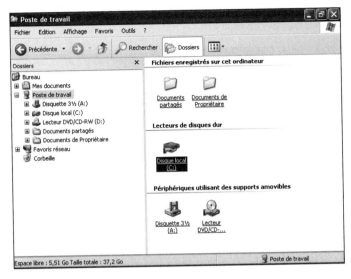

Figure 16-7 Éléments du Poste de travail se comportant comme les liens des pages Web.

Ouvrir rapidement une page Internet

Si vous ne désirez pas installer la barre d'adresse dans la barre des tâches (voir plus haut dans ce chapitre), utilisez directement la commande Exécuter du menu Démarrer.

1. Cliquez le bouton **Démarrer → Exécuter** ou appuyez sur les touches ⊞+**R**.

2. Tapez l'adresse du site ou de la page dans la zone **Ouvrir**.

Figure 16-8 Accès à un site Internet à partir de la boîte Exécuter.

3. Cliquez le bouton **OK** ou appuyez sur la touche **Entrée**.

Le site s'ouvre dans votre navigateur.

Partie

V

>> **Personnaliser,
configurer et
administrer Windows XP**

Chapitre

>> Configurer le bureau

17

Ce chapitre est consacré à une partie importante de Windows XP : la configuration du bureau. En effet, pour travailler confortablement, il est nécessaire de paramétrer votre affichage et de choisir l'environnement le mieux adapté à vos habitudes. Vous trouverez donc ici toutes les explications pour modifier la résolution de l'écran, ajouter une image ou un écran de veille, ou réorganiser les icônes placées sur le bureau.

Placer une image sur le bureau

Pour modifier l'apparence de votre bureau, personnalisez-le en ajoutant une image.

1. Cliquez avec le bouton droit le fond du bureau.

2. Cliquez la commande **Propriétés** dans le menu contextuel.

3. Cliquez l'onglet **Bureau**.

4. Cliquez un papier peint dans la liste **Arrière-plan**.

Figure 17-1 Modification de l'image du bureau (papier peint centré).

Note ⊗ Si l'image à utiliser ne se trouve pas dans la liste **Arrière-plan**, cliquez le bouton **Parcourir** pour la rechercher. Windows accepte les images aux formats bmp, gif et jpg, mais aussi les pages Web au format html.

La boîte de la figure 17-1 affiche un aperçu du bureau. Dans cet exemple, l'image est centrée (elle est plus petite que la taille du bureau).

Conseil ⊗ Pour que vos images apparaissent dans la liste, placez-les dans le dossier Mes documents\Mes images

Si le papier peint ne couvre pas toute la surface de l'écran :

1. Sélectionnez **Étirer** dans la liste **Position**.

    L'image est agrandie pour couvrir tout l'écran (figure 17-2).

Figure 17-2 Papier peint étiré.

Si le papier peint doit recouvrir tout l'écran sans l'étirer :

1. Sélectionnez **Mosaïque** dans la liste **Position**.

    L'image est répétée pour couvrir tout l'écran (figure 17-3).

Figure 17-3 Papier peint en mosaïque.

2. Cliquez le bouton **OK** pour valider vos choix.

Changer l'écran de veille

L'écran de veille, ou économiseur d'écran, se déclenche dès que vous n'utilisez pas le clavier ou la souris pendant un certain temps. Il évite l'usure, due aux images fixes, de votre moniteur.

1. Cliquez avec le bouton droit le fond du bureau.

2. Cliquez la commande **Propriétés** dans le menu contextuel.

3. Cliquez l'onglet **Écran de veille**.

4. Sélectionnez dans la liste **Écran de veille** celui à utiliser.

Note ⊗ L'économiseur **Mon album photo** utilise toutes les images contenues dans le dossier Mes docu-
ments\Mes images.

Certains écrans de veille affichent un aperçu (figure 17-4).

Figure 17-4 Écran de veille.

5. Tapez dans la zone **Délai** le nombre de minutes d'inaction de la souris ou du clavier après lesquelles l'écran de veille se déclenche.

Modifier les paramètres de l'écran de veille

1. Cliquez le bouton **Paramètres**.

    Les paramètres proposés sont fonction de l'écran de veille (figure 17-5).

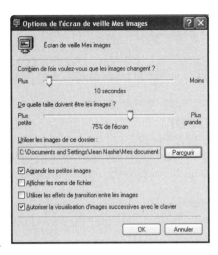

Figure 17-5 Paramètres d'un écran de veille.

2. Modifiez les paramètres proposés.

3. Cliquez le bouton **OK**.

Tester l'écran de veille

Pour vérifier immédiatement les paramètres, testez l'écran de veille sans attendre le délai choisi.

1. Cliquez le bouton **Aperçu**.

   L'écran de veille s'affiche en tenant compte des paramètres sélectionnés.

Figure 17-6 Test de l'écran de veille.

2. Déplacez la souris ou appuyez sur une touche pour quitter l'aperçu.

3. Cliquez le bouton **OK** pour valider vos choix.

Gérer l'alimentation de l'ordinateur

Les ordinateurs modernes possèdent des fonctions d'économie d'énergie. Cela permet d'éteindre totalement le moniteur ou le disque dur quand vous n'utilisez plus votre PC, et donc de consommer moins d'électricité.

1. Dans l'onglet écran de veille de la boîte Propriétés de Affichage, cliquez le bouton **Gestion de l'alimentation** (figure 17-5).

2. Dans la liste **Mode de gestion**…, sélectionnez le type ou l'utilisateur de votre ordinateur.

3. Sélectionnez dans les listes **Extinction du moniteur** et **Arrêt des disques durs** la durée qui précède la mise en veille en cas de non utilisation (figure 17-7).

Figure 17-7 Gestion d'alimentation d'un PC de bureau.

Si vous utilisez un portable, la boîte **Propriétés de Options d'alimentation** propose, en plus des paramètres d'alimentation sur secteur, ceux pour l'alimentation sur batterie.

4. Pour chacune des sources d'énergie (secteur ou batterie), sélectionnez dans les listes **Extinction du moniteur** et **Arrêt des disques durs** la durée qui précède la mise en veille en cas de non utilisation (figure 17-8).

Figure 17-8 Gestion d'alimentation d'un PC portable.

5. Cliquez le bouton **OK**.

Modifier les couleurs des éléments de Windows

Les couleurs des éléments utilisés par Windows ne correspondent pas à votre personnalité ? Partez des modèles préexistants ou laissez libre cours à votre fantaisie.

1. Cliquez avec le bouton droit le fond du bureau.

2. Cliquez la commande **Propriétés** dans le menu contextuel.

3. Cliquez l'onglet **Apparence**.

4. Sélectionnez dans la liste **Fenêtres et boutons** un style d'affichage (Windows XP ou versions antérieures).

5. Sélectionnez dans la liste **Modèle de couleurs** celui à utiliser.

La boîte de la figure 17-9 affiche un exemple de l'apparence choisie.

Figure 17-9 Modification de l'apparence.

Modifier chaque élément séparément

Si les modèles proposés ne vous conviennent pas, modifiez un à un chaque éléments.

1. Dans l'onglet **Apparence** de la boîte Propriétés de Affichage, cliquez le bouton **Avancé**.

2. Sélectionnez dans la liste **Élément** celui à modifier.

Astuce ⊗ Vous pouvez aussi cliquer directement l'élément à modifier dans l'exemple en haut de la boîte de la figure 17-10.

3. Modifiez les paramètres de l'élément sélectionné : taille, police, couleurs, *etc.* Les paramètres modifiables sont fonction de l'élément choisi. Certains ne s'appliquent pas à Windows XP.

4. Répétez les étapes **2** et **3** autant de fois que nécessaire.

Figure 17-10 Modification des éléments de Windows.

5. Cliquez le bouton **OK**.

Appliquez des effets aux icônes, aux polices et aux éléments de Windows

Les effets permettent de personnaliser ou d'améliorer l'affichage des icônes, des polices, des menus, *etc*. N'hésitez pas à en jouer.

1. Dans l'onglet **Apparence** de la boîte Propriétés de Affichage, cliquez le bouton **Avancé**.

   La boîte de la figure 17-11 propose les options suivantes :

   - **Utiliser l'effet...** : affiche progressivement ou brutalement les fenêtres, les menus, les listes et les info-bulles. Cochez la case et sélectionnez l'effet dans la liste.

   - **Utiliser la méthode...** : lisse les grandes lettres à l'écran en modifiant leur contour. Pour de meilleurs résultats, votre écran doit afficher au minimum 65 000 couleurs. Cochez la case et sélectionnez l'effet dans la liste.

   - **Utiliser de grandes icônes** : double la taille des icônes du bureau.

   - **Afficher une ombre...** : affiche les menus avec un effet en trois dimensions.

   - **Afficher le contenu...** : affiche les fenêtres pendant leur déplacement. Si l'option n'est pas cochée, les fenêtres sont symbolisées par un cadre pendant leur déplacement.

   - **Masquer les lettres soulignées...** : masque les lettres de raccourcis dans les menus tant que vous n'appuyez pas sur la touche **Alt** (consultez la fin du chapitre 1 pour l'utilisation des raccourcis des menus).

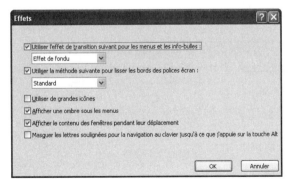

Figure 17-11 Effets d'affichage.

2. Modifiez les effets proposés.

3. Cliquez le bouton **OK**.

Afficher ou modifier les icônes de Windows

Choisir les icônes du bureau

Par défaut, Windows masque ses icônes (Poste de travail, Favoris réseau, *etc.*) puisqu'elles sont accessibles facilement avec le menu Démarrer.

1. Cliquez avec le bouton droit le fond du bureau.

2. Cliquez la commande **Propriétés** dans le menu contextuel.

3. Cliquez l'onglet **Bureau**.

4. Cliquez le bouton **Personnalisation du bureau**.

5. Cochez les cases des icônes à afficher dans la zone **Icône du Bureau**.

Figure 17-12 Affichage des icônes du bureau.

Modifier les icônes

1. Cliquez l'icône à modifier dans la liste.

2. Cliquez le bouton **Changer d'icône**.

3. Cliquez l'icône de remplacement (figure 17-13).

Figure 17-13 Modification des icônes du bureau.

4.   Cliquez le bouton **OK**.

Note ⊗ Pour rétablir l'icône d'origine : dans la boîte Éléments du Bureau, cliquez l'icône puis cliquez le bouton **Paramètres par défaut**.

Choisir des icônes autres que celles proposées

Si vous connaissez le nom d'un fichier qui contient des icônes, tapez-le dans la zone Rechercher... de la boîte **Changer d'icône** (figure 17-13) puis validez avec la touche **Entrée**. Sinon, cliquez le bouton **Parcourir** pour rechercher un fichier qui propose des icônes.

C'est le cas, par exemple, du fichier `C:\Windows\System32\Progman.exe` , mais aussi de beaucoup de fichiers avec l'extension .exe ou .dll.

Figure 17-14 Icônes proposées par le fichier Progman.exe.

Changer la résolution et le nombre de couleurs de l'écran

1.   Cliquez avec le bouton droit le fond du bureau.

2.   Cliquez la commande **Propriétés** dans le menu contextuel.

3.   Cliquez l'onglet **Paramètres**.

Modifier le nombre de couleurs

Qualité d'image ou rapidité d'exécution ? Choisissez selon vos besoins. Pour obtenir une meilleure qualité d'image, augmentez le nombre de couleurs. Pour que l'ordinateur soit plus rapide, diminuez cette valeur.

1.   Dans la liste **Qualité couleur**, sélectionnez le nombre de couleurs (figure 17-15).

Modifier la résolution

Vous voulez afficher plus d'informations à l'écran ? Augmentez la taille du bureau. En revanche, pour que les informations soient plus lisibles vous devez réduire sa taille.

1.   Faites glisser le curseur **Résolution de l'écran** pour choisir le nombre de points affichés à l'écran. (La largeur et la hauteur sont indissociables et prédéfinies.)

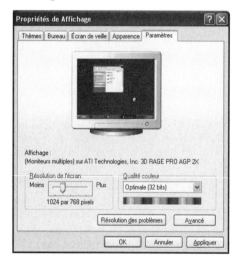

Figure 17-15 Modification du nombre de couleurs et de la résolution d'écran.

Définir l'application des paramètres d'affichage

Certains programmes supportent mal le changement des paramètres d'affichage si l'ordinateur n'est pas redémarré.

1. Cliquez le bouton **Avancé**.

    La boîte de la figure 17-16 définit si l'ordinateur doit redémarrer pour éviter que des applications se bloquent.

2. Cliquez l'une trois options proposée dans le bas de la boîte (figure 17-16).

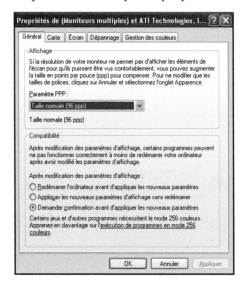

Figure 17-16 Paramètres d'application des modifications d'affichage.

3. Cliquez le bouton **OK** pour valider la boîte des paramètres.

Appliquer les nouveaux paramètres

1. Cliquez le bouton **OK** dans la boîte Propriétés de Affichage pour appliquer les nouveaux paramètres d'écran.

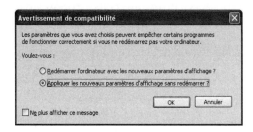

Figure 17-17 Demande de redémarrage.

2. Si vous avez choisi l'option **Demander confirmation**, choisissez si l'ordinateur doit redémarrer, puis cliquez le bouton **OK** (figure 17-17).

371

Comme les écrans ne supportent pas toutes les tailles, Windows effectue un test avant de conserver les nouveaux paramètres.

3.   Cliquez le bouton **Oui** si l'affichage paraît normal, **Non** dans le cas contraire (figure 17-18).

Note ⊗ Si vous n'avez pas pu cliquer le bouton **Oui** parce que l'affichage était incorrect, Windows applique automatiquement l'ancienne taille.

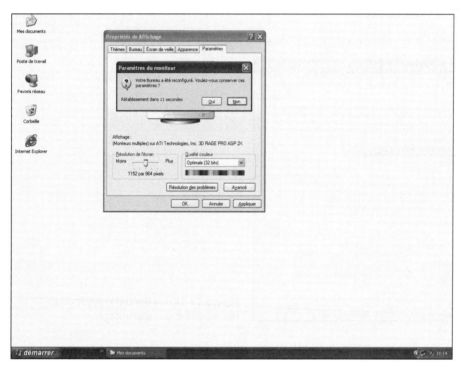

Figure 17-18 Vérification de l'affichage avant son application définitive.

Choisir d'autres paramètres que ceux proposés

Il existe une solution pour choisir des paramètres autres que ceux proposés par le curseur **Résolution de l'écran** et la liste **Qualité couleur**.

1.   Dans l'onglet **Paramètres** de la boîte **Propriétés de Affichage**, cliquez le bouton **Avancé**.

2.   Cliquez l'onglet **Carte**.

3.   Cliquez le bouton **Lister tous les modes**.

4.   Sélectionnez la taille et le nombre de couleurs dans la liste (figure 17-19).

5.   Cliquez le bouton **OK**.

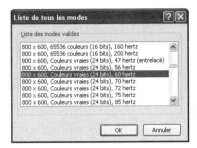

Figure 17-19 Liste des résolutions et des couleurs possibles.

Changer de thème

Un thème est un ensemble d'éléments qui modifie le bureau (couleurs, menus, papier peint, *etc.*).

Choisir un thème

1. Cliquez avec le bouton droit le fond du bureau.

2. Cliquez la commande **Propriétés** dans le menu contextuel.

3. Cliquez l'onglet **Thème**.

4. Sélectionnez dans la liste **Thème** celui à appliquer. Sélectionnez **Thèmes supplémentaires** pour en trouver d'autres sur Internet. Sélectionnez **Parcourir** si vos thèmes sont placés dans un autre dossier.

La boîte de la figure 17-20 affiche un exemple du thème choisi.

Figure 17-20 Sélection d'un thème.

Note Pour retrouver le bureau habituel, sélectionnez le thème **Windows XP** à l'étape **4**.

Sauvegarder le thème actuel

Après modification du bureau, vous pouvez enregistrer les paramètres actuels dans un thème.

1. Dans l'onglet **Thèmes** de la boîte **Propriétés de Affichage**, cliquez le bouton **Enregistrer sous**.

2. Tapez le nom du thème dans la zone nom du fichier.

3. Cliquez le bouton **Enregistrer**.

Note ⊗ Vous retrouverez le nom choisi dans la liste **Thèmes** (figure 17-20).

4. Cliquez le bouton **OK** pour appliquer le thème choisi.

Réorganiser les icônes

Déplacez les icônes ou demandez une réorganisation automatique pour mieux adapter le bureau à votre manière de travailler.

Réorganiser les icônes

1. Cliquez avec le bouton droit le fond du bureau.

2. Cliquez la commande **Réorganiser les icônes par** ➜ **Réorganisation automatique** dans le menu contextuel.

Toutes les icônes sont placées à gauche de l'écran, les unes en dessous des autres.

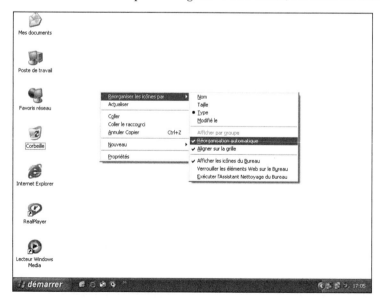

Figure 17-21 Réorganisation des icônes du bureau.

Choisir l'ordre de réorganisation automatique

1. Cliquez avec le bouton droit le fond du bureau.

2. Cliquez la commande **Réorganiser les icônes par**.

3. Cliquez l'ordre de classement (**nom**, **taille**, **type** ou **modifié le**).

Déplacer les icônes

Si vous voulez déplacer des icônes, il faut s'assurer que la réorganisation automatique n'est pas activée.

1. Cliquez avec le bouton droit le fond du bureau.

2. Cliquez la commande **Réorganiser les icônes par** dans le menu contextuel.

3. Éventuellement, cliquez la commande **Réorganisation automatique** pour ôter la coche.

4. Cliquez et faites glisser l'icône à déplacer.

Note ⊗ Pour déplacer plusieurs icônes, sélectionnez-les au préalable. Utilisez la touche **Ctrl** comme pour sélectionner plusieurs fichiers dans le Poste de travail.

Aligner les icônes après un déplacement

Les icônes ne sont pas toujours alignées les unes par rapport aux autres après un déplacement.

1. Cliquez avec le bouton droit le fond du bureau.

2. Cliquez la commande **Réorganiser les icônes par** → **Aligner sur la grille** dans le menu contextuel pour cocher l'option.

Renommer une icône

1. Cliquez l'icône pour la sélectionner.

2. Cliquez le nom en dessous de l'icône pour passer en mode édition.

3. Tapez le nouveau nom de l'icône et validez avec la touche **Entrée**.

Supprimer les icônes inutilisées

Pour ne pas encombrer le bureau, Windows XP peut supprimer pour vous les icônes que vous n'utilisez pas.

1. Cliquez avec le bouton droit le fond du bureau.

2. Cliquez la commande **Propriétés** dans le menu contextuel.

3. Cliquez l'onglet **Bureau**.

4. Cochez la case **Exécuter l'Assistant Nettoyage...** (figure 17-22).

5   Si vous désirez supprimer les icônes immédiatement, cliquez le bouton **Nettoyer le Bureau maintenant**.

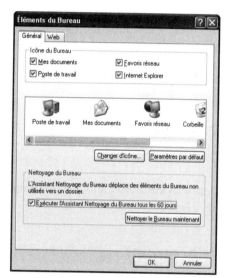

Figure 17-22 Activation de l'assistant de nettoyage du bureau.

6. Cliquez le bouton **OK**.

Astuce Pour supprimer les icônes inutilisées sans ouvrir la boîte des propriétés, cliquez avec le bouton droit le fond du bureau, puis cliquez **Réorganiser les icônes par → Exécuter l'Assistant Nettoyage du Bureau**.

Assistant nettoyage

Tous les soixante jours, ou immédiatement si vous l'avez demandé, l'assistant vous proposera de supprimer certaines icônes.

1. Dans la première boîte de l'Assistant Nettoyage, cliquez le bouton **Suivant**.

2. Cochez les icônes que vous désirez supprimer (figure 17-23).

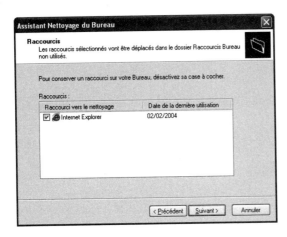

Figure 17-23 Suppression automatique des icônes inutilisées.

3. Cliquez le bouton **Suivant**.

4. Vérifiez la liste des icônes qui seront supprimées. Vous pouvez toujours cliquer le bouton **Précédent** pour modifier vos choix.

5. Cliquez le bouton **Terminer**.

dans ce chapitre

→ Lancer une application sans raccourci

→ Modifier les raccourcis

→ Déplacer, copier ou supprimer des raccourcis

→ Résoudre les problèmes de compatibilité

→ Exécuter une application au démarrage

→ Organiser le menu Démarrer

Le menu Démarrer est destiné à exécuter des applications. Maîtrisez-le et adaptez-le à votre mode de travail pour ne pas perdre de temps. Ce chapitre explique, entre autres, la gestion des raccourcis, l'organisation du menu Démarrer et la résolution des problèmes de compatibilité avec vos anciennes applications.

Lancer une application sans raccourci

Il est possible que certaines applications ne proposent pas de raccourci dans le menu Démarrer.

Définition ⊗ **Raccourci** : petit fichier qui contient le chemin d'une application et permet d'y accéder facilement. Vous pouvez ajouter autant de raccourcis que nécessaire. La suppression d'un raccourci n'entraîne pas celle de l'application. Ne vous en privez pas !

1. Cliquez le bouton **Démarrer** ➜ **Exécuter** ou appuyez sur les touches ⊞+**R**.

2. Si vous les connaissez, tapez le chemin et le nom de l'application puis cliquez le bouton **OK** pour la lancer. Sinon, cliquez le bouton **Parcourir** pour rechercher cette application.

Note ⊗ Si le chemin et le nom de l'application que vous tapez contiennent des espaces, mettez l'ensemble entre guillemets (par exemple "C:\Mon dossier\Mon application"). Windows ajoute ces guillemets si vous utilisez le bouton **Parcourir**.

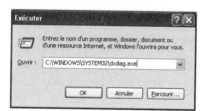

Figure 18-1 Exécution d'une application.

Astuce ⊗ Il n'est pas nécessaire de préciser le chemin si l'application se trouve dans le dossier C:\Windows ou un de ses sous-dossiers. La commande « Calc », par exemple, ouvre directement la calculatrice.

Si vous avez cliqué le bouton **Parcourir** :

1. Sélectionnez dans la zone **Rechercher dans** le lecteur qui contient l'application.

Note ⊗ Pour accéder plus rapidement à certains emplacements de l'ordinateur, cliquez un des boutons de la liste de gauche (figure 18-2).

2. Double-cliquez le dossier qui contient l'application.

3. Cliquez l'application à exécuter dans la liste.

Note ⊗ Vous pouvez aussi ouvrir un document. Sélectionnez **Tous les fichiers** dans la liste **Fichiers de type** de la boîte **Parcourir** pour afficher les applications et les documents. Double-cliquez le document. Windows se chargera d'ouvrir le document avec l'application correspondante.

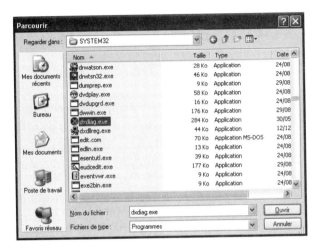

Figure 18-2 Sélection de l'application ou du document à ouvrir.

4. Cliquez le bouton **Ouvrir**.

5. Cliquez le bouton **OK** dans la boîte **Exécuter**.

Ajouter un raccourci au menu Démarrer

N'utilisez pas systématiquement la commande **Exécuter**. Ajoutez plutôt dans le menu Démarrer un raccourci vers une application.

1. Cliquez le bouton **Démarrer**.

2. Cliquez avec le bouton droit **Tous les programmes**

3. Si le raccourci ne doit être accessible que par vous, cliquez la commande **Explorer** dans le menu contextuel. Pour ajouter un raccourci pour tous les utilisateurs de l'ordinateur, cliquez la commande **Explorer Tous les utilisateurs.**

    L'explorateur Windows s'ouvre sur le dossier qui contient les raccourcis du menu Démarrer.

4. Dans la partie de gauche, cliquez le dossier **Programmes**.

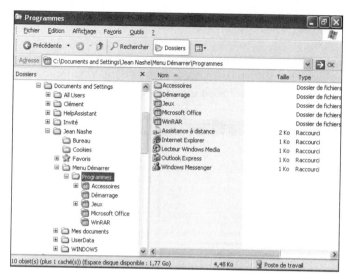

Figure 18-3 Sélection
du dossier du raccourci.

5. Éventuellement, double-cliquez dans la partie de droite le sous-dossier qui doit contenir votre nouveau raccourci.

6. Cliquez le menu **Fichier → Nouveau → Raccourci**.

7. Si vous les connaissez, tapez le chemin et le nom de l'application, sinon cliquez le bouton **Parcourir** pour la rechercher (figure 18-4).

Note ⊗ Pour retrouver l'application ou le document avec le bouton **Parcourir**, consultez le paragraphe « Lancer une application sans raccourci » plus haut dans ce chapitre.

Figure 18-4 Ajout d'un raccourci.

8. Cliquez le bouton **Suivant**.

9. Tapez le nom à donner au raccourci.

10. Cliquez le bouton **Terminer**.

11. Cliquez ✖ dans la fenêtre de l'Explorateur Windows.

Note 🗸 L'ajout d'un raccourci sur le bureau fonctionne de la même manière : cliquez avec le bouton droit le fond du bureau, puis cliquez **Nouveau** ➜ **Raccourci** dans le menu contextuel. L'assistant de la figure 18-4 s'ouvre pour créer le raccourci.

Ajouter un dossier au menu Démarrer

Pour regrouper et classer vos raccourcis, ajoutez un nouveau dossier au menu Démarrer.

1. Cliquez le bouton **Démarrer**.

2. Cliquez avec le bouton droit **Tous les programmes**

3. Si le dossier ne doit être accessible que par vous, cliquez la commande **Explorer** dans le menu contextuel. Pour ajouter un dossier pour tous les utilisateurs de l'ordinateur, cliquez la commande **Explorer Tous les utilisateurs.**

   L'explorateur Windows s'ouvre sur le dossier qui contient les raccourcis du menu Démarrer.

4. Dans la partie de gauche, cliquez le dossier **Programmes**.

5. Éventuellement, dans la partie de droite, double-cliquez le dossier qui doit contenir votre nouveau dossier.

6. Cliquez le menu **Fichier** ➜ **Nouveau** ➜ **Dossier**.

   Le nouveau dossier apparaît dans la partie de droite. Par défaut, il se nomme « Nouveau Dossier ».

Figure 18-5 Dossier qui contient les raccourcis du menu Démarrer.

7. Tapez le nom du dossier pour remplacer le nom par défaut.

8. Cliquez ❌ pour fermer l'Explorateur.

Renommer un dossier

Si vous n'avez pas remplacé le nom par défaut **Nouveau Dossier** :

1. cliquez le bouton **Démarrer → Tous les programmes**.

2. Cliquez avec le bouton droit le nouveau dossier.

3. Cliquez la commande **Renommer** dans le menu contextuel.

4. Tapez le nouveau nom du dossier (figure 18-6).

Figure 18-6 Modification du nom d'un dossier du menu Démarrer.

5. Cliquez le bouton **OK**.

Modifier les propriétés d'un raccourci

Pourquoi ne pas modifier le chemin de l'application ou du document et changer son icône ? La boîte des propriétés vous le permet aisément. Elle permet aussi de résoudre les problèmes de compatibilités des anciennes applications.

1. Cliquez avec le bouton droit l'icône du raccourci dans le menu Démarrer ou sur le bureau.

2. Cliquez la commande **Propriétés** dans le menu contextuel.

3. Cliquez l'onglet **Général**.

    Cet onglet affiche les caractéristiques du raccourci (chemin et dates de modification).

4. Cliquez l'onglet **Raccourci**.

Attention ⊗ Dans le cas d'une application ou d'un document placé sur le bureau (et non d'un raccourci), l'onglet **Raccourci** n'apparaît pas.

Cet onglet permet de modifier le chemin et l'icône du raccourci.

Conseil ⊗ Normalement, vous ne devez pas modifier le chemin du raccourci, sauf si vous avez volontairement déplacé l'élément qu'il pointe.

Figure 18-7 Propriétés d'un raccourci.

Modifier l'icône du raccourci

1. Cliquez le bouton **Changer d'icône** (figure 18-7).

2. Cliquez une icône dans la liste.

Figure 18-8 Modification de l'icône d'un raccourci.

3. Cliquez le bouton **OK.**

Note ⊗ Pour trouver d'autres d'icônes, consultez le chapitre 17.

Résoudre les problèmes de compatibilité

Certaines anciennes applications ne fonctionnent plus correctement sous Windows XP. Vous pouvez régler le problème à partir du raccourci.

1. Cliquez l'onglet **Compatibilité**.

Note 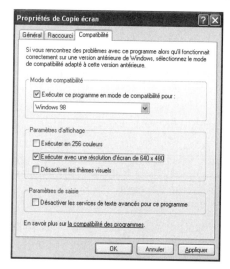 Les paramètres de cet onglet ne sont pas modifiables pour une application conçue pour Windows XP.

2. Si l'application fonctionnait correctement avec une version antérieure de Windows, cochez la case **Exécuter ce programme…** puis sélectionnez l'ancienne version dans la liste en dessous.

3. Si l'application ne fonctionne pas quand l'affichage est supérieur à 256 couleurs, cochez la case **Exécuter en 256 couleurs**.

4. Si l'application ne fonctionne pas quand l'affichage est supérieur à 640 x 480, cochez la case **Exécuter avec une résolution d'écran de 640 x 480**.

5. Si vous avez des problèmes dans l'application avec les menus et les boutons de la barre de titre, cochez la case **Désactiver les thèmes visuels**.

Figure 18-9 Paramètres de compatibilité.

6. Cliquez le bouton **OK**.

Note Les anciennes valeurs d'affichage sont restaurées dès que l'application est fermée.

Déplacer, copier ou supprimer des raccourcis du menu Démarrer

Vous pouvez modifier et réorganiser le menu Démarrer en déplaçant les raccourcis qu'il contient.

Attention ⊗ Pour modifier le menu Démarrer, l'option **Activer le glisser-déplacer** doit être cochée. Cliquez avec le bouton droit une zone vide de la barre des tâches, puis cliquez la commande **Propriétés**. Cliquez l'onglet **Menu Démarrer** puis cliquez le bouton **Personnalisé**. Cliquez l'onglet **Avancé** puis cochez l'option **Activer le glisser-déplacer** dans la liste **Éléments du menu Démarrer**.

Déplacer un raccourci

1. Cliquez le bouton **Démarrer** → **Tous les programmes**.

2. Recherchez le raccourci à déplacer.

3. Cliquez et faites glisser le raccourci vers son nouvel emplacement.

Une barre horizontale indique la nouvelle position.

Note ⊗ Vous pouvez aussi choisir un autre dossier. Celui-ci s'ouvre automatiquement dès qu'il est pointé.

Copier un raccourci

1. Maintenez la touche **Ctrl** enfoncée.

2. Effectuez les mêmes étapes que pour déplacer un raccourci. Le curseur a la forme ⬚ pendant le déplacement.

3. Relâchez le bouton de la souris, puis relâchez la touche **Ctrl**.

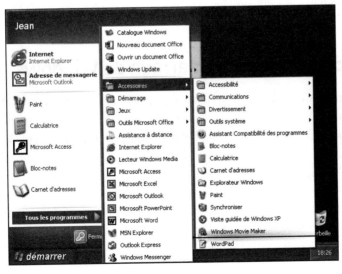

Figure 18-10 Copie ou déplacement d'un raccourci dans le menu Démarrer.

Supprimer un raccourci

1. Cliquez le bouton **Démarrer** ➜ **Tous les programmes**.

2. Cliquez avec le bouton droit le raccourci à supprimer.

3. Cliquez la commande **Supprimer** dans le menu contextuel.

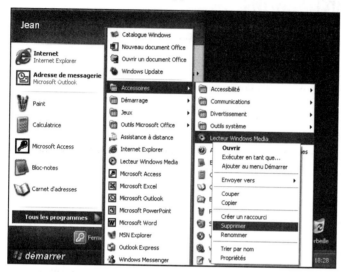

Figure 18-11 Suppression d'un raccourci.

4. Cliquez le bouton **Oui** pour confirmer la suppression.

Note ⊗ Les raccourcis supprimés transitent aussi par la corbeille. Vous pouvez donc les rétablir facilement en cas de fausse manœuvre (consultez le chapitre 7).

Exécuter une application au démarrage de Windows

Si vous ouvrez toujours la même application au démarrage, vous pouvez demander à Windows de la lancer automatiquement. Il suffit pour cela d'ajouter un raccourci vers cette application dans le dossier **Démarrage** (bouton **Démarrer** ➜ **Tous les programmes** ➜ **Démarrage**). Vous pouvez ouvrir n'importe quelle application, y compris un traitement de texte ou un tableur. Copiez tout simplement le raccourci d'origine vers ce dossier, comme vu précédemment.

Astuce ⊗ Si temporairement vous ne désirez plus démarrer automatiquement certaines applications : créez un nouveau dossier nommé **Démarrage inactif**, puis déplacez-y, depuis le dossier **Démarrage**, les raccourcis qui ne doivent pas être exécutés au prochain démarrage de Windows.

Organiser le menu Démarrer

Windows XP met à jour le menu Démarrer avec les raccourcis des applications que vous utilisez fréquemment. Modifiez ce menu en fonction de vos habitudes.

Ajouter un raccourci définitif

Si vous utilisez souvent la même application, vous pouvez l'afficher définitivement dans le menu Démarrer.

1. Cliquez le menu **Démarrer**.

   La liste de gauche affiche les dernières applications ouvertes.

2. Cliquez avec le bouton droit l'application.

3. Cliquez la commande **Ajouter au menu Démarrer** dans le menu contextuel.

Note Vous pouvez effectuer cette opération à partir de n'importe quelle raccourci du menu Démarrer.

Le raccourci vers l'application se trouve maintenant en haut de la liste et ne sera pas effacé (raccourci vers Nero Express dans la figure 18-12).

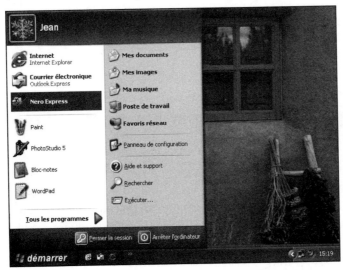

Figure 18-12 Ajout d'un raccourci au menu Démarrer.

4. Pour supprimer le raccourci, cliquez-le avec le bouton droit puis cliquez la commande **Supprimer du menu Démarrer** dans le menu contextuel.

Supprimer un raccourci

Si vous ne désirez pas qu'une application s'affiche dans le menu Démarrer, supprimez-la.

1. Cliquez le menu **Démarrer**.

    Cette liste affiche les dernières applications ouvertes.

2. Cliquez avec le bouton droit l'application.

3. Cliquez la commande **Supprimer de cette liste** dans le menu contextuel.

Chapitre

>>Configurer Windows XP

19

Une nouvelle imprimante ? Une souris capricieuse ? Le Panneau de configuration regroupe l'installation et la désinstallation des applications et des matériels. Il permet de régler les problèmes de souris ou de clavier, d'installer des polices, de modifier les options régionales ou de changer les sons par défaut.

Afficher le Panneau de configuration

Le Panneau de configuration regroupe les éléments de votre ordinateur (matériels et logiciels) que, naturellement, vous pouvez paramétrer à votre guise.

1.   Cliquez le bouton **Démarrer** → **Panneau de configuration**.

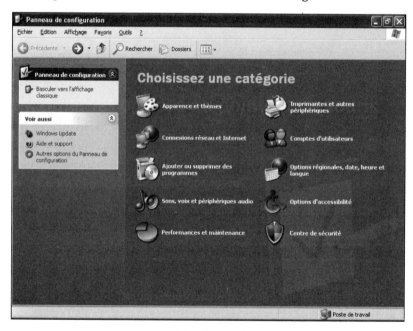

Figure 19-1 Panneau de configuration : affichage par catégories.

Le Panneau de configuration s'ouvre dans une fenêtre. Il regroupe tous les éléments de configuration par catégories ou par tâches. La figure 19-1 correspond à l'affichage par catégorie. Chaque icône de catégorie ouvre une nouvelle fenêtre proposant des tâches.

Pour passer à l'affichage par tâches, cliquez la commande **Basculer vers l'affichage classique** dans le panneau de gauche.

La figure 19-2 correspond à l'affichage par tâches. Cette fenêtre propose l'intégralité des icônes du Panneau de configuration. C'est la fenêtre de référence pour toutes les pages de ce chapitre.

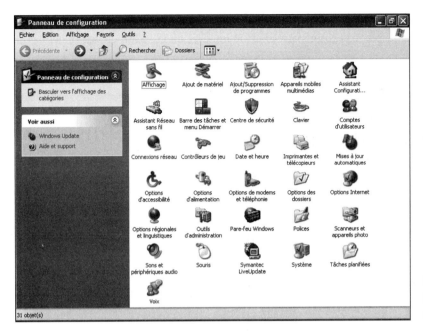

Figure 19-2 Panneau de configuration : affichage par tâches.

Pour passer à l'affichage par catégories, cliquez la commande **Basculer vers l'affichage des catégories** dans le panneau de gauche.

Note Pour l'icône **Affichage**, reportez-vous au chapitre 17.
Pour l'icône **Barre des tâches**, reportez-vous au chapitre 1.
Pour l'icône **Date et heure**, reportez-vous au chapitre 1.
Pour l'icône **Options des dossiers**, reportez-vous au chapitre 5.

Ajouter un matériel à votre ordinateur

Les matériels actuels sont « Plug-and-Play » : vous branchez, ça marche. Si ce n'est pas le cas (Windows ne l'a peut-être pas détecté), installez-le manuellement.

Note Pour installer un modem, consultez le début du chapitre 11.

1. Double-cliquez l'icône **Ajout de nouveau matériel** (figure 19-2).

   L'ajout se fait avec un assistant (une suite de boîtes de dialogue).

2. Cliquez le bouton **Suivant** dans la première boîte de l'assistant.

Attention ⊗ Si vous n'avez pas encore installé le matériel, arrêtez votre ordinateur, installez-le, puis relancez cet assistant. Si votre matériel est fourni avec un CD-ROM, utilisez ce dernier en priorité.

3. Cochez l'option **Oui, j'ai déjà connecté le matériel**.

4. Cliquez le bouton **Suivant**.

Figure 19-3 Ajout d'un nouveau matériel.

La liste **Matériel installé** propose les matériels présents dans l'ordinateur.

5. Cliquez **Ajouter un nouveau périphérique matériel** à la fin de la liste (figure 19-3).

6. Cliquez le bouton **Suivant**.

Vous pouvez essayer l'option **Rechercher et installer…**, mais il y a peu de chance que Windows détecte votre périphérique s'il n'est pas « Plug-and-play ».

Anecdote ⊗ Lors des premières versions des matériels « Plug-and-play » (branchez et ça marche aussitôt), certaines personnes avaient surnommés ces derniers « Plug-and-pray » (branchez et priez pour que ça marche).

7. Cochez l'option **Installer le matériel que je sélectionne manuellement…**.

8. Cliquez le bouton **Suivant**.

9. Cliquez le type de matériel dans la liste.

Note ⊗ Si le type de votre périphérique n'est pas proposé dans la liste, cliquez **Afficher tous les périphériques**.

10. Cliquez le bouton **Suivant**.

Figure 19-4 Choix du fabricant et du modèle de périphérique.

La boîte qui s'affiche est différente pour chaque type de matériel. Comme c'est le cas dans la figure 19-4, on vous demandera probablement le nom du constructeur et le modèle du matériel.

11. Suivez les instructions de l'assistant pour finir d'installer le matériel.

Si Windows ne propose pas le constructeur ou le modèle correspondant :

1. Le constructeur doit vous fournir une disquette ou un CD-ROM. Insérez-le dans son lecteur.

2. Cliquez le bouton **Disquette fournie**.

3. Suivez les instructions de l'assistant pour finir d'installer le matériel.

Installer une nouvelle imprimante

Vous souhaitez connecter une nouvelle imprimante à votre ordinateur ? Vous devez alors installer les logiciels (les pilotes) correspondants. Ces explications ne concernent pas les imprimantes « Plug-and-play » connectées à un port USB, FireWire ou infrarouge. Windows les détecte et les installe automatiquement.

1. Double-cliquez l'icône **Imprimantes et télécopieurs** (figure 19-2).

Astuce ⊗ Si le raccourci existe, cliquez directement le bouton **Démarrer → Imprimantes et télécopieurs**.

La fenêtre qui s'affiche contient les icônes des imprimantes déjà installées.

2. Cliquez la commande **Ajouter une imprimante** dans le panneau de gauche.

L'ajout se fait avec un assistant (une suite de boîtes de dialogue).

3. Cliquez le bouton **Suivant**.

4. Cochez l'option **Imprimante locale**.

5. Décochez l'option **Détection et installation**, car si votre imprimante est « Plug-and-Play », Windows l'a déjà détectée automatiquement.

6. Cliquez le bouton **Suivant**.

7. Cliquez cette zone et sélectionnez le port auquel vous avez connecté l'imprimante.

Note **LPT1** correspond au port parallèle, **COM1** et **COM2** aux ports séries. **File** enregistre l'impression dans un fichier que vous pouvez utiliser sur l'ordinateur sur lequel est réellement connectée l'imprimante.

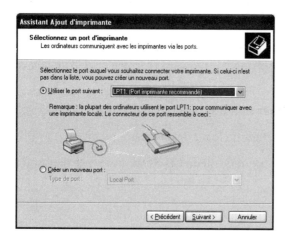

Figure 19-5 Choix du port de connexion de l'imprimante.

8. Cliquez le bouton **Suivant**.

9. Sélectionnez le constructeur dans la liste de gauche.

10. Sélectionnez le modèle d'imprimante dans la liste de droite.

Note Si le constructeur ou l'imprimante n'est pas listé, insérez la disquette ou le CD-ROM fourni avec l'imprimante puis cliquez **Disque fourni**. Suivez les instructions de l'assistant.

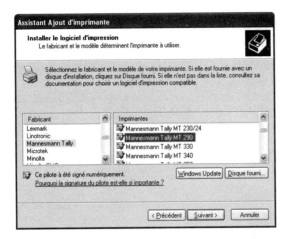

Figure 19-6 Choix du modèle d'imprimante.

11. Cliquez le bouton **Suivant**.

12. Tapez un nom pour l'imprimante (ou conservez celui proposé).

13. Éventuellement, cliquez l'option **Non** pour ne pas la définir comme imprimante par défaut.

Note Si vous n'avez pas d'imprimante installée, l'imprimante est définie par défaut, et l'assistant ne pose pas de question à l'étape 13.

14. Cliquez le bouton **Suivant**.

15. Éventuellement, cliquez l'option **Oui** pour imprimer une page test.

16. Cliquez le bouton **Suivant**.

Note Vous devrez peut-être insérer le CD-ROM de Windows. Dans ce cas, suivez les instructions à l'écran.

La dernière boîte de l'assistant affiche des renseignements sur l'imprimante avant son installation.

17. Cliquez le bouton **Terminer**.

Note Si vous cliquez le bouton **Dépanner**, Windows ouvre un assistant pour vous aider à résoudre le problème d'impression.

18. Éventuellement, cliquez le bouton **OK** si vous avez demandé une page de test.

Installer une imprimante réseau

Si un utilisateur du réseau partage son imprimante, vous pouvez vous y connecter.

1. Double-cliquez l'icône **Imprimantes et télécopieur** (figure 19-2).

2. Cliquez la commande **Ajouter une imprimante** dans le panneau de gauche.

3. Cliquez le bouton **Suivant**.

4. Cochez l'option **Une imprimante réseau…**.

5. Cliquez le bouton **Suivant**.

6. Cliquez l'option **Connexion à cette imprimante**.

7. Tapez dans la zone **Nom** le chemin réseau de l'imprimante.

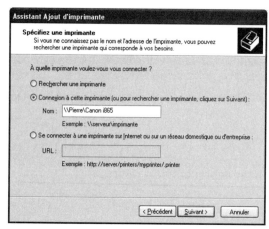

Figure 19-7   Connexion d'une imprimante réseau.

Note   Si vous ne connaissez pas le chemin réseau de l'imprimante, cliquez le bouton **Parcourir** ou contactez l'administrateur du réseau.

8. Cliquez le bouton **Suivant** puis suivez les instructions de l'assistant comme vu précédemment.

Partager une imprimante

Pour que les utilisateurs du réseau puissent utiliser votre imprimante, partagez-la.

1. Double-cliquez l'icône **Imprimantes et télécopieur** (figure 19-2).

2. Cliquez avec le bouton droit l'imprimante à partager.

3. Cliquez **Partager** dans le menu contextuel.

4.   Cochez l'option **Partager cette imprimante**.

5.   Dans la zone **Nom de partage**, tapez son nom sur le réseau. Donnez ce nom aux autres utilisateurs pour qu'ils puissent s'y connecter.

Figure 19-8   Partage d'une imprimante.

6.   Cliquez le bouton **OK**.

Définir l'imprimante par défaut

Si vous cliquez le bouton ⊞ dans une application, le document est imprimé avec l'imprimante par défaut. Si vous possédez plusieurs imprimantes, vous devez donc choisir celle qui sera prioritaire.

1.   Double-cliquez l'icône **Imprimantes et télécopieur** (figure 19-2).

Le symbole ◉ désigne l'imprimante par défaut.

2.   Cliquez avec le bouton droit l'imprimante à utiliser par défaut.

3.   Cliquez **Définir comme imprimante par défaut** dans le menu contextuel.

Note   ◉   Dans les applications, utilisez le menu **Fichier → Imprimer** pour choisir une autre imprimante que celle par défaut.

Dans l'exemple de la figure 19-8, la première imprimante est connectée au réseau (icône ⚐). C'est aussi l'imprimante par défaut (symbole ◉ dans l'icône). La seconde est une imprimante locale partagée (icône ⚐).

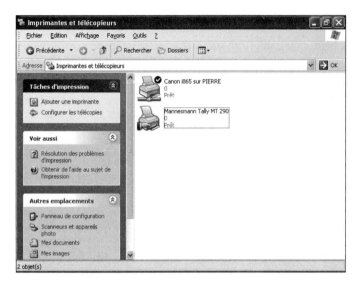

Figure 19-9 Partage d'une imprimante.

Désinstaller une application

Pour gagner de la place sur votre disque dur, il existe un moyen fort simple : désinstallez les applications que vous n'utilisez plus.

1. Double-cliquez l'icône **Ajout/Suppression de programmes** (figure 19-2).

2. Cliquez le bouton **Modifier ou supprimer des programmes** (liste de gauche, figure 19-10).

3. Cliquez l'application à supprimer.

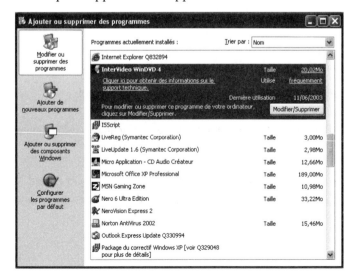

Figure 19-10 Suppression d'une application.

4. Cliquez le bouton **Modifier/Supprimer**.

   L'assistant de désinstallation est différent pour chaque application.

5. Cliquez **Oui** ou **OK** pour supprimer l'application.

6. Suivez les instructions de l'assistant.

Ajouter ou supprimer des composants Windows

Windows n'installe pas par défaut toutes les application. À vous de les ajouter ou de les supprimer.

1. Double-cliquez l'icône **Ajout/Suppression de programmes** (figure 19-2).

2. Cliquez le bouton **Ajouter ou supprimer des composants Windows** (liste de gauche, figure 19-10).

3. Cliquez le nom d'un groupe dans la liste **Composants**.

Attention ⊗ Si vous cochez ou décochez la case à gauche du nom d'un groupe, vous installez ou vous supprimez l'intégralité des composants de ce groupe.

4. Cliquez le bouton **Détails**.

Figure 19-11 Ajout ou suppression d'un groupe de composants Windows.

5. Cochez les cases des composants à installer.

6. Décochez les cases des composants à supprimer.

Attention ⊗ Certains composants sont divisés en plusieurs parties. Cliquez le nom du composant puis le bouton **Détails** pour les sélectionner.

Figure 19-12 Ajout ou suppression de composants Windows.

7. Cliquez le bouton **OK**.

8. Cliquez le bouton **Suivant** pour commencer les installations et les suppressions.

9. Cliquez le bouton **Terminer** dans la dernière boîte de l'assistant.

Note ⊗ Vous devrez peut-être insérer le CD-ROM de Windows. Dans ce cas, suivez les instructions à l'écran.

Modifier les paramètres du clavier

Votre clavier est mal réglé ? Modifiez le délai avant répétition et la fréquence de répétition.

1. Double-cliquez l'icône **Clavier** (figure 19-2).

2. Déplacez le curseur **Délai avant répétition** pour choisir le délai à partir duquel une touche enfoncée est répétée.

3. Déplacez le curseur **Fréquence de répétition** pour définir la vitesse de répétition d'une touche enfoncée.

4. Tapez des caractères dans la zone **Cliquez ici...** pour tester vos réglages.

5. Déplacez le curseur **Fréquence de clignotement** pour définir la vitesse de clignotement du curseur.

6. Cliquez le bouton **OK**.

Figure 19-13 Réglage du clavier.

Modifier les paramètres de la souris

La souris n'est pas toujours bien domptée ! Il est parfois nécessaire d'effectuer quelques réglages.

1.   Double-cliquez l'icône **Souris** (figure 19-2).

Inverser les boutons et régler le double clic

Si vous êtes gaucher, vous pouvez inverser les fonctions des boutons gauche et droit.

1.   Cliquez l'onglet **Boutons**.

2.   Éventuellement, cochez la case **Gaucher**.

Note ⊗ Faites des tests avant d'opter définitivement pour cette solution.

Si le double clic vous semble indomptable, vous pouvez choisir la durée qui espace chaque clic.

3.   Faites glisser le curseur **Vitesse** pour choisir la vitesse du double clic.

4.   Double-cliquez le dossier en regard pour l'ouvrir ou le fermer et tester ainsi le double clic.

Vous pouvez éviter de maintenir continuellement le bouton de la souris lors d'un « glisser-déposer ».

5.   Éventuellement, cochez la case **Activer le verrouillage du clic**.

Note ⊗ Cliquez le bouton **Paramètres** pour définir le temps nécessaire au verrouillage du clic.

Figure 19-14 Réglage du double clic et inversion des boutons.

Modifier les options du pointeur de souris

Le curseur s'affole ? Il se traîne ? Sa vitesse de déplacement est fonction du type de souris et de la taille du bureau. Un simple réglage lui imposera votre rythme.

1. Cliquez l'onglet **Options du pointeur**.

2. Faites glisser le curseur **Sélectionner une vitesse** pour modifier la vitesse du pointeur.

Note ⊗ L'option **Améliorer la précision** accélère ou ralentit le pointeur en fonction des déplacements de la souris.

3. Cochez la case **Déplacer automatiquement…** pour que le pointeur soit déplacé sur le bouton par défaut des boîtes de dialogue.

    Si vous avez un portable avec un écran à cristaux liquides, Windows peut simuler la rémanence des tubes cathodiques avec des traînées.

4. Cochez la case **Afficher les traces de la souris**.

5. Faites glisser le curseur en dessous pour augmenter ou diminuer le nombre de traces.

6. Déplacez la souris pour tester les traces.

7. Cochez la case **Masquer le pointeur** pour cacher le curseur de souris quand vous tapez du texte au clavier.

8. Cochez la case **Afficher l'emplacement** pour voir la position du curseur quand vous appuyez sur **Ctrl**. Appuyez sur **Ctrl** pour tester immédiatement cette option.

Figure 19-15 Options du pointeur de souris.

Modifier les curseurs

Les curseurs sont un peu tristes ? Modifiez-les ou ajoutez des curseurs animés.

1. Cliquez l'onglet **Pointeurs**.

2. Double-cliquez le curseur à modifier dans la liste **Personnaliser** (figure 19-17).

3. Cliquez le nouveau curseur dans la liste (figure 19-16).

   Un exemple s'affiche dans la zone **Aperçu**. Certains curseurs sont animés.

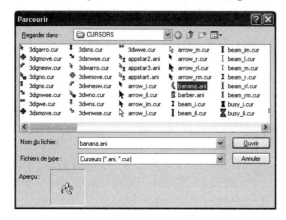

Figure 19-16 Modification d'un curseur.

4. Cliquez le bouton **Ouvrir**.

Note ⊗ Les curseurs de Windows se trouvent dans le dossier C:\Windows\Cursors. Si vous avez d'autres curseurs, sélectionnez d'abord le dossier qui les contient dans la liste **Rechercher dans**.

Pour rétablir les curseurs d'origine :

1. Cliquez le curseur à rétablir dans la liste **Personnaliser** (figure 19-17).

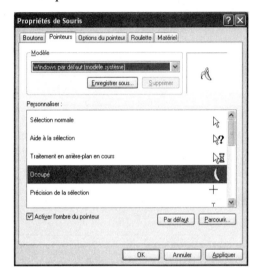

Figure 19-17 Modification des pointeurs de souris.

2. Cliquez le bouton **Par défaut**.

Modifier les options régionales

Windows propose trois types d'options pour adapter votre travail à celui de votre région : les nombres, les valeurs monétaires et les dates.

1. Double-cliquez l'icône **Options régionales et linguistiques** (figure 19-2).

2. Cliquez l'onglet **Options régionales**.

3. Cliquez le bouton **Personnaliser**.

Définir le format des nombres

Les formats des nombres sont utilisés par les applications. Vous devez les modifier pour les adapter à vos habitudes.

1. Cliquez l'onglet **Nombres**.

2. Sélectionnez ou tapez les nouvelles valeurs dans les listes (consultez le tableau 19-1 pour plus de détails).

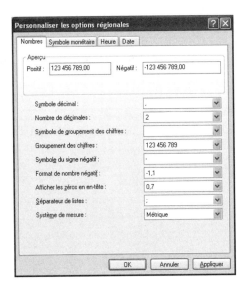

Figure 19-18 Modification du format des nombres.

3.   Cliquez le bouton **Appliquer** pour afficher un exemple dans la zone **Aperçu**.

Paramètres	Signification
Symbole décimal	Séparateur des décimales (virgule, point, *etc.*).
Nombre de décimales	Nombre de décimales affichées dans les formats standard.
Symbole de groupement des chiffres	Séparation des groupes de chiffres (espace, point, *etc.*).
Groupement des chiffres	Nombre de chiffres dans un groupe (sélectionnez un exemple dans la liste).
Symbole du signe négatif	Symbole des nombres négatifs (généralement le signe moins).
Format de nombre négatif	Format d'affichage des nombres négatifs (parenthèses en comptabilité).
Afficher les zéros en en-tête	Afficher ou non les zéros non significatifs (par exemple 0,1 ou ,1).
Séparateurs de liste	Séparateur des énumérations essentiellement utilisé pour séparer les paramètres d'une fonction.
Système de mesure	Système de mesure (métrique ou anglo-saxon).

Tableau 19-1 Paramètres des nombres.

Définir le format des valeurs monétaires

Les options régionales vous permettent de définir les formats des valeurs monétaires utilisées par les applications.

1. Cliquez l'onglet **Symbole monétaire**.

2. Sélectionnez ou tapez les nouvelles valeurs dans les listes (consultez le tableau 19-2 pour plus de détails).

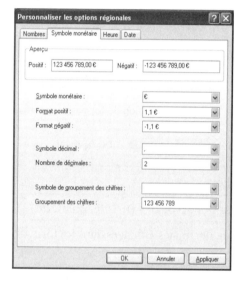

Figure 19-19 Modification des valeurs monétaires.

3. Cliquez le bouton **Appliquer** pour afficher un exemple dans la zone **Aperçu**.

Paramètres	Signification
Symbole monétaire	Symbole à utiliser dans les valeurs monétaires (, F, £, $, *etc.*).
Format positif	Position du symbole monétaire dans les nombres positifs. Format négatif Position du symbole monétaire dans les nombres négatifs.
Symbole décimal	Séparateur des décimales (virgule, point, *etc.*).
Nombre de décimales	Nombre de décimales dans les valeurs monétaires.
Symbole de groupement des chiffres	Caractère de séparation des groupes de chiffres (espace, point, *etc.*).
Groupement des chiffres	Nombre de chiffres dans un groupe (sélectionnez un exemple dans la liste).

Tableau 19-2 Paramètres des valeurs monétaires.

Définir le format des dates et des heures

Pour définir le format des dates et des heures utilisées par les applications, aidez-vous des options régionales.

1. Cliquez l'onglet **Heure**.

2. Sélectionnez ou tapez les nouvelles valeurs dans les listes (consultez le tableau 19-3 pour plus de détails).

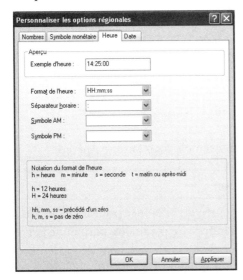

Figure 19-20 Modification des heures.

3. Cliquez le bouton **Appliquer** pour afficher un exemple dans la zone **Aperçu**.

Paramètres	Signification
Format de l'heure	Style d'affichage de l'heure.
Séparateur horaire	Séparateur entre les heures, les minutes et les secondes (deux points, point, *etc.*).
Symbole AM, symbole PM	Symbole utilisé pour les heures avant et après midi.

Tableau 19-3 Paramètres des heures.

4. Cliquez l'onglet **Date**.

5. Sélectionnez ou tapez les nouvelles valeurs dans les listes (voir les tableaux 19-4 et 19-5 pour plus de détails).

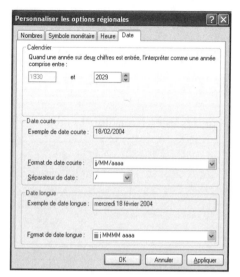

Figure 19-21 Modification des dates.

6. Cliquez le bouton **Appliquer** pour afficher un exemple dans la zone **Aperçu**.

Paramètres	Signification
Quand une année sur deux chiffres est entrée, l'interpréter comme une année comprise entre	Dernière année de référence pour les dates saisies sur deux chiffres. Ce paramètre permet de gérer les problèmes liés au changement de siècles. Pour la valeur 2029 par défaut : la date 30 sera interprétée comme 1930, 99 comme 1999, 0 comme 2000, 15 comme 2015, 29 comme 2029.
Format de date courte	Style d'affichage des dates au format numérique.
Séparateur de date	Séparateur des dates au format numérique (/, ., -, *etc.*).
Format de date longue	Style d'affichage des dates en toutes lettres.

Tableau 19-4 Paramètres des dates.

Utilisez les symboles du tableau 19-5 pour compléter les zones **Format de date courte** et **Format de date longue**

Date	Symboles et correspondances (exemple pour le 01/01/2005)
Jour	J = 1, JJ = 01
Jour de la semaine	JJJ = Sam., JJJJ = Samedi
Mois	M = 1, MM = 01, MMM = Janv., MMMM = Janvier
Années	AA = 05, AAAA = 2005

Tableau 19-5 Paramètres des zones Format de date.

Polices de caractères

1. Double-cliquez l'icône **Polices** (figure 19-2).

Visualiser et imprimer une police

Pourquoi ne donneriez vous pas un nouveau look à vos documents ? Pour changer de police, visualisez-les, imprimez-les et choisissez.

1. Double-cliquez la police à visualiser.

   Un texte représente toutes les lettres de l'alphabet.

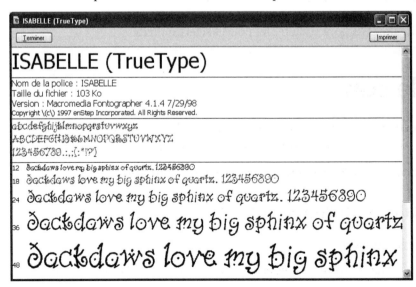

Figure 19-22 Polices de caractères.

2. Cliquez le bouton **Imprimer**.

3. Cliquez le bouton **Terminé**.

Installer une police de caractères

Ne limitez pas vos envies de changement : installez autant de polices qu'il vous plaira.

1. Cliquez le menu **Fichier → Installer une nouvelle police**.

2. Sélectionnez le lecteur et le dossier dans les deux listes du bas (figure 19-23).

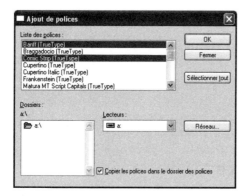

Figure 19-23   Installation de polices de caractères.

Les polices du dossier sélectionné apparaissent dans la liste.

3. Sélectionnez les polices à installer.

Note   ⊗   Utilisez les touches **Maj** et **Ctrl** pour sélectionner plusieurs fichiers comme dans le Poste de travail.

4. Cliquez le bouton **OK** pour installer les polices sélectionnées.

Modifier le son

Le son est un élément important des PC d'aujourd'hui. Le Panneau de configuration vous propose une icône pour mieux configurer votre environnement sonore.

1. Double-cliquez l'icône **Sons et périphériques audio** (figure 19-2).

Modifier la configuration sonore

1. Cliquez l'onglet **Volume**.

2. Cochez la case **Placer l'icône de volume**… si vous désirez modifier le son à partir de la barre des tâches.

Figure 19-24 Paramètres du volume du son.

Le bouton **Paramètres avancés** de la zone **Volume du périphérique** permet d'ouvrir la boîte de la figure 1-21.

3. Cliquez le bouton **Paramètres avancés** de la zone **Paramètre des haut-parleurs**.

4. Sélectionnez dans la liste **Configuration des haut-parleurs** votre configuration sonore.

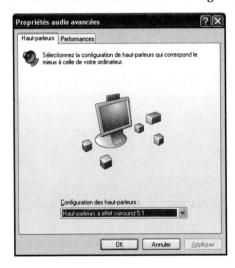

Figure 19-25 Configuration des haut-parleurs reliés à l'ordinateur.

5. Cliquez le bouton **OK**.

Modifier les sons des événements Windows

À chaque événement (démarrage, question, *etc.*), Windows associe un son. Bien sûr, vous pouvez les modifier selon vos goûts.

1. Cliquez l'onglet **Sons**.

Écouter un son

Les événements précédés de 🔊 ont un son associé.

1. Cliquez un événement précédé de l'icône 🔊.

   La zone **Sons** affiche le son associé.

2. Cliquez le bouton de lecture ▶ en regard de la zone **Sons** pour l'écouter.

Modifier un son

1. Cliquez un événement dans la liste **Événements**.

2. Sélectionnez dans la liste **Sons** celui à utiliser. Pour supprimer le son actuel, sélectionnez **Aucun** dans cette liste.

Ajouter un son personnalisé

Si les sons proposés par Windows XP ne vous conviennent pas, remplacez-les par vos propres fichiers son.

Note 🔽 Les sons sont des fichiers au format Wave (extension .wav). Les sons par défaut de Windows se trouvent dans le dossier C:\Windows\Media.

1. Cliquez un événement dans la liste **Événements**.

2. Cliquez le bouton **Parcourir**.

3. Éventuellement, sélectionnez le lecteur et le dossier dans la zone **Regarder dans**.

4. Cliquez le fichier son à utiliser.

5. Cliquez le bouton de lecture ▶ pour écouter le son.

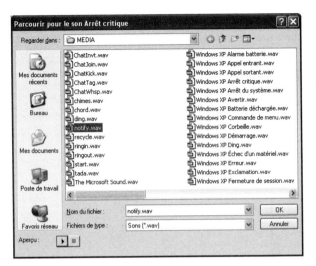

Figure 19-26 Ajout d'un son personnalisé.

Astuce ⊗ Pour trouver d'autres sons sur Internet, effectuez une recherche avec les mots clés « sons téléchargement » dans un moteur de recherche (par exemple, `www.google.fr`).

6.   Cliquez le bouton **OK**.

Si l'événement n'avait pas de son, il est maintenant précédé de l'icône 🔊.

Astuce ⊗ Si vous changez souvent les sons, vous pouvez enregistrer la configuration actuelle en cliquant le bouton **Enregistrer sous**. Cette configuration sera ensuite disponible dans la liste **Modèle de sons**.

Paramètres système

L'icône Système permet d'accéder aux options utilisées par Windows pour gérer une multitude de domaines : gestion des périphériques, sauvegarde du système, mise à jour, *etc*. Vous trouverez ici un tour d'horizon de ces possibilités. Chaque élément sera traité séparément dans les chapitres suivants.

1.   Double-cliquez l'icône **Système** (figure 19-2).

Utilisateur et ressources

1.   Cliquez l'onglet **Général**.

Cette boîte affiche la version de Windows, les ressources de votre ordinateur (processeur et mémoire), ainsi que le nom de l'utilisateur enregistré et le nom de la société ou de l'organisme. Notez que le nom de la version est éventuellement suivi des mises à jour déjà effectuées (Service Pack). Cette information est importante pour vérifier s'il existe une version plus récente.

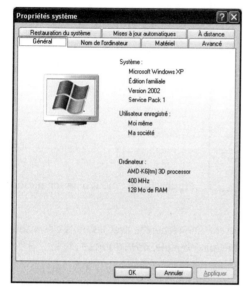

Figure 19-27 Version de Windows et nom d'utilisateur.

Nom de l'ordinateur

1. Cliquez l'onglet **Nom de l'ordinateur**.

Note Pour configurer un réseau local, consultez le chapitre 23.

Le nom de votre ordinateur permet son identification sur le réseau. Ce nom est utilisé pour le partage des ressources (dossiers ou imprimantes). Le groupe de travail correspond à l'ensemble des ordinateurs qui partagent leurs ressources.

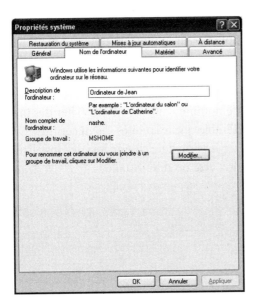

Figure 19-28 Nom de l'ordinateur et du groupe de travail.

2. Tapez dans la zone **Description de l'ordinateur** un texte qui permet de mieux vous identifier sur le réseau.

3. Cliquez le bouton **Modifier** si vous désirez changer le nom de l'ordinateur ou changer de groupe de travail.

Gestion des matériels

1. Cliquez l'onglet **Matériel**.

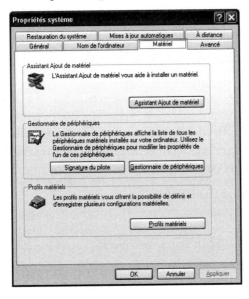

Figure 19-29 Accès aux modifications du matériel.

417

Le bouton **Assistant Ajout de matériel** correspond à l'icône **Ajout de matériel** du Panneau de configuration. Consultez le début de ce chapitre pour ajouter un nouveau matériel à votre ordinateur.

2.   Cliquez le bouton **Signature du pilote**.

Chaque matériel est associé à un programme nommé « pilote ». Pour éviter des problèmes de compatibilité avec Windows XP, il est préférable que les pilotes soient certifiés. Nous vous recommandons de cocher l'option **Avertir**, ce qui permet de choisir, lors de l'installation d'un nouveau matériel, si un pilote non certifié doit être ou non installé.

3.   Cochez une des options proposées.

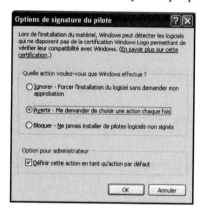

Figure 19-30   Options des pilotes.

4.   Cliquez le bouton **OK**.

Le bouton **Gestionnaire de périphériques** permet de connaître les matériels installés dans votre ordinateur et, éventuellement, de les dépanner. Consultez à ce sujet le chapitre 20.

5.   Cliquez le bouton **OK** dans la boîte Propriétés système.

Options d'accessibilité

Si vous avez des difficultés, visuelles ou auditives, Windows vous propose diverses solutions pour utiliser le clavier à la place de la souris, pour changer la couleur et la taille des caractères à l'écran, ou ajouter des sons pour être averti d'événements essentiels.

1.   Double-cliquez l'icône **Options d'accessibilité** (figure 19-2).

Options du clavier

1.   Cliquez l'onglet **Clavier** dans la boîte Options d'accessibilité.

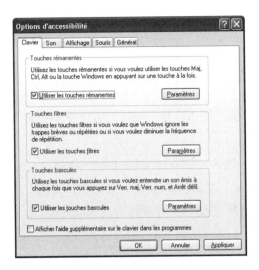

Figure 19-31 Options d'accessibilité pour le clavier.

Touches rémanentes

La fonction de rémanence permet d'utiliser des combinaisons de touches en appuyant sur les touches l'une après l'autre et non en appuyant sur plusieurs touches en même temps. Par exemple, pour la combinaison **Ctrl+C**, il faut appuyer sur **Ctrl**, relâcher **Ctrl** puis appuyer sur la touche **C**.

1. Cochez la case **Utiliser les touches rémanentes** pour que les touches **Maj**, **Ctrl** et **Alt** restent actives jusqu'au moment où vous appuyez sur une autre touche.

2. Cliquez le bouton **Paramètres** en regard de la case **Utiliser les touches rémanentes**.

3. Cochez la case **Utiliser le raccourci** pour pouvoir activer ou désactiver les touches rémanentes en appuyant cinq fois sur la touche **Maj**.

4. Cochez ou décochez les cases proposées pour activer ou désactiver les options des touches rémanentes.

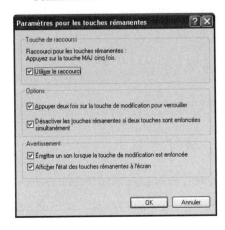

Figure 19-32 Options d'accessibilité des touches rémanentes.

5. Cliquez le bouton **OK**.

Touches filtres

L'option de filtre évite que Windows prenne en compte les frappes trop brèves ou répétées.

1. Cochez la case **Utiliser les touches filtres** afin d'éviter les frappes trop brèves ou répétées (figure 19-31).

2. Cliquez le bouton **Paramètres** en regard de la case **Utiliser les touches filtres**.

3. Cochez la case **Utiliser le raccourci** pour pouvoir activer ou désactiver les touches filtres en appuyant pendant huit secondes sur la touche **Maj** (touche de droite).

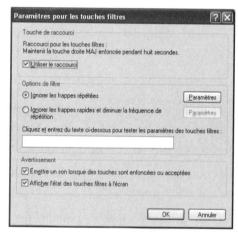

Figure 19-33 Options d'accessibilité des touches filtres.

4. Éventuellement, cochez l'option **Ignorer les frappes répétées**. Si vous ne cochez pas cette option, passez à l'étape **9**.

5. Cliquez le bouton **Paramètres** en regard de l'option **Ignorer les frappes répétées**.

6. Sélectionnez dans la liste **Ignorer les frappes...** l'intervalle minimal entre les frappes répétées d'une même touche.

7. Cliquez la **Zone de test** et appuyez sur une touche pour tester le réglage.

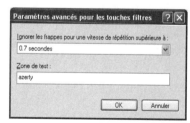

Figure 19-34 Options d'accessibilité pour les frappes répétées.

8. Cliquez le bouton **OK**. Passez à l'étape **16**.

9. Éventuellement, cochez l'option **Ignorer les frappes rapides** (figure 19-33).

10. Cliquez le bouton **Paramètres** en regard de l'option **Ignorer les frappes rapides**.

11. Cochez une de des options **Pas de répétition** ou **Diminuer la fréquence** pour supprimer ou choisir les répétitions du clavier.

12. Si vous avez coché l'option **Diminuer la fréquence**, sélectionnez dans les listes en dessous les délais de répétition et le taux de répétition.

13. Sélectionnez dans la liste **Les touches doivent…** le seuil à partir duquel une touche enfoncée est acceptée.

14. Cliquez **Zone de test** puis tapez du texte pour vérifier les options choisies.

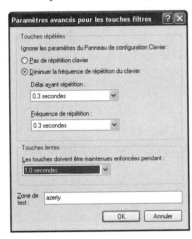

Figure 19-35 Options d'accessibilité pour les frappes rapides.

15. Cliquez le bouton **OK**.

16. Cliquez le bouton **OK** dans la boîte Paramètres pour les touches filtres (figure 19-33).

Touches bascules

L'option de touches bascules demande à Windows d'émettre des sons quand certaines touches sont enfoncées.

1. Cochez la case **Utiliser les touches bascules** afin d'entendre un son aigu quand les touches **Verr Maj**, **Verr num** ou **Arrêt défil** sont activées ou un son grave quand elles sont désactivées. (figure 19-31).

2. Cliquez le bouton **Paramètres** en regard de la case **Utiliser les touches bascules**.

3. Cochez la case **Utiliser le raccourci** pour activer ou désactiver les sons en maintenant la touche **Verr num** enfoncée pendant cinq secondes.

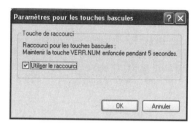

Figure 19-36 Options d'accessibilité pour les touches bascules.

4. Cliquez le bouton **OK**.

Options du son

L'option des sons visuels permet de faire clignoter un élément du bureau, par exemple une barre de titre, quand un son est émis.

1. Cliquez l'onglet **Son** dans la boîte Options d'accessibilité.

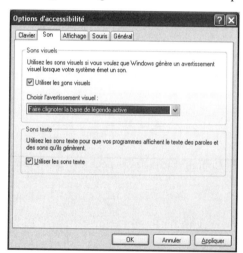

Figure 19-37 Options d'accessibilité pour les sons.

2. Cochez la case **Utiliser les sons visuels** pour afficher un signal visuel à chaque fois que Windows émet un son (figure 19-37).

3. Sélectionnez dans la liste **Choisir l'avertissement visuel** l'élément à faire clignoter.

4. Cochez la case **Utiliser les sons texte** pour afficher des informations sur le son qui vient d'être émis (icône, texte, *etc.*).

Options d'affichage

Les options d'affichage permettent de modifier les couleurs, les polices et le curseur pour une meilleure visibilité à l'écran.

1. Cliquez l'onglet **Affichage** dans la boîte Options d'accessibilité.

Figure 19-38 Options d'accessibilité pour l'affichage.

2. Cochez la case **Utiliser le contraste élevé** pour appliquer les modifications d'affichage.

3. Déplacez le curseur **Fréquence du clignotement** pour modifier la vitesse du curseur.

4. Déplacez le curseur **Largeur** pour modifier la taille du curseur.

5. Cliquez le bouton **Paramètres**.

6. Cochez la case **Utiliser le raccourci** pour pouvoir activer ou désactiver le contraste élevé avec les touches **Alt** (bouton de gauche)+**Maj** (bouton de gauche)+**Impr écran**.

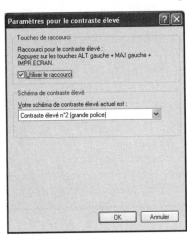

Figure 19-39 Paramètres de l'affichage.

7. Sélectionnez dans la liste **Votre schéma** un modèle d'affichage.

Conseil ⊗ Faites des essais avec les différents modèles proposés par la liste **Votre schéma** afin de déterminer celui qui vous convient le mieux.

8. Cliquez le bouton **OK**.

Options de la souris

Les options de la souris permettent de piloter cette dernière avec les touches du clavier.

1. Cliquez l'onglet **Souris** dans la boîte Options d'accessibilité.

Figure 19-40 Options d'accessibilité pour la souris.

2. Cochez la case **Utiliser les touches souris** pour utiliser le pavé numérique du clavier comme une souris.

Avec l'option touches souris, le clavier numérique utilise les touches de la figure 19-41 pour piloter le curseur de souris.

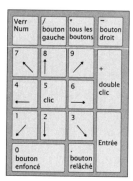

Figure 19-41 Touches pour piloter le curseur de souris.

3. Cliquez le bouton **Paramètres**.

4. Cochez la case **Utiliser le raccourci** pour pouvoir activer ou désactiver les touches souris avec la combinaison **Alt**(bouton de gauche)+**Maj** (bouton de gauche)+**Verr num**.

5. Faites glisser les curseurs pour modifier la vitesse et l'accélération des touches souris.

6. Cochez la case **Maintenir la touche Ctrl** pour pouvoir augmenter ou diminuer la vitesse de déplacement du curseur avec les touches **Ctrl** et **Maj**.

7. Cochez l'option **Active** ou **Inactive** pour activer ou désactiver les touches souris avec la touche **Verr num**.

8. Cochez la case **Afficher l'état** pour visualiser l'état des touches souris dans la barre des tâches.

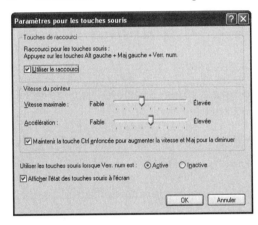

Figure 19-42 Paramètres pour la souris.

9. Cliquez le bouton **OK**.

Options générales

1. Cliquez l'onglet **Général** dans la boîte Options d'accessibilité.

Figure 19-43 Options générales d'accessibilité.

Cet onglet regroupe les autres options d'accessibilité.

2. Cochez la case **Désactiver les fonctionnalités** pour ne plus les utiliser après un certain temps (seule la fonction touches série reste toujours active).

3. Si vous avez coché **Désactivé les fonctionnalités**, sélectionnez dans la liste en dessous le nombre de minutes avant la désactivation.

Note ⊗ Cette option est intéressante si plusieurs personnes utilisent le même ordinateur.

4. Cochez la case **Afficher un message** pour être averti visuellement si une option d'accessibilité est désactivée.

5. Cochez la case **Émettre un son** pour être averti auditivement quand une option d'accessibilité est activée ou désactivée.

Note ⊗ Ces options sont intéressantes pour éviter qu'une personne désactive ou active une option par mégarde.

6. Cochez la case **Utiliser les touches série** si vous possédez un périphérique Touches série.

7. Si vous avez coché la case **Utiliser les touches série**, cliquez le bouton **Paramètres** pour modifier l'installation du périphérique.

8. Sélectionnez dans la liste **Port série** celui utilisé par le périphérique.

9. Sélectionnez dans la liste **Vitesse** celle utilisée par le périphérique.

Conseil ⊗ Consultez la notice du périphérique Touches série pour obtenir plus de détails sur les réglages à effectuer.

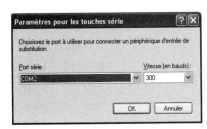

Figure 19-44 Options des périphériques Touches série.

10. Cliquez le bouton **OK**.

11. Cliquez le bouton **OK** dans la boîte Options d'accessibilité.

> > Dépanner et maintenir en forme votre ordinateur

Comme votre voiture, votre ordinateur a besoin d'un entretien régulier. Cela évite le désagrément des pannes. Windows inclut un programme de sauvegarde de ses fichiers et de la configuration actuelle pour redémarrer sans problème votre ordinateur si vous devez rencontrer un jour des dysfonctionnements. Ce chapitre vous explique aussi comment gagner de la place sur votre disque dur, vérifier son intégrité ou le rendre plus rapide.

Mettre à jour Windows XP

Pour être toujours à la pointe de la technologie et corriger des erreurs de jeunesse, mettez à jour Windows et ses applications. Ces corrections régulières permettent aussi d'éviter certains virus et des failles de sécurité.

Mises à jour manuelles

1. Cliquez le bouton **Démarrer** → **Tous les programmes** → **Windows Update**.

    À partir du site, Windows analyse votre ordinateur pour définir les éléments à mettre à jour.

    Le site propose deux solutions. Soit vous mettez systématiquement votre ordinateur à jour avec les nouveautés, soit vous choisissez uniquement celles qui vous semblent nécessaires.

2. Cliquez le bouton **Installation rapide** pour une mise à jour systématique des éléments indispensables, ou alors cliquez le bouton **Installation personnalisée** (figure 20-1).

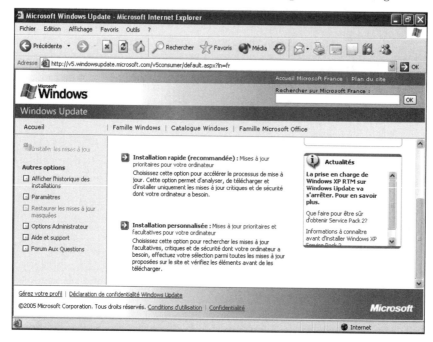

Figure 20-1 Mise à jour de votre ordinateur avec Windows Update.

Si vous avez choisi de définir vous-même les éléments à installer, une nouvelle page s'affiche.

3. Vérifiez dans la liste proposée les éléments à mettre à jour. Décochez celles que vous ne désirez pas installer (figure 20-2).

4. Cliquez le bouton **Installation des mises à jour**.

5. Suivez les indications du site.

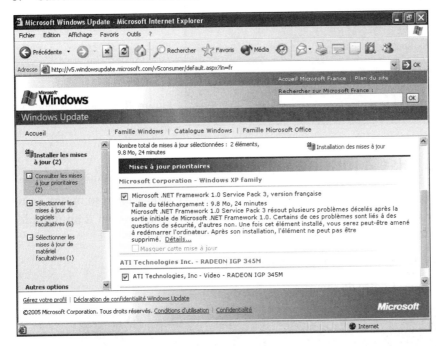

Figure 20-2 Choix des mises à jour.

Mises à jour automatiques

Si des mises à jour sont déjà téléchargées, Windows affiche l'icône ▓ dans la barre des tâches (zone de notification à côté de l'horloge). Cliquez-la pour lancer Windows Update.

1. Comme pour la mise à jour manuelle, cochez le type d'installation (figure 20-3).

2. Suivez les instructions de l'assistant de mise à jour.

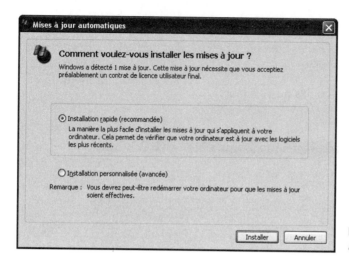

Figure 20-3 Choix des mises à jour automatiques.

Activer la mise à jour de Windows

Si vous avez installé la version Service Pack 2 de Windows XP (voir section suivante), vous pouvez activer la mise à jour automatique du système d'exploitation, au moyen d'un module appelé Centre de sécurité.

1. Cliquez **Démarrer ➔ Panneau de configuration**.

2. Double-cliquez **Centre de sécurité**.

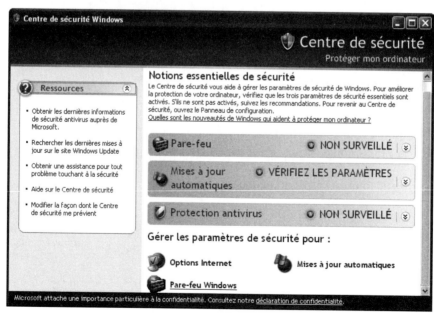

Figure 20-4 Icône du Centre de sécurité dans le Panneau de configuration.

La fenêtre du Centre de sécurité apparaît. Cette fenêtre vous indique l'état des trois points essentiels de sécurité de votre ordinateur : Pare-feu, Mises à jour automatiques et Protection antivirus. Tant que ces trois éléments ne sont pas actifs, une icône s'affiche dans la zone de notification (à côté de l'horloge). Voyez le chapitre 21 pour plus d'informations.

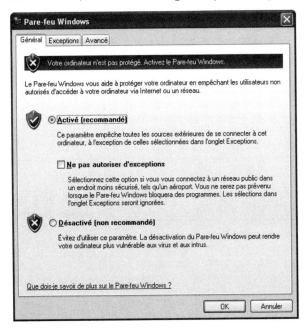

Figure 20-5 Fenêtre du Centre de sécurité.

3. Cliquez **Mises à jour automatiques**.

Note Les mises à jour sont effectuées *via* Internet. Vous devez être régulièrement connecté pour en bénéficier.

4. Cliquez une des trois premières solutions proposées. Ne cochez pas la dernière option qui désactive les mises à jour.

5. Si vous avez cliqué **Installation automatique...**, choisissez le jour et l'heure dans ces zones.

6. Cliquez **OK**.

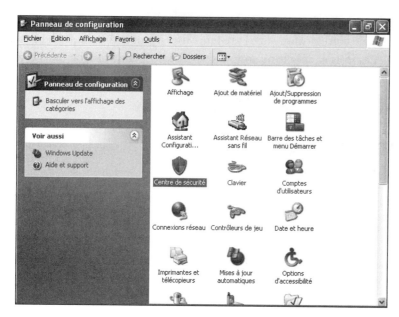

Figure 20-6 Réglage des mises à jour automatiques.

Service Pack 2

Ce pack de logiciels met à jour Windows XP avec les dernières nouveautés. Il permet, entre autres, de mieux protéger votre ordinateur lors de la navigation sur Internet. Windows Update vous proposera de l'installer lors des mises à jour manuelles ou automatiques. Si ce n'est pas encore le cas, allez directement sur le site (menu **Démarrer → Tous les programmes → Windows Update**) puis recherchez le lien correspondant dans la page d'accueil.

Connaître la version installée de Windows XP

Pour savoir si le Service Pack 2 est installé, affichez les propriétés système. Pour cela, tapez simplement le raccourci ⊞+**Pause**. La boîte de la figure 20-7 affiche la version de Windows et le dernier Service Pack installé, ainsi que des informations générales comme la vitesse du processeur ou la taille de la mémoire vive.

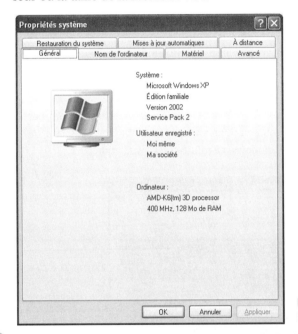

Figure 20-7 Version de Windows installée sur l'ordinateur.

Mettre à jour les pilotes

Comme pour la mise à jour de Windows, l'actualisation des pilotes de vos périphériques permet de corriger des erreurs de jeunesse.

Définition ⊗ **Pilote** (*driver* en anglais) : logiciel qui gère un périphérique. À chaque périphérique correspond un pilote précis, pour une version précise de Windows.

Actualiser des pilotes sur le site du constructeur

À l'installation, Windows utilise les pilotes génériques du CD-ROM qui ne correspondent pas toujours à l'attente des utilisateurs. Ces pilotes ne sont pas à mettre en cause, mais ils ne sont pas toujours à jour. De plus, ils ne sont pas toujours très pratiques. C'est souvent le cas de ceux qui proposent des paramètres modifiables, par exemple pour configurer une imprimante. Pour obtenir un pilote récent et adapté, consultez les sites des constructeurs de vos périphériques.

1. Ouvrez Internet Explorer.

2. Tapez www., le nom du constructeur et ensuite .com et appuyez sur **Entrée**. Si cette adresse ne correspond pas au constructeur, ce qui est très rare, faites une recherche avec Google. Vous pouvez aussi essayer .fr à la place de .com.

3. Recherchez la page Pilotes, Drivers, Téléchargement ou Download.

4. Recherchez la référence de votre périphérique et la version de Windows que vous utilisez.

5. Téléchargez le nouveau pilote et suivez les instructions d'installation.

Conseil ⊗ Téléchargez uniquement un driver prévu pour votre version de Windows. N'installez pas, par exemple, un pilote pour Windows 98 si votre machine est équipée de Windows XP. Il y a, de toute façon, de fortes chances pour que Windows XP refuse cette installation.

Figure 20-8 Mise à jour d'un pilote de périphérique sur le site d'un constructeur.

Actualiser des pilotes avec Windows Update

Le site de Microsoft permet aussi de mettre à jour les pilotes de vos périphériques. L'avantage, ici, est de connaître les mises à jour indispensables de tous vos périphériques sans avoir à les chercher un à un sur les sites des constructeurs.

1. Cliquez le bouton **Démarrer** → **Tous les programmes** → **Windows Update**.

2. Cliquez le bouton **Rechercher des mises à jour**.

3. Dans la liste de gauche, cliquez le bouton **Mise à jour de pilotes**.

4. Vérifiez la liste des pilotes proposés dans la liste de droite.

5. Éventuellement, cliquez le lien **Matériels pris en charge** pour vérifier s'il correspond bien à celui installé dans votre ordinateur.

6. Cliquez les boutons **Ajouter** pour les pilotes à installer.

7. Cliquez le bouton **Examiner les mises à jour et les installer**.

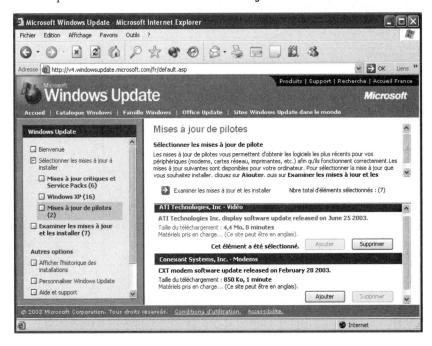

Figure 20-9 Mise à jour des pilotes de périphériques avec Windows Update.

8. Cliquez le bouton **Installer maintenant**.

9. Suivez les indications de l'assistant.

Sauvegarder et restaurer Windows

Si vous constatez des dysfonctionnements dans Windows, il est nécessaire de restaurer le système. Cela peut survenir après l'installation d'un logiciel ou le branchement d'un nouveau matériel.

Avant d'en arriver là, pensez à créer régulièrement des points de restauration.

Créer un point de restauration

Votre ordinateur fonctionne sans soucis ? C'est le moment de créer un point de restauration au cas où Windows se trouverait ultérieurement déréglé.

1. Cliquez le bouton **Démarrer** → **Tous les programmes** → **Accessoires** → **Outils système** → **Restauration du système**.

2. Cochez l'option **Créer un point de restauration**.

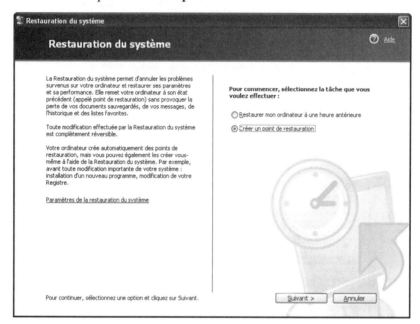

Figure 20-10 Assistant de restauration.

3. Cliquez le bouton **Suivant**.

4. Dans la zone **Description…**, tapez un nom pour le point de restauration.

5. Cliquez le bouton **Créer**.

Conseil Windows crée périodiquement des points de restauration, mais il est plus prudent de choisir vous-même le moment.

6. Après la sauvegarde du système, cliquez le bouton **Fermer**.

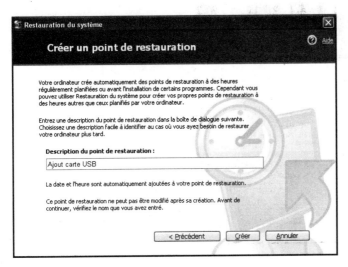

Figure 20-11 Création
d'un point de restauration.

Restaurer Windows

Windows est subitement déréglé? Restaurez-le avec des paramètres antérieurs.

Attention ⊗ Windows supprime les programmes et les pilotes des matériels dont l'installation a été effectuée depuis le point de restauration. Ne restaurez donc votre ordinateur qu'en cas de gros problèmes. Vous serez peut-être amené à réinstaller certains logiciels.

1. Cliquez le bouton **Démarrer** ➜ **Tous les programmes** ➜ **Accessoires** ➜ **Outils système** ➜ **Restauration du système**.

2. Cochez l'option **Restaurer mon ordinateur...** (figure 20-10).

3. Cliquez le bouton **Suivant**.

   Windows affiche les points de restauration sous forme de calendrier.

4. Cliquez une des dates en gras dans le calendrier.

5. Cliquez un des points de restauration dans la liste de droite.

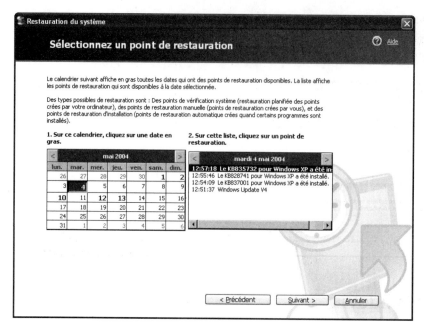

Figure 20-12
Restauration de
Windows.

6. Cliquez le bouton **Suivant**.

La boîte qui s'affiche vous informe sur les modifications apportées à votre ordinateur. Lisez attentivement les recommandations avant de poursuivre la restauration de Windows.

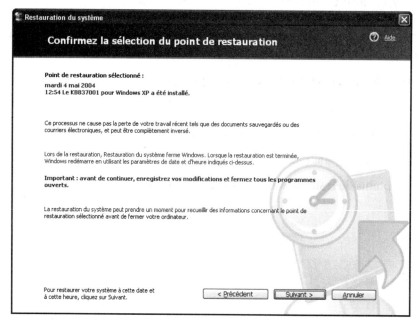

Figure 20-13 Boîte
d'avertissement avant
la restauration.

7. Cliquez le bouton **Suivant** pour lancer la restauration.

Après le redémarrage de l'ordinateur, cliquez simplement le bouton **OK** dans la boîte de dialogue qui vous indique que le système a été restauré.

Note ⊗ Vous pouvez annuler la restauration et retrouver vos paramètres actuels. Relancez tout simplement le programme de restauration. La première boîte de dialogue de l'assistant vous proposera l'option **Annuler ma dernière restauration**.

Vérifier l'intégrité du disque dur

Des erreurs peuvent apparaître après un arrêt brutal de l'ordinateur, suite à une coupure de courant, par exemple. Dans ce cas, Windows contrôle les disques au redémarrage. Effectuez cependant des vérifications régulièrement si vous avez des doutes.

1. Ouvrez le **Poste de travail**.

2. Cliquez avec le bouton droit de la souris le disque à vérifier.

3. Cliquez la commande **Propriétés** dans le menu contextuel.

4. Dans la boîte Propriétés, cliquez l'onglet **Outils**.

Figure 20-14 Outils de maintenance des disques.

5. Cliquez le bouton **Vérifier maintenant**.

6. Dans la boîte Vérification du disque, cochez les options **Réparer automatiquement...** et **Rechercher et tenter...**.

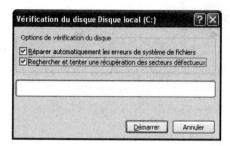

Figure 20-15 Vérification d'un disque.

7. Cliquez le bouton **Démarrer**.

    Si vous cochez l'option **Réparer automatiquement**, la vérification sera effectuée au prochain démarrage de Windows car elle teste aussi des fichiers en cours d'utilisation.

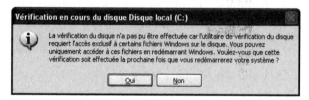

Figure 20-16 Boîte d'avertissement avant vérification d'un disque.

8. Si vous avez la boîte de la figure 20-16, cliquez le bouton **Oui**. La vérification ne sera effectuée qu'au prochain démarrage de Windows.

Réorganiser les données d'un disque

À force d'ajouts, de suppressions et de modifications, les fichiers se trouvent répartis dans des blocs non contigus : votre disque est fragmenté et il a perdu en rapidité. Défragmentez-le régulièrement (consultez l'encadré « Pourquoi défragmenter un disque ? » ci-après).

1. Cliquez **Démarrer → Tous les programmes → Accessoires → Outils système → Défragmenteur de disque**.

Note Vous pouvez aussi lancer la défragmentation à partir du **Poste de travail**. Cliquez avec le bouton droit le disque, puis cliquez **Propriétés** dans le menu contextuel. Cliquez ensuite l'onglet **Outils** puis le bouton **Défragmenter maintenant** (figure 20-14).

2. Si vous avez plusieurs disques, cliquez celui à défragmenter dans la liste du haut.

3. Cliquez le bouton **Défragmenter**.

Figure 20-17
Défragmentation
du disque dur.

La défragmentation commence. Si le disque est très fragmenté, elle peut prendre plusieurs heures. Pour éviter cela, lancez régulièrement ce programme.

4. Cliquez le bouton **Fermer** après la défragmentation. Cliquez le bouton **Afficher le rapport** pour obtenir des informations précises sur les fichiers non défragmentés.

Pourquoi défragmenter un disque?

Un disque dur étant constitué de blocs (*clusters*), les nouvelles données sont enregistrées les unes à la suite des autres dans ces blocs.

Il est donc indispensable de réorganiser régulièrement les fichiers de vos disques durs. Le Défragmenteur de disque permet de reconstituer les fichiers fragmentés et de regrouper les blocs inoccupés. Par conséquent, il peut aussi faire apparaître des blocs libres.

Les documents modifiés créent des blocs libres si leur taille diminue, ou sont éparpillés dans des blocs non contigus si leur taille augmente. Prenons l'exemple d'un nouveau document enregistré sur le disque. Windows place le document dans les premiers blocs libres:

Anciennes données	Nouveau document	Blocs libres

Maintenant, si vous installez une nouvelle application, celle-ci vient à la suite du document:

Anciennes données	Document	Nouvelle application	Blocs libres

→

Si vous décidez de réduire la taille de votre document, un ou des nouveaux blocs libres apparaissent entre le document et l'application :

Anciennes données	Document	Bloc(s) libre(s)	Application	Blocs libres

Mais si vous décidez d'augmenter la taille du document, celui-ci sera scindé en deux parties. Le document est fragmenté :

Anciennes données	Début du Document	Application	Suite du document	Blocs libres

Nettoyer un disque

Beaucoup de programmes utilisent des fichiers temporaires. C'est le cas, notamment, des fichiers Internet utilisés par Internet Explorer. Ces fichiers sont conservés sur le disque dur tant que vous ne demandez pas à les supprimer. Pour libérer de la place, vous devez régulièrement supprimer ces fichiers.

Note S'il n'y a vraiment plus de place sur votre disque, Windows vous proposera automatiquement de le nettoyer.

1. Cliquez le bouton **Démarrer** ➜ **Tous les programmes** ➜ **Accessoires** ➜ **Outils système** ➜ **Nettoyage de disque**.

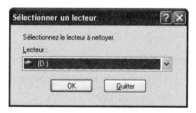

Figure 20-18 Sélection du disque à nettoyer.

2. Si vous avez plusieurs disques durs, choisissez dans la boîte **Sélectionner un lecteur** (figure 20-18) celui à nettoyer, puis cliquez le bouton **OK**.

    La boîte Nettoyage de disque affiche la liste des fichiers que vous pouvez supprimer.

3. Cliquez un type de fichiers pour afficher en bas de la boîte une description et des conseils.

4. Cochez les types de fichiers à supprimer.

Figure 20-19 Choix des fichiers
à supprimer du disque dur.

5. Cliquez le bouton **OK**.

6. Cliquez le bouton **Oui** dans la boîte Nettoyage de disque pour confirmer les suppressions.

Planifier une tâche

Le Planificateur de tâches permet d'exécuter n'importe quelle application à des horaires précis. Une bonne solution pour nettoyer ou défragmenter vos disques régulièrement.

1. Cliquez le bouton **Démarrer** → **Tous les programmes** → **Accessoires** → **Outils système** → **Tâches planifiées**.

Note Le planificateur de tâches est aussi accessible à partir de l'icône Tâches planifiées dans le Panneau de configuration.

La fenêtre qui s'affiche liste les tâches déjà planifiées.

2. Double-cliquez l'icône **Création d'une tâche planifiée** (figure 20-20).

Un assistant vous guide pour créer la tâche planifiée.

3. Cliquez le bouton **Suivant** à la première étape de l'assistant.

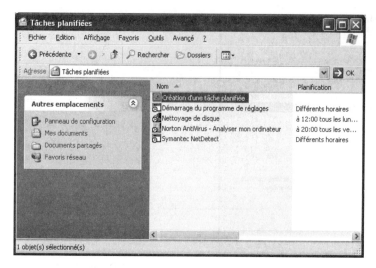

Figure 20-20 Liste des tâches planifiées.

4. Cliquez l'application à exécuter régulièrement.

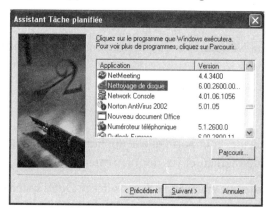

Figure 20-21 Choix de l'application à planifier.

5. Cliquez le bouton **Suivant**.

Note   Si l'application n'est pas proposée dans la liste, cliquez le bouton **Parcourir**.

6   Tapez un nom pour la tâche.

7   Cochez la fréquence d'ouverture de l'application dans les options proposées.

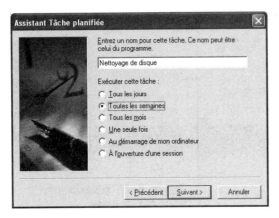

Figure 20-22 Nom et fréquence de la tâche.

8   Cliquez le bouton **Suivant**.

9   Sélectionnez l'heure d'exécution dans la zone **Heure de début**.

10. Sélectionnez les jours ou les mois d'exécution (les paramètres de cette boîte sont fonction de votre choix à l'étape **7**).

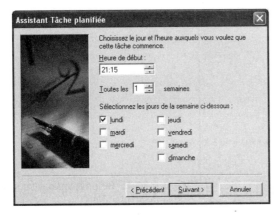

Figure 20-23 Horaires de planification.

11. Cliquez le bouton **Suivant**.

12. Éventuellement, modifiez le nom de l'utilisateur dans la première zone.

13. Éventuellement, tapez votre mot de passe.

14. Tapez de nouveau le mot de passe si vous l'avez saisi à l'étape **13**.

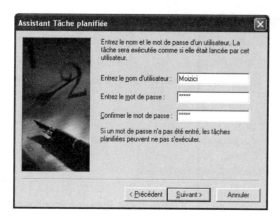

Figure 20-24 Saisie du nom et du mot de passe.

15. Cliquez le bouton **Suivant**.

16. Vérifiez les paramètres de la tâche.

Note ⊗ Si les paramètres ne vous conviennent pas, cliquez le bouton **Précédent** pour les modifier.

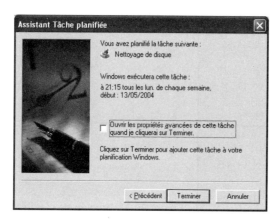

Figure 20-25 Résumé des paramètres de la tâche planifiée.

17. Cliquez le bouton **Terminer**.

La nouvelle tâche apparaît dans la fenêtre Tâches planifiées.

18. Pour modifier une tâche, cliquez son nom avec le bouton droit, puis cliquez **Propriétés** dans le menu contextuel.

19. Cliquez le bouton ☒ pour fermer le dossier des tâches planifiées.

Dépanner les périphériques

Si certains périphériques ne fonctionnent pas correctement, vous pouvez en obtenir la liste et tenter de résoudre le problème, par exemple en installant un nouveau pilote ou en réinstallant celui déjà utilisé. Windows propose aussi des assistants pour détecter les pannes et trouver des solutions.

Trouver les périphériques qui ne fonctionnent pas

1. Cliquez le bouton **Démarrer** ➜ **Panneau de configuration**.

2. Double-cliquez l'icône **Système**.

3. Dans la boîte Propriétés système, cliquez l'onglet **Matériel** (figure 20-26).

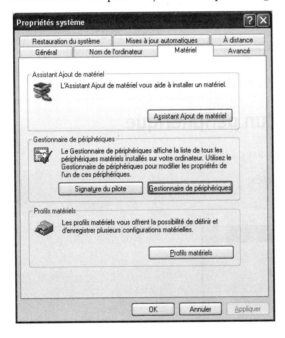

Figure 20-26 Accès aux périphériques de l'ordinateur.

4. Cliquez le bouton **Gestionnaire de périphériques**.

   Tous les périphériques sont regroupés par types.

5. Cliquez les boutons ⊞ et ⊟ pour développer ou réduire l'arborescence.

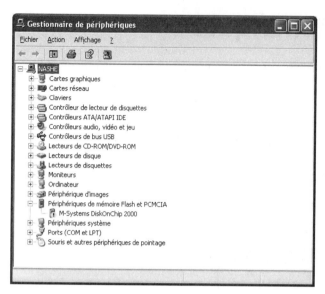

Figure 20-27 Liste des périphériques de votre ordinateur.

Les périphériques qui ne fonctionnent pas affiche le symbole ⚠.

Connaître le problème d'un périphérique

1. Cliquez le nom d'un périphérique avec l'icône ⚠.

2. Cliquez le menu **Action** → **Propriétés**.

3. Cliquez l'onglet **Général**.

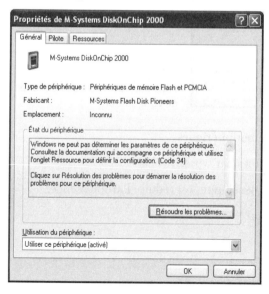

Figure 20-28 Propriétés d'un périphérique.

La zone **État du périphérique** (figure 20-28) indique le problème détecté par Windows. Suivez les conseils proposés pour remédier à la panne.

Utiliser le dépanneur en ligne

Beaucoup de périphériques peuvent être dépannés grâce à une aide en ligne spécialisée.

1. Cliquez le bouton **Résoudre les problèmes** (figure 20-28).

   Le dépanneur en ligne fonctionne sous forme de pages avec des questions pour cibler au mieux le problème et trouver la solution.

   La fenêtre de la figure 20-29 est un exemple. Elle est différente pour chaque type de périphérique.

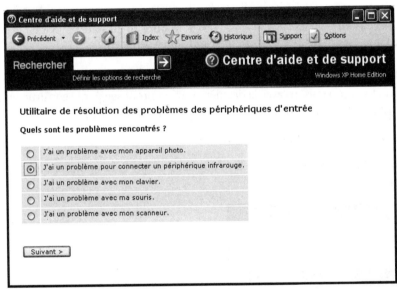

Figure 20-29 Aide pour le dépannage.

2. Suivez les instructions du dépanneur en ligne.

Connaître et modifier les pilotes

Sauf si votre périphérique est physiquement en panne, l'essentiel des problèmes dans un ordinateur provient des pilotes. Windows vous propose plusieurs solutions pour les remplacer ou les réinstaller.

1. Cliquez l'onglet **Pilote** (figure 20-30).

Figure 20-30 Informations sur le pilote d'un périphérique.

Cette boîte vous donne la date et le numéro de version du pilote. Ces informations vous permettent de faire des comparaisons avec la dernière version proposée par le constructeur (consultez le paragraphe « Mise à jour des pilotes » au début de ce chapitre).

2. Cliquez le bouton **Détails du pilote** (figure 20-30).

La boîte de la figure 20-31 donne la liste des fichiers qui correspondent au pilote actuellement installé.

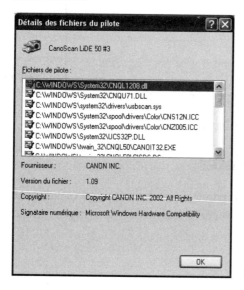

Figure 20-31 Liste des fichiers du pilote.

3. Cliquez le bouton **OK**.

Installer un nouveau pilote

1. Cliquez le bouton **Mettre à jour le pilote** (figure 20-30).

   La boîte de la figure 20-32 propose deux options :

   - **Installer le logiciel…** : Windows installe le pilote en sa possession. Utilisez cette option si le pilote n'a pas encore été installé ou pas installé correctement.

   - **Installer à partir…** : Windows vous demande l'emplacement du pilote (CD-ROM, disque dur, *etc.*). Utilisez cette option si vous avez un nouveau pilote, par exemple suite à un téléchargement sur Internet.

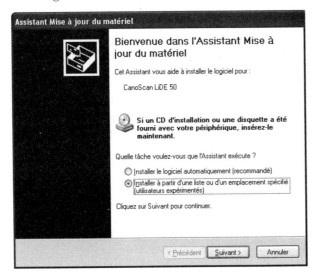

Figure 20-32 Mise à jour d'un pilote.

2. Cochez l'option qui correspond à votre cas.

3. Cliquez le bouton **Suivant** puis suivez les instructions de l'assistant.

Désinstaller un nouveau pilote

Si vous avez installé un nouveau pilote et que celui-ci pose des problèmes, vous pouvez revenir facilement à la version précédente.

1. Cliquez le bouton **Revenir à la version précédente**.

   Windows désinstalle le pilote actuel et réinstalle la version précédente.

Note En cas de problème, vous pouvez aussi utiliser le système de restauration de Windows (consultez le paragraphe « Restaurer Windows » plus haut dans ce chapitre).

Désinstaller un périphérique

Si vous désirez désinstaller un périphérique, vous pouvez aussi désinstaller le pilote correspondant.

1.   Cliquez le bouton **Désinstaller**.

2.   Cliquez le bouton **OK** pour confirmer la désinstallation.

>> Sécuriser votre ordinateur

Les connexions à Internet ne sont pas sans danger : virus, accès à des données confidentielles, espionnage de votre navigation, publicités non désirées, *etc.* Pour éviter cela, il est nécessaire de se protéger. C'est d'autant plus vrai si vous êtes connecté en permanence par le câble ou une ligne ADSL, car cela laisse du temps à des personnes mal intentionnées pour accéder à votre ordinateur.

Si vous désirez utiliser Internet en toute quiétude, ce chapitre vous est destiné. Outre les protections indispensables comme un logiciel antivirus et un pare-feu, vous trouverez ici des solutions pour éliminer les spywares et les fenêtres pop-up, ainsi que l'utilisation du centre de sécurité.

Utiliser le centre de sécurité

Avec le Service Pack 2 (SP2), Windows propose un centre de sécurité pour gérer et vérifier l'ensemble des protections. Pour vérifier que votre ordinateur est bien protégé, consultez-le.

Note Pour savoir si le Service Pack 2 est installé sur votre ordinateur, consultez le début du chapitre 20 (encadré « Connaître la version installée de Windows XP »).

1. Cliquez le bouton **Démarrer → Panneau de configuration**.

2. Cliquez ou double-cliquez l'icône **Centre de sécurité** (figures 19-1 ou 19-2).

La fenêtre de la figure 21-1 indique l'état des trois points essentiels de sécurité de votre ordinateur : Pare-feu, Mise à jour et Antivirus. Tant que ces trois éléments ne sont pas en actifs, l'icône s'affiche dans la barre de notification (à côté de l'horloge).

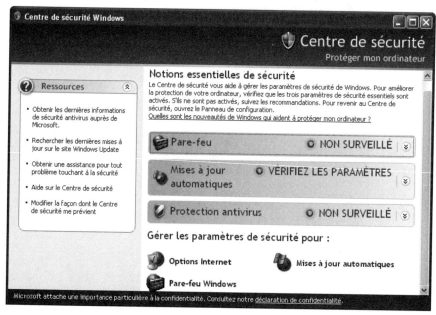

Figure 21-1
Centre de sécurité.

Activer le Pare-feu

Le pare-feu évite que des personnes non autorisées prennent le contrôle de votre ordinateur *via* Internet. Vous pouvez utiliser celui proposé par Windows XP ou en installer un autre (voir plus loin dans ce chapitre).

1. Cliquez le lien **Pare-feu Windows** (figure 21-1).

2. Cochez l'option **Activer** pour utiliser le pare-feu de Windows XP.

3. Si vous avez coché **Activé**, cochez **Ne pas autoriser d'exceptions** si vous utilisez un réseau public.

4. Cochez **Désactiver** si vous avez déjà un pare-feu.

Note Consultez aussi le paragraphe « Installer un pare-feu » plus loin dans ce chapitre.

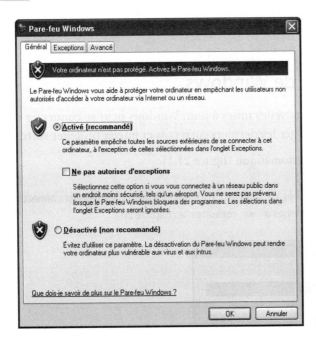

Figure 21-2 Gestion du pare-feu.

5. Cliquez le bouton **OK**.

Si vous utilisez un autre pare-feu que celui de Windows XP, le centre de sécurité considère que vous n'êtes pas protégé.

1. Cliquez le bouton ⊗ de la zone **Pare-feu**.

2. Cliquez le bouton **Recommandations**.

3. Cochez la case **J'ai une solution pare-feu…**.

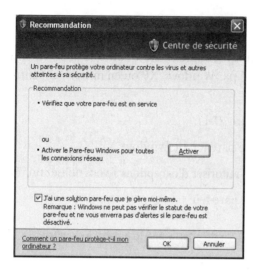

Figure 21-3 Gestion d'un autre pare-feu.

4.   Cliquez le bouton **OK**.

Activer la mise à jour de Windows

Pour être toujours informé des nouvelles mises à jour, Windows peut se connecter directement au site de Microsoft pour télécharger les derniers correctifs et mieux protéger votre ordinateur.

1.   Cliquez le lien **Mises à jour automatique** (figure 21-1).

Note ⊗ Les mises à jour sont effectuées *via* Internet. Vous devez être régulièrement connecté pour en bénéficier. Pour gérer les mises à jour, consultez le chapitre 20.

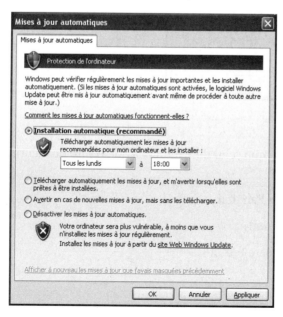

Figure 21-4 Activation des mises à jour.

2. Cliquez une des trois premières solutions proposées. Ne cliquez pas la dernière option qui désactive les mises à jour.

3. Si vous avez coché **Installation automatique**, choisissez le jour et l'heure dans les zones au-dessous.

4. Cliquez le bouton **OK**.

Vérifier l'antivirus

Windows ne propose pas d'antivirus. Vous devez uniquement indiquer au Centre de sécurité que vous avez un antivirus à jour.

Note Consultez le paragraphe « Se protéger des virus » un peu plus loin dans ce chapitre.

1. Cliquez le bouton de la zone Protection antivirus (figure 21-1).

2. Cliquez le bouton **Recommandations**.

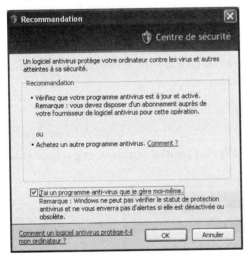

Figure 21-5 Gestion du logiciel antivirus.

3. Cochez la case **J'ai un programme anti-virus…**.

4. Cliquez le bouton **OK**.

Note Si votre ordinateur est protégé, l'icône ne s'affiche plus dans la zone de notification (à côté de l'horloge).

Se protéger des virus

À moins que vous n'utilisiez pas Internet ou un autre réseau, votre PC sera peut-être un jour confronté à des virus. Comme il en existe de nouveaux tous les mois, il est nécessaire d'installer un logiciel antivirus qui soit mis à jour périodiquement.

Définition ⊗ **Virus** : programme qui modifie intentionnellement le contenu de votre ordinateur dans le but de l'empêcher de fonctionner normalement. Certains virus suppriment vos documents ou les expédient à d'autres personnes par voie de messageries.

Il existe principalement deux causes pour que votre ordinateur soit contaminé par un virus :

- Les réseaux : c'est le chemin préféré des virus, car ils peuvent contaminer une grande quantité d'ordinateurs en quelques minutes. Cela concerne tous les réseaux, que ce soit Internet ou celui d'une entreprise. S'il est plutôt rare d'être contaminé en naviguant sur le Web, la messagerie, par contre, subit des attaques très fréquentes et de grande ampleur.

- Les disquettes et tous les supports amovibles en général : ce sont des supports auxquels on ne pense pas toujours. Même si vous connaissez la provenance d'une disquette, il est préférable de la vérifier avec un antivirus avant de l'utiliser. Le problème se pose moins avec les CD-ROM qui font l'objet de contrôle avant d'être mis sur le marché. Méfiez-vous cependant des CD-R (CD gravé) et des CD-RW (CD réinscriptible).

Installer un antivirus

Nous vous conseillons donc vivement d'installer un logiciel antivirus, et particulièrement si vous utilisez Internet et la messagerie.

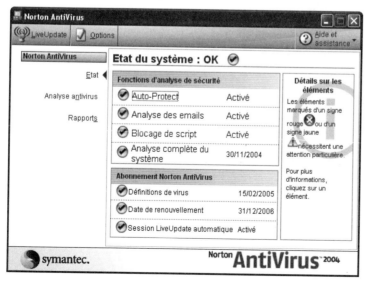

Figure 21-6 Norton AntiVirus de Symantec : sa mise à jour est automatique dès que vous vous connectez à Internet.

Il existe beaucoup d'antivirus sur le marché. Parmi les plus connus, citons Symantec Norton Antivirus, McAfee VirusScan ou Kaspersky Antivirus.

Choisissez en priorité un antivirus qui se met à jour automatiquement dès vous êtes connecté à Internet. Ainsi vous serez protégé en permanence.

Figure 21-7 Mise à jour automatique de la liste des virus et de leurs antidotes *via* Internet.

Vérifier un fichier

Dès que vous enregistrez un fichier sur votre disque dur, soit à partir d'un téléchargement, soit provenant d'une pièce jointe d'un message électronique, il y a lieu d'être prudent. Si vous avez des doutes sur un fichier, vous pouvez le vérifier avec votre antivirus.

1. Ouvrez le **Poste de travail** (bouton **Démarrer** ➜ **Poste de travail**).

2. Sélectionnez le dossier qui contient le fichier.

3. Cliquez avec le bouton droit de la souris le fichier à vérifier (figure 21-8). Ne le double-cliquez pas !

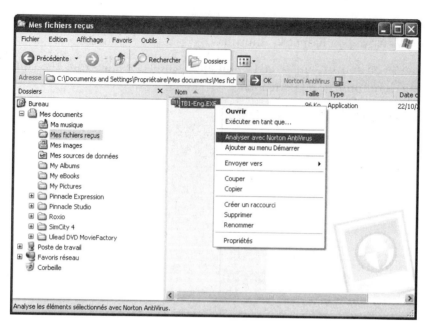

Figure 21-8
Vérification d'un
fichier avec un
antivirus.

4. Cliquez dans le menu contextuel la commande de vérification de fichiers de votre antivirus.
    Au besoin, consultez l'aide en ligne de ce dernier.

Installer un logiciel à partir d'Internet

Lors d'une simple navigation sur le Web, il peut arriver qu'un site tente d'installer un programme
sur votre ordinateur. Windows ouvre alors une boîte de dialogue comme celle de la figure 21-9.
Elle permet de vérifier l'origine du programme et donc de connaître son auteur. Pour une vérification approfondie, cliquez les liens proposés dans la boîte d'Avertissement de sécurité.

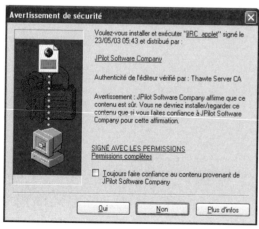

Figure 21-9 Boîte d'avertissement en cas
d'installation ou d'exécution d'un programme.

Conseil ⊗ Méfiez-vous des boîtes de dialogue qui ne correspondent pas à celle de la figure 21-9, même si elles vous proposent un bouton **Oui** et un bouton **Non** pour l'installation. Il est possible que le bouton **Non** effectue quand même l'installation. Le plus simple dans ce cas est d'effectuer un clic droit dans la barre des tâches sur le bouton correspondant à la boîte de dialogue, et de choisir la commande **Fermer**.

Supprimer les spywares

Bien qu'interdit par la loi « Informatique et liberté » (c'est une atteinte à votre vie privée), les spywares se répandent de plus en plus. Sachez que la plupart des logiciels de peer-to-peer installent un spyware.

Définition ⊗ **Spywares** : aussi appelés *trackwares*, ce sont des logiciels installés généralement à votre insu et qui espionnent votre navigation sur Internet dans un but commercial.

Même en prenant des précautions, on finit toujours par être victime des spywares. Ne vous êtes-vous jamais demandé pourquoi Internet Explorer affiche déjà des fenêtres de publicité avant même que vous commenciez à naviguer ? Pourquoi avez-vous systématiquement la même publicité, lors de votre navigation, et de surcroît dans une langue étrangère ? La réponse est simple : vous êtes victime d'un spyware !

Comme les virus, ces logiciels gênants peuvent se supprimer. Nous vous conseillons de télécharger le freeware Ad-aware de la société Lavasoft à l'adresse `www.lavasoft.de/french/`. Téléchargez aussi le « Languagepack » pour franciser le logiciel.

Ad-aware ne se contente pas de supprimer les spywares. Ce logiciel « nettoie » aussi la base de registre et efface les cookies indésirables (pour connaître le rôle des cookies et leur gestion, consultez le paragraphe « Gérer les cookies » dans ce chapitre).

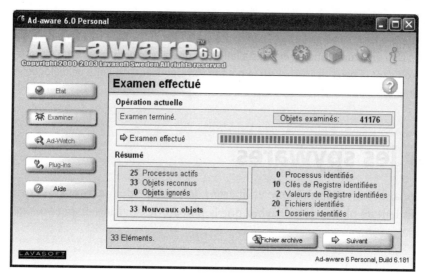

Figure 21-10
Suppression
des spywares
par Ad-aware.

Bloquer les fenêtres pop-up

Les pop-up sont des petites fenêtres, généralement publicitaire, qui s'ouvrent quand vous naviguez sur le Web. Certains sites abusent tellement de cette technique qu'il devient très difficile de naviguer en toute sérénité.

Pour vous débarrasser de ces fenêtres, il existe bien sûr des logiciels. Nous vous proposons ici deux solutions

Supprimer les pop-up avec Windows

Si vous avez installé le Service Pack 2 (voir début du chapitre 20), Internet Explorer intègre une fonction d'élimination des fenêtres pop-up.

1.   Cliquez le menu **Outils** → **Bloqueur de fenêtre intempestive** → **Activer le bloqueur de fenêtres....**

Note   Si le bloqueur est déjà actif, le menu propose la commande **Désactiver le bloqueur....**

Dès qu'un site affiche une fenêtre pop-up, une barre d'information vous indique que cette dernière est bloquée. La première fois, une boîte indique sont fonctionnement.

Figure 21-11 Suppression des pop-up avec Internet Explorer.

2.   Cochez la case **Ne plus afficher ce message**.

3.   Cliquez le bouton **OK**.

4.   Si vous désirez quand même afficher la fenêtre pop-up, cliquez la barre d'information puis la commande **Autoriser temporairement…**.

Afficher les fenêtres pop-up d'un site

Si vous ne désirez plus bloquer les fenêtres pop-up d'un site en particulier, suivez ces étapes.

1.   Ouvrez le site.

2.   Cliquez la barre d'information dès qu'une fenêtre pop-up est bloquée.

3.   Cliquez **Toujours autoriser…** pour afficher toutes les fenêtres pop-up du site en cours.

4.   Cliquez le bouton **Oui** pour confirmer l'autorisation dans la boîte qui s'affiche.

L'adresse du site est conservée dans une liste. Toutes ses fenêtres pop-up seront affichées.

Figure 21-12
Autorisation des
pop-up d'un site.

Gérer les options des fenêtres pop-up

Internet Explorer propose plusieurs options pour gérer les fenêtres pop-up.

1. Cliquez le menu **Outils → Bloqueur de fenêtre intempestive → Paramètres du bloqueur…**.

   La liste **Sites autorisés** affiche les sites dont les fenêtres pop-up ne sont pas bloquées.

2. Pour ajouter un site, tapez son adresse dans la zone du haut puis cliquez le bouton **Ajouter**.

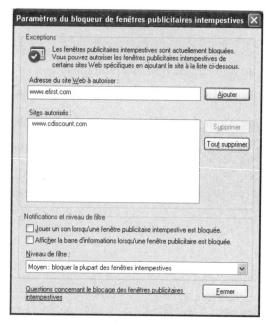

Figure 21-13 Options du bloqueur de pop-up.

3. Pour supprimer un site, cliquez-le dans la liste **Sites autorisés** puis cliquez le bouton **Supprimer**.

4. Pour être averti par un son qu'une fenêtre est bloquée, cochez la case **Jouer un son…**.

5. Pour être averti qu'une fenêtre est bloquée, cochez la case **Afficher la barre…**.

6. Cliquez le bouton **Fermer**.

Supprimer les pop-up avec la barre Google

La barre d'outils Google s'installe avec les autres barres d'outils d'Internet Explorer. En plus de la suppression des pop-up, elle permet d'effectuer des recherches, de surligner les mots clés dans les pages Web ou de remplir pour vous des zones de saisie (nom, prénom, *etc.*).

Vous pouvez la télécharger à l'adresse toolbar.google.com/intl/fr/.

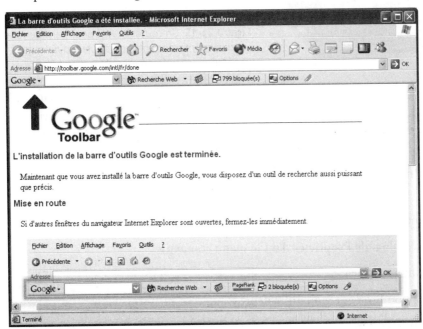

Figure 21-14 Barre d'outils Google dans Internet Explorer.

Installer un pare-feu

Pour éviter que des personnes non autorisées accèdent aux données de votre ordinateur *via* Internet, vous devez installer un pare-feu (fire-wall). Cette protection est vivement conseillée si vous êtes connecté en permanence avec l'ADSL ou le câble.

Il existe deux types de pare-feu : la version matérielle et la version logicielle.

La version matérielle est placée dans un routeur (boîtier de partage d'une connexion Internet) ou dans un point d'accès sans fil (Wi-Fi). Si vous devez opter un jour pour un de ces deux matériels, vérifiez qu'il possède bien un pare-feu intégré. La solution matérielle est généralement plus efficace que la solution logicielle.

Figure 21-15 Un routeur Wi-Fi pour partager une connexion Internet entre plusieurs ordinateurs : il contient un pare-feu matériel.

Vous trouverez, chez les différents éditeurs d'antivirus, des pare-feu logiciels (Symantec, McAfee, *etc.*). Avec Windows XP, vous disposez d'un pare-feu en standard. Si la version Service Pack 2 de Windows XP est installée sur votre ordinateur, voyez « Utiliser le centre de sécurité » au début de ce chapitre pour activer le pare-feu. Si vous utilisez une ancienne version de Windows XP, voici comment procéder :

1. Cliquez le bouton **Démarrer** ➔ **Connexions**.

2. Cliquez avec le bouton droit la connexion à protéger.

3. Cliquez la commande **Propriétés** dans le menu contextuel.

4. Cliquez l'onglet **Avancé**.

5. Cochez l'option **Protéger mon ordinateur…**.

6. Cliquez le bouton **OK**.

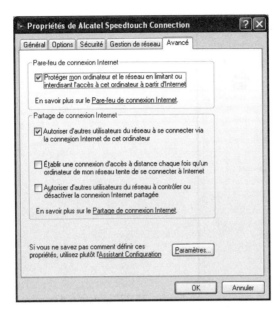

Figure 21-16 Installation du pare-feu de Windows XP.

Sécuriser la navigation sur le Web

Si vous craignez que la visite de certains sites endommage votre ordinateur ou donne accès à des renseignements confidentiels, réglez le niveau de sécurité pour vous protéger.

Définir le niveau de sécurité

Internet Explorer propose quatre niveaux de sécurité prédéfinis. Choisissez celui avec lequel vous désirez naviguer.

1. Ouvrez Internet Explorer (bouton **Démarrer ➜ Internet**).

2. Cliquez le menu **Outils ➜ Options Internet**.

3. Dans l'onglet **Sécurité**, cliquez l'icône **Internet** dans la liste du haut.

4. Cliquez le bouton **Niveau par défaut**.

5. Dans la zone **Niveau de sécurité**, faites glisser le curseur pour choisir le niveau de sécurité (voir tableau 21-1). Si le curseur n'apparaît pas, cliquez au préalable le bouton **Niveau par défaut**.

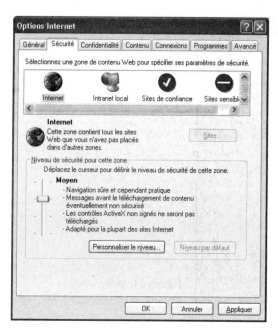

Figure 21-17 Sélection d'un niveau de sécurité pour la navigation sur Internet.

6. Cliquez le bouton **OK**.

Note ⊗ Si vous choisissez un niveau trop bas, une boîte de dialogue s'affiche. Cliquez le bouton **Oui** pour accepter le niveau choisi.

Niveau	Sécurité
Élevé	Sécurité maximale. Les fonctionnalités les moins sûres sont désactivées. Les autres nécessitent une confirmation. Certains sites risquent de ne plus être accessibles. C'est la navigation la moins pratique.
Moyen	Sécurité par défaut d'Internet Explorer. Le chargement d'éléments non sécurisés nécessite votre approbation. Les contrôles ActiveX non signés sont refusés. C'est la navigation la plus pratique avec un minimum de sécurité. Niveau recommandé.
Moyennement bas	Identique au niveau moyen, mais les éléments non sécurisés ne demandent pas votre approbation. Les contrôles ActiveX non signés sont toujours refusés.
Faible	Aucune sécurité. La plupart des contenus sont chargés sans confirmation au préalable. Ce niveau est fortement déconseillé. À n'utiliser que si vous naviguez exclusivement sur des sites connus.

Tableau 21-1 Niveaux de sécurité dans Internet Explorer.

Rétablir le niveau de sécurité par défaut

Si après la modification du niveau de sécurité certains sites ne sont plus accessibles, rétablissez les options par défaut.

1.   Dans l'onglet **Sécurité** de la boîte **Options Internet**, cliquez le bouton **Niveau par défaut**.

Personnaliser un niveau de sécurité

Si les fonctionnalités proposées par défaut pour chaque niveau de sécurité ne vous conviennent pas, modifiez-les.

1.   Dans Internet Explorer, cliquez le menu **Outils → Options Internet**.

2.   Dans l'onglet **Sécurité**, cliquez l'icône **Internet** dans la liste du haut.

3.   Choisissez un niveau de sécurité avec le curseur.

4.   Cliquez le bouton **Personnaliser le niveau**.

5.   Cliquez le bouton [?] en haut à droite, puis cliquez une option pour afficher une boîte d'information qui vous indiquera son utilité.

6.   Modifiez les options souhaitées.

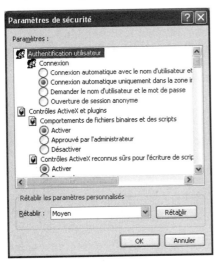

Figure 21-18 Modification d'un niveau de sécurité pour la navigation sur Internet.

7.   Cliquez le bouton **OK**.

Note Pour retrouver les valeurs par défaut, sélectionnez le niveau dans la liste **Rétablir**, puis cliquez le bouton **Rétablir**.

Définir les sites sensibles et de confiance

Vous pouvez dresser la liste des sites potentiellement dangereux et ceux en lesquels vous avez toute confiance.

1. Dans Internet Explorer, cliquez le menu **Outils → Options Internet**.

2. Dans l'onglet **Sécurité**, cliquez l'icône **Sites de confiance** ou **Sites sensibles**.

3. Cliquez le bouton **Sites**.

4. Tapez l'adresse du site de confiance ou sensible.

    Dès les premières lettres, une liste propose les sites déjà visités (figure 21-19).

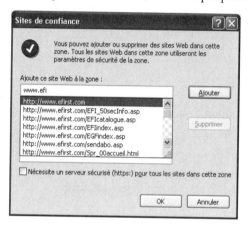

Figure 21-19 Liste des sites déjà visités.

5. Cliquez le site dans la liste ou tapez l'adresse complète.

6. Cliquez le bouton **Ajouter**.

Note Si dans la zone **Sites de confiance** les sites ne sont pas sécurisés (leur adresse commence par le protocole https), décochez l'option **Nécessite un serveur sécurisé**.

7. Répétez les étapes **4** et **5** pour les autres sites.

8. Cliquez le bouton **OK**.

9. Éventuellement, cliquez **Personnaliser le niveau** pour choisir le comportement des sites de confiance ou sensibles.

10. Cliquez le bouton **OK**.

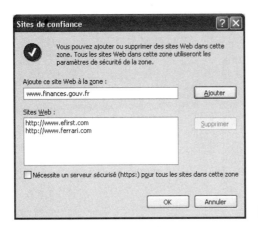

Figure 21-20 Liste des sites de confiance.

Gérer les cookies

Les cookies sont des fichiers enregistrés sur votre disque dur par les sites Web que vous consultez. Ils contiennent des renseignements à votre sujet, comme la date de votre dernière visite, les pages visitées, les produits que vous avez choisis, *etc.*

Définir le niveau de confidentialité des cookies

Vous ne souhaitez pas que les sites Web consultés abusent des cookies ? Contrôlez leur utilisation en personnalisant le niveau de confidentialité.

1. Dans Internet Explorer, cliquez le menu **Outils → Options Internet**.

2. Dans l'onglet **Confidentialité**, faites glisser le curseur pour choisir le niveau de confidentialité.

    La boîte de la figure 21-21 affiche à côté du curseur un descriptif du niveau choisi.

Figure 21-21 Niveau de confidentialité des cookies.

Définir votre propre stratégie

Si vous affiner la gestion des cookies, définissez vous-même les paramètres à suivre.

1. Dans l'onglet **Confidentialité** de la boîte **Options Internet**, cliquez le bouton **Avancé**.

2. Cochez la case **Ignorer la gestion des cookies**.

3. Cochez les options qui vous conviennent.

Note ⊗ Les cookies de session sont systématiquement effacés dès que vous fermez Internet Explorer. Vous pouvez donc les accepter temporairement puisqu'ils ne seront plus présents lors de votre prochaine visite sur les mêmes sites.

4. Éventuellement, cochez la case **Toujours accepter les cookies de la session**.

5. Cliquez le bouton **OK**.

Figure 21-22 Gestion personnalisée des cookies.

Supprimer les cookies

Si vous ne souhaitez pas que les sites Web accèdent aux cookies stockés sur votre ordinateur, supprimez ces derniers.

1. Dans la boîte **Options Internet** (figure 21-21), cliquez l'onglet **Général**.

2. Cliquez le bouton **Supprimer les cookies**.

3. Cliquez le bouton **OK** pour confirmer la suppression des cookies.

> > Modifier le Registre de Windows

Le Registre est une base de données qui regroupe tous les paramètres nécessaires au bon fonctionnement de Windows. Il concerne le matériel, les logiciels, y compris ceux que vous installez, la configuration du PC et les paramètres des utilisateurs.

Avant les versions 32 bits de Windows, la première étant Windows 95, les paramètres étaient stockés dans des dizaines de fichiers textes portant l'extension .ini. La majeure partie des informations était stockée dans les fichiers systeme.ini et win.ini, mais chaque application avait aussi son propre fichier de configuration. Les deux fichiers précédemment cités existent toujours pour conserver la compatibilité avec les anciennes applications 16 bits.

En modifiant le Registre, vous pouvez accéder à des paramètres inaccessibles avec les outils standard de Windows.

Ouvrir le Registre

Pour consulter ou modifier le Registre, Windows propose un outil simple d'emploi appelé Regedit.

1.   Cliquez le bouton **Démarrer** → **Exécuter** ou tapez ⊞+**R**.

2.   Dans la zone **Ouvrir** de la boîte Exécuter, tapez **Regedit** et appuyez sur la touche **Entrée**.

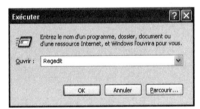

Figure 22-1 Boîte d'exécution d'un programme.

Structure du Registre

Le Registre est organisé sous forme d'arborescence, comme les dossiers d'un disque dur. Au plus haut niveau, en dessous du Poste de travail, on trouve cinq branches principales, appelées aussi « ruches » (*hives* en anglais). Dans chacune de ces branches, on trouve des clés (*key* en anglais). Ces dernières peuvent aussi contenir des sous-clés, comme des sous-dossiers sur un disque.

Une fois que vous avez sélectionné une clé, la partie de droite affiche sa ou ses valeurs. Chaque valeur est composée d'un nom, du type de donnée, et de la donnée elle-même.

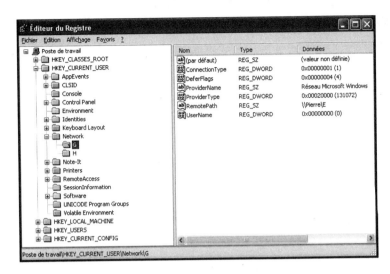

Figure 22-2 L'éditeur du Registre.

Les ruches correspondent au stockage des valeurs comme présentées dans le tableau 22-1.

Ruche	Description
HKEY_CLASSES_ROOT	Association des fichiers, raccourcis clavier, *etc.*
HKEY_CURRENT_USER	Informations sur la configuration de l'utilisateur courant (Bureau, menu Démarrer, *etc.*).
HKEY_LOCAL_MACHINE	Informations sur la configuration de l'ordinateur (matériel, logiciels, pilotes, *etc.*).
HKEY_USERS	Information sur la configuration de tous les utilisateurs de la machine.
HKEY_CURRENT_CONFIG	Information sur la configuration matérielle de démarrage.

Tableau 22-1 Structure du Registre.

Un exemple pour comprendre le Registre

Lors de son exécution, Windows utilise la base de registre pour définir la manière de traiter certaines données ou de suivre certaines conduites. Par exemple, si vous désirez inverser le comportement des boutons droit et gauche de la souris, Windows propose une boîte de dialogue pour vous permettre d'effectuer ce changement (**Panneau de configuration** ➔ icône **Souris** ➔ onglet **Boutons**).

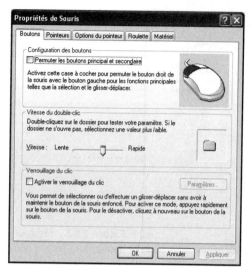

Figure 22-3 Propriétés de la souris dans le Panneau de configuration.

Si vous cochez l'option **Permuter les boutons**, Windows modifie alors la base de registre. La valeur SwapMouseButtons de la clé HKEY_CURRENT_USER\Control Panel\Mouse passe alors de la donnée 0 à la donnée 1. Dans cet exemple, Windows propose effectivement une boîte de dialogue, mais il existe des milliers d'autres valeurs qui ne sont modifiables qu'à partir du Registre.

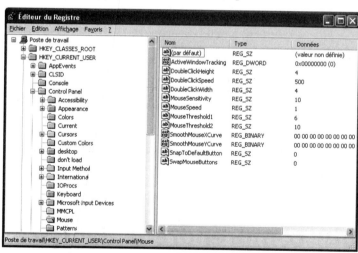

Figure 22-4 Propriétés de la souris dans la base de registre.

Exporter et importer le Registre

Avant de vous lancer dans la modification du Registre, il est indispensable d'en posséder une copie. Vous pourrez ainsi le restaurer en cas de problème. La commande d'exportation permet de conserver une branche particulière ou le Registre complet. Faites au moins une copie complète, puis des copies des branches à modifier.

Exporter le Registre

1. Si vous désirez enregistrer une seule branche ou clé, sélectionnez-la au préalable.

2. Cliquez le menu **Fichier → Exporter**.

3. Cochez l'option **Tout** ou **Branche sélectionnée** en fonction de la sauvegarde à effectuer.

4. Sélectionnez le dossier de sauvegarde dans la zone **Enregistrer dans**.

5. Tapez un nom pour la sauvegarde dans la zone **Nom du fichier**.

Astuce ⊗ Pour mieux classer vos sauvegardes, ajoutez la date dans le nom. Vous pourrez ainsi sauvegarder plusieurs fois la même branche ou le Registre complet, mais à des dates différentes.

Figure 22-5 Sauvegarde du Registre complet ou d'une branche.

6. Cliquez le bouton **Enregistrer**.

Le Registre complet représente plusieurs dizaines de mégaoctets. Sa taille est fonction des matériels et des logiciels installés.

Conseil ⊗ La copie complète du Registre doit être effectuée à chaque fois que vous modifiez votre configuration, soit par l'ajout ou la suppression d'un matériel, soit par l'installation ou la désinstallation d'un logiciel.

Conseil ⊗ Il n'est pas possible de copier directement les fichiers du Registre tant que vous êtes sous Windows. Pour effectuer une copie et la restaurer, consultez le paragraphe « Sauvegarder le Registre » à la fin de ce chapitre.

Importer le Registre

Si vous rencontrez des problèmes après la modification du Registre, restaurez la sauvegarde faite au préalable.

1. Cliquez le menu **Fichier** → **Importer**.

2. Sélectionnez le dossier de sauvegarde dans la zone **Regarder dans**.

3. Cliquez le nom de la sauvegarde à restaurer. (Les sauvegardes portent l'extension .reg.)

4. Cliquez le bouton **Ouvrir**.

5. Cliquez le bouton **OK** dans la boîte de confirmation de restauration.

Conseil ⊗ Pour connaître la date des sauvegardes, cliquez le bouton 🖾 puis sélectionner **Détails**. La colonne Date vous fournit alors cette information.

Rechercher une clé dans le Registre

Le Registre étant très complexe, il est préférable d'effectuer une recherche pour trouver la clé qui vous intéresse.

1. Sélectionnez la clé à partir de laquelle doit s'effectuer la recherche. Pour parcourir tout le Registre, sélectionnez **Poste de travail**.

2. Cliquez le menu **Edition** → **Rechercher** ou tapez **Ctrl+F**.

3. Tapez le mot clé dans la zone **Rechercher**.

4. Cochez la (ou les) case(s) du type de recherche (**Clés**, **Valeurs** ou **Données**).

5. Cochez la case **Mot entier seulement** pour retrouver uniquement le mot clé de la zone **Rechercher**.

6. Cliquez le bouton **Suivant**.

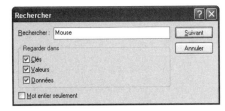

Figure 22-6 Recherche d'une donnée dans le Registre.

La première valeur trouvée est sélectionnée.

7. Appuyez autant de fois que nécessaire sur la touche **F3** pour trouver les autres occurrences du mot recherché.

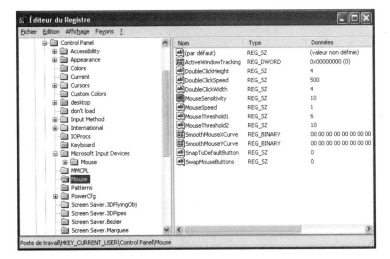

Figure 22-7 Résultat de la recherche dans le Registre.

Modifier une entrée du Registre

Les entrées se modifient facilement car l'éditeur de Registre ouvre une boîte de dialogue correspondant au type de données.

1. Recherchez la clé à modifier dans la partie de gauche (cliquez les signes ⊞ plus pour développer l'arborescence).

2. Double-cliquez la valeur dans la partie de droite.

   La boîte qui s'ouvre est différente en fonction du type de donnée à modifier.

3. Tapez la nouvelle donnée dans la zone **Donnée de la valeur**.

   Dans notre exemple, nous remplaçons la donnée 0 par la donnée 1. Les boutons de la souris seront inversés.

4. Cliquez le bouton **OK**.

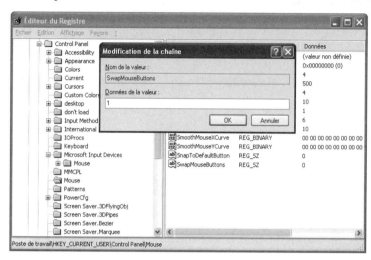

Figure 22-8 Modification d'une donnée dans le Registre.

Ne modifiez qu'une seule entrée à la fois et vérifiez le résultat. La prise en charge des modifications est fonction du type de valeur. Certaines sont prises en charge immédiatement, alors que d'autres ne le seront qu'après redémarrage de l'ordinateur.

Ajouter une entrée au Registre

Certaines catégories d'entrées nécessitent l'ajout de nouvelles valeurs. C'est le cas, par exemple, pour ajouter des chemins d'accès vers des programmes à la place des traditionnels raccourcis.

1. Recherchez la clé qui doit contenir une nouvelle entrée.

2. Dans la partie de droite, cliquez avec le bouton droit une zone sans valeur.

3. Cliquez la commande **Nouveau** puis le type de donnée de la valeur dans le menu contextuel. Pour ajouter une sous-clé, cliquez simplement **Clé**.

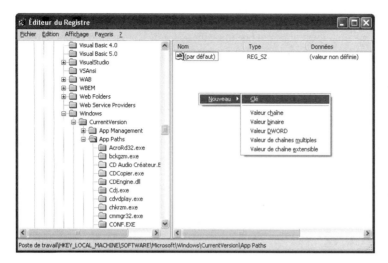

Figure 22-9 Ajout d'une entrée au Registre.

4. Que vous ayez choisi de créer une nouvelle clé ou une nouvelle valeur, tapez immédiatement son nom et validez avec la touche **Entrée** pour remplacer la valeur proposée par défaut.

5. Si vous avez créé une valeur, double-cliquez-la pour modifier sa donnée.

Renommer une entrée

Si vous n'avez pas saisi un nom à l'étape **4**, ou si vous désirez tout simplement renommer l'entrée, effectuez les étapes suivantes :

1. Cliquez avec le bouton droit la clé ou la valeur.

2. Cliquez la commande **Renommer** dans le menu contextuel.

3. Tapez le nouveau nom puis validez avec la touche **Entrée**.

Supprimer une entrée du Registre

Vous pouvez facilement supprimer des entrées dans la base de registre. Nous pourrions même dire « trop facilement ». Avant de supprimer quoi que ce soit, faites dix fois le tour de votre chaise, le temps d'y réfléchir. La suppression de certaines entrées peut rendre votre PC instable, voire impossible à redémarrer. Commencez donc par faire une sauvegarde de la clé à supprimer, voire du Registre complet.

1. Sélectionnez la clé ou la valeur à supprimer.

2. Appuyez sur la touche **Suppr**.

3. Cliquez le bouton **Oui** pour supprimer définitivement la clé ou la valeur.

Attention ⊗ Dans l'éditeur de Registre, il n'existe pas de commande **Edition → Annuler**. La suppression est donc définitive dès que vous cliquez le bouton **Oui**. Avant de cliquer ce bouton, faites encore dix fois le tour de votre chaise, pour une ultime réflexion…

Figure 22-10 Suppression d'une entrée dans le Registre.

Astuce ⊗ Une autre solution consiste à renommer la clé ou la valeur. Ainsi, les données sont conservées, et il est plus facile de revenir en arrière en redonnant tout simplement le nom d'origine. Si vous utilisez cette solution, cela ne vous empêche pas de faire des sauvegardes des clés ou du Registre. On n'est jamais trop prudent !

Astuce ⊗ Quand une clé ou une valeur est renommée, Windows considère qu'elle n'existe plus, puisque le système d'exploitation ne la trouve pas sous son nom d'origine. Pour Windows, elle est donc supprimée.

Utiliser les favoris

Comme dans Internet Explorer, vous pouvez conserver les liens vers les clés que vous modifiez fréquemment.

Créer une entrée dans les favoris

1. Sélectionnez la clé à conserver dans les favoris.

2. Cliquez le menu **Favoris → Ajouter aux Favoris**.

3. Tapez un nom mnémonique pour le favori.

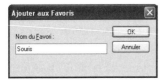

Figure 22-11 Ajout d'une entrée dans les favoris.

4. Cliquez le bouton **OK**.

Utiliser un favori

1. Cliquez le menu **Favoris**.

   La liste de vos favoris apparaît en bas de la liste du menu.

2. Cliquez un favori pour afficher la clé correspondante.

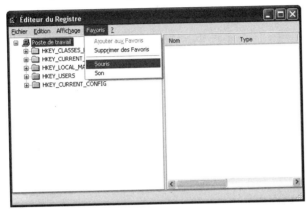

Figure 22-12 Accès à un favori.

Supprimer un favori

1. Cliquez le menu **Favoris** → **Supprimer des Favoris**.

2. Cliquez le favori à supprimer dans la liste.

3. Cliquez le bouton **OK**.

Imprimer le Registre

Pour conserver une trace de certaines entrées, vous pouvez les imprimer. L'impression de l'ensemble du Registre n'est nécessaire que pour une étude approfondie. Comme cela prend une centaine de pages, choisissez uniquement les clés importantes pour vous.

1. Sélectionnez la branche à imprimer.

2. Cliquez le menu **Fichier** → **Imprimer**.

3. Éventuellement, sélectionnez l'imprimante à utiliser dans la liste du haut.

4. Cochez l'option **Branche sélectionnée**.

Note ⊗ Si vous cochez l'option **Tout**, prévoyez le papier en conséquence...

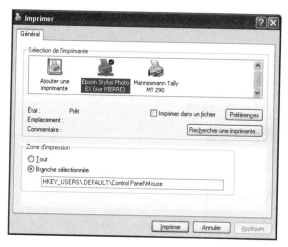

Figure 22-13 Impression d'une branche du Registre.

5.   Cliquez le bouton **Imprimer**.

Créer vos propres entrées

Si vous devez réaliser plusieurs modifications du Registre, et ce, pour plusieurs ordinateurs (par exemple, dans une entreprise), il est plus rapide de créer votre propre fichier de configuration et de l'appliquer à toutes les machines.

Le plus simple pour comprendre la structure d'un fichier .reg est d'en ouvrir un avec le Bloc-notes.

1.   Sauvegardez une clé du Registre.

2.   Dans le Poste de travail, cliquez le fichier .reg avec le bouton droit de la souris.

3.   Cliquez la commande **Modifier** dans le menu contextuel.

Attention ⊗   Si vous double-cliquez le fichier, Windows considère que vous désirez modifier le Registre. Il vous propose cependant une boîte de confirmation avant toutes modifications.

Le fichier s'ouvre dans le Bloc-notes.

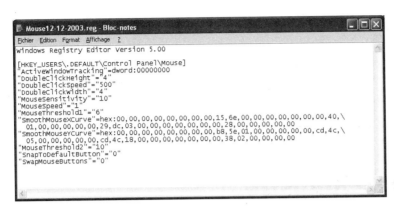

Figure 22-14 Fichier « .reg » dans le Bloc-notes.

La première ligne donne les références de la version de l'éditeur de Registre. La ligne entre crochets correspond à la clé. Les lignes qui suivent correspondent aux valeurs et à leurs données.

Comme il s'agit d'un fichier texte, vous pouvez créer le vôtre de la même manière. Il est toutefois plus facile d'exporter chaque clé avec l'éditeur de Registre, puis de regrouper les informations dans un seul et même fichier.

Ajouter au début du fichier les références de la version, puis en dessous les clés avec les valeurs et leurs données.

Par exemple, le fichier .reg de la figure 22-15 ajoute ou modifie deux clés dans la base de registre.

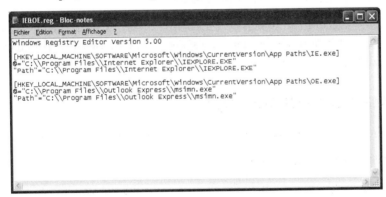

Figure 22-15 Exemple de fichier « .reg » qui ajoute ou modifie des clés.

Quand une clé n'existe pas, elle est créée. Si elle existe déjà dans le Registre, elle remplace celle existante.

Pour supprimer une clé dans le Registre, il suffit d'ajouter un signe moins après le crochet ouvrant (donc devant le nom de la clé). L'exemple de la figure 22-16 supprime deux clés du Registre.

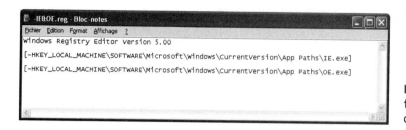

Figure 22-16 Exemple de fichier « .reg » qui supprime des clés.

Sauvegarder le Registre

La meilleure solution pour conserver une copie du Registre consiste à l'exporter. Mais si Windows ne redémarre plus, vous n'aurez pas accès à l'importation pour le restaurer. Il faut donc utiliser une autre moyen pour copier et restaurer le Registre : le DOS.

Attention ⊗ La restauration du Registre par la technique présentée ci-après ne doit être utilisée qu'en dernier recours, quand vous avez déjà tout essayé et que Windows refuse obstinément de démarrer.

Tous les fichiers du Registre se trouvent dans le dossier `C:\Windows\System32\Config` (en supposant que Windows est installé dans le dossier `C:\Windows`). Windows effectue régulièrement une copie de ces fichiers dans le dossier `C:\Windows\Repair`.

Il est impossible de copier directement les fichiers du Registre avec l'Explorateur car ils sont en cours d'utilisation. La copie doit donc s'effectuer sous DOS quand Windows n'est pas chargé. La restauration s'effectue de la même manière.

Créer une disquette de démarrage

Pour démarrer l'ordinateur sous DOS, vous devez créer une disquette de démarrage.

1. Ouvrez le Poste de travail ou l'Explorateur.

2. Insérez une disquette vierge ou contenant des données sans importance. (Tous les fichiers seront effacés.)

3. Cliquez avec le bouton droit le lecteur de disquette A:.

4. Cliquez la commande **Formater** dans le menu contextuel.

5. Cochez la case **Créer une disquette de démarrage MS-DOS**.

Figure 22-17   Création d'une disquette de démarrage.

6.   Cliquez le bouton **Démarrer**.

7.   Cliquez le bouton **OK** pour confirmer la perte des données de la disquette.

8.   Cliquez le bouton **Fermer** quand le formatage est terminé.

Créer des fichiers de commande

La base de registre utilise les fichiers suivants : DEFAULT, SAM, SECURITY, SOFWARE et SYSTEM. Ces fichiers doivent être copiés du dossier `Config` vers le dossier que vous allez créer.

1.   Dans le Poste de travail, créez un dossier pour recevoir une copie des fichiers du Registre, par exemple `C:\SauvReg`.

Pour éviter de retaper à chaque copie les lignes de commande à partir de l'invite du DOS, il est plus simple de créer un fichier qui regroupe lesdites commandes.

1.   Ouvrez le Bloc-notes (bouton **Démarrer** → **Tous les programmes** → **Accessoires** → **Bloc-notes**).

2.   Tapez les lignes suivantes :

```
Copy C:\Windows\System32\Config\Default C:\SauvReg
Copy C:\Windows\System32\Config\Sam C:\SauvReg
Copy C:\Windows\System32\Config\Security C:\SauvReg
Copy C:\Windows\System32\Config\Software C:\SauvReg
Copy C:\Windows\System32\Config\System C:\SauvReg
```

Note   ⊗   Il y a un espace entre `Copy` et `C:\`, et entre `Default`, `Sam`, `Security`, `Software`, `System` et `C:\` (aidez-vous de la figure 22-18).

Figure 22-18 Fichier de commandes pour la sauvegarde du Registre.

3. Insérez la disquette de démarrage dans le lecteur.

4. Cliquez le menu **Fichier → Enregistrer**.

5. Tapez **A:\Copier.bat** dans la zone **Nom du fichier**.

6. Cliquez le bouton **Enregistrer**.

Comme pour la copie, il est plus simple de créer un fichier de commande pour restaurer les fichiers du Registre.

1. Éventuellement, ouvrez le Bloc-notes.

2. Tapez les lignes suivantes :

```
Copy C:\SauvReg\Default C:\Windows\System32\Config
Copy C:\SauvReg\Sam C:\Windows\System32\Config
Copy C:\SauvReg\Security C:\Windows\System32\Config
Copy C:\SauvReg\Software C:\Windows\System32\Config
Copy C:\SauvReg\System C:\Windows\System32\Config
```

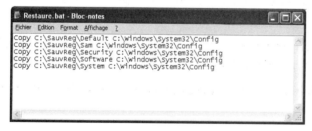

Figure 22-19 Fichier de commandes pour la restauration du Registre.

3. Éventuellement, insérez la disquette de démarrage dans le lecteur.

4. Cliquez le menu **Fichier → Enregistrer**.

5. Tapez **A:\Restaure.bat** dans la zone **Nom du fichier**.

6. Cliquez le bouton **Enregistrer**.

7. Fermez le Bloc-notes.

Copier les fichiers du Registre

Vous devez effectuer une copie du Registre dans les cas suivants :

- Vous avez modifié la configuration matérielle de votre ordinateur.
- Vous avez installé ou désinstallé des programmes.
- Vous désirez effectuer des modifications dans le Registre.
- Vous désirez conserver une version plus récente du Registre.

1. Arrêtez votre ordinateur par la procédure habituelle.

2. Insérez la disquette de démarrage dans le lecteur.

3. Redémarrez l'ordinateur.

4. À l'invite de commande A:\>, tapez **Copier** et validez avec la touche **Entrée**.

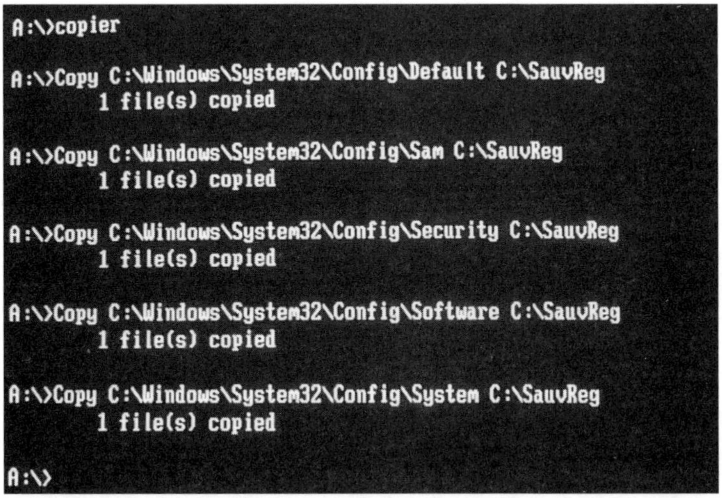

Figure 22-20 Copie de sauvegarde sous DOS.

Les fichiers du Registre sont sauvegardés dans le dossier SauvReg.

Note Si vous avez oublié de créer le dossier SauvReg, tapez **MD C:\Sauvreg** à l'invite de commande A:\>. La commande MD correspond à Make Directory (créer un dossier).

Restaurer le Registre

Si, après avoir essayé toutes les solutions pour réparer votre ordinateur (consultez le chapitre 21), Windows refuse de démarrer, vous pouvez restaurer le Registre avec la méthode ci-dessous.

1. Quand l'ordinateur est arrêté, insérez la disquette de démarrage dans le lecteur.

2. Démarrez l'ordinateur.

3. À l'invite de commande A:\>, tapez **Restaure** et validez avec la touche **Entrée**.

   Les fichiers sauvegardés du Registre sont copiés dans le dossier `C:\Windows\System32\Config`.

4. Retirez la disquette du lecteur.

5. Éteignez l'ordinateur, attendez quelques secondes, puis rallumez-le.

Chapitre

23

> > Créer et gérer un réseau

Dès que vous possédez deux ordinateurs, vous pouvez installer un réseau. Celui-ci va vous permettre de partager vos ressources, par exemple un disque dur, un dossier, une imprimante ou une connexion Internet.

Pour installer un réseau, il n'est pas nécessaire d'être technicien. Ce chapitre vous le confirme.

Choisir le matériel

Cartes réseau

Pour créer un réseau, vous devez installer une carte d'interface dans chaque ordinateur. Comme toutes les cartes actuelles sont plug-and-play, Windows XP la détectera et l'installera automatiquement.

On trouve des cartes réseaux à partir de 15 €.

Figure 23-1   Carte réseau PCI.

1. Installez une carte réseau dans chacun de vos ordinateurs. Consultez les notices jointes pour plus de détails.

Concentrateur (hub)

Le concentrateur, ou *hub* en anglais, est un dispositif qui permet de créer un réseau en reliant ensemble les cartes réseaux de plusieurs ordinateurs. Il n'y a pas d'installation particulière si ce n'est de l'alimenter électriquement.

On trouve des concentrateurs pour quatre ordinateurs à partir de 30 €.

Figure 23-2
Concentrateur
réseau.

Toutes les cartes réseau sont reliées au concentrateur avec des câbles de type RJ45. Ces derniers ressemblent à des câbles téléphoniques mais les prises aux extrémités sont un peu plus volumineuses.

Figure 23-3 Câble réseau RJ45.

Astuce ⊗ Si vous n'avez que deux ordinateurs, vous pouvez relier directement leur carte réseau sans passer par un concentrateur. Utilisez dans ce cas un câble RJ45 de type « croisé ».

Configurer un réseau

Pour vous simplifier la tâche, Windows XP propose un assistant de configuration. Cet assistant doit être exécuté sur tous les ordinateurs du réseau qui ne sont pas encore configurés. Si un des ordinateurs doit partager sa connexion à Internet, exécutez l'assistant en priorité sur celui-ci.

1. Cliquez le bouton **Démarrer** → **Tous les programmes** → **Accessoires** → **Communications** → **Assistant configuration du réseau**.

    La première boîte de l'assistant présente les avantages des réseaux.

2. Cliquez le bouton **Suivant**.

    La deuxième boîte liste toutes les opérations matérielles à réaliser avant de poursuivre la configuration.

Figure 23-4 Liste des éléments réseau à vérifier.

3. Vérifiez tous les éléments, puis cliquez le bouton **Suivant**.

    La boîte de la figure 23-5 vous demande la manière utilisée par cet ordinateur pour se connecter à Internet (directement ou *via* un autre ordinateur). Si les propositions ne vous conviennent pas, cliquez l'option **Autre** puis le bouton **Suivant** pour afficher la boîte de la figure 23-6. Si Windows a déjà détecté une connexion partagée, c'est la boîte de la figure 23-7 qui s'affiche.

4. Si vous obtenez les boîtes des figures 23-5 ou 23-6, cochez l'option correspondant à la connexion Internet. Si vous obtenez l'écran de la figure 23-7, cochez l'option **Oui** afin d'utiliser la connexion partagée.

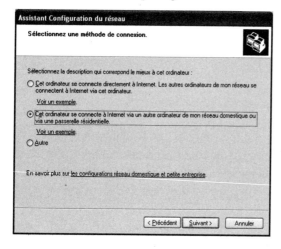

Figure 23-5 Types de connexions à Internet.

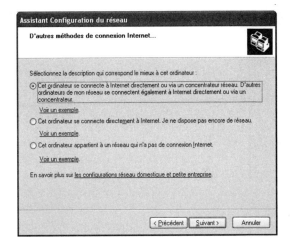

Figure 23-6 Autres types de connexions à Internet.

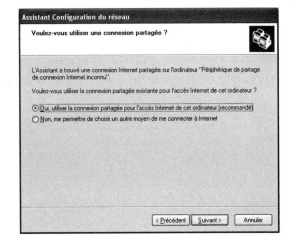

Figure 23-7 Boîte s'affichant si Windows a déjà trouvé une connexion Internet.

5. Cliquez le bouton **Suivant**.

6. Saisissez une description de votre ordinateur dans la première zone.

   Le nom de votre ordinateur permet son identification sur le réseau. Ce nom est utilisé dans le partage des ressources.

7. Saisissez le nom de l'ordinateur dans la seconde zone. Ce nom doit être unique sur le réseau. Il ne doit pas dépasser 15 caractères. Il ne doit contenir que des lettres et des chiffres (pas d'espaces ni de caractères spéciaux).

Figure 23-8 Description et nom de l'ordinateur.

8. Cliquez le bouton **Suivant**.

   Un groupe de travail est un ensemble d'ordinateurs qui partagent leurs ressources. Ce nom doit donc être identique pour tous les ordinateurs de votre réseau local.

9. Saisissez le nom du groupe de travail. (Vous pouvez garder le nom par défaut : MSHOME.)

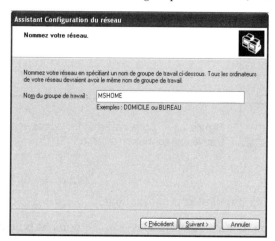

Figure 23-9 Nom du groupe de travail.

10. Cliquez le bouton **Suivant**.

    La boîte suivante récapitule les paramètres de votre réseau. En cas d'erreur, vous pouvez toujours cliquer le bouton **Précédent** pour effectuer des modifications.

11. Cliquez le bouton **Suivant**.

    Pour finir la configuration du réseau, vous devez exécuter l'assistant sur tous les ordinateurs. Si ces derniers n'utilisent pas Windows XP, l'assistant propose une étape supplémentaire pour créer une disquette.

12. Cochez l'option **Terminer uniquement cet Assistant...**.

13. Cliquez le bouton **Suivant**.

14. Cliquez le bouton **Terminer**.

Parcourir le réseau

Dès que vous êtes connecté au réseau, vous pouvez accéder aux ressources partagées par les autres ordinateurs (disques durs, dossiers ou imprimantes).

1. Cliquez le bouton **Démarrer** → **Favoris réseau**.

2. Cliquez le lien **Voir les ordinateurs du groupe de travail** dans le volet de gauche.

   La partie de droite affiche tous les ordinateurs actuellement connectés (figure 23-10).

Figure 23-10 Ordinateurs du groupe de travail.

3. Double-cliquez l'ordinateur auquel vous désirez accéder.

   Les dossiers et les imprimantes partagés par l'ordinateur choisi apparaissent dans la partie de droite (figure 23-11).

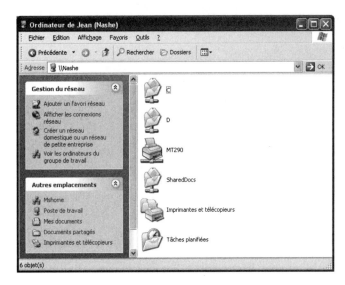

Figure 23-11 Dossiers et imprimantes partagés par un ordinateur du réseau.

4. Double-cliquez un dossier pour l'ouvrir et accéder à son contenu.

Vous pouvez aussi utiliser l'Explorateur ou le Poste de travail en cliquant l'icône **Voisinage réseau**. Les groupes, les ordinateurs et les dossiers s'affichent sous forme d'arborescence comme dans la figure 23-12.

Figure 23-12 Arborescence des Favoris réseau.

Partager un disque ou un dossier

Pour permettre aux autres utilisateurs du groupe d'accéder à vos ressources, vous devez les partager.

1. Ouvrez l'Explorateur ou le Poste de travail.

2. Cliquez avec le bouton droit le disque ou le dossier à partager.

3. Cliquez la commande **Partage et sécurité** dans le menu contextuel.

4. Éventuellement, cliquez le lien **Si, malgré les risques…** pour afficher l'intégralité de la boîte de la figure 23-13.

5. Cochez la case **Partager ce dossier sur le réseau**.

6. Éventuellement, tapez un autre nom que celui proposé dans la zone **Nom du partage**.

7. Pour donner le plein accès aux fichiers du dossier (lecture et modification), cochez la case **Autoriser les utilisateurs...**.

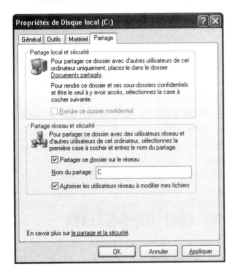

Figure 23-13 Partage d'un disque ou d'un dossier.

8. Cliquez le bouton **OK** pour débuter le partage du disque ou du dossier.

Note Pour partager une imprimante réseau ou vous y connecter, consultez le chapitre 19.

Se connecter à un dossier partagé

Si vous utilisez toujours la même ressource d'un autre ordinateur, il est plus simple de la déclarer comme connexion permanente. Elle sera disponible à chaque démarrage de votre ordinateur.

1. Ouvrez l'Explorateur ou le Poste de travail.

2. Cliquez le menu **Outils → Connecter un lecteur réseau**.

3. Sélectionnez dans la liste **Lecteur** la lettre de la ressource telle qu'elle doit apparaître dans l'Explorateur ou le Poste de travail. Les lettres déjà utilisées ne sont pas disponibles dans la liste. Par défaut, c'est la première lettre libre en partant de la fin de l'alphabet qui est proposée.

Le chemin de la ressource sur le réseau utilise la syntaxe suivante :

`\\nom de l'ordinateur\nom de partage`

4. Tapez le chemin de la ressource dans la zone **Dossier**, par exemple `\\Bureau\Documents`.

5.   Cochez la case **Se reconnecter...** pour que la connexion soit permanente à chaque démarrage.

Figure 23-14 Connexion à une ressource partagée.

6.   Cliquez le bouton **Terminer**.

Définir le type d'ouverture de session

Windows propose deux manières d'ouvrir une session : l'écran d'accueil ou la boîte d'ouverture de session classique. La première est à utiliser avec les ordinateurs multi-utilisateurs qui ne sont pas connectés à un réseau. La seconde est à utiliser pour les ordinateurs connectés à un réseau qu'ils soient ou non multi-utilisateurs.

1.   Cliquez le bouton **Démarrer** → **Panneau de configuration**.

2.   Cliquez le lien **Comptes d'utilisateurs**. Double-cliquez l'icône si vous êtes en affichage classique.

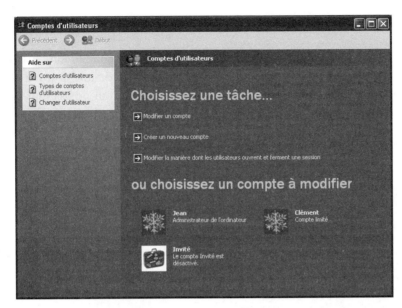

Figure 23-15 Modification des comptes d'utilisateurs.

3. Cliquez le lien **Modifier la manière dont les utilisateurs ouvrent et ferment une session**.

4. Cochez la case **Utiliser l'écran d'accueil** pour utiliser celui-ci. Décochez cette case pour utiliser la boîte d'ouverture de session classique.

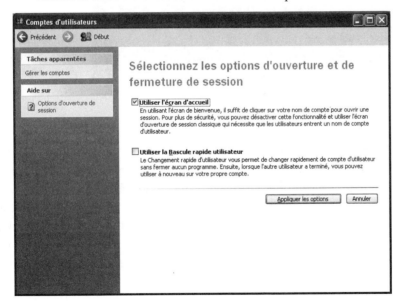

Figure 23-16 Choix du type d'ouverture de session.

5. Cliquez le bouton **Appliquer les options**.

6. Cliquez le bouton **Démarrer** → **Fermer la session**.

7. Cliquez le bouton **Fermer la session** pour confirmer.

Écran d'accueil

Si vous avez choisi l'écran d'accueil, la fenêtre ci-dessous s'affiche à chaque démarrage ou à chaque changement d'utilisateur. Il suffit de cliquer un nom pour ouvrir une nouvelle session. Vous devez cependant saisir le mot de passe si vous en avez défini un. Pour ne pas vous tromper dans ce dernier, Windows affiche le type de clavier utilisé (Fr pour un clavier français).

Figure 23-17
Écran d'accueil
multi-utilsateurs.

Boîte d'ouverture de session

Si vous avez choisi la boîte classique, vous devez saisir le nom et le mot de passe de l'utilisateur. Windows affiche cependant le nom du dernier utilisateur connecté. Si un mot de passe n'a pas été défini pour cet utilisateur, il suffit d'appuyer sur la touche **Entrée**. S'il s'agit d'un compte d'administrateur, il suffit à un utilisateur limité ou à un invité d'appuyer sur la touche **Entrée** au démarrage de l'ordinateur pour avoir les mêmes droits qu'un administrateur. Il est donc indispensable d'ajouter un mot de passe pour les comptes d'administrateurs, et, éventuellement, de ne pas afficher le nom du dernier utilisateur dans la boîte d'ouverture de session (voir le paragraphe « Supprimer le nom du dernier utilisateur dans la boîte d'ouverture de session » plus loin dans ce chapitre).

Limiter les accès avec des mots de passe

Windows permet de restreindre l'accès de certaines fonctions aux utilisateurs « limités » et aux invités. Mais si un utilisateur, ayant un compte d'administrateur, n'a pas de mot de passe, n'importe quel utilisateur peut se connecté à sa place et modifier les paramètres de l'ordinateur.

Attention ⊗ Seuls les utilisateurs avec des droits d'administrateur peuvent modifier les mots de passe.

1. Cliquez le bouton **Démarrer → Panneau de configuration**.

2. Cliquez le lien **Comptes d'utilisateurs**. Double-cliquez l'icône si vous êtes en affichage classique.

3. Cliquez le lien **Modifier un compte**.

4. Cliquez le compte à modifier.

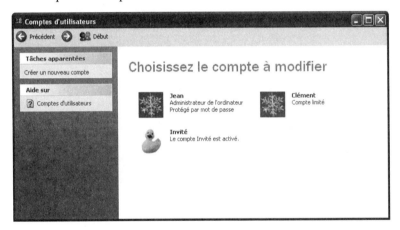

Figure 23-18 Fenêtre de modification des comptes.

Note ⊗ En fonction du compte choisi, Windows propose plusieurs solutions : **Changer mon mot de passe, Supprimer mon mot de passe** ou **Créer un mot de passe**.

5. Cliquez le lien **Créer un mot de passe** (figure 23-19).

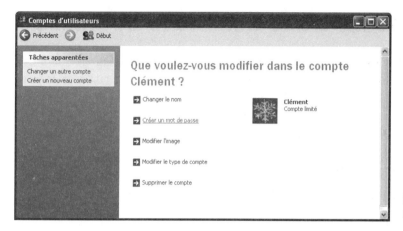

Figure 23-19 Gestion d'un compte d'utilisateur.

6. Tapez le mot de passe dans la première zone.

7. Tapez de nouveau le mot de passe dans la seconde zone.

8. Tapez dans la dernière zone un mot ou une phrase qui vous permettra de vous souvenir du mot de passe en cas d'oubli.

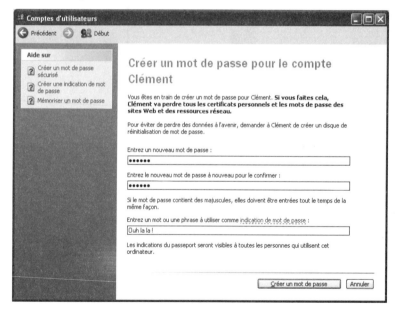

Figure 23-20 Saisie d'un mot de passe.

9. Cliquez le bouton **Créer un mot de passe**.

Supprimer l'accès des invités

Pour éviter que des personnes non autorisées n'ouvrent une session sur votre ordinateur, il est préférable de supprimer l'accès des invités.

Attention ⊗ Seuls les utilisateurs avec des droits d'administrateur peuvent modifier les comptes.

1. Cliquez le bouton **Démarrer** → **Panneau de configuration**.

2. Cliquez le lien **Comptes d'utilisateurs**. Double-cliquez l'icône si vous êtes en affichage classique.

3. Cliquez le compte **Invité** (figure 23-21).

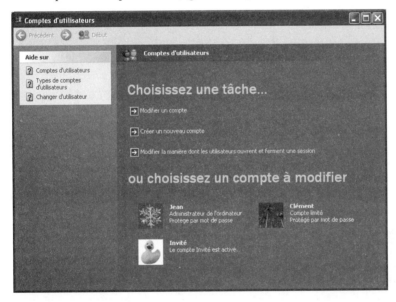

Figure 23-21 Modification des comptes d'utilisateurs.

4. Cliquez le lien **Désactiver le compte invité** (figure 23-22).

Figure 23-22 Suppression du compte Invité.

Après cette modification, le compte « invité » n'apparaîtra plus dans la fenêtre d'ouverture de session. Si vous ajoutez des mots de passe pour chaque compte, seules des personnes autorisées pourront accéder à l'ordinateur.

Conseils sur la sécurité

Windows restreint la modification des paramètres de l'ordinateur aux utilisateurs limités et aux invités. Par exemple, ils ne pourront pas installer de nouveaux logiciels. Si c'est le cas, la boîte de la figure 23-23 s'affiche pour demander le nom et le mot de passe de l'administrateur.

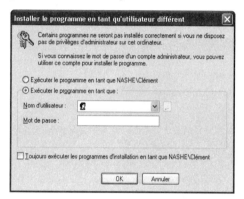

Figure 23-23   Installation d'une application par un invité.

Si l'utilisateur ne fournit pas ces renseignements, il est fort probable que l'installation échoue lors de la modification de certains paramètres comme ceux de la base de registre (figure 23-24).

Figure 23-24   Erreur d'installation d'une application.

Mais les utilisateurs limités et les invités ont accès au Poste de travail donc à tous les dossiers et tous les fichiers. C'est pour cette raison qu'il est nécessaire de supprimer le compte « invité » et d'ajouter des mots de passe à tous les autres comptes si vous désirez protéger votre ordinateur des intrus.

Supprimer le nom du dernier utilisateur dans la boîte d'ouverture de session

Pour éviter que le nom du dernier utilisateur apparaisse dans la boîte d'ouverture de session classique, modifiez la base de registre.

Attention ⊗ Cette astuce nécessite d'accéder au Registre. Pour plus d'informations, reportez-vous au chapitre 22.

1. Tapez ⊞+**R**.

2. Tapez **Regedit** puis **Entrée** dans la boîte Exécuter.

3. Sélectionnez la clé HKEY_LOCAL_MACHINE\SOFTWARE\Microsoft\Windows\Current Version\policies\system.

4. Double-cliquez la valeur **DontDisplayLastUserName**.

Note ⊗ Si la valeur n'existe pas, cliquez le menu **Edition → Nouveau → Valeur DWORD**, puis tapez **DontDisplayLastUserName** comme nom de la nouvelle valeur.

5. Tapez **1** dans la zone Données de la valeur. Cliquez le bouton **OK** pour valider.

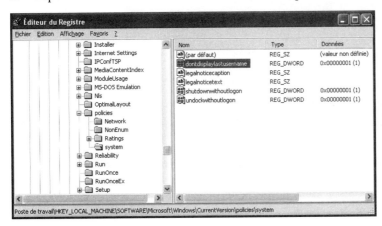

Figure 23-25 Suppression le nom du dernier utilisateur *via* le Registre.

La modification prendra effet au prochain démarrage ou à l'ouverture d'une nouvelle session.

Note ⊗ Tapez **0** dans la valeur **DontDisplayLastUserName** pour rétablir le nom du dernier utilisateur dans la boîte d'ouverture de session.

Conserver les mots de passe pour éviter les oublis

Avant d'avoir oublié votre mot de passe, conservez-le dès maintenant sur une disquette.

Attention ⊗ Seuls les utilisateurs avec des droits d'administrateur peuvent accéder à ces outils.

1. Cliquez le bouton **Démarrer** → **Panneau de configuration**.

2. Cliquez le lien **Comptes d'utilisateurs**. Double-cliquez l'icône si vous êtes en affichage classique.

3. Cliquez le compte dont vous désirez conserver durablement le mot de passe.

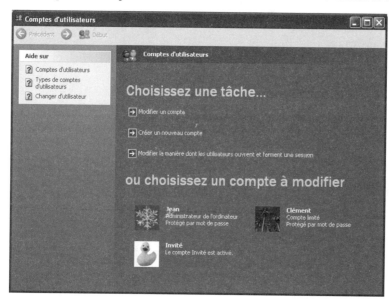

Figure 23-26 Gestion des comptes d'utilisateurs.

Note ⊗ À côté de chaque icône, un texte vous indique le type de compte (administrateur, limité, avec ou sans mot de passe, *etc.*).

4. Dans la zone **Tâches apparentées** de la partie de gauche de la fenêtre, cliquez le lien **Empêcher un mot de passe oublié**.

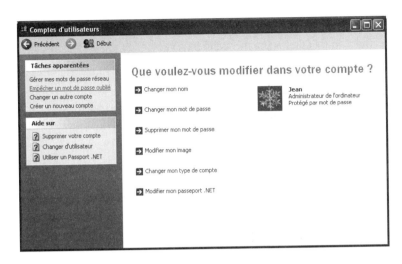

Figure 23-27 Modifications d'un compte d'utilisateur.

Windows a même prévu un assistant pour créer cette disquette.

5. Cliquez le bouton **Suivant** dans la première boîte de l'assistant.

6. Insérez une disquette dans le lecteur comme le demande l'assistant.

Note Cachez soigneusement la disquette permettant la connexion à votre ordinateur. Il n'est pas nécessaire que la disquette soit vierge, contrairement à ce qui est indiqué par l'assistant.

7. Cliquez le bouton **Suivant**.

8. Tapez le mot de passe avec lequel vous vous êtes connecté en tant qu'administrateur.

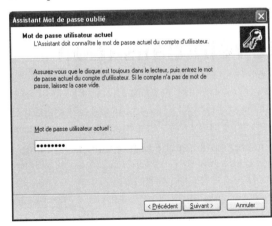

Figure 23-28 Saisie du mot de passe d'administrateur.

9. Cliquez le bouton **Suivant**.

L'assistant effectue une sauvegarde des informations de connexion de session sur la disquette.

Note ⊗ Si vous avez déjà utilisé la disquette pour d'autres sauvegardes, une boîte vous en avertit. Cliquez le bouton **Oui** si vous désirez supprimer l'ancienne version, ou cliquez le bouton **Non**, puis changez de disquette.

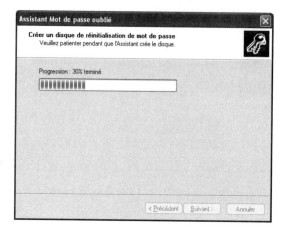

Figure 23-29 Création d'une disquette de sauvegarde d'un mot de passe.

10. Cliquez le bouton **Suivant** dès que la création du fichier de connexion est terminée.

11. Cliquez le bouton **Terminer** dans la dernière boîte de l'assistant.

Note ⊗ Si vous effectuez une restauration du système, Windows ne modifie pas les mots de passe, mais conserve les derniers. En effet, les mots de passe ont peut-être été modifiés depuis les anciens points de sauvegarde, ce qui vous obligerait à connaître tous les anciens mots de passe.

Utiliser la disquette de réinitialisation du mot de passe

En cas d'oubli, vous devez utiliser la disquette créée précédemment.

1. Dans la boîte d'ouverture de session, appuyez sur la touche **Entrée** sans saisir le mot de passe puisque vous ne le connaissez plus.

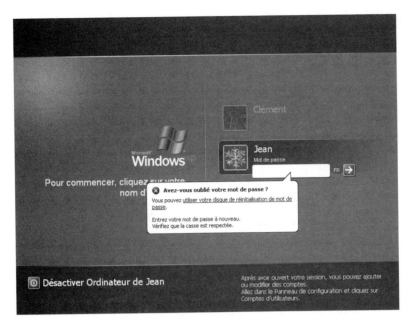

Figure 23-30 Connexion avec un mot de passe oublié.

2. Cliquez le lien **Utiliser votre disque…** dans l'écran d'accueil, ou cliquez le bouton **Réinitialiser** dans la boîte d'ouverture de session.

   Pour l'accès à partir de la disquette, Windows propose aussi un assistant.

3. Cliquez le bouton **Suivant** dans la première boîte de l'assistant.

4. Insérez la disquette contenant les fichiers d'accès avec le mot de passe.

5. Cliquez le bouton **Suivant**.

   Si vous avez votre mot de passe (celui qui se trouve sur la disquette), c'est le moment d'en choisir un autre.

6. Tapez le mot de passe dans la première zone.

7. Tapez de nouveau le mot de passe dans la seconde zone.

8. Tapez dans la dernière zone un mot ou une phrase qui vous permettra de vous souvenir du mot de passe en cas d'oubli.

Figure 23-31 Changement du mot de passe.

9. Cliquez le bouton **Suivant**.

10. Cliquez le bouton **Terminer** dans la dernière boîte de l'assistant.

Vous revenez ensuite à la fenêtre ou la boîte de connexion.

11. Tapez le mot de passe saisi à l'étape **6**.

Changer rapidement de session sans fermer les programmes

Si l'ordinateur est sollicité constamment par plusieurs personnes, vous pouvez utiliser le système de bascule rapide. Il offre un énorme avantage : l'utilisateur en cours retrouvera ses applications et ses documents dès qu'il rouvrira sa session.

Note   Si cette fonction a un énorme avantage, elle a aussi un énorme inconvénient : les applications en cours prennent des ressources du système. L'ouverture d'une autre session se retrouvera donc limitée en ressources. La mémoire virtuelle est alors très sollicitée.

1. Cliquez le bouton **Démarrer → Panneau de configuration**.

2. Cliquez le lien **Comptes d'utilisateurs**. Double-cliquez l'icône si vous êtes en affichage classique.

3. Cliquez le lien **Modifier la manière dont les utilisateurs ouvrent et ferment une session**.

4. Cochez la case **Utiliser la Bascule rapide utilisateur**.

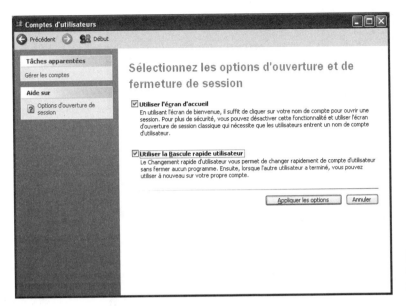

Figure 23-32 Utilisation du changement rapide d'utilisateur.

Note La bascule rapide ne fonctionne que pour les ouvertures de session avec l'écran d'accueil.

5. Cliquez le bouton **Appliquer les options**.

   Vous pouvez maintenant changer d'utilisateur sans que vos applications soient fermées.

6. Cliquez le bouton **Démarrer** → **Fermer la session**.

Figure 23-33 Changement d'utilisateur.

7. Cliquez le bouton **Changer d'utilisateur**.

   La fenêtre d'accueil indique le nombre de programmes en cours pour chacun des utilisateurs.

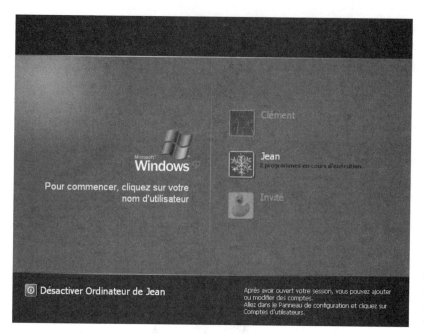

Figure 23-34 Fenêtre d'ouverture de session après un changement d'utilisateur.

8.   Cliquez le nom de l'utilisateur dont vous désirez ouvrir une session.

Converser entre plusieurs PC

Si vous aviez l'habitude de converser avec les autres personnes de votre réseau local dans les anciennes versions de Windows *via* le programme WinPopUp, il existe un équivalent dans Windows XP.

1.   Taper ⊞+**R**.

2.   Tapez **Winchat** puis **Entrée**.

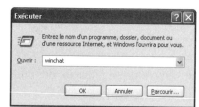

Figure 23-35 Exécution de Winchat.

3.   Dans la fenêtre Conversation, cliquez le bouton 🖳.

Attention ⊗ Pour communiquer sur le réseau avec cet outil, les ordinateurs appelés doivent être sous Windows XP.

4. Dans la zone **Ordinateur**, tapez le nom du correspondant sur le réseau, ou sélectionnez-le directement dans la zone **Choisissez un ordinateur**.

Figure 23-36 Liste des ordinateurs du réseau.

5. Cliquez le bouton **OK**.

Une fenêtre s'ouvre automatiquement chez le correspondant. La conversation peut commencer dès qu'il a cliqué le bouton 🖾. La fenêtre est scindée en deux parties pour permettre de taper du texte et de voir celui saisie par l'autre personne.

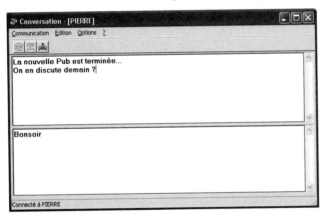

Figure 23-37 Conversation dans Winchat.

Pour finir la conversation, il suffit de cliquer le bouton 🖾.

Utiliser WinPopUp

Même s'il ne permet pas de converser comme dans WinChat, WinPopUp permet d'expédier des messages sur un réseau hétérogène.

1. Avec une version antérieure à Windows XP, cliquez le bouton **Démarrer → Exécuter**.

2. Tapez **Winpopup** puis **Entrée**.

3. Expédiez votre message comme à l'accoutumée.

L'ordinateur sous Windows XP recevra le message sous forme de boîte de dialogue.

Figure 23-38 Message expédié par WinPopUp.

Partie

VI

> > **Tirer le meilleur parti de Windows XP**

[Suivant >]   [Annuler]

>>**Dépannage rapide**

Suivant > | Annuler

dans ce chapitre

→ Matériel

→ Système

→ Logiciels

→ Internet

→ Sécurité

Affichage

L'aperçu des images a disparu

Vous savez qu'un double clic sur un fichier d'image ouvre cette dernière dans son programme de visualisation par défaut. Ce programme doit être associé au type d'image. Si vous avez perdu cette association :

1. Faites un clic droit sur une image (GIF, JPG, PNG…) et choisissez **Ouvrir avec**.

2. Cliquez sur **Choisir le programme**.

3. Dans la fenêtre qui apparaît, cliquez sur **Aperçu des images et des télécopies Windows** pour rétablir le mode d'affichage par défaut de Windows.

4. Cochez la case **Toujours utiliser le programme sélectionné pour ouvrir ce type de fichier**.

5. Cliquez sur le bouton **OK**.

Vous avez parfaitement le droit de choisir le programme qui vous agrée pour visualiser vos images.

Les icônes du bureau n'apparaissent pas

Les icônes n'apparaissent plus sur le bureau. Pour les réinstaller :

1. Faites un clic droit sur une zone neutre du bureau et choisissez **Propriétés**.

2. Cliquez sur l'onglet **Bureau**.

3. Cliquez sur le bouton **Personnalisation du bureau**, puis sur l'onglet **Général**.

4. Cochez les case des icônes que vous voulez afficher (figure 24-1).

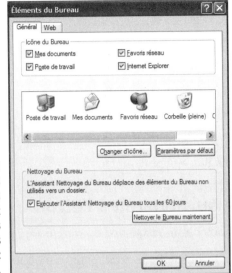

Figure 24-1
Cochez les cases correspondant aux icônes que vous voulez afficher.

Où se trouvent les images de fond d'écran ?

Les images utilisées comme papier peint, c'est-à-dire les images de fond d'écran, sont stockées dans le dossier :

`C:\WINDOWS\Web\Wallpaper`

Vous pouvez les copier à volonté.

L'option d'affichage Pellicule a disparu

Si l'option **Pellicule** n'apparaît pas avec un dossier spécifique :

1. Faites un clic droit sur ce dossier, puis cliquez sur **Propriétés**.

2. Cliquez sur l'onglet **Personnaliser**.

3. Sous **Utilisez ce type de dossier comme modèle**, cliquez sur **Album photos** ou sur **Images**.

4. Cliquez sur **OK**.

Afficher un message sur le bureau à l'aide du Bloc-notes

Pour placer un long message sur le bureau :

1. Faites un clic droit sur une zone libre du bureau, puis cliquez sur **Nouveau →
   Document texte**.

2. Une icône de fichier apparaît. Renommez-la immédiatement comme bon vous semble, par exemple **Message**. Conservez son extension par défaut, .txt.

3. Double-cliquez dessus : le Bloc-notes s'affiche.

4. Entrez le texte qui vous intéresse.

5. Cliquez sur le menu **Fichier** → **Enregistrer**.

6. Quittez le Bloc-notes.

Dès lors, vous pouvez double-cliquer sur la même icône, sur le bureau, pour que son texte s'affiche dans le Bloc-notes.

Copier ce qui apparaît à l'écran

Si vous voulez obtenir un instantané de votre écran, vous devez :

• Appuyer sur la touche **Impr écran** pour une photographie de la totalité de ce qui se trouve à l'écran.

• Appuyer sur **Alt + Impr écran** pour photographier la seule fenêtre active.

Cette image est récupérée dans le Presse-papiers. De là, sans même l'ouvrir, vous pouvez l'introduire dans un document quelconque, par exemple dans le traitement de texte Word ou dans le logiciel de dessin Paint inclus dans Windows XP. Il suffit de faire un simple **coller**.

Note Ce n'est qu'en introduisant l'image de l'écran (laquelle se trouve dans le Presse-papiers) dans un autre logiciel que vous pourrez l'enregistrer dans un format exploitable, ou bien encore l'imprimer.

Aide

Aide et support a disparu du menu Démarrer

Si la commande **Aide et support** n'apparaît plus dans le menu ouvert avec le bouton **démarrer** :

1. Faites un clic droit sur **démarrer** et cliquez sur **Propriétés**.

2. Cliquez sur **Personnaliser** → **Avancé**.

3. Dans la liste **Éléments du menu Démarrer**, cochez la case **Aide et support**.

4. Cliquez sur **OK**.

Remarquez que les rubriques de cette liste définissent ce qui doit apparaître dans le menu **Démarrer**.

Consulter les bases de connaissances Microsoft

Si vous avez besoin d'aide sur un problème quelconque, vous pouvez consulter les bases de connaissances Microsoft. Il en existe deux, l'une en français et l'autre, bien plus complète, en anglais. Vous y accéderez *via* cette adresse :

```
http://support.microsoft.com/default.aspx?scid=fh;[ln];kbhowto
```

Rechercher de l'aide dans ces bases ou dans des sites spécifiques à Microsoft se révélant parfois laborieux, le plus simple est de passer par le site Google, spécialisé dans l'aide sur Microsoft, à :

```
http://www.google.com/microsoft.html
```

Afficher ou supprimer l'astuce du jour (Saviez-vous que...)

L'astuce du jour est une forme d'aide qui ne « mange pas de pain » et que vous pouvez assimiler à doses homéopathiques. Lorsque la fenêtre de l'Explorateur Windows ou celle du Poste de travail est ouverte, vous pouvez l'afficher :

1. Cliquez sur le menu **Affichage** ➜ **Volet d'exploration**.

2. Sélectionnez **Astuce du jour** pour cocher cette commande. L'astuce s'affiche en bas de l'écran.

Si vous cliquez sur **Astuce suivante**, vous affichez la suivante. Pour supprimer cet affichage, décochez la même commande.

L'aide de Windows ne s'affiche pas

Si vous ne parvenez pas à afficher les écrans d'aide de Windows, procédez à cette vérification :

1. Cliquez sur le bouton **démarrer** ➜ **Panneau de configuration** ➜ **Performances et maintenance** ➜ **Outils d'administration**.

2. Double-cliquez sur **Services**.

3. Trouvez la ligne **Aide et support** et vérifiez si **Démarré** apparaît, avec la mention **Automatique**.

4. Si tel n'est pas le cas, votre panne s'explique : faites un clic droit sur cette ligne, choisissez **Propriétés** et, dans le volet **Général**, à **Type de démarrage**, choisissez **Automatique**.

Dépannage rapide

Associations de fichiers

Comprendre ce que sont les associations de fichiers

Grâce aux programmes, vous pouvez créer des documents personnels que vous enregistrerez en tant que fichiers. Chaque programme marque de son empreinte les fichiers qu'il a permis de créer en ajoutant au nom que vous leur décernez une extension spécifique. Windows maintient une table listant ces extensions, afin de les associer à leur programme :

- L'extension, constituée généralement d'un point et de trois ou quatre caractères (.doc, .txt, .html), suit le nom du fichier.

- Chaque extension est associée à un type de fichier particulier. Elle identifie le programme à utiliser pour ouvrir ce fichier. Par exemple .doc caractérise un fichier Word.

Le lien entre un document et un programme s'appelle une **association de fichiers**. Si vous double-cliquez sur un tel fichier dans le **Poste de travail** ou dans n'importe quelle autre fenêtre (**Explorateur Windows** ou fenêtre de recherche), Windows ouvre son programme, puis ce fichier dans la foulée. Toutefois, les circonstances peuvent faire que :

- Vous ne souhaitez pas ouvrir un type de fichier donné dans son programme d'origine, car vous voulez changer de programme. Par exemple, vous voulez ouvrir un fichier graphique .gif non pas dans Paint, mais dans Photoshop.

- Vous utilisez un type de fichiers que Windows ne connaît pas. Il vous appartient de lui indiquer quel programme il doit utiliser pour l'ouvrir.

- Vous venez d'installer un nouveau programme graphique qui s'est approprié toutes les ouvertures de fichiers graphique, sans vous demander votre avis. Vous souhaiterez rétablir la situation antérieure.

Vous devrez alors déclarer vous-même les associations que Windows respectera.

Associer une extension à un programme avec un clic droit

La méthode la plus simple pour créer une nouvelle association de fichiers ou pour modifier une association existante est la suivante :

1. Affichez l'icône du document du type qui vous intéresse dans n'importe quelle fenêtre Windows (**Poste de travail**, **Explorateur** ou **Recherche**).

2. Faites un clic droit dessus et choisissez la commande **Ouvrir avec**. La fenêtre **Ouvrir avec** (figure 24-2) s'affiche.

3. Tapez une brève description (facultative) de ce type de fichier.

4. Dans la liste déroulante, sélectionnez le programme que Windows devra utiliser pour l'ouvrir. Si vous ne le trouvez pas, cliquez sur le bouton **Parcourir** et partez à sa recherche.

5. Cochez la case **Toujours utiliser ce programme pour ouvrir ce type de fichier** si vous souhaitez que ce soit le cas.

6. Cliquez sur le bouton **OK**.

Figure 24-2
On a double-cliqué
sur un document
doté de
l'extension .sos.

Associer une extension via la table des associations

Cette méthode permettant d'associer une extension à un programme est tout aussi rigoureuse mais plus savante que la précédente. Elle passe par l'affichage de la table des associations :

1. Affichez le Poste de travail ou l'Explorateur Windows.

2. Cliquez sur **Outils → Options des dossiers → onglet Types de fichiers**.

3. Au choix :

- Déroulez la liste et cliquez sur un type d'extension, puis sur le bouton **Modifier** pour modifier le programme associé.

- Cliquez sur le bouton **Nouveau** pour créer une nouvelle association entre une extension de nom de fichier et un type de fichier, ou pour créer et enregistrer un nouveau type de fichier dans Windows.

4. Cliquez sur **OK**.

Désormais, si vous double-cliquez sur un fichier possédant cette extension, il s'ouvrira dans le programme que vous avez choisi.

Si l'extension est inconnue de Windows

Si vous double-cliquez sur un document dont Windows ignore à quel programme il se réfère, une boîte de dialogue d'alerte apparaît, comme celle de la figure 24-3 :

1. Cochez la case **Sélectionner le programme dans une liste** et cliquez sur **OK**.

2. Une boîte de dialogue **Ouvrir avec,** vous demande à quel programme ce type de fichier doit être associé. La procédure est alors la même que celle décrite à la section « Associer une extension à un programme avec un clic droit ».

Figure 24-3
Windows ne sait pas comment ouvrir le fichier sur lequel vous avez double-cliqué.

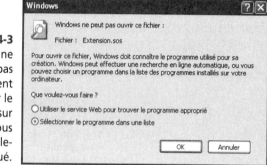

Barre des tâches

Supprimer la zone de notification

Si vous n'avez pas besoin de la zone de notification de la barre des tâches, vous pouvez la supprimer en intervenant dans le registre :

1. Cliquez sur **démarrer** ➜ **Exécuter**, tapez `regedit` et cliquez sur **OK**.

2. Naviguez vers :

   `HKEY_CURRENT_USER\Software\Microsoft\Windows\`
   `CurrentVersion\Policies\Explorer`

3. Cliquez sur **Edition** ➜ **Nouveau**, puis sur **Valeur DWORD**. Une nouvelle clé s'affiche dans le volet de droite.

4. Nommez-la :

   `NoTrayItemsDisplay`

5. Double-cliquez sur cette valeur puis saisissez **1** dans le champ **Données de la valeur**.

6. Validez en appuyant sur **Entrée**, fermez l'éditeur du registre puis redémarrez votre ordinateur.

Supprimer une icône de la zone de notification

Lorsque vous désinstallez un programme dont vous n'avez plus besoin, il se peut que son icône subsiste dans la zone de notification. Toutes les icônes présentes sont listées dans le registre Windows à :

```
HKEY_LOCAL_MACHINE\SOFTWARE\Microsoft\Windows\
CurrentVersion\Run
```

Par conséquent, pour supprimer une icône :

1. Naviguez vers cette clé (figure 24-4).

2. Faites un clic droit sur sa valeur (volet de droite) et choisissez **Supprimer**.

Figure 24-4
Les icônes
de la zone
de
notification
sont listées
dans le volet
de droite.

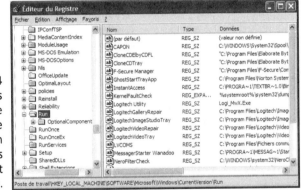

Barres d'outils et de services

Afficher la barre de langue

La barre de langue n'est généralement pas affichée par défaut, ce qui signifie que vous n'en avez pas besoin. Elle apparaît automatiquement lorsque vous ajoutez la reconnaissance de l'écriture manuscrite, la reconnaissance vocale ou un éditeur spécial comme méthode de saisie du texte. En outre, si vous ajoutez une seconde langue ou une configuration clavier, vous pouvez l'afficher, et ce, à partir de la barre des tâches.

Pour afficher la barre de langue, quelles que soient les circonstances :

Dépannage rapide

1. Cliquez sur le bouton **démarrer** ➜ **Panneau de configuration** ➜ **Options régionales et linguistiques**.

2. Cliquez sur l'onglet **Langues**, puis, sous **Services de texte et langues d'entrée**, cliquez sur le bouton **Détails**.

3. Sous **Préférences**, cliquez sur **Barre de langue**.

4. Cochez la case **Afficher la Barre de langue sur le Bureau** (figure 24-5).

La barre de langue apparaît sur le bureau. Vous pouvez la placer dans la barre des tâches.

Pour supprimer ou pour réafficher la barre de langue :

1. Faites un clic droit sur une zone libre de la barre des tâches ou sur sa poignée.

2. Dans le menu contextuel, cliquez sur **Barres d'outils**.

3. Cochez la ligne **Barre de langue** pour l'afficher, ou décochez-la pour la supprimer.

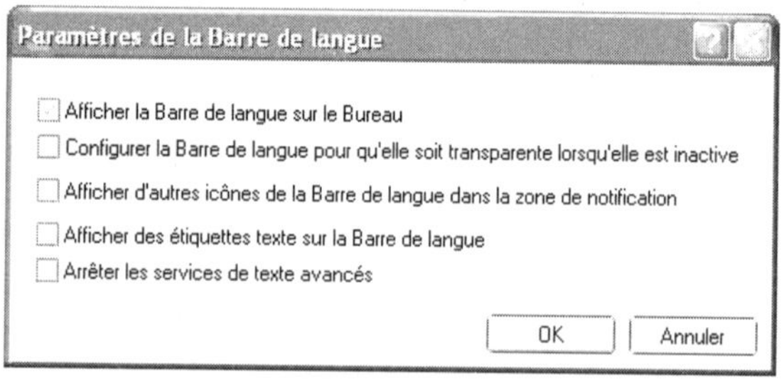

Figure 24-5
Pour afficher la barre de langue.

Dans cette barre, la marque **FR** indique que la langue est le français. Si vous cliquez dessus, vous affichez un court menu (figure 24-6, à gauche). Si vous faites un clic droit sur la barre de langue, un autre type de menu contextuel apparaît (figure 24-6, à droite).

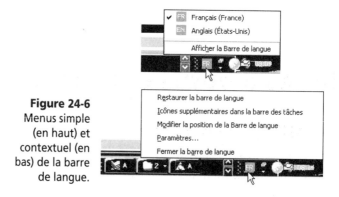

Figure 24-6
Menus simple (en haut) et contextuel (en bas) de la barre de langue.

Note ⊘ La barre de langue est dotée de deux flèches. La flèche du bas correspond aux **Options**.

Vous pouvez utiliser les boutons de la barre de langue pour effectuer des tâches associées aux services de texte, tels que la reconnaissance vocale, l'écriture manuscrite ou les éditeurs IME. Par exemple, si vous entrez du texte avec un périphérique d'entrée de texte manuscrit, vous avez accès à la fenêtre **Bloc d'écriture** à partir de laquelle vous pouvez insérer du texte manuscrit dans votre document. Les boutons et les options affichés sur la barre de langue dépendent des services de texte que vous avez installés et du programme logiciel actif.

Bureau

Désactiver le menu contextuel du bureau et de l'Explorateur

Si plusieurs utilisateurs se partagent votre machine, pour des raisons de sécurité, vous souhaiterez peut-être désactiver l'action du clic droit sur le bureau ou sur l'Explorateur Windows. Ainsi, nul ne pourra modifier vos paramètres en passant par le menu contextuel :

1. Cliquez sur **démarrer** ➜ **Exécuter**, tapez regedit et cliquez sur **OK**.

2. Naviguez vers :

   HKEY_CURRENT_USER/Software/Microsoft/Windows/CurrentVersion/
   Policies/Explorer

3. Faites un clic droit sur une zone libre du volet de droite et cliquez sur **Nouveau**, ➜ **Valeur DWORD**.

4. Nommez cette clé :

   NoViewContextMenu

5. Double-cliquez dessus et saisissez 1 dans le champ **Données de la valeur.**

6. Cliquez sur **OK**, fermez le registre puis redémarrez votre ordinateur pour appliquer la modification.

La barre des tâches et les icônes ont disparu

Un beau jour, vous allumez l'ordinateur ou vous effectuez une nouvelle installation, et vous ne retrouvez plus ni la barre des tâches, ni les raccourcis du bureau qui reste désespérément vide, ni le bouton **démarrer** et son menu. Pour tout réinstaller si vous avez encore accès au gestionnaire des tâches :

1. Appuyez sur **Ctrl + Alt + Suppr** pour afficher le gestionnaire des tâches.

2. Cliquez sur le menu **Fichier → Nouvelle tâche.**

3. Tapez `explorer` et cliquez sur **OK.**

Récupérer des icônes nettoyées du bureau

Vous avez fait le ménage des icônes non utilisées sur le bureau. Windows les a rangées dans un dossier **Raccourcis Bureau non utilisés** qui s'affiche également sur le bureau. Pour utiliser ou récupérer ces icônes :

1. Double-cliquez sur ce dossier pour l'ouvrir.

2. Faites glisser une icône sur le bureau avec la souris, ou bien faites un clic droit dessus et cliquez sur **Envoyer vers → Bureau.**

Un fichier ~ s'affiche sur le bureau

Vous avez installé les mises à jour d'Outlook Express et vous constatez qu'un fichier apparaît sur votre bureau ; il porte pour nom le seul caractère tilde (~). Il s'agit d'un bogue de l'une des mises à jour d'Outlook Express 6 qui crée une copie du carnet d'adresses sur le bureau.

Ce fichier est donc réellement un fichier `.wab`. Vous pouvez le supprimer sans crainte, mais il se réinstallera. Certains considèrent que ce n'est pas une mauvaise chose que de disposer ainsi d'une copie de sécurité du carnet d'adresses.

Rendre lisible la légende des icônes sur le bureau

Il se peut que la légende des icônes placées sur le bureau soit peu lisible, car elle se trouve sur l'arrière-plan. Dans ce cas :

1. Cliquez sur **démarrer → Panneau de configuration → Performances et maintenance → Système.**

2. Cliquez sur l'onglet **Avancé**, et, sous **Performances**, sur le bouton **Paramètres.**

3. Faites défiler la liste **Paramètres personnalisés** et décochez la ligne **Utiliser des ombres pour le nom des icônes sur le Bureau.**

4. Cliquez sur **OK.**

Figure 24-7
Boîte de
dialogue
développée
Connexion
Bureau
à distance.

5. Dans la zone **Ordinateur**, tapez un nom d'ordinateur ou une adresse IP. L'ordinateur peut être un serveur **Terminal Server** ou un ordinateur exécutant **Windows Professionnel** ou **Server**, sur lequel **Bureau à distance** est activé et où vous disposez de l'autorisation **Bureau à distance**.

6. Cliquez sur **Connecter**. La boîte de dialogue **Ouverture de session Windows** apparaît.

7. Tapez votre nom d'utilisateur, votre mot de passe et le nom de domaine si nécessaire, puis cliquez sur **OK**.

Vous pouvez alors passer à la procédure de connexion :

1. Cliquez sur **démarrer → Tous les programmes → Accessoires → Communications**.

2. Cliquez sur **Connexion au Bureau à distance**.

3. Pour afficher la liste des ordinateurs disponibles dans le domaine, cliquez sur la flèche, puis sélectionnez **Parcourir**.

Dépannage rapide

CD

Problèmes courants de lecture des CD, CD-R, CD-RW et DVD

En utilisant des disques CD, CD-R, CD-RW et DVD, vous pouvez rencontrer des problèmes de lecture lorsque vous tentez d'ouvrir un fichier, de démarrer un programme à partir du disque, de changer de disque si vous utilisez des programmes requérant plusieurs disques. Plusieurs messages d'erreur peuvent apparaître :

- Le nom de l'application n'est pas une application Win32 valide.

- Un périphérique attaché au système ne fonctionne pas correctement.

- Un fichier requis, `kernd132.dll`, est introuvable.

- Mémoire insuffisante pour exécuter cette application.

- Impossible de trouver le(s) fichier(s) nécessaire(s) au démarrage de cette application.

- Erreur lors de la lecture du fichier [Erreur Installer 1305] .

- Impossible de trouver `Setup.exe` .

- CDR-101.

- Impossible de lire à partir du lecteur x [lettre de lecteur].

- Mémoire insuffisante .

Des problèmes de lecture d'un disque peuvent être également à l'origine des difficultés suivantes :

- L'intitulé du disque n'apparaît pas dans l'Explorateur Windows.

- Le contenu du disque n'apparaît pas dans l'Explorateur Windows.

- Lorsque vous insérez le disque dans le lecteur ou lisez un disque, l'ordinateur cesse de répondre.

- Le disque n'est pas éjecté du lecteur.

- La lecture à partir du disque demande un temps exceptionnellement long.

Voici quelques premiers conseils de dépannage, dont beaucoup sont de bon sens.

- **Examiner visuellement le disque** : Extrayez le disque du lecteur et vérifiez s'il n'est pas endommagé physiquement, par exemple s'il n'est pas déformé ou rayé.

- **Vérifier s'il s'agit d'un CD ou d'un DVD** : Si vous rencontrez des problèmes avec un disque DVD, vérifiez que c'est bien dans un lecteur de DVD que vous insérez le disque, et non dans un lecteur de CD-ROM.

- **Nettoyer le disque** : Pour nettoyer un CD-ROM ou un DVD-ROM, utilisez un kit de nettoyage spécial ou essuyez soigneusement la face argentée du disque avec un chiffon en coton doux et non pelucheux. N'utilisez pas un mouchoir en papier, car il pourrait rayer le disque. Essuyez le disque en partant du centre et en allant vers la circonférence, sans mouvements circulaires pour ne pas le rayer. Vous pouvez aussi nettoyer le disque à l'aide d'un chiffon humide ou imbibé d'une solution de nettoyage pour CD ou DVD disponible dans le commerce. Séchez soigneusement le disque avant de l'insérer dans le lecteur.

- **Tester le disque dans un autre lecteur** : Si l'ordinateur est équipé de plusieurs lecteurs de CD ou de DVD, ou d'un graveur, testez le disque avec un autre lecteur. Pour les DVD, vérifiez que le logo DVD figure bien sur la face du lecteur. Si le disque fonctionne normalement dans un autre lecteur, il est possible que le précédent ne lise pas les disques correctement. Si le disque est propre et qu'il ne fonctionne pas sur un autre lecteur, il est probablement endommagé et doit être remplacé.

- **Nettoyer un lecteur** : Si un lecteur ne fonctionne pas ou fonctionne mal, on peut supposer qu'il s'est encrassé. Vous pouvez tenter de le nettoyer à l'aide d'un disque de nettoyage spécial que vous trouverez dans la plupart des magasins d'électronique ou d'informatique.

Autorun ne fonctionne pas quand vous insérez un CD ou un DVD

Quand vous insérez un CD ou un DVD dans son lecteur, Windows ne le détecte pas et ne lance pas le fichier `Autorun.inf` habituel et présent sur le disque. Les principales raisons sont :

- Vous avez installé entre-temps un logiciel qui a désactivé cette détection, tel que Easy CD de Roxio, ou vous utilisez une ancienne version de ce programme. Désinstallez-le.

- Vous avez ouvert une session Windows XP en tant qu'utilisateur sans droits. Par défaut, seuls les utilisateurs ouvrant une session avec des droits d'utilisateur avec pouvoir ou d'administrateur sont autorisés à installer des logiciels. Or, dans Windows XP, les fichiers dotés de l'extension `.inf` sont considérés comme des

Dépannage rapide

fichiers d'information d'installation. Par conséquent, le fichier `Autorun.inf` ne s'exécute pas si vous ne disposez pas des droits. La solution est simple : ouvrez une session Windows XP en tant qu'utilisateur avec pouvoir ou en tant qu'administrateur.

* La fonction d'exécution automatique a été désactivée dans le registre.

* Le lecteur de CD-ROM utilise un pilote obsolète. Remplacez-le.

* Le lecteur de CD-ROM n'est pas compatible avec XP. Remplacez-le.

Vous pouvez consultez la liste de compatibilité matérielle Microsoft (en anglais) pour déterminer si votre lecteur de CD-ROM est compatible avec Windows XP à :

```
http://www.microsoft.com/hwdq/hcl/search.asp
```

Intervenir dans le registre

Reste le cas où la fonction **Autorun** a été désactivée dans le registre :

1. Cliquez sur **démarrer** → **Exécuter**. Tapez `regedit`, puis cliquez sur **OK**.

2. Naviguez vers :

   ```
   HKEY_LOCAL_MACHINE\System\CurrentControlSet\Services\CDRom
   ```

3. Si, dans le volet de droite, la valeur pour **Autorun** est `0`, il faut la porter à 1. Faites un clic droit sur **Autorun**, puis cliquez sur **Modifier**.

4. Dans la boîte de dialogue **Édition de la valeur DWORD**, tapez 1 dans la zone **Données de la valeur**, puis cliquez sur **OK**.

5. Mais ce n'est pas tout. La valeur `0xb5` dans la clé de registre suivante désactive également la fonction d'exécution automatique des CD-ROM. Naviguez donc vers :

   ```
   HKEY_CURRENT_USER\SOFTWARE\Microsoft\Windows\
   CurrentVersion\Policies\Explorer\NoDriveTypeAutoRun
   ```

6. Remplacez cette valeur par la valeur hexadécimale 95 ou par 91 selon votre système pour activer la fonction d'exécution automatique. Faites un clic droit sur cette clé et cliquez sur **Modifier**.

7. Remplacez la valeur existante par `91 00 00 00` (hexadécimale) et cliquez sur **OK**. Si cela ne se révèle pas efficace, essayez avec `95 00 00 00`.

8. Cliquez sur le menu **Fichier**, puis sur **Quitter**.

Réinitialisez l'ordinateur (bien que ce ne soit pas forcément obligatoire) et vérifiez si l'exécution automatique fonctionne de nouveau.

Réparer Autorun avec un utilitaire

Si vous ne voulez pas intervenir dans le registre, vous pouvez tenter de réparer **Autorun** en lançant une courte séquence proposée par Microsoft que vous téléchargerez depuis :

```
http://www.microsoft.com/downloads/
details.aspx?FamilyID=c680a7b6-e8fa-45c4-a171-
1b389cfacdad&DisplayLang=en
```

Identifier les CD

Vous gravez des CD et, comme nombre d'utilisateurs, vous restez perplexe devant la gamme des CD vierges qui vous sont proposés à tous les prix. Lesquels choisir ? Certains conseillent de procéder à des essais et, dès lors que vous êtes satisfait par une marque et par un type, de vous y tenir. D'autres affirment que tous les CD se valent pratiquement, puisque la plupart sortent des mêmes usines, et ils conseillent d'acheter des CD vendus en tours par 50 ou 100 pièces.

Le phénomène curieux et généralement méconnu est le fait que les fabricants marquent généralement leurs CD en gravant quelques informations dessus : nom du fabricant, couche utilisée, capacité nominale (ce qui permet de savoir si vous pouvez dépasser la capacité annoncée), vitesse.

Pour en prendre connaissance, il faut recourir à des utilitaires spécifiques d'identification dont il existe plusieurs versions que vous trouverez aisément sur le Web. L'un d'eux est **CD-R Identifier** que vous pouvez télécharger gratuitement depuis le site (tout s'écrit sur une seule ligne) :

```
cd-rw.org/software/cdr_software/cdr_tools/cdridentifier.
cfm?CFID=520069&CFTOKEN=10721946#download
```

Téléchargez-le et lancez-le après avoir inséré un CD dans son lecteur. Sélectionnez ensuite le lecteur dans le volet du haut de la fenêtre qui s'affiche à l'écran. Vous verrez apparaître les informations que l'utilitaire a relevées sur votre CD comme indiqué figure 24-8.

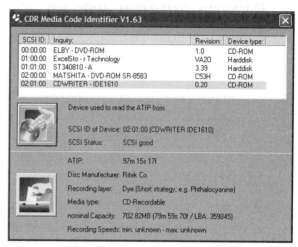

Figure 24-8
L'identification
d'un CD.

Les codes enregistrés sur le CD sont désignés par **ATIP** (*Absolute Time In Pregroove*). On appelle **ATIP** l'espace qui contient des données préenregistrées sur tout CD-R/W. Cet espace regroupe donc des informations relatives à la structure du disque.

Certains jeux vidéo vérifient si le CD inséré dans le lecteur est bien le CD original en contrôlant la présence de l'ATIP. Le jeu refusera de se lancer s'il constate qu'il s'agit d'une copie. Notez que seuls les graveurs lisent l'ATIP ; un simple lecteur de CD n'en a nul besoin puisque les informations qu'il donne, la capacité du CD-R/W entre autres, concernent la gravure.

C'est pour cette raison que des programmes de copie tels que Alcohol 120% et CloneCD cachent l'ATIP. Le disque inséré est alors considéré comme l'original. Certains utilitaires de gravure utilisent les données ATIP pour procéder à différents tests , c'est le cas de Nero CD Speed qui peut définir la capacité d'un CD-R/W à être surgravé (overburné), ce qui permet d'enregistrer plus de données que la capacité annoncée.

Si l'option **Cacher l'ATIP** de Alcohol ou **Cacher le disque CD-R** de CloneCD est validée, il est impossible à Nero CD Speed de tester l'overburnage, l'ATIP étant invisible : le CD-R/W sera considéré comme un CD non enregistrable. Vous trouverez davantage d'explications sur ce thème sur plusieurs sites web, dont :

```
http://forum.gravure-news.com/viewtopic.php?t=3899
```

Le CD se déclare plein alors qu'il ne l'est pas

Si vous enregistrez quelques mégaoctets sur un CD, loin de sa capacité totale, et s'il déclare qu'il est plein, vous avez probablement commis l'une de ces erreurs de manipulation :

• Vous l'avez enregistré en **monosession** au lieu d'utiliser le mode **multisession**.

• Vous avez fermé le CD au lieu de fermer la seule session.

Reportez-vous au mode d'emploi de votre logiciel de gravure pour le vérifier.

Le lecteur de CD ne démarre pas automatiquement

Vous voulez installer une nouvelle application, mais son CD-ROM ne démarre pas automatiquement. Appliquez l'une de ces méthodes :

- Listez le contenu du CD dans l'Explorateur Windows ou dans le Poste de travail (cliquez sur **démarrer** → **Poste de travail**, puis faites un double clic sur le CD). Cliquez sur la commande **Install.exe** ou sur toute autre commande équivalente telle que **Setup.exe** située dans son dossier racine.

- Cliquez sur le bouton **démarrer** → **Panneau de configuration** → **Ajouter ou supprimer des programmes**. La suite est classique.

- Cliquez sur le bouton **démarrer** → **Exécuter**. Dans la fenêtre d'exécution, tapez (essayez l'une ou l'autre formule, sachant que vous devez remplacer le **x** qui figure ici par la lettre de votre lecteur de CD-ROM ; vous cliquerez ensuite sur **OK**) : :

    ```
    x:\setup
    x:\install
    ```

Note ⊗ Cette boîte d'exécution emmagasine toutes les commandes que vous avez lancées précédemment. Vous pouvez dérouler sa liste en cliquant sur sa flèche, puis sélectionner l'une des commandes qu'elle contient en cliquant dessus. Elle apparaîtra automatiquement sur la ligne de texte. Cliquez ensuite sur **OK**.

Le système affiche le contenu de l'ancien CD

Vous remplacez un CD par un autre, mais l'Explorateur Windows affiche toujours le contenu de l'ancien, sans mise à jour. Appuyez sur **F5** pour forcer la mise à jour. Ou bien cliquez sur le menu **Affichage** → **Actualiser**.

Si cela ne suffit pas :

1. Ouvrez le **Gestionnaire de périphériques** (**démarrer** → **Panneau de configuration** → **Performances et maintenance** → **Système** → **onglet Matériel** → bouton **Gestionnaire de périphériques**).

2. Ouvrez la liste **Lecteurs de CD-ROM/DVD-ROM**, faites un clic droit sur votre lecteur et choisissez **Désinstaller**.

3. Fermez ces fenêtres et réinitialisez l'ordinateur. Windows réinstallera les pilotes.

Si cela ne suffit toujours pas, il faut intervenir dans le registre :

1. Cliquez sur **démarrer** ➜ **Exécuter**, tapez `regedit` et cliquez sur **OK**.

2. Naviguez vers la clé :

   `HKEY_LOCAL_MACHINE\SYSTEM\CurrentControlSet\Control\Update`

3. Dans le volet de droite, vous devriez découvrir une clé `DWord` nommée `UpdateMode` dont la valeur est 1. Si vous lisez `0` (zéro), la fonction est désactivée : remplacez le `0` par un 1. Si la valeur n'existe pas, créez-la.

Interpréter les messages d'erreur des CD

Pour comprendre ce que signifient les messages d'erreur relatifs aux CD, aux DVD ou aux graveurs, notez le message qui s'affiche à l'écran, puis recherchez ce qu'il signifie sur le Web ou dans la base de connaissances Microsoft à l'adresse :

   `http://support.microsoft.com`

Si le message d'erreur que vous recevez se réfère à un nom de fichier, notez le nom du fichier. Essayez de copier ce fichier sur votre disque dur en employant l'Explorateur Windows. Si le message d'erreur qui s'affiche lors de la copie du fichier est différent, recherchez des informations relatives à ce message d'erreur dans la base de connaissances Microsoft.

Si vous ne trouvez aucun article traitant de ce message d'erreur, essayez d'appliquer les méthodes préconisées dans les astuces suivantes pour résoudre le problème.

Sur erreur, fermer les applications non indispensables

Il se peut que des logiciels, exécutés sur votre ordinateur, interfèrent avec la lecture du disque. Par exemple, cela se produit avec des logiciels antivirus, de gravure, pare-feu ou antiblocage. Tentez de redémarrer votre ordinateur en évitant de charger des logiciels non indispensables et vérifiez si vous pouvez lire votre disque.

Si besoin est :

- Faites un clic droit sur chaque icône de la zone de notification (dans la barre des tâches, près de l'horloge), puis cliquez sur **Quitter**.

- Si l'un de ces programmes ne dispose pas de menu contextuel, appuyez sur **Ctrl + Alt + Suppr**. Dans la boîte de dialogue **Sécurité Windows**, cliquez sur **Gestionnaire des tâches**, puis sur **Applications**. Si le programme figure dans cette liste, cliquez sur son nom , puis sur **Terminer la tâche**.

Si le message d'erreur disparaît, c'est que votre lecteur n'est pas en cause mais qu'il s'agit d'un conflit entre programmes. Vérifiez s'il n'existe pas de mises à jour.

Résoudre les messages d'erreur spécifiques des DVD

Lorsque vous tentez de lire un film DVD, divers messages d'erreur ou symptômes peuvent se manifester parmi lesquels les plus courants sont :

- **Violation de protection de copie analogique** : Windows ne peut pas lire ce disque protégé contre la copie, car il ne peut pas vérifier que les sorties vidéo de votre lecteur DVD et/ou vos cartes VGA prennent en charge la protection contre la copie. Ce message d'erreur peut apparaître si l'une des conditions suivantes est vérifiée :

  - Votre pilote DVD ou de carte vidéo ne prend pas entièrement en charge les capacités de la carte. Pour résoudre ce problème, installez un pilote mis à jour.

  - Votre matériel ne prend pas en charge la protection contre la copie. Vous pourrez peut-être contourner le problème en débranchant l'ensemble des câbles connectés aux sorties vidéo de votre ordinateur.

  - Le pilote de la carte vidéo ne prend pas en charge correctement la protection contre la copie pour Windows .NET Server 2003.

  - De nombreuses cartes vidéo permettent de décoder des DVD, mais cela ne signifie pas qu'elles soient en mesure de décoder entièrement un film DVD. Installez un décodeur matériel ou logiciel ou installez un pilote à jour pour votre carte vidéo.

- **La vidéo ne peut pas être affichée sur l'écran** de l'ordinateur pour l'une des raisons suivantes :

  - Mémoire vidéo insuffisante : essayez en utilisant une résolution ou un nombre de couleurs réduits.

  - Une autre application utilise actuellement les ressources d'affichage nécessaires. Assurez-vous qu'aucune application de ce type ne soit en cours d'exécution.

  - La carte graphique n'est pas compatible avec le décodeur DVD. Essayez d'obtenir une mise à jour du pilote d'affichage.

  - Tentez de réduire l'intensité des couleurs, la résolution et la fréquence d'actualisation de votre pilote d'affichage.

Compresser des fichiers

Bien utiliser la compression de Windows XP au format zip

Les dossiers compressés en mode **zip** adopté par Windows XP (car il existe égale-ment un ancien mode spécifique NTFS) peuvent être déplacés vers n'importe quel lecteur ou dossier de votre ordinateur. Vous pouvez les identifier grâce à la tirette située sur leur icône (ci-contre).

Avec la compression en mode zip :

- Les fichiers et les dossiers compressés avec la fonction **Dossiers compressés (zippés)** restent compressés à la fois sur les disques FAT et les disques NTFS.

- Vous pouvez exécuter certains programmes directement à partir de ces dossiers compressés, sans devoir les décompresser.

- Vous pouvez également ouvrir des fichiers directement à partir de dossiers compressés.

- Les fichiers et les dossiers compressés et zippés peuvent être déplacés vers tous les lecteurs ou tous les dossiers de votre ordinateur, sur Internet ou sur votre réseau.

- Ils sont compatibles avec d'autres logiciels de compression de fichiers.

- Les dossiers compressés de cette façon sont identifiés par une icône figurant une tirette une fermeture à glissière.

- Vous pouvez protéger les fichiers d'un dossier compressé zippé avec un mot de passe.

- La compression de dossiers utilisant la fonction **Dossiers compressés (zippés)** ne diminue pas les performances de votre ordinateur.

Pour compresser des fichiers individuels avec la fonction **Dossiers compressés (zippés)**, créez un dossier compressé puis déplacez ou copiez les fichiers vers ce dossier.

Qu'est devenu DriveSpace des anciens Windows ?

Dans le passé, Microsoft avait adopté un système spécifique de compression des fichiers appelé **DriveSpace**. Windows XP ne prend plus en charge ce type de compression. Aucun outil actuel ne permet à XP de récupérer des fichiers compressés selon cette méthode. La seule solution consiste à décompresser ces fichiers avant de procéder à une mise à jour de votre ancien système.

Conflits

Quelques pistes générales de bon sens en cas de conflit

Nombre d'astuces, dans ce livre, décrivent des conflits et vous proposent les mesures à prendre pour en venir à bout. Mais il n'est peut-être pas inutile de rappeler simplement quelques règles de bon sens. Elles ne sont nullement exhaustives.

Attention ⊗ Dès qu'un conflit surgit, résolvez-le immédiatement sans attendre qu'un second problème surgisse. Les solutions pourraient être bien plus difficiles à définir et à appliquer.

Songer au plus simple

D'abord, en cas de difficulté ou de blocage, conservez votre calme et songez que la cause la plus simple est généralement la plus probable :

- Avez-vous bien installé un antivirus ? Vous êtes peut-être contaminé. Les virus deviennent de plus en plus vicieux, ce qui fait que parfois, on ne pense pas à eux. Par exemple, si vous obtenez des caractères bizarres avec le clavier, cela signifie peut-être que le virus Bugbear a encore frappé !

- Si vous venez d'installer un logiciel ou un pilote et si vous vous heurtez ensuite à des blocages, c'est que ce produit n'est pas adapté à Windows. Utilisez sa dernière version ou une mise à jour.

- Les paramétrages de votre système ne sont peut-être pas corrects.

- Il se peut que le BIOS de votre machine soit trop ancien. Il faut le mettre à jour.

- Des pannes aléatoires peuvent provenir d'un pilote ou d'un programme non à jour. Le cas est bien plus fréquent qu'on ne l'imagine et l'on n'est jamais assez vigilant.

- Si des erreurs vous sont signalées lors de installation d'un programme ou d'un pilote, c'est probablement parce que la version que vous installez n'est pas certifiée XP. Cela reste vrai même si l'installation peut être menée à son terme.

- D'autres difficultés, par exemple un son haché ou des parasites, proviennent bien souvent d'un pilote qui n'est pas à jour. Même sur une machine neuve !

- Songez aussi à une barrette mémoire défectueuse. Lors de son installation, XP occupe la totalité de la mémoire centrale, ce qui fait qu'un seul point mémoire défectueux peut bloquer l'installation, quand bien même, en cours de fonctionnement normal, tout semble bien se passer.

- Les pannes aléatoires ou survenant après un certain temps de service peuvent également être dues à des barrettes mémoire défectueuses ou au mauvais fonctionnement d'une machine qui chauffe trop, l'un de ses ventilateurs étant en panne, par exemple.

Vérifier ou restaurer

En cas de problème :

- Commencez d'abord par faire un **redémarrage à chaud**, pour vérifier si le problème auquel vous vous heurtez persiste.

- Si oui, arrêtez et éteignez l'ordinateur et patientez une quinzaine de secondes, puis rallumez-le et vérifiez s'il fonctionne correctement. C'est ce qu'on appelle un **démarrage à froid**.

- Démarrez sur la dernière bonne configuration connue en appuyant sur **F8** lors de la mise en service de la machine. Une option du menu de démarrage s'affiche.

- Démarrez en mode **sans échec**. Si tout fonctionne normalement, cela signifie qu'un pilote est en cause. Recherchez-le par éliminations successives, par exemple.

- Pour vérifier si des fichiers système de Windows ont été corrompus, et ce, si votre machine démarre, lancez la commande **SFC**.

- Restaurez le système à une date antérieure, quand tout fonctionnait bien.

Reformater le disque dur système et réinstaller

Windows XP offre tellement de recours que ce n'est que très exceptionnellement que vous devrez reformater votre disque système, une opération qu'on peut maintenant souvent déconseiller.

Elle n'est plus aussi indispensable que par le passé, avec les version 9x de Windows, par exemple, pour se sortir d'une mauvaise passe. Pourtant, cette solution pourra se révéler la meilleure si les problèmes se sont multipliés, si vous ne trouvez pas d'autre issue ou si, plus prosaïquement, vous ne voulez pas vous compliquer l'existence en entrant dans les arcanes de Windows et de ses paramétrages ou de son abominable registre.

Dans ce cas, sauvegardez vos données personnelles puis, avec le CD d'installation de Windows, repartitionnez (pour détruire d'éventuels virus bien cachés) et reformatez votre disque dur.

Après quoi, vous réinstallerez vos périphériques et vos applications en vérifiant, après chaque opération, qu'ils fonctionnent correctement.

Selon votre système, vous y consacrerez entre une demi-journée et deux jours, en moyenne, en passant essentiellement votre temps à échanger des CD et à observer l'écran – tout en écoutant de la musique pour vous distraire. Après quoi, vous serez certain de repartir sur des bases saines.

Réparer Windows ou des programmes

Si Windows est gravement atteint, réparez-le. Démarrez sur son CD-ROM et lancez l'installation de XP en passant outre la première option de réparation qui vous est proposée (elle met en œuvre la **Console de récupération**). Le programme, reconnaissant ensuite qu'une version existe déjà sur votre disque dur, vous proposera de la réparer. Cette fois, c'est la bonne option. Votre intervention est plus que réduite.

En revanche, si vous êtes expert, vous pouvez faire appel à la **Console de récupération**, laquelle se programme comme au bon vieux temps du DOS.

Si c'est un produit **Office** qui cause des ennuis, lancez sa réparation depuis l'un de ses écrans, en cliquant sur le menu d'aide, puis sur la commande de réparation. Si c'est un tout autre programme qui s'est corrompu, désinstallez-le, puis réinstallez-le. Avec un peu de chance, le registre aura conservé vos paramétrages.

Vous le constatez, il existe toute une batterie d'options qui devraient vous sortir d'un mauvais pas. Et puis, consultez aussi la table des matières de ce livre et son index pour découvrir d'autres pistes.

Corbeille

Modifier le nom de la Corbeille

Certains programmes, tels les Norton Utilities, rebaptisent la Corbeille en **Corbeille protégée Norton**. Bien sûr, vous pouvez la renommer sur le bureau, mais la méthode développée ici est bien plus générale et elle vous donnera peut-être des idées lors de vos interventions dans le registre :

1. Ouvrez le registre et lancez une recherche sur le nom actuel de la Corbeille, par exemple, sur **Corbeille protégée Norton**.

2. Lorsque vous avez trouvé la ou les occurrences, vous pouvez modifier le nom de la Corbeille.

Récupérer un fichier effacé absent de la Corbeille

Lorsque vous effacez un fichier, il subsiste sur le disque dur tant que n'écrivez pas autre chose dessus. Si ce fichier ne se trouve pas dans la Corbeille, vous pouvez quand même le récupérer en faisant appel à des utilitaires spécifiques tels que :

- **Norton Utilities**, de Symantec. Ce programme payant est en français. La récupération est guidée par un assistant. L'auteur le pratique depuis bien des années avec la plus grande satisfaction.

- **DriveRescue**, de Arcor. Il s'agit d'un *freeware* très efficace, que vous pouvez télécharger en vous connectant à :

  ```
  http://home.arcor.de/christian_grau/rescue/index.html
  ```

Récupérer un fichier exécutable

Si le fichier exécutable (de type exe, dll, com ou un fichier système) que vous avez supprimé ne se trouve plus dans la Corbeille, vous pouvez tenter de le récupérer :

- En opérant une restauration du système.

- En lançant une réparation du système avec la commande SFC /SCANNOW.

- En récupérant directement le fichier sur le CD de Windows avec la commande MSConfig.

Créer un raccourci vers la Corbeille dans Envoyer vers

Vous pouvez créer un raccourci vers la Corbeille dans le menu **Envoyer vers**. La procédure est la suivante :

1. Affichez le bureau.

2. Faites un clic droit sur l'icône de la Corbeille.

3. Cliquez sur la commande **Créer un raccourci**. Aussitôt, un raccourci menant vers la Corbeille apparaît sur le bureau (figure 24-9).

Figure 24-9
Icône de la
Corbeille.

Le raccourci est créé, il reste à l'introduire dans le menu **Envoyer vers**. Vous devez savoir que ce menu, que vous ouvrez dans le menu contextuel d'un fichier ou d'un dossier, reflète le contenu d'un dossier spécial, propre à chaque utilisateur, et est généralement désigné par son nom anglais **SendTo**. Ce dossier se trouve à (figure 24-10) :

```
C:\Documents and Settings\Nom de l'utilisateur\SendTo\
```

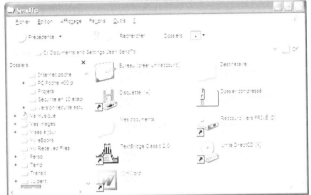

Figure 24-10
Le dossier
SendTo.

Sur certaines machines, ce dossier est un dossier caché. Si tel est le cas, vous devez le rendre accessible :

1. Ouvrez le Poste de travail ou l'Explorateur Windows.

2. Cliquez sur le menu **Outils**, puis sur sa commande **Options des dossiers**.

3. Cliquez sur l'onglet **Affichage**.

4. Cochez la case **Afficher les fichiers et dossiers cachés**.

Introduire le raccourci dans le menu Envoyer vers

Voici la suite des opérations :

1. Double-cliquez sur l'icône **Poste de travail**.

2. Localisez le dossier **Envoyer vers** et ouvrez-le (figure 24-10).

3. Déplacez le raccourci figurant sur le bureau dans ce dossier en le faisant glisser avec la souris.

Maintenant, si vous faites un clic droit sur un fichier ou sur un dossier quelconque, et si vous choisissez la commande **Envoyer vers**, vous verrez apparaître la destination Corbeille (figure 24-11).

Figure 24-11
Le raccourci
vers la
Corbeille
apparaît dans
le menu
contextuel.

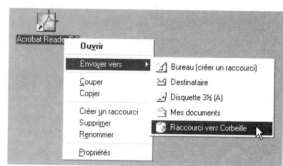

DirectX

Tester les composants DirectX

Les composants **DirectX** sont un ensemble d'interfaces **API** *(Application Programming Interface)* de bas niveau offrant aux programmes Windows la prise en charge du multimédia avec accélération matérielle. DirectX permet aux programmes de déterminer les capacités matérielles de votre ordinateur, puis de définir leurs paramètres. Les programmes multimédias peuvent ainsi être exécutés sur n'importe quel ordinateur Windows doté de matériel et de pilotes compatibles DirectX.

Vous pouvez examiner la configuration des composants DirectX et les tester :

1. Ouvrez l'explorateur Windows et naviguez vers :

   C:\Windows\System32\Dxdiag.exe

2. Double-cliquez sur ce dernier fichier. La fenêtre **Outil de diagnostic DirectX s'affiche** (figure 24-12).

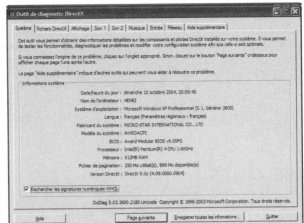

Figure 24-12
Outils de
diagnostic
DirectX.

Au moment où cet ouvrage a été écrit, la version la plus récente de DirectX était la 9.0c.

Vérifier les composants DirectX

Si vous rencontrez un problème d'affichage, ouvrez la boîte de dialogue de la figure 24-12 et cliquez sur l'onglet **Affichage**. Les trois composants suivants doivent être présents (figure 24-13) : **DirectDraw**, **Direct3D** et **AGP.** Vous pouvez cliquer sur l'un des boutons de test pour vérifier ce qu'il en est.

Figure 24-13
Volet
Affichage
des
composants
DirectX.

Installer et désinstaller un composant DirectX

Microsoft propose continuellement de nouvelles versions de DirectX. Or, certaines machines et applications peuvent ne pas apprécier telle nouvelle version. Malheureusement, DirectX 9 ne peut être désinstallé; par exemple.

Le plus simple consiste alors à créer un point de restauration avant toute nouvelle installation, puis à y revenir. Si vous n'avez pas pris cette précaution, vous pouvez, au choix :

- Faire une réparation de Windows XP pour revenir à une version antérieure.

- Faire appel à un programme de désinstallation spécifique disponible sur le Web, par exemple, et en *freeware* (gratuit) à :

    http://www.3dcenter.org/downloads/directx-dx9uninstaller.php

Disques durs

Accélérer un disque dur en déclarant l'Ultra DMA

Vous êtes équipé d'un disque dur **Ultra DMA**, donc rapide. Vérifiez qu'il est bien configuré pour exploiter pleinement cette fonction :

1. Cliquez sur **démarrer** → **Panneau de configuration** → **Performances et maintenance** → **Système** → onglet **Matériel** → bouton **Gestionnaires de périphériques**.

2. Ouvrez la liste **Contrôleurs ATA/ATAPI IDE** et faites un clic droit sur **Canal IDE principal**.

3. Cliquez sur **Propriétés** → onglet **Paramètres avancés**.

4. À **Périphérique 0** (le disque dur d'initialisation C:), vérifiez qu'à la rubrique **Mode de transfert**, l'option **DMA si disponible** est active.

5. Si vous possédez un second disque dur connecté sur la même voie IDE, procédez à cette même vérification. Si ce disque n'apparaît pas, c'est probablement parce que vous l'avez connecté sur le canal IDE secondaire. Procédez de même avec ce canal.

Attention ⊗ Si vous cochez la case alors que votre disque dur n'est pas **Ultra DMA**, Windows se plantera.

Le mode DMA ne veut pas s'installer

L'astuce précédente montre comment déclarer le mode **DMA** (*Direct Memory Access*) au lieu du mode d'échange **PIO**. Mais parfois, vous serez dans l'impossibilité d'utiliser le DMA, n'y ayant même pas accès. Dans ce cas, la méthode la plus simple pour le rétablir consiste à supprimer les pilotes : Windows les réinstallera correctement.

Pour ce faire :

1. Cliquez sur **démarrer** → **Panneau de configuration** → **Performance et maintenance**.

2. Cliquez sur **Système** → onglet **Matériel** → bouton **Gestionnaire de périphériques**.

3. Cliquez sur le + de la ligne **Contrôleurs ATA/ATAPI IDE**, puis double-cliquez sur le contrôleur correspondant au périphérique, **Principal** ou **Secondaire**.

4. Cliquez sur l'onglet **Pilote**, puis sur le bouton **Désinstaller**.

5. Cliquez sur **OK** pour fermez ces boîtes de dialogue.

6. Réinitialisez l'ordinateur.

Windows va découvrir de *nouveaux matériels* et il résintallera les pilotes, activant du même coup le mode DMA.

Note ⊗ Si tel n'est pas le cas, cela provient probablement du fait que vous avez installé sur la même nappe un périphérique fonctionnant obligatoirement en mode PIO. Il impose ce mode à son voisin.

Activer le cache en écriture pour accélérer

Le disque dur fait appel à un cache servant à accélérer les échanges. Il fonctionne à la fois en lecture du disque et en écriture, par défaut. Toutefois, il se peut que, par souci de sécurité, vous vouliez désactiver le cache en écriture. En effet, si une coupure de l'alimentation survient avant l'enregistrement du contenu du cache sur le disque, les informations sont perdues. Par ailleurs, il se peut également que le cache en écriture soit inhibé accidentellement. Vérifiez-le ainsi :

1. Affichez le **Poste de travail** et faites un clic droit sur un disque dur, puis cliquez sur **Propriétés**.

2. Cliquez sur l'onglet **Matériel** et sélectionnez votre disque dur, puis cliquez sur le bouton **Propriétés**.

3. Cliquez sur l'onglet **Stratégies** et cochez la case **Activer le cache d'écriture sur le disque** pour le mettre en service ou décochez cette case pour le mettre hors service.

Un disque dur de plus de 128 Go est reconnu comme un disque de 127 Go

C'est un problème récent, apparu avec les nouveaux disques de grande capacité. Vous installez un disque dur 160 Go, par exemple, et il n'est reconnu par le système que comme un disque 128 Mo. La raison en est simple : le système de codage des secteurs du disque, **LBA** (*Logical Block Addressing*), code les disques sur 28 bits seulement. Sachant qu'un secteur fait 512 octets, la capacité maximale de codage est :

```
2 puissance 28 x 512 octets = 128 gigaoctets
```

Vous ne pouvez rien faire, pas même partitionner le disque : cela ne servirait à rien puisque le compte des secteurs ne recommence pas à zéro mais se poursuit d'une partition à la suivante.

La solution consiste à utiliser un mode de codage des secteurs sur 48 bits. C'est le mode **BigLBA** qui fait partie de la norme **ATA/ATAPI-6** datant de 2001. La capacité maximale est de :

2 puissance 48 x 512 octets = 128 petaoctets

Un petaoctet vaut un million d'octets. Pour appliquer **BigLBA**, il faut que le BIOS (que vous devrez peut-être mettre à jour) et le système d'exploitation soient compatibles, ce qui est le cas de Windows XP avec **SP1** ou **SP2**. Vous devrez toutefois intervenir dans le registre et créer une nouvelle clé :

1. Cliquez sur **démarrer → Exécuter**, tapez regedit et cliquez sur **OK**.

2. Naviguez vers :

    HKEY_LOCAL_MACHINE\System\CurrentControlSet\Services\ Atapi\Parameters

3. Dans le volet droit, double-cliquez sur la valeur EnableBigLba.

4. Affectez la valeur 1 au champ **Valeur de la donnée**.

Si l'entrée DWord EnableBigLba n'existe pas, créez-la. Vous trouverez davantage d'explications sur le site :

    http://www.net2hardware.com/article.asp?ID=59&P=3

Le piège des disques externes USB

Vous avez acquis un disque dur externe connectable au port USB pour effectuer des sauvegardes. N'espérez pas enregistrer dessus des images du disque du type **ghost** avec **Norton Utilities**, par exemple, sans rencontrer les obstacles suivants :

- Le ghost s'exécute sous DOS, mais le DOS ne connaît pas les ports USB et ne voit pas votre disque.

- Si celui-ci est formaté NTFS, le DOS ne le reconnaîtra pas non plus. Le DOS ne connaît que le système FAT.

Ce que vous pouvez tenter de faire, mais sans garantie de succès (lors de la rédaction de cette astuce) :

- Mettez vos programmes et leurs pilotes USB à jour depuis le site de leur éditeur, par exemple Symantec pour Norton Ghost.

- Si le pilote Symantec qui devrait donner accès aux ports USB ne fonctionne pas, tentez d'en trouver un autre sur le Web. Nous avons obtenu un succès tout relatif avec un pilote Panasonic.

- Formatez votre disque dur en mode FAT en créant des partitions de moins de 32 Go.

- Sachant que la longueur maximale d'un fichier sur une partition FAT32 est de 4 Go, partitionnez le disque dur de sorte que le ghost (ou la sauvegarde) de chaque partition crée un fichier de taille moindre, compression comprise.

Qu'est-ce que le MBR ?

Le **MBR** (M*aster Boot Record,* enregistrement maître d'amorçage) est un groupe de secteurs sur le disque dur servant au démarrage du disque. Il est situé sur la piste 0, secteurs 0 et 1 du disque. Il contient un tout premier programme appelé **chargeur** (*bootstrap*). Ce dernier est lu dès que le BIOS de la machine lui passe la main et il est chargé en mémoire centrale. À son tour, il passe ensuite la main au système d'exploitation.

Ce premier secteur du disque dur est aussi appelé **secteur de démarrage principal**, **table de partition**, ou **bloc amorce principal**. Les informations de partition, ou table de partition, sont stockées à la fin de ce secteur. Ce programme utilise les informations de partition pour déterminer quelle partition est celle de démarrage (habituellement la première partition primaire DOS) et tente de démarrer à partir de celle-ci.

Le MBR est écrit sur le disque par la commande fdisk s'il n'existe pas. S'il existe, fdisk ne le modifie pas. On peut forcer l'écriture avec la commande fdisk /mbr sans modifier la table des partitions.

La connaissance de l'existence du MBR serait inutile s'il ne se trouvait pas, parfois, à l'origine de divers problèmes. En effet, sa zone peut être modifiée, corrompue ou attaquée par un virus. Certains utilitaires et, parfois, le BIOS peuvent la protéger.

Notez que le MBR peut aussi contenir le lancement d'un antivirus ou d'un mur pare-feu qui surveilleront ainsi le système avant que celui-ci se charge.

Note ⊗ Ne confondez pas le **MBR** et le secteur d'amorçage **BootSector**. Le MBR commence sur le premier secteur d'un disque **physique** alors que le **Boot-Sector** démarre le premier secteur d'un disque **logique**, autrement dit, d'une partition.

Réparer ou reconstruire le MBR

Vous pouvez réparer le MBR en utilisant sous DOS la commande fdisk /mbr, ou la **Console de récupération** avec ses commandes :

- `fixmbr` : corrige le secteur d'amorçage du système qui contient les informations sur votre partition et qui est désigné par **Master Boot Record,** MBR en abrégé.

- `fixboot` : écrit un nouveau secteur d'amorçage MBR.

Voyez, à ce propos, la section *Console de récupération.*

System Volume Information

Le dossier `C:\System Volume Information` (dossier racine du disque C: par défaut) est un dossier normalement caché. Il est apparu avec le système de fichiers NTFS, en 1993, date de sortie de la première version de Windows NT, NT 3.1. Il a été repris sous XP, notamment pour l'enregistrement des points de restauration. Sous Windows XP, il est disponible sur toutes les partitions, FAT et NTFS.

Pour le voir :

1. Dans l'Explorateur Windows, par exemple, cliquez sur le menu **Outils** ➜ **Options des dossiers** ➜ onglet **Affichage**.

2. Cochez la case **Affichez les fichiers et dossiers cachés**.

3. Décochez la case **Masquer les dossiers protégés par le système**.

Lenteurs après une défragmentation

On a pu constater le phénomène suivant : après un nettoyage du disque système et une défragmentation, le système devenait très lent, ne répondant plus instantanément aux commandes. La cause la plus probable réside dans le fait que le disque dur, qui fonctionnait en mode DMA, s'est remis en mode PIO. Pour revenir en mode DMA (voyez la page 552) :

1. Cliquez sur **démarrer** ➜ **Panneau de configuration** ➜ **Système** ➜ onglet **Matériel** ➜ bouton **Gestionnaire de périphériques**.

2. Double-cliquez sur la ligne `Contrôleur ATA/ATAPI IDE`, afin d'afficher les canaux principal et secondaire.

3. Double-cliquez sur **Canal IDE principal**.

4. Cliquez sur l'onglet **Paramètres avancés**.

5. Sous la rubrique **Périphérique 0**, ouvrez la liste déroulante **Mode de transfert** et sélectionnez **DMA si disponible**. Le mode **PIO** est l'interface classique, lente, alors que le mode **DMA** *(Direct Memory Access)* accélère grandement les opérations en court-circuitant le processeur lors des échanges avec la mémoire, par exemple.

Il reste des fichiers fragmentés après une défragmentation

Il se peut que des fichiers fragmentés subsistent après une défragmentation. La cause la plus probable est la suivante : ces fichiers étaient actifs pendant l'opération. Par conséquent, avant de lancer une défragmentation, fermez tous vos programmes et stoppez toutes les tâches d'arrière-plan.

Une autre cause réside dans le fait que le disque dur est presque plein. En effet, la défragmentation a besoin d'un certain espace pour déplacer les fichiers et s'exécuter.

Utilitaires spécifiques pour défragmenter

Il existe des utilitaires spéciaux servant à défragmenter un disque dur. Ils se révèlent généralement plus rapides que celui de Windows. L'un d'eux est l'excellent défragmenteur contenu dans les **Norton Utilities**, dans un programme plus général **Norton SystemWorks** édité par Symantec. Le site de Symantec est :

```
http://www.symantec.fr
```

Vérifier un disque avec Chkdsk en invite de commandes

La séquence **Chkdsk** est l'utilitaire traditionnel servant à vérifier si un disque comporte des erreurs. Les lettres **Chkdsk** proviennent de l'expression anglaise *check disk*, test du disque. Vous pouvez le lancer ainsi :

1. Cliquez sur **démarrer** → **Tous les programmes** → **Accessoires** → **Invite de commandes**. Une fenêtre d'invite de commandes s'ouvre.

2. Derrière les caractères d'invite, tapez la commande suivante, avec le paramètre /F pour forcer la correction des erreurs (ici pour analyser le disque courant C:) :

```
CHKDSK /F
```

Cela, en majuscules ou en minuscules, peu importe. Avec le paramètre /**F**, la séquence procédera aux corrections nécessaires ; sans ce paramètres, la vérification vous indiquera les erreurs qu'elle a détectées, mais sans les corriger. Notez que si vous possédez plusieurs disques, vous devrez indiquer lequel selon cette syntaxe, par exemple pour le disque C:

```
CHKDSK C: /F
```

3. Appuyez sur **Entrée.**

4. Si vous n'avez pas utilisé le paramètre /F, la vérification est lancée (figure 24-14). Si vous l'avez placé, le programme vous proposera de lancer la vérification lors du prochain redémarrage ; acceptez.

5. Pour fermer la fenêtre d'invite de commandes, tapez, derrière les caractères d'invite :

   EXIT

6. Appuyez sur **Entrée**.

Astuce ⊗ Si vous éprouvez des difficultés avec **Chkdsk**, lancez-le en mode sans échec (appuyez sur **F8** au démarrage de Windows).

```
C:\Documents and Settings\Jean> CHKDSK
Le type du système de fichiers est NTFS.
Le nom de volume est Principal.

Avertissement ! Le paramètre F n'a pas été spécifié.
Exécution de CHKDSK en mode lecture seule.

CHKDSK est en train de vérifier les fichiers (étape 1 de 3)...
La vérification des fichiers est terminée.
CHKDSK est en train de vérifier les index (étape 2 de 3)..
Suppression de l'entrée d'index 00140385.MAP dans l'index $I30 du fichier 48950.

Suppression de l'entrée d'index 00140386.MAP dans l'index $I30 du fichier 48950.

Suppression de l'entrée d'index INDEX.MAP dans l'index $I30 du fichier 82305.
Suppression de l'entrée d'index OBJECTS.MAP dans l'index $I30 du fichier 82305.
La vérification des index est terminée.

Erreurs trouvées. CHKDSK ne peut pas continuer en mode lecture seule.

C:\Documents and Settings\Jean> EXIT_
```

Figure 24-14 Le compte rendu de Chkdsk sans le paramètre /F.

Astuce ⊗ Toujours en cas de difficulté, tentez d'appliquer la commande plus complète chkdsk /F /R (le paramètre /r tente de récupérer les données dans des secteurs défectueux).

Vérifier un disque avec Chkdsk et la console de récupération

Dans les cas graves, vous pouvez utiliser la **Console de récupération** pour lancer **Chkdsk** et vérifier un disque (voir la section *Console de récupération*). La bonne méthode consiste à partir du CD d'installation de Windows :

1. Insérez le CD de Windows dans son lecteur et allumez l'ordinateur.

2. Si un message s'affiche, sélectionnez vos options pour démarrer depuis ce CD, puis poursuivez la procédure normale.

3. Dès qu'elle apparaît, sélectionnez l'option de réparation ou de récupération (la première) en appuyant sur la touche R, à l'invite de l'écran.

4. Si vous utilisez un double amorçage, sélectionnez le système auquel vous devez accéder à partir de la **Console de récupération**.

5. Tapez le mot de passe administrateur à la demande de l'écran. Il peut ou non en exister un. Il s'agit bien de l'administrateur initial du système, celui qui s'est déclaré lors de l'installation.

6. Dans la fenêtre de la console, tapez :

   CHKDSK /p /r

   - /p : effectue une recherche exhaustive du lecteur et corrige les erreurs éventuelles.

   - /r : recherche les secteurs défectueux et récupère les informations lisibles.

Notez que si vous spécifiez l'option /r, l'option /p est implicite. L'utilisation de la commande chkdsk sans argument vérifie le lecteur actif sans aucune option.

7. Après réparation, quittez la **Console de récupération** en tapant exit et réinitialisez l'ordinateur.

Chkdsk démarre sans cesse automatiquement

Vous allumez votre ordinateur et le test de votre disque avec **Chkdsk** démarre automatiquement. Si ce phénomène ne se produit qu'une fois, il y a tout lieu de penser que vous avez mal arrêté l'ordinateur à la fin de la session précédente ou que le système a découvert un problème. Mais s'il se répète lors de chaque remise en service de la machine, c'est que quelque chose d'autre ne va pas.

Lancer Chkdsk manuellement

Pour en avoir le cœur net, lancez-le vous-même une fois :

1. Le système s'étant stabilisé, ouvrez l'Explorateur Windows.

2. Faites un clic droit sur le disque en cause, par exemple **C:**.

3. Cliquez sur **Propriétés** → onglet **Outils**.

4. Dans la section **Vérification des erreurs**, cliquez sur le bouton **Vérifier maintenant**.

5. Cochez les deux cases de la boîte de dialogue qui apparaît et lancez la vérification. S'il s'agit du disque système C:, vous devrez réinitialiser l'ordinateur ; laissez-vous guider par l'écran.

Dépannage rapide

Si le phénomène se renouvelle, il peut s'agit d'un mauvais pilote

Si **Chkdsk** s'entête à redémarrer automatiquement par la suite, les causes du problème peuvent être multiples. L'une d'elles est examinée par la fiche Microsoft à :

        http://support.microsoft.com/default.aspx?scid=kb;fr;316506

Ici, c'est un scanner HP dont le pilote n'a pas été mis à jour pour XP qui lance **Chkdsk** systématiquement. Pour le vérifier, débranchez le scanner et réinitialisez l'ordinateur. Si le problème disparaît, la solution est évidente : mettez le pilote à jour et profitez-en pour mettre aussi à jour vos autres pilotes s'il y a lieu.

Sinon, c'est qu'un autre programme lancé au démarrage est à la source du problème. Vous devrez lancer **MSConfig** pour le rechercher en démarrant en mode minimal.

Intervenir dans le registre

L'épreuve de force consiste à passer par le registre :

1. Cliquez sur **démarrer → Exécuter**, tapez regedit et cliquez sur **OK**.

2. Naviguez vers :

        HKEY_LOCAL_MACHINE\SOFTWARE\Microsoft\WindowsNT\ CurrentVersion\Winlogon

3. Dans le volet de droite figure la valeur SFCScan ou SFCDisable. Elle doit être à zéro (0) pour que **Chkdsk** ne démarre pas (ou à 1 pour qu'il soit lancé). Vous pouvez créer SFCScan si cette ligne n'existe pas.

4. Si sa valeur est 1, double-cliquez dessus, tapez 0, puis fermez le registre et réinitialisez l'ordinateur, pour voir.

Si cela ne suffit pas, ce qui serait très inconvenant, vous pouvez tenter de passer par la **Console de récupération** pour lancer chkdsk /r (voir la section *Console de récupération*). C'est généralement très efficace.

Fonctionnement erratique du disque : supprimer les fichiers inutiles

Si votre ordinateur manifeste un comportement erratique, vous ne risquez rien en commençant par faire le ménage pour retrouver de la place sur le disque dur qui se remplit inexorablement. En effet, à chaque installation de logiciel, à chaque mise à jour ou à chaque lecture d'un fichier d'aide, de nouveaux fichiers temporaires s'ajoutent sur votre disque. Supprimez-les. Leurs extensions sont principalement :

• CHK : engendrés par **scandisk**.

- `GID` : engendrés lors d'une consultation de l'aide en ligne dans un programme.

- `FTS` : créés lors de l'utilisation de la fonction **Rechercher**.

- `BAK` : apparaissant sur une mise à jour, afin que soit conservée l'ancienne version du fichier.

- `BAD` : des fichiers défaillants, généralement engendrés lors de la mise à jour du registre (sous MS-DOS avec `SCANREG` et diverses options).

- `TMP` : les fichiers temporaires.

Pour supprimer ces fichiers :

- Utilisez le nettoyeur de disque.

- Lancez une recherche, puis supprimez les fichiers trouvés.

Supprimer les fichiers d'annulation des mises à jour $NTuninstall

Lorsque vous procédez à une mise à jour de Windows, vous téléchargez une séquence spécifique qui est conservée sur votre machine une fois l'opération effectuée. Elle permet d'annuler cette dernière si vous constatez qu'elle engendre des incidents.

Des dossiers **$NTuninstall** sont ainsi créés. Ils contiennent les fichiers nécessaires à la désinstallation d'un correctif et non de la mise à jour elle-même.

Si, après un certain temps d'expérimentation, vous constatez que vos mises à jour fonctionnent correctement, vous n'avez plus besoin de leurs séquences et vous pouvez les supprimer. Pour cela :

1. Ouvrez l'Explorateur Windows puis le dossier `C:\Windows` ou `C:\WINNT`, selon votre version de Windows.

2. Affichez les dossiers cachés : cliquez sur le menu **Outils → Options des dossiers →** onglet **Affichage**, puis cochez la case **Afficher les fichiers et dossiers cachés** et cliquez sur **OK**.

3. Sauvegardez les dossiers dont les noms commencent par `$NtUninstall` ou par `$NtServicePack-Uninstall`, par sécurité.

4. Supprimez-les.

5. Rétablissez la suppression de l'affichage des fichiers et des dossiers cachés.

Ce qu'il faut sauvegarder avant de reformater

Si vous devez reformater votre disque, tentez une sauvegarde générale, par sécurité. Sinon, n'oubliez pas de sauvegarder, pour le moins (ce pense-bête ne sera souvent pas inutile) :

- Vos dossiers personnels **Mes documents**.

- Votre carnet d'adresses `.wab`.

- Vos dossiers de messagerie `.dbx`.

- Tous vos fichiers personnels non enregistrés dans **Mes documents**.

- Vos jeux de polices, pour le moins le dossier `C:\windows\Fonts`.

- Votre liste des **Favoris**.

Faites aussi un relevé des programmes et des utilitaires installés.

Disquettes

Formater une disquette en 720 Ko

Le formatage d'une disquette en 720 Ko n'est pas prévu par Windows XP *via* le menu contextuel de la disquette et sa commande **Formater**. En effet, il ne vous est offert que la possibilité de formater en 1,44 Mo. Notez, toutefois, que XP peut lire les anciennes disquettes 720 Ko.

Mais on peut tourner la difficulté : il suffit d'ouvrir la fenêtre d'invite de commandes (cliquez sur **démarrer → Tous les programmes → Accessoires → Invite de commandes**) et de lancer le formatage avec une commande telle que :

```
format a:
```

Il faut, bien sûr, avoir inséré une disquette 720 Ko dans le lecteur **A:**.

Lire une disquette Macintosh sur un PC

De nombreux utilitaires permettent de lire une disquette Macintosh sur un PC, et même d'en faire davantage. Il suffit de lancer une recherche sur Google pour s'en convaincre. Un éditeur français travaille depuis longtemps sur ce sujet et propose d'excellentes solutions. C'est **Duhem**, à :

```
http://www.duhem.com
```

Un autre site propose un programme gratuit, mais en anglais :

```
http://laniche.macplus.net/P1/echanger/HFS/hfv.shtml
```

DOS

Voir aussi *Invite de commandes*.

Utiliser des noms longs sous DOS

Si vous affichez dans une fenêtre DOS un long nom de fichier créé sous Windows, le DOS n'affichera que ses six premiers caractères, après suppression d'éventuels espaces. Ces six premiers caractères sont suivis par le caractère *tilde* (le caractère ~) et par un numéro.

Si vous devez entrer un nom long dans une fenêtre DOS, encadrez-le de guillemets, lui et son chemin d'accès. De la sorte, il sera accepté et reconnu.

Astuce ⊗ Vous pouvez faire glisser un fichier avec son chemin d'accès complet depuis l'Explorateur Windows ou le Poste de travail, dans une fenêtre d'invite de commandes. Il apparaîtra encadré de guillemets.

Dossiers

Spécifier le nom du dossier Windows (variable d'environnement)

Le dossier d'installation Windows se trouve par défaut sur le disque dur C: à :

        C:\WINDOWS

Il peut encore se trouver ailleurs. Aussi est-il désigné par une **variable d'environnement**, une notation générale telle que :

        %SystemRoot%

Par exemple, si vous visez le dossier :

        c:\WINDOWS\SYSTEM32

vous pourriez taper ou lire :

        %SystemRoot%\system32

Déplacer les dossiers TEMP et TMP

Par défaut, les dossiers temporaires TEMP et TMP se trouvent sur le disque dur **C:** et dans des dossiers spécifiques. Si vous souhaitez les déplacer :

1. Appuyez sur les touches **Windows + Pause**.

2. Cliquez sur l'onglet **Avancé** → bouton **Variables d'environnement**.

3. Sélectionnez la variable à modifier (vous devrez renouveler la même opération pour chaque variable) et cliquez sur le bouton **Modifier**.

4. Tapez le nouveau chemin d'accès et cliquez sur **OK**.

5. Réinitialisez l'ordinateur.

Dossiers ou fichiers listés en rouge ou en bleu

Dans l'Explorateur Windows, vous trouverez parfois des dossiers ou des fichiers écrits en couleur :

- **Bleu** : il s'agit d'éléments compressés.

- **Rouge** : ce sont des éléments cryptés.

Il s'agit là des couleurs par défaut.

Supprimer un dossier récalcitrant

Vous tentez de supprimer un dossier et Windows le refuse, affichant un message tel que :

```
Impossible de supprimer cette ressource est utilisée par une autre
personne ou programme, Suppression du dossier xxx impossible, Accès
refusé, Un fichier est en cours d'utilisation.
```

Cela, même si le dossier est vide. La faute provient de l'Explorateur Windows qui interprète mal la position du dossier à placer dans la Corbeille. Dans un tel cas, trois méthodes différentes sont applicables :

- Réinitialisez l'ordinateur et effectuez aussitôt la suppression.

- Appuyez sur **Maj + Suppr** pour exclure le passage par la Corbeille.

- Supprimez le dossier en ligne de commande.

Pour utiliser la ligne de commande :

1. Cliquez sur **démarrer** → **Tous les programmes** → **Accessoires** → **Invite de commandes**.

2. Tapez la commande de suppression d'un dossier **RD** *(Remove Directory)* en appliquant la syntaxe complète suivante :

```
rd /s /q accès_et_nom_du_dossier_à_supprimer
```

Par exemple , tapez :

```
rd /s /q c:\Toto
```

Les paramètres sont les suivants :

/s : supprime le dossier, ses sous-dossiers et tous les fichiers qu'ils contiennent. On supprime ainsi une arborescence.

/q : supprime les demandes de confirmation.

Si cela ne fonctionne toujours pas, initialisez l'ordinateur sur une disquette DOS et appliquez la même ligne de commande.

Un double clic sur un dossier lance la fonction Rechercher

Vous êtes malencontreusement intervenu dans la gestion des fichiers et, depuis, un double clic sur un dossier ne l'ouvre pas, mais lance la fonction **Rechercher**. Pour rétablir la bonne action :

1. Ouvrez l'Explorateur Windows.

2. Cliquez sur le menu **Outils** ➜ **Options des dossiers** ➜ onglet **Types de fichiers**.

3. Sélectionnez la ligne **Dossier de fichier** et cliquez sur le bouton **Avancé**. Seule l'action **Find** devrait se trouver listée.

4. Cliquez sur le bouton **Nouveau**, puis sur **Parcourir** et trouvez le programme de l'Explorateur Windows, explore.exe, lequel devrait se trouver dans le dossier c:\windows.

5. Comme action, spécifiez **Explorer** ou **Ouvrir**.

6. Cliquez sur **OK** et fermez ces fenêtres.

Vider les dossiers temporaires Temp

Plusieurs dossiers Temp ou TMP coexistent sur votre disque dur. Des fichiers ont parfois tendance à s'y accumuler. Pour les supprimer, le plus simple consiste à faire appel à **Nettoyage de disque**. Vous pouvez aussi supprimer manuellement les fichiers et les sous-dossiers des dossiers Temp sans crainte, sachant que :

- Vous devez fermer, au préalable, tous les programmes liés, faute de quoi le système ne permettrait pas de supprimer certains fichiers.

- Le plus sage consiste à supprimer ces fichiers sur un redémarrage de l'ordinateur.

- Si Windows XP a réellement besoin de l'un des fichiers supprimés, il le recréera.

- Si Windows vous interdit la suppression de tel ou tel fichier, c'est probablement qu'il en a besoin. Respectez ses volontés.

Vider un fichier Temp automatiquement

Il existe une méthode permettant de vider automatiquement un fichier Temp lorsque vous redémarrez une session. Ce fichier doit être identifié, avec son chemin d'accès et le nom de l'utilisateur :

1. Cliquez sur **démarrer** ➜ **Tous les programmes** ➜ **Accessoires** ➜ **Bloc-notes**.

2. Tapez la commande de vidage du fichier Temp au format DOS en spécifiant son chemin d'accès complet. La syntaxe générale pourrait être la suivante, pour un dossier situé dans les documents personnels (n'oubliez surtout pas les guillemets et n'ajoutez pas d'espace là où il n'y en a pas) ; notez que Local Settings est un dossier système caché :

```
del "C:\Documents and Settings\Nom utilisateur\
Local Settings\Temp\*.*"
```

3. Cliquez sur le menu **Fichier** ➜ **Enregistrer**, et nommez le fichier comme vous l'entendez, mais obligatoirement avec l'extension .bat, par exemple :

```
vidage.bat
```

4. Ouvrez l'Explorateur Windows et localisez le fichier .bat que vous venez de créer.

5. Naviguez vers (pour reprendre l'exemple précédent) :

```
C:\Documents and Settings\Nom utilisateur\
Menu Démarrer\Programmes\Démarrage
```

6. Faites glisser votre fichier .bat dans ce dossier. Il sera exécuté lors de chaque redémarrage de l'ordinateur.

Si vous voulez vider d'autres dossiers, ajoutez autant de lignes supplémentaires de ce type dans le même fichier .bat.

DVD

Voir aussi *Gravure*.

Problèmes de lecture de CD ou de DVD

Si votre lecteur de CD ou de DVD n'est soudainement plus accessible, ou s'il refuse de lire certaines catégories de disques, et cela après une nouvelle installation (celle d'un Service Pack, par exemple), vous pouvez supposer que cette récente installation a modifié des fichiers importants, qu'il s'agisse de Easy CD Creator de Roxio ou de Nero. Tentez ceci :

1. Désinstallez le programme que vous utilisez, Roxio, Nero…, en passant par le Panneau de configuration, par exemple.

2. Supprimez manuellement tout ce qui pourrait subsister dans les dossiers de ces programmes.

3. Ouvrez le registre Windows et faites une recherche sur **Roxio** ou sur **Nero**, afin de supprimer toutes les entrées qui s'y trouveraient encore.

4. Réinstallez ensuite votre programme de la façon habituelle.

Le lecteur de DVD a disparu

Vous installez un pilote ou un nouveau logiciel et, à votre grande surprise, le lecteur de DVD n'est plus reconnu par le système. Dans ce cas, commencez par supposer que le nouveau programme est coupable et consultez le site de son fabricant pour découvrir s'il n'existe pas de mise à jour ou un correctif.

Tel est le cas de Easy CD Creator, version 5, qui, sur certains systèmes, provoque la disparition apparente du lecteur de DVD. Ce problème a été répertorié par l'éditeur, Roxio, qui propose une mise à jour sur son site :

```
http://www.roxio.com/en/support/roxio_support/ecdc/
ecdc_software_updatesv5.jhtml
```

Une mise à jour peut parfois être remplacée par une intervention dans le registre de Windows, mais c'est une opération plus délicate.

Programme gratuit de lecture de DVD

Pour lire un DVD, vous devez disposer d'un programme de lecture spécifique. Parmi les plus connus figurent PowerDVD, WinDVD, mais il en existe beaucoup d'autres dont certains sont gratuits. Ainsi en est-il de Fusion Soft DVD Player, dont l'interface est semblable à celle de PowerDVD.

Vous pouvez le télécharger depuis le site :

```
http://telecharger.01net.com/windows/Multimedia/dvd/
```

Éventuellement, lancez une recherche pour découvrir d'autres sites de téléchargement.

Dépannage rapide

Le son est haché lors de la lecture des DVD

Plusieurs causes peuvent provoquer un son haché lors de la lecture des DVD :

- Le plus probable : le mode DMA n'est pas actif. Ce sujet est développé page 552.

- D'autres programmes tournent simultanément : stoppez-les.

- Le programme de lecture des DVD n'est pas bon : essayez-en un autre.

- L'ordinateur est trop lent : à vous de décider ce qu'il convient de faire !

Lister les codecs installés sur votre machine

Les **codecs**, ou *compresseurs-décompresseurs*, interviennent dans la gestion des données audio ou vidéo pour réduire le volume des fichiers. Vous pouvez en afficher la liste :

1. Cliquez sur **démarrer** → **Panneau de configuration** → **Son, voix et périphériques audio** → **Sons et périphériques audio** → onglet **Matériel**.

2. Dans la liste, sélectionnez **Codecs audio** ou **Codecs vidéo**, puis cliquez sur **Propriétés**.

3. Cliquez sur l'onglet **Propriétés** pour visualiser la liste des codecs de la catégorie choisie (figure 24-15).

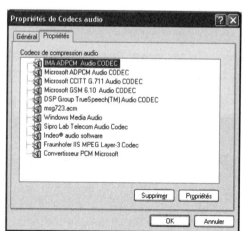

Figure 24-15
La liste des
codecs audio.

Utiliser un disque de nettoyage pour les lecteurs de CD ou DVD ?

Non, en aucun cas, quelles que soient les belles publicités qui vous y invitent. Ces disques de nettoyage paraissent innocents, mais ils sont généralement équipés d'une très fine brosse inférieure censée éliminer la poussière des lentilles du lecteur. Or, ces dernières, qui sont de toute façon autonettoyantes, peuvent être imperceptiblement déréglées, sinon même rayées.

La meilleure méthode réside encore dans la prévention : évitez les atmosphères poussiéreuses et conservez toujours le tiroir du lecteur fermé pour éviter toute atteinte de la poussière.

Écran

Changer le pilote de la carte graphique

Pour changer le pilote de la carte graphique :

1. Affichez le bureau. Si besoin est, cliquez sur l'icône **Bureau**, dans la barre de lancement rapide.

2. Avec la souris, pointez un espace libre du bureau et faites un clic droit, puis cliquez sur la commande **Propriétés**.

3. Cliquez sur l'onglet **Paramètres** ➜ bouton **Avancé** ➜ onglet **Carte** (figure 24-16) ; les caractéristiques de votre carte vidéo apparaissent.

4. Cliquez sur le bouton **Propriétés** pour afficher celles-ci.

5. Cliquez sur le volet **Pilote** ➜ bouton **Mettre à jour le pilote**.

6. Respectez ensuite les indications de l'écran. En principe, Windows détecte le meilleur pilote lors de l'installation, ce qui fait que vous ne devriez rien avoir à retoucher.

Dépannage rapide

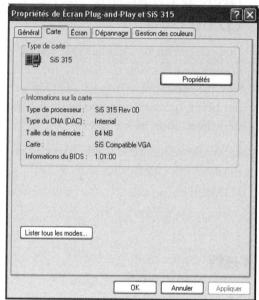

Figure 24-16
Volet Carte
des propriétés
avancées
de l'affichage.

Protéger la reprise de veille par un mot de passe

Pour sortir l'ordinateur de la veille avec un mot de passe exclusivement :

1. Faites un clic droit sur une zone libre du bureau et choisissez **Propriétés**.

2. Cliquez sur l'onglet **Écran de veille**.

3. Dans la boîte de dialogue qui apparaît, cochez la case **À la reprise, protéger par mot de passe** et cliquez sur **OK**.

Le système vous demandera ce mot de passe pour sortir de la veille. Il ne s'agit nullement d'un nouveau mot de passe : c'est celui du compte en cours. Donc, vous n'avez pas à saisir de mot de passe supplémentaire.

Trouver les écrans de veille

Tous les écrans de veille ont pour extension .scr. Si vous voulez les découvrir, lancer simplement une recherche sur *.scr sur votre disque.

Ils devraient se trouver dans le dossier :

```
C:\Windows\System32
```

Envoyer vers

Ajouter une cible à la liste Envoyer vers (SendTo)

Vous pouvez ajouter à la liste **Envoyer vers** des destinations supplémentaires, par exemple un second disque dur que vous avez ajouté dans votre machine. Il suffit d'introduire la nouvelle destination dans le dossier SendTo :

1. Rendez visibles les dossiers cachés et les dossiers système comme indiqué dans l'astuce précédente.

2. Double-cliquez sur l'icône **Poste de travail**.

3. Double-cliquez sur le disque **C:**, puis double-cliquez sur le dossier Documents and Settings et ouvrez le dossier de l'utilisateur qui vous intéresse et double-cliquez sur le dossier appelé SendTo.

4. Ce dossier ouvert, déplacez-le en faisant glisser sa barre de titre, de façon qu'il reste visible sans consommer par trop d'espace à l'écran. Notez que chaque icône représente l'une des options figurant dans le menu **Envoyer vers**.

5. Trouvez l'icône de la nouvelle destination que vous voulez ajouter à la liste **Envoyer vers**, un programme très souvent. Elle peut se trouver sur le bureau, en tant que raccourci, dans le menu **démarrer**, dans l'Explorateur Windows, dans le Poste de travail, dans une fenêtre de recherche, etc.

6. Bouton droit de la souris enfoncé, faites glisser cette icône dans la fenêtre du dossier SendTo.

7. Relâchez le bouton de la souris et, dans le menu contextuel qui apparaît, cliquez sur **Créer les raccourcis ici**. L'icône du programme figure maintenant dans ce dossier.

8. Faites un clic droit sur une zone vide de ce dossier, cliquez sur **Réorganiser les icônes**, puis choisissez **Par nom** pour les classer par ordre alphabétique.

9. Fermez cette fenêtre.

Dépannage rapide

Erreurs

Annuler une opération selon quelques méthodes classiques

Pour annuler une action intempestive, au choix :

- Au clavier, appuyez sur **Ctrl + Z** pour annuler.

- Avec la souris, repérez la commande **Annuler** du menu **Edition**, pour autant qu'il existe. Elle vous indiquera souvent la dernière commande que vous pouvez annuler. Cliquez sur cette commande : l'annulation est exécutée et vous retrouvez l'état antérieur.

- Appuyez sur la combinaison **Alt + Retour arrière**, une ancienne commande qui accepte encore de fonctionner, mais probablement pas dans toutes les applications.

- Cliquez sur l'icône d'annulation se trouvant généralement dans la barre d'outils de nombreux programmes.

- Appuyez sur la touche **Echappement**, marquée **Echap**.

- Examinez si la fenêtre affichée ne comporte pas un bouton **Annuler**. Cliquez dessus.

- Cliquez sur l'icône **Précédente** pour revenir en territoire connu.

- Fermez une fenêtre en cliquant sur sa case de fermeture, celle marquée d'un X et se trouvant dans son angle supérieur droit.

- Appuyez sur les touches **Alt + F4** simultanément pour fermer la fenêtre active.

Notez que, selon les programmes :

- Vous ne pouvez annuler qu'une seule action, la dernière que vous avez effectuée. Tel est le cas de Windows.

- Certains programmes enregistrent toutes vos opérations, jusqu'à une limite raisonnable, parfois la capacité du disque dur. Cela explique que vous pouvez annuler successivement toute une série d'actions en remontant dans le temps. Peu importe, dans ce cas, qu'elles se soient produites dans des dossiers différents : il suffit de respecter le bon ordre. Si vous avez le moindre doute, fiez-vous à ce que vous indique le menu **Edition**, commande **Annuler**, pour savoir quelle est l'opération précédente qui peut être annulée.

Au démarrage, Windows XP annonce une erreur qui n'existe pas

Lorsque vous démarrez XP, un message d'erreur apparaît, indiquant, par exemple, qu'il lui manque un fichier. Si vous fermez cette boîte de dialogue, tout fonctionne correctement. L'information était fausse, mais elle se renouvelle.

Pour tenter de supprimer ce message, il vous faut détecter son origine :

1. Cliquez sur **démarrer** → **Exécuter**, tapez MSCONFIG et cliquez sur **OK**.

2. Cliquez sur l'onglet **Démarrage**.

3. Essayez de trouver le programme qui réclame le fichier inexistant en procédant par éliminations successives. Décochez sa case et faites un essai en réinitialisant l'ordinateur.

La mesure à prendre dépend ensuite du type de programme. Vous pourrez probablement le désinstaller.

Comprendre et interpréter les messages d'erreur

De nombreux types de messages d'erreur souvent ésotériques peuvent apparaître. Pour en comprendre la signification, une excellent méthode consiste à lancer une recherche sur le Web sur le nom du message d'erreur, par exemple *via* Google. Il serait surprenant que vous ne trouviez pas de réponses à vos questions.

Désactiver la demande d'envoi de rapport d'erreur à Microsoft

Lorsqu'une erreur se produit, le système affiche un message vous demandant de transmettre cette erreur à Microsoft. La société analyse les erreurs reçues et en tire des conclusions utiles, mettant au point les correctifs s'ils s'avèrent nécessaires. Il ne s'agit donc nullement de vous répondre directement, d'une façon ou d'une autre. Vous n'en espériez pas tant ? Toutefois, vous ne voulez peut-être pas transmettre ces erreurs.

Pour inhiber ce service :

1. Cliquez sur **démarrer** → **Panneau de configuration** → **Performances et maintenance** → **Système** → onglet **Avancé**.

2. Tout en bas de la fenêtre, cliquez sur le bouton **Rapport d'erreurs**.

3. Cochez la case **Désactiver le rapport d'erreurs**.

4. Si vous le souhaitez, conservez active l'option **Mais me prévenir en cas d'erreur critique**.

Dépannage rapide

5. Cliquez sur **OK** deux fois de suite.

Diagnostiquer les erreurs avec Dr Watson

Dr Watson est un débogueur d'erreurs de programme. Il recueille des informations et les enregistre dans un journal afin de permettre aux services d'assistance technique de Microsoft de diagnostiquer une erreur.

Un fichier texte `Drwtsn32.log` est créé chaque fois qu'une erreur est détectée; il peut être transmis au personnel du service d'assistance par la voie de votre choix. Vous avez également la possibilité de créer un fichier de vidage sur incident, c'est-à-dire un fichier binaire que le programmeur pourra charger dans un débogueur. **Dr Watson** démarre automatiquement si une erreur de programme se produit.

Pour lancer manuellement **Dr Watson**, une première méthode est la suivante :

1. Cliquez sur **démarrer** → **Tous les programmes** → **Accessoire** → **Outils système** → **Informations système**.

2. Cliquez sur le menu **Outils** → **Dr Watson**.

Une autre méthode est celle-ci : cliquez sur **démarrer** → **Exécuter** et tapez `drwtsn32`, puis cliquez sur **OK**. La boîte de dialogue **Dr Watson pour Windows** apparaît (figure 24-17).

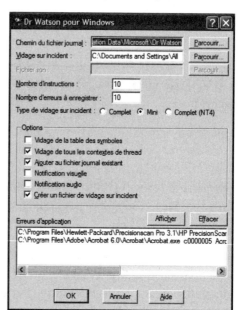

Figure 24-17
Boîte de
dialogue
de Dr Watson.

Si vous sélectionnez une erreur d'application dans la liste du bas et cliquez ensuite sur le bouton **Afficher**, la partie correspondante du journal d'erreur s'affiche.

Lancer Dr Watson en ligne de commande

Vous pouvez aussi démarrer **Dr Watson** sous forme de commande. Cliquez sur **démarrer** → **Exécuter**, tapez `drwtsn32` et cliquez sur **OK**.

Erreur BAD_SYSTEM_CONFIG_INFO

Si, au démarrage, le message d'erreur
`BAD_SYSTEM_CONFIG_INFO`
s'affiche avec une référence telle que `0x00000074`, c'est probablement qu'une de vos barrettes mémoire est défectueuse ou que le système, ou le registre, est corrompu. Les solutions possibles sont les suivantes.

Vérifier la mémoire centrale

Tentez d'abord d'extraire une barrette mémoire si vous en avez installé deux, puis procédez à un essai, ou bien remplacez la barrette existante par une autre dont vous êtes sûr.

Si la mémoire est en bon état

Si la mémoire fonctionne correctement, on peut supposer qu'il s'agit d'une corruption du système. Dans ce cas :

- Réinitialisez l'ordinateur sur la **Dernière bonne configuration connue**.

- Si cela ne fonctionne pas, tentez une restauration du système en remontant dans le temps.

- En désespoir de cause, réparez ou réinstallez Windows.

Plantages périodiques ou aléatoires de l'ordinateur

Vous constatez que votre machine se plante périodiquement, par exemple toutes les heures. Vous la laissez se reposer et vous redémarrez mais, après une heure de service, elle se plante à nouveau. Les causes les plus probables sont les suivantes :

- Il existe une surchauffe dans l'ordinateur. Peut-être devez-vous dégager les orifices de ventilation, dépoussiérer l'extérieur et l'intérieur de la machine ou les pales des ventilateurs, vérifier que les ventilateurs fonctionnent correctement : peut-être faut-il remplacer l'un d'eux par un modèle plus puissant, supprimer l'overclocking… Vous pouvez tenter de réduire la fréquence de travail, si c'est possible ; les

Dépannage rapide

circuits chaufferont moins (les circuits en technologie CMOS dissipent une puissance qui dépend directement de la fréquence).

- Vérifiez aussi vos pilotes et mettez-les à jour. Faites-le même avec une machine neuve, ce que l'expérience dicte. À commencer par les pilotes de la carte mère.

Si les plantages sont aléatoires mais fréquents, songez à une barrette mémoire défectueuse.

Exécuter

Afficher les documents personnels avec Exécuter

Si vous voulez afficher le dossier des documents personnels `Documents and Settings` de l'utilisateur courant en utilisant la boîte de dialogue **Exécuter** :

1. Cliquez sur le bouton **démarrer** → **Exécuter**.

2. Dans la fenêtre qui apparaît, tapez un simple point (.).

3. Cliquez sur **OK**.

C'est la fenêtre du dossier `Documents and Settings` de l'utilisateur actuel qui s'affiche.

Vider le menu Exécuter

Lorsque vous cliquez sur le bouton **démarrer**, puis sur sa commande **Exécuter**, la liste déroulante qui s'affiche rappelle toutes les commandes que vous avez passées dans cette boîte de dialogue. Si elle s'allonge par trop, vous devrez peut-être procéder à son nettoyage. La seule façon consiste à ouvrir le registre de Windows :

1. Cliquez sur **démarrer** → **Exécuter**. Tapez `regedit` et appuyez sur **Entrée** ou cliquez sur **OK**.

2. Le registre s'ouvre. Naviguez vers :

   ```
   HKEY_CURRENT_USER\Software\Microsoft\Windows\
   CurrentVersion\Explorer\RunMRU
   ```

3. Le volet de droite affiche toutes les entrées de la liste déroulante. Sélectionnez une entrée en cliquant dessus (ou sélectionnez plusieurs entrées).

4. Appuyez sur la touche de suppression **Suppr**.

5. À la demande de l'écran, confirmez la suppression.

6. Fermez le registre.

7. Réinitialisez l'ordinateur : les entrées supprimées ont disparu.

Attention ⊗ Dans le registre et toujours à `RunMRU`, ne supprimez surtout pas les entrées (`Default`) et `MRUList` dans la colonne de droite.

Fenêtres

Débloquer une fenêtre bloquée à l'écran

La barre de titre d'une fenêtre est hors d'atteinte, car elle sort du cadre de l'écran et vous ne savez pas comment faire pour la déplacer. Utilisez l'une de ces astuces :

- Vérifiez d'abord si des barres de défilement ne sont pas apparues. Si oui, utilisez-les pour ramener la barre de titre.

- Cliquez sur la fenêtre et appuyez sur **Alt + F4** pour la fermer.

- Faites un clic droit sur une zone neutre de la barre des tâches et, dans le menu contextuel, choisissez **Cascade** pour afficher toutes les fenêtres en cascade : les barres de titres deviennent apparentes.

Ou bien encore :

1. Cliquez sur la fenêtre pour l'activer.

2. Appuyez sur **Alt + Barre d'espace**. Cette opération ouvre son menu système.

3. Appuyez sur **D** pour activer la commande **Déplacer**.

4. Utilisez les touches fléchées pour déplacer la fenêtre et la ramener bien en vue dans sa totalité. Vous pouvez aussi faire glisser la souris sur la fenêtre pour déplacer celle-ci rapidement.

5. Appuyez sur **Entrée** ou cliquez pour terminer la manœuvre.

Fichiers

Désactiver l'indexation des fichiers (Cidaemon)

Pour accélérer la recherche des fichiers, Windows crée un index de leurs références, une opération qui ralentit parfois l'ensemble du fonctionnement d'un système et qui, sur certaines machines, peut même créer des troubles. `cideamon.exe` fait partie de ce service d'indexation ; lors d'un fort ralentissement, vous pourrez parfois constater dans le **Gestionnaire des tâches** (pour l'afficher, appuyez sur **Ctrl + Maj + Suppr**) que **Cideamon** occupe 100 % du temps processeur.

Tentez alors de désactiver cette indexation qui ne sert d'ailleurs pas à grand-chose la plupart du temps :

1. Double-cliquez sur l'icône **Poste de travail**.

2. Faites un clic droit sur le disque **C:** (ou de tout autre disque) et choisissez **Propriétés** ➜ volet **Général**.

3. Décochez la case **Autoriser l'indexation de ce disque pour la recherche rapide de fichiers**.

4. À la demande de l'écran, confirmez la désactivation, de préférence pour tous les disques.

Peut-on supprimer le fichier ctfmon.exe (ctfmon) ?

Le fichier `ctfmon.exe` intervient en arrière-plan lors de l'exécution d'un programme Office XP. Il fonctionne même après que vous avez quitté tous les programmes Office. Il active le **TIP** (*Text Input Processor*) ainsi que la barre de langue, il contrôle les fenêtres actives et il fournit une prise en charge des entrées de texte pour la reconnaissance vocale, pour la reconnaissance de l'écriture manuscrite, *etc.*

Ce fichier n'est généralement pas vraiment indispensable. Sa suppression risque toutefois de provoquer des problèmes avec vos programmes Office XP, c'est pourquoi il est conseillé de le conserver. Si vous voulez empêcher son exécution, consultez l'astuce suivante de la base de connaissances Microsoft :

```
http://support.microsoft.com/default.aspx?kbid=282599
```

Copier un fichier dans le même dossier

La copie d'un fichier dans son même dossier constitue un cas particulier de copie. Il s'agit généralement d'une mesure de prudence rare, mais possible. Il existe plusieurs solutions.

Via un copier-coller

Voici une première méthode auto-explicative :

1. Affichez l'Explorateur Windows avec le bon dossier.

2. Faites un clic droit sur le fichier à copier et cliquez sur la commande **Copier**.

3. Faites un autre clic droit sur une zone libre du dossier affiché et cliquez sur la commande **Coller**.

Votre fichier est copié et son nom est préfixé par la mention **Copie de**.

En faisant glisser avec la souris

Une autre méthode consiste à tirer le fichier avec la souris, tout en maintenant le bouton droit enfoncé. Pas très loin : un petit peu vers la droite. Relâchez ensuite le bouton de la souris. Un menu contextuel s'affiche. Cliquez sur sa commande **Copier ici.** Le fichier est dupliqué, toujours avec la même mention servant de préfixe : **Copie de**.

Autres méthodes

Il existe encore d'autres méthodes. Par exemple, vous pouvez utiliser les commandes du menu **Edition** pour procéder à une copie d'abord, puis à un collage ensuite. Vous pouvez également faire appel aux icônes et même aux frappes raccourcies correspondantes.

Renommer une série d'images d'un coup

S'il s'agit d'images, vous pouvez appliquer cette autre méthode pour en renommer une série d'un coup :

1. Cliquez sur le bouton **démarrer**, puis ouvrez le dossier spécifique dans lequel se trouvent les fichiers à renommer.

2. Cliquez sur le menu **Affichage → Miniatures**.

3. Sélectionnez les images à renommer.

4. Faites un clic droit sur la première image et cliquez sur **Renommer**.

5. Renommez cette image**.**

6. Cliquez sur l'espace blanc situé sur la droite de la miniature : comme par un coup de baguette magique, toute la collection est renommée.

Supprimer l'attribut Lecture seule de fichiers copiés d'un CD

Lorsque vous copiez des fichiers d'un CD sur votre disque dur, il se peut que tous les fichiers soient dotés de l'attribut **Lecture seule**. Vous ne pouvez donc pas les modifier. Pour supprimer cet attribut :

1. Faites un clic droit sur le dossier, puis cliquez sur **Propriétés**.

2. Passez dans l'onglet **Général** et décochez la case **Lecture seule**.

3. Cliquez sur **OK**.

L'attribut **Lecture seule** est alors supprimé des fichiers.

Qu'est-ce que le fichier thumbs.db ?

Pour afficher des miniatures sans perte de temps, Windows crée un fichier caché `thumbs.db` dans chacun des dossiers concernés. Si vous le supprimez, Windows le reconstruira simplement. Si vous ne voulez pas que Windows crée ce fichier (pour économiser de l'espace disque) :

1. Ouvrez le Poste de travail ou l'Explorateur Windows.

2. Cliquez sur le menu **Outils** → **Options des dossiers** → **Affichage**.

3. Décochez la case **Ne pas mettre les miniatures en cache**.

Visualiser le contenu des fichiers CAB

Les fichiers `.cab` contiennent les séquences d'installation de Windows. Vous pouvez en visualiser le contenu avec l'utilitaire de compression intégré de XP. En principe, il est actif par défaut, mais sinon, pour l'activer, cliquez sur le bouton **démarrer** → **Exécuter**, puis tapez :

```
regsvr32 cabview.dll
```

Pour le désactiver, procédez de même, mais en tapant :

```
regsvr32 /u cabview.dll
```

Gravure

Voir aussi *CD* et *DVD*.

Autoriser les utilisateurs à compte limité à accéder à la gravure

Par défaut, seul l'administrateur peut généralement accéder aux fonctions de gravure sous XP Pro. Si vous voulez autoriser les autres utilisateurs à y accéder :

1. Cliquez sur **démarrer** → **Panneau de configuration** → **Performances et maintenance** → **Outils d'administration**.

2. Double-cliquez sur **Stratégie de sécurité locale**.

3. Ouvrez la liste **Stratégies locales** dans le volet de gauche, puis cliquez sur **Options de sécurité**.

4. Visez la ligne **Périphériques : permettre le formatage et l'éjection des supports amovibles.** Elle doit être définie avec le paramètre **Administrateurs et Utilisateurs interactifs** (figure 24-18).

5. Si tel n'est pas le cas, double-cliquez sur cette ligne et sélectionnez cette option dans la liste déroulante de la petite fenêtre qui apparaît.

Préenregistrer vos CD

Si vous utilisez un graveur de CD, vous découvrirez avec intérêt que Windows XP vous permet d'effectuer en quelque sorte un préenregistrement de gravure. La méthode est simple :

1. Sélectionnez le fichier à graver et faites un clic droit dessus.

2. Choisissez la commande **Envoyer vers**.

3. Cliquez sur la ligne désignant votre graveur, par exemple **Nouveau CD**.

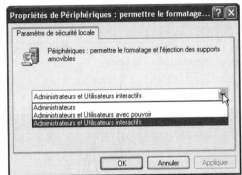

Figure 24-18
Sélectionnez
l'option
Administrateurs
et Utilisateurs
interactifs.

Aussitôt, une icône s'installe dans la zone de notification de la barre des tâches, et une bulle vous informe qu'un ou plusieurs fichiers ont été mis en attente de gravure (figure 24-19). Un petit rappel : la zone de notification est le nom attribué par Microsoft à la zone système de la barre des tâches placée près de l'horloge.

Figure 24-19
L'icône de
gravure.

Résoudre les problèmes généraux de gravure de CD

Si vous vous heurtez à une difficulté avec votre graveur de CD, avant toute autre chose :

• Lisez attentivement le manuel de votre graveur. Vous y trouverez généralement la solution à votre problème.

• Si vous n'avez pas de manuel, vous le trouverez peut-être sur son CD-ROM. Sinon, connectez-vous à son site pour le télécharger (s'il existe).

Dépannage rapide

- Vérifiez la version de votre logiciel de gravure. Nombre de logiciels prévus pour des versions précédentes de Windows ne fonctionnent pas, ou fonctionnent mal sous XP. Par exemple, les versions non mises à jour de Nero ne fonctionneront pas si vous avez installé le **Service Pack 2** de Windows XP.

- Téléchargez les mises à jour des logiciels de gravure depuis le site de son fabricant ou de son éditeur. Même si votre graveur est récent, il se peut que les correctifs aient déjà été introduits dans une mise à jour.

- Si vous êtes intervenu dans le BIOS de votre machine, d'une façon ou d'une autre (par exemple, pour overclocker votre matériel), revenez aux options précédentes.

- Si votre carte mère utilise un jeu de circuits de marque VIA, assurez-vous que vous possédez bien les pilotes les plus récents.

- Avec les graveurs ATAPI, il peut se faire qu'un problème surgisse avec l'accès direct en mémoire (DMA). Tentez soit d'autoriser, soit d'interdire le DMA.

- Si votre graveur est déjà ancien, peut-être a-t-il besoin d'un bon nettoyage. Voyez comment procéder en épluchant son manuel.

- Ne procédez pas à des gravures ou à des copies en continu. Si le graveur tourne en permanence, sa température va s'accroître, risquant de dépasser un seuil critique. Accordez-lui la chance de pouvoir se reposer entre deux gravures et se refroidir.

- Pour éviter des erreurs **d'overrun** (de défaut d'arrivée des informations à votre graveur), copiez d'abord vos données sur un disque dur rapide que vous avez défragmenté au préalable.

- En cas d'incertitude, procédez à un test avant gravure. La plupart des programmes de gravure vous en offrent la possibilité.

- Si les erreurs de gravure se multiplient, gravez à une vitesse moindre.

Heure et temps

Synchroniser l'heure derrière le pare-feu de Windows XP

La synchronisation de l'heure *via* un serveur Internet peut se révéler impossible si vous avez activé le pare-feu Windows XP. Vous pouvez toutefois résoudre ce problème :

1. Cliquez sur **démarrer** ➜ **Connexions** ➜ **Affichez toutes les connexions**.

2. Faites un clic droit sur la connexion que vous utilisez pour vous connecter à Internet, puis cliquez sur **Propriétés**.

3. Cliquez sur l'onglet **Avancé**, sur le bouton **Paramètres**, sur l'onglet **Services**, puis sur le bouton **Ajouter**.

4. Remplissez ainsi la boîte de dialogue qui s'affiche :

   - Description du service : `Heure`

   - Nom ou adresse IP de l'ordinateur hôte de ce service : `127.0.0.1`

   - Numéro du port externe : `123`

   - Numéro du port interne : `123`

5. Cochez la case **TCP** si elle ne l'est pas déjà.

6. Cliquez sur **OK** et redémarrez votre connexion .

Icônes

Rétablir les icônes de raccourcis avec F5

Vous avez voulu modifier l'icône d'un fichier ou vous avez procédé à toute autre manipulation et la conséquence est la suivante : toutes vos icônes du bureau ou du menu **démarrer** ont disparu ou ont été corrompues. Parfois, sans raison apparente, vos icônes se travestissent, adoptant des aspects déroutants ou trompeurs. Plusieurs méthodes peuvent s'appliquer pour les reconstituer.

Les toute premières à appliquer, avant d'aller plus loin, sont les suivantes :

- Appuyez sur **F5** pour rafraîchir l'affichage.

- Fermez et rouvrez la fenêtre contenant les mauvaises icônes.

- Réinitialisez votre ordinateur.

Recréer le fichier des icônes ShellIconCache

Si vous voulez rétablir les icônes, voici une autre méthode. Le fichier `ShellIconCache` qui enregistre les icônes est automatiquement recréé lorsque vous modifiez la profondeur de couleur d'affichage. Par conséquent :

1. Faites un clic droit sur une zone libre du bureau et choisissez **Propriétés**.

2. Cliquez sur l'onglet **Paramètres**.

3. Modifiez la profondeur de couleur, peu importe le sens.

4. Cliquez sur **Appliquer**, puis sur **Oui** pour accepter la modification.

5. Ramenez la profondeur de couleur à sa valeur initiale si vous le souhaitez en procédant de même.

Rétablir les icônes avec le registre

En désespoir de cause, intervenez dans le registre pour rétablir les icônes disparues ou corrompues, et ce, en prenant toutes les précautions d'usage :

1. Cliquez sur **démarrer** ➜ **Exécuter**, tapez `regedit` et cliquez sur **OK**.

2. Naviguez vers :

    `HKEY_LOCAL_MACHINE\Software\Microsoft\Windows\ CurrentVersion\Explorer`

3. Faites un clic droit dans le volet de droite, choisissez **Nouveau** ➜ **Valeur chaîne**.

4. Créez une ligne `Max Cached Icons` et affectez-lui la valeur `2000` pour commencer. Si c'est insuffisant, vous l'accroîtrez, par exemple en la passant à `3000`. La valeur par défaut est `500`, mais elle peut varier entre `100` et `4096`.

5. Fermez le registre et réinitialisez l'ordinateur.

Imprimantes et impression

Nommer une imprimante pour travailler en réseau

Si vous travaillez en réseau, vous savez qu'il est intéressant de nommer une imprimante pour que les autres utilisateurs la distinguent facilement. Or, il se trouve, là, un piège. Windows prend en charge les noms d'imprimante longs, jusqu'à 256 caractères tout compris. Vous pouvez donc créer des noms d'imprimante contenant des espaces et des caractères spéciaux pour votre travail en réseau. Or :

- Si vous partagez une imprimante avec des ordinateurs en réseau tournant sous MS-DOS, le nom de partage de l'imprimante ne doit pas dépasser huit caractères. Pour plus de précision, vous pouvez ajouter un point suivi d'une extension de trois caractères au maximum ; les espaces restent interdits.

- Un certain nombre de programmes Windows 3.x ne peuvent pas imprimer si le nom de l'imprimante contient un nombre de caractères supérieur à celui qu'ils sont autorisés à utiliser ; lors d'une tentative d'impression, ils engendrent un message d'erreur de protection générale.

- Si vous partagez une imprimante en réseau, sachez que certains clients ne peuvent pas reconnaître ou ne savent pas gérer correctement les noms longs, de sorte que des utilisateurs risquent de rencontrer des problèmes d'impression. Par ailleurs, certains programmes ne peuvent pas imprimer sur des imprimantes dont le nom dépasse 32 caractères.

Attention ⓥ Par mesure de sécurité, mieux vaut utiliser un nom court, sur 8 caractères au maximum avec une éventuelle extension sur 3 caractères.

Pour nommer une imprimante :

1. Cliquez sur le bouton **démarrer** → **Panneau de configuration** → **Imprimantes et autres périphériques** → **Imprimantes et télécopieurs**. La fenêtre en fournissant la liste s'affiche.

2. Faites un clic droit sur l'imprimante que vous retenez. Le menu contextuel apparaît.

3. Cliquez sur sa commande **Propriétés** → onglet **Partage**.

4. Cochez la case **Partager cette imprimante** et tapez le nom de partage.

L'imprimante locale ne fonctionne pas

L'imprimante refuse de fonctionner, en dépit de vos sollicitations. Son pilote s'est peut-être corrompu. Tentez de le réinstaller en appliquant cette variante :

1. Cliquez sur **démarrer** → **Panneau de configuration** → **Imprimantes et autres périphériques** → **Afficher les imprimantes et les télécopieurs installés**.

2. Sélectionnez l'imprimante qui ne fonctionne pas.

3. Dans la colonne de gauche, sous **Tâches d'impression**, cliquez sur **Supprimer cette imprimante**.

4. Confirmez, puis réinitialisez l'ordinateur.

5. Windows découvre un nouveau matériel qu'il ne vous restera plus qu'à réinstaller en vous laissant guider par l'assistant.

Vider le cache d'impression

Le spouleur d'impression enregistre temporairement les fichiers à imprimer dans un dossier spécial, puis, l'impression terminée, il les efface. Mais à l'occasion, il peut oublier de le faire. Dans ce cas, effacez-les à la main pour récupérer de l'espace disque :

1. Cliquez sur **démarrer → Exécuter** et tapez la commande suivante, puis cliquez sur **OK** :

   ```
   %systemroot%\system32\spool\printers
   ```

2. Cliquez sur le menu **Edition → Sélectionner tout**, puis appuyez sur la touche **Suppr** et confirmez.

Internet

Créer un raccourci pour votre connexion Internet sur le bureau

Pour pouvoir lancer ou relancer manuellement et facilement une connexion Internet après une interruption accidentelle, par exemple, placez son raccourci sur le bureau. La procédure est la suivante :

1. Cliquez sur **démarrer → Panneau de configuration → Connexions réseau et Internet → Connexions réseau**.

2. Dans la fenêtre **Connexions réseau**, cliquez avec le bouton droit sur l'icone de la connexion voulue et choisissez **Créer un raccourci**.

3. Au message **Impossible de créer un raccourci ici. Souhaitez-vous placer le raccourci sur le Bureau ?**, répondez **Oui**.

Le raccourci s'affiche sur le bureau.

Afficher la véritable adresse d'un site

Vous voulez vérifier si l'adresse du site qui est affichée dans la barre d'adresses de votre navigateur est bien celle qui vous intéresse, et non une adresse usurpée. Pour cela, un simple code en Javascript suffit. Dans la barre d'adresses, tapez simplement :

```
javascript:alert("Adresse actuelle : " + location.protocol + "//" +
location.hostname + "/")
```

Validez ensuite en cliquant sur **OK**. Une boite de dialogue s'affiche en indiquant l'adresse de base du serveur où se trouve la page que vous consultez.

Se déconnecter automatiquement d'Internet après un temps d'inactivité spécifique

Si votre connexion est facturée au temps, vous pouvez imposer une déconnexion automatique après une certaine durée de non-utilisation de cette connexion. Cette fonction est utile si vous téléchargez de grands fichiers, si vous vous absentez, pour pallier un oubli, etc. La procédure est la suivante :

1. Dans Internet Explorer, cliquez sur le menu **Outils** ➜ **Options Internet**.

2. Dans l'onglet **Connexions** de la boîte de dialogue **Options Internet**, sélectionnez votre connexion et cliquez sur le bouton **Paramètres**.

3. Cliquez sur le bouton **Avancé**.

4. Cochez les deux dernières cases et spécifiez le temps d'inactivité souhaité avant déconnexion. La première option est évidente. La seconde intervient quand vous fermez un programme tel qu'Internet Explorer ou Outlook Express : elle propose alors une déconnexion en ouvrant une boîte de dialogue dédiée.

5. Cliquez sur **OK**.

Tester la bande passante d'une connexion ADSL ou câble

Le site `http://www.optimix.be.tf/` permet de tester la bande passante de votre connexion ADSL ou câble. Cliquez sur le lien servant à tester votre ligne. D'autres sites offrent aussi une telle possibilité : vous les trouverez en lançant une recherche, par exemple :

`http://www.linternaute.com/vitesse/`

Notez que le résultat n'a généralement qu'une valeur indicative.

Note ⊗ Ne vous fiez pas forcément aux indications de vitesse données par votre fournisseur d'accès. Par exemple, Wanadoo peut parfois annoncer une vitesse de 1 kilobit par seconde seulement, quand la bande passante, testée avec ce site, est bien de 512 kbits/s !

Le modem ADSL est absent des options des modems

Vous ne trouvez pas votre modem ADSL, pourtant correctement installé, dans le **Options de modems et de téléphonie**, ouverts via le **Panneau de configuration**. (cliquez sur **démarrer** ➜ **Panneau de configuration** ➜ **Connexions réseau et Internet**, puis, dans le volet de gauche, sur **Options de modems et de téléphonie**).

C'est tout à fait normal : bien qu'on parle de *modem ADSL*, l'interface ADSL n'est pas un modem au sens strict du mot. Vous le trouverez dans les cartes réseau : cliquez sur **démarrer** → **Panneau de configuration** → **Performances et maintenance** → **Système** → onglet **Matériel** → bouton **Gestionnaire de péri-phériques** → + de **Cartes réseau**.

Tester une connexion Internet avec la commande ping

Vous pouvez vérifier le bon fonctionnement d'un modem en passant par un accès Internet :

1. Connectez-vous à Internet.

2. Cliquez sur **démarrer** → **Tous les programmes** → **Accessoires** → **Invite de commandes**.

3. Dans la fenêtre d'invite de commandes, tapez la commande ping, suivie d'une adresse Internet, par exemple celle du magasin de vente par correspondance La Redoute (www.laredoute.fr), et appuyez sur **Entrée**. Plusieurs lignes de réponse devraient s'afficher dans la fenêtre, indiquant que les boucles Internet ont bien été exécutées. Cela témoigne d'une bonne connexion.

Si tel n'est pas le cas, votre connexion est défaillante (vers votre fournisseur d'accès, par exemple). Il se peut aussi que le modem soit en cause.

Internet Explorer

Internet Explorer ouvre des fenêtres vides

Vous cliquez sur un lien web, et une fenêtre apparaît, mais désespérément vide. C'est très probablement parce que la bibliothèque DLL oleaut32.dll, a été corrompue. Il faut la restaurer, par exemple en appliquant cette méthode :

1. Cliquez sur **démarrer** → **Exécuter**.

2. Dans la fenêtre **Exécuter**, tapez msconfig et cliquez sur **OK**.

3. Dans l'onglet **Général** de la boîte de dialogue **Utilitaire de configuration système**, cliquez sur le bouton **Extraire le fichier**.

4. Dans la boîte de dialogue **Décompression d'un fichier à partir de la source d'installation**, tapez oleaut32.dll dans la zone **Fichier à**, ou cliquez sur le bouton **Rechercher** et sélectionnez le fichier oleaut32.dll sur votre disque, probablement dans le dossier C:\Windows\System32.

5. Dans la liste **Restaurer à partir de**, sélectionnez le lecteur de CD qui a servi à installer Windows : vous devrez insérer ce CD dans le lecteur.

6. Dans la liste **Enregistrer le fichier**, indiquez où le fichier doit être placé, très certainement dans le dossier C:\Windows\ System32 (vérifiez-le si besoin est sur votre disque en lançant une recherche).

7. Cliquez sur le bouton **Décompresser**.

8. Cliquez sur **OK** (figure 24-20).

Si vous vous heurtez à une difficulté quelconque, et si, par exemple, le fichier corrompu n'est pas remplacé :

- Désactivez l'antivirus et le pare-feu, et recommencez.

- Essayez de travailler en mode sans échec.

- Initialisez l'ordinateur sous DOS et procédez au remplacement.

Invite de commandes

Afficher par pages dans une fenêtre d'invite de commandes

Si une commande déclenche un affichage qui défile trop vite dans la fenêtre de l'invite de commandes, ordonnez un affichage par pages écran. Pour cela, tapez la commande voulue, par exemple dir, suivie du caractère barre verticale (appuyez sur **Alt Gr + 6**) puis de la commande more :

```
dir ¦ more
```

Une autre méthode consiste à taper /P, pour *page* :

```
dir /P
```

L'invite de commandes refuse les commandes

Ce phénomène s'est surtout manifesté avec la mise à jour **XP2** : vous tapez une commande dont vous êtes sûr puis vous appuyez sur la touche **Entrée** mais la fenêtre d'invite de commandes ne la reconnaît pas (figure 24-20).

La raison est simple. Les commandes sont regroupées dans le dossier :

```
C:\Windows\System32
```

Figure 24-20
La fenêtre
d'invite de
commandes
refuse une
commande
pourtant légale.

Si vous vous vous placez dans ce dossier, la commande sera exécutée (figure 24-21) :

- Pour remonter d'un niveau, il faut taper CD...

- Pour changer de dossier, tapez CD nom_du_dossier. Par exemple, pour passer dans le dossier System32, vous pouvez directement taper :

```
CD C:\Windows\System32
```

Figure 24-21
La commande netstat
affiche les
statistiques de
protocole
et des connexions
réseau TCP/IP
actuelles.

Basculer entre une fenêtre d'invite et le plein écran

Nombre d'applications se contentent de tourner dans une fenêtre d'invite de commandes et non en plein écran. Vous pouvez passer d'un mode à l'autre :

- Si l'application sous Windows tourne en plein écran, appuyez sur **Alt + Entrée** pour la ramener en fenêtre.

- Si elle tourne en fenêtre, appuyez sur **Alt + Entrée** pour l'installer en plein écran. Ou encore, cliquez sur l'icône **Plein écran** dans la barre de menus.

Fermer une fenêtre d'invite de commandes

Après avoir travaillé dans une fenêtre d'invite de commandes, pour la quitter et la fermer, selon le cas :

- Tapez exit derrière les caractères d'invite, puis appuyez sur **Entrée**.

- Cliquez sur la case de fermeture marquée d'un **X**.

- Si la fenêtre d'invite de commandes s'est ouverte automatiquement, cliquez sur le menu **Système**, puis sur sa commande **Fermeture**.

Modifier la taille ou la couleur du texte de l'invite de commandes

Pour modifier la taille ou la couleur du texte (par exemple, pour l'inverser de sorte que le texte apparaisse en noir sur fond blanc) :

1. Faites un clic droit sur la barre de titre de la fenêtre d'invite de commandes et cliquez sur **Propriétés**. Une boîte de dialogue s'affiche.

2. Cliquez sur l'onglet **Police** pour modifier la police, **Couleurs** pour modifier les couleurs.

Logiciels

Voir aussi *Programmes.*

Découvrir des sites de téléchargement de logiciels gratuits

Le Web regorge de sites permettant de télécharger des utilitaires et des programmes, tant en *freeware* (gratuits) qu'en *shareware* (payants, mais économiques).

Parmi ces sites :

http://www.zdnet.fr/telecharger/windows

http://telecharger.01net.com/index.html

http://www.logitheque.com/

http://www.gratuiciel.com/

http://www.pocketpcfreeware.com/

http://www.clubic.com/

Trouver des logiciels de bureautique gratuits pour Windows XP

Il existe une collection d'excellents logiciels gratuits destinés à Windows XP. Les programmes de bureautique sont généralement compatibles avec ceux de Microsoft Office.

Parmi eux :

- **OpenOffice** : il s'agit d'une suite bureautique complète, gratuite et fortement compatible Microsoft Office Elle est issue d'un projet Open Source développé sous licence GPL et fondé sur le code de Star Office mis à disposition par Sun Microsystems. Elle comprend un traitement de texte, un tableur, un outil de présentation, un outil de schématique et un éditeur HTML. L'interface en français est très proche de celle de Microsoft Office et on retrouve un grand nombre de fonctions puissantes de la suite Microsoft (filtrage et tableaux croisés dynamiques pour le tableur, correction orthographique par soulignement pour le traitement de texte...).

Téléchargez cette suite en français directement depuis (figure 24-22) :

```
http://fr.openoffice.org/
```

Figure 24-22
Le site de
téléchargement
d'OpenOffice.

- **Abiword** : un traitement de texte simple à utiliser et efficace, disponible également en français. Comparable à Word, il est destiné à Windows 95B, 98, 2000, NT, ME, XP. Son auteur est **Abisource**. Pour le télécharger, connectez-vous à :

```
http://www.abisource.com/
```

- **Gnumeric** : un tableur dû à Gnome, évolué, léger et très largement compatible avec de nombreux formats de fichiers (figure 24-23). Il existe en version française. Vous le trouverez à :

```
http://www.gnome.org/projects/gnumeric/
```

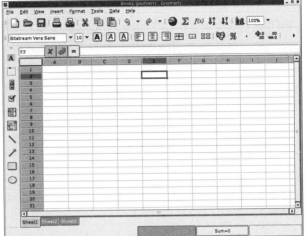

Figure 24-23
La fenêtre du tableur Gnumeric.

Se méfier des logiciels à bas prix proposés par des sites lointains

Vous recevrez parfois dans votre messagerie des offres de logiciels tels que Windows XP à un prix dix fois moindre que leur prix commercial courant. Les sites qui vous font de telles propositions indiquent qu'il s'agit de produits **OEM** (*Original Equipment Manufacturer*, équipementier qui intègre les logiciels dans ses produits, ses cartes mères ou ses machines complètes, par exemple).

Il s'agit probablement de contrefaçons illégales réalisées souvent en Extrême-Orient ou dans certains pays de l'Europe de l'Est. Seul le CD contenant le programme vous est adressé, sans boîte ni manuel, mais avec un numéro de série et la recommandation de ne pas vous enregistrer chez l'éditeur.

Qui plus est, vous courrez les plus grands risques en communiquant le numéro de votre carte bleue à des sites sur lesquels il n'existe aucun contrôle.

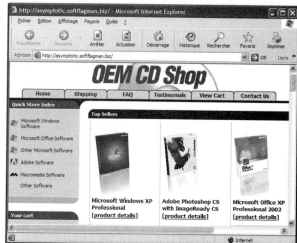

Figure 24-24
Un site basé en Europe de l'Est qui propose des programmes à des prix défiant toute concurrence.

Matériel

Découvrir les références de la carte mère

Si vous voulez installer des pilotes relatifs à votre carte mère, vous devez connaître les références de cette dernière. Vous les trouverez dans la documentation du fabricant de votre ordinateur, mais nous vous proposons une autre méthode :

1. Cliquez sur le bouton **démarrer** ➜ **Exécuter**, puis saisissez :

   MSINFO32

2. Validez en cliquant sur **OK**.

La fenêtre qui apparaît liste la composition de votre système. Dans le volet de droite, sous **Élément**, vous lirez les deux informations intéressantes indiquant le **Fabricant** et le **Modèle** de votre carte mère.

Mémoires centrales

Ajouter de la mémoire si Windows XP est lent

En ces temps où le prix des mémoires a chuté (avec des hauts et des bas), n'hésitez pas à augmenter la capacité de la mémoire centrale de votre ordinateur si vous trouvez que Windows est lent. Le plus souvent, vous accélérerez considérablement votre machine, par exemple en passant de 256 Mo à 512 Mo.

Votre système fera moins de **swapping** (de transferts mémoire-disque incessants), vous serez capable de traiter des images grand format et haute résolution et, même, si vous augmentez suffisamment la mémoire vive, vous pourrez vous passer de la mémoire virtuelle sur le disque.

La mémoire centrale se présente actuellement toujours sous la forme de barrettes. Il existe plusieurs types de barrettes, aussi devez-vous acquérir celles adaptées à votre ordinateur. Consultez son manuel ou ouvrez la machine pour noter les références de la mémoire installée.

La procédure générale visant à accroître la capacité mémoire est la suivante :

1. Relevez le type de mémoire qui équipe votre ordinateur. Vous pouvez aussi extraire la barrette en place pour la présenter à votre fournisseur. Vérifiez, par la même occasion, si un connecteur supplémentaire est encore libre.

2. Faites l'acquisition d'une nouvelle barrette.

Pour intervenir dans l'ordinateur :

1. Arrêtez-le et débranchez-le du secteur. Placez-le sur une table disposant d'une surface suffisante et veillez à disposer d'un bon accès et d'un bon éclairage. Par exemple, vous coucherez l'ordinateur sur le côté.

2. Déchargez votre électricité statique. Équipez-vous d'un bracelet antistatique ou, pour le moins, touchez une bonne masse électrique (tuyau d'eau ou de chauffage central mis à nu). Vous renouvellerez cette opération en cours de travail.

3. Déposez le couvercle de l'ordinateur.

4. Repérez un connecteur mémoire libre. Il en existe au moins deux (figure 24-25). Si les connecteurs sont tous occupés, vous remplacerez simplement une ancienne barrette de faible capacité que vous extrairez par une nouvelle de forte capacité.

5. Écartez les ergots de verrouillage. Si vous devez extraire une barrette DIMM existante, elle se soulèvera aussitôt et vous n'aurez plus qu'à l'ôter.

6. Extrayez la nouvelle barrette mémoire de son emballage et posez-la provisoirement sur cet emballage, généralement en plastique conducteur, ce qui suffit à la protéger. Ne la posez jamais sur de la moquette ou un tapis synthétique.

7. Positionnez la nouvelle barrette verticalement au-dessus du connecteur, en respectant bien son sens indiqué par les détrompeurs.

8. Appuyez fermement et simultanément de part et d'autre sur la barrette pour engager ses contacts. Allez jusqu'au bout ; ; les ergots devraient se refermer .

Dépannage rapide

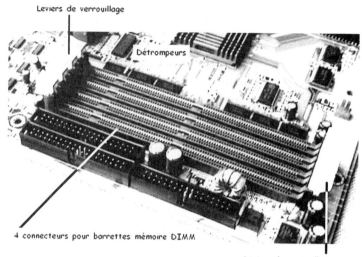

Figure 24-25
Ici, quatre connecteurs pour barrettes mémoires sont disponibles.
Le plus souvent, vous n'en trouverez que deux,
pour des raisons d'économie.

9. Vérifiez s'ils sont bien verrouillés et terminez le verrouillage en les repoussant.

10. Remontez tout ce que vous avez démonté, et rebranchez tous les câbles. Surtout, ne touchez plus à rien à l'intérieur de la machine.

11. Remettez l'ordinateur en marche et observez son tout premier écran : il devrait indiquer la nouvelle capacité mémoire acquise. En principe, le BIOS reconnaît la présence de cette mémoire supplémentaire sans intervention de votre part. Observez les écrans de mise en service.

Quelques pannes courantes dues aux mémoires centrales

On dit que les neurones de tout individu commencent à dépérir dès le plus jeune âge, sans que cela se manifeste par une gêne. En revanche, qu'un seul point mémoire soit défaillant dans un ordinateur et l'ensemble de la machine risque de se planter.

Nombre d'astuces de ce livre ont évoqué ces problèmes, de façon plus détaillée, mais en voici une rapide synthèse. En effet, les manifestations des pannes mémoire ne sont pas forcément évidentes. Si le problème est bien identifié, la solution ira de soi et consistera souvent à changer une barrette. Si plusieurs barrettes sont installées, procédez par élimination pour trouver la coupable. Si vous ne possédez qu'une seule barrette, essayez de la remplacer ou de la monter dans un autre ordinateur pour voir si le même problème se reproduit.

Procéder à un test complet de la mémoire

Lors de l'initialisation de l'ordinateur, le BIOS procède à un test de la mémoire. Or, le plus souvent, pour gagner du temps, ce test n'est que partiel. N'hésitez donc pas à entrer dans les écrans de configuration (de **setup**) et à imposer un test complet.

Si le test vous indique un défaut, notez ce qu'il vous dit et renouvelez-le, en réinitialisant l'ordinateur. Si le défaut subsiste, vous devrez changer la barrette défectueuse. Sachez quand même que ce test risque parfois de passer à côté de certaines pannes.

Une autre méthode consiste à faire appel à un programme spécifique de test tel que **Memtest86** présenté dans l'astuce suivante.

Windows XP refuse de s'installer

Vous travaillez sous Windows 98 ou Me et tout se passe bien. Puis, vous décidez d'installer Windows XP, et là, l'ordinateur se bloque, refusant l'installation. Il existe peut-être un problème de mémoire.

En effet, au cours de son installation, XP va occuper toute la mémoire disponible, révélant une panne qui serait autrement passée inaperçue. Si vous disposez de plusieurs barrettes, vous pouvez tenter d'ôter la défectueuse afin de reprendre l'installation. La quantité nécessaire de mémoire peut alors être moindre, 64 Mo pouvant suffire.

Vous soupçonnez un virus

Voici une aventure réelle. Vous ouvrez un fichier que vous venez de télécharger et votre ordinateur se plante alors totalement. Bien sûr, vous songez à un virus. Or, vous vous trouvez dans l'impossibilité, en le réinitialisant, d'accéder au disque dur afin de lancer votre antivirus.

Vous reformatez donc le disque dur et vous tentez de réinstaller Windows XP pour vous apercevoir que c'est la mémoire qui est en cause. Vous changez de barrette mémoire et tout rentre dans l'ordre, sauf que vous devez tout réinstaller. Moralité : toutes les pannes ne sont pas dues aux virus.

Windows XP est lent à démarrer

Vous trouvez que XP est lent à démarrer. Or, vous avez installé deux barrettes de 128 Mo chacune de mémoire. L'une d'elles est peut-être tombée en panne et il ne vous reste que 128 Mo. Il faut au moins 256 Mo.

Dépannage rapide

Problèmes d'arrêt et de démarrage de Windows XP

Vous vous heurtez à des problèmes de démarrage ou d'arrêt de Windows XP. Une barrette mémoire est peut-être en panne, ou bien vous avez monté des barrettes différentes, par exemple une de 100 MHz et une de 133 MHz. Méfiez-vous de ce genre de problème insidieux.

Message d'erreur Vidage de la mémoire physique (Dump)

Si, au démarrage de Windows, l'écran affiche un message du type `Vidage de la mémoire physique`, c'est probablement qu'une barrette mémoire est défectueuse. Le vidage de la mémoire est désigné, en anglais, par *dump*.

Message d'erreur à l'allumage PAGE_FAULT_IN_NONPAGED_AREA

Le message d'erreur :

```
STOP 0x0000008e ou STOP 0x00000050 PAGE_FAULT_IN_NON_PAGED_AREA
```

s'affiche essentiellement à la mise en service de Windows. La cause la plus probable est la suivante : une de vos barrettes mémoire est défaillante.

Quelques autres manifestations des pannes mémoire

Parmi les autres manifestations possibles :

- Le surf sur Internet est lent : vous manquez peut-être de mémoire centrale.

- Windows XP redémarre en boucle lors de l'installation, sans s'installer.

- Des plantages aléatoires mais fréquents se manifestent.

- Des conflits inexpliqués se produisent.

- Les plantages surviennent après un certain temps de chauffe et disparaissent si vous éteignez l'ordinateur et si vous lui laissez le temps de se refroidir.

Que cette liste alarmiste ne vous fasse quand même pas croire que toutes les pannes proviennent de la mémoire.

Mémoire virtuelle

Comprendre le rôle de la mémoire virtuelle

Windows distingue les mémoires physiques et virtuelles :

- La mémoire **physique totale** est la mémoire installée dans l'ordinateur sous forme de barrettes.

- La mémoire **physique disponible** est ce qui reste lorsque vous avez lancé Windows et que vous êtes en train de travailler. Une partie est déjà occupée. La fenêtre vous indique ce qui est encore disponible pour charger d'autres programmes ou données.

- Le **fichier d'échange** est une portion du disque dur dans laquelle Windows range des informations lorsque la mémoire physique est pleine. C'est, en quelque sorte, une extension de la mémoire physique, mais avec une sérieuse perte de performances puisque le disque est beaucoup plus lent.

- Pour Windows, la mémoire **virtuelle totale** est la somme de la mémoire physique et du fichier d'échange.

- La mémoire **virtuelle disponible** correspond à la mémoire qui est encore libre alors que vous êtes en train de travailler.

Optimiser la mémoire virtuelle

On dit généralement qu'il vaut mieux laisser Windows déterminer automatiquement les capacités minimale et maximale de la mémoire virtuelle. Certains informaticiens affirment parfois, de leur côté et très arbitrairement, que la valeur minimale doit être égale à 1,5 fois la capacité de la mémoire centrale RAM. Mais seuls des essais vous permettront de déterminer les bonnes valeurs si vous tenez à les fixer vous-même.

Parfois, mieux vaut affecter la même quantité aux valeurs minimale et maximale afin de créer un bloc unique et continu sur le disque dur. Vous ne risquez rien à procéder à un essai. Par exemple, adoptez comme capacité unique 512 Mo ; si cela ne suffisait pas, Windows vous alerterait en cours de service avec un message tel que :

```
Quantité de mémoire virtuelle insuffisante
```

Pour modifier ces valeurs :

1. Cliquez sur **démarrer** ➜ **Panneau de configuration** ➜ **Performances et maintenance** ➜ **Système** ➜ onglet **Avancé,** puis, à la rubrique **Performances**, cliquez sur le bouton **Paramètres**.

2. Cliquez sur l'onglet **Avancé** encore une fois, puis, sous **Mémoire virtuelle**, sur le bouton **Modifier**.

3. À **Taille personnalisée**, tapez deux fois la même valeur.

4. Très important : il vous faut cliquer sur le bouton **Définir** pour appliquer vos choix. Si vous cliquiez directement sur **OK**, ils ne seraient pas pris en compte. (Microsoft a créé ici une ambiguïté regrettable.)

5. Cliquez sur **OK** et fermez ces boîtes de dialogue.

Attention ⊗ Si vous modifiez quelque chose, n'oubliez pas de cliquer sur le bouton **Définir** avant de cliquer sur **OK**, faute de quoi rien ne sera pris en compte. Réinitialisez aussi l'ordinateur ensuite.

Vous pouvez améliorer les performances des fichiers d'échange en utilisant un disque physique différent de celui contenant Windows. Vous éviterez ainsi des accès séquentiels au même disque.

Note ⊗ Ne désactivez jamais le fichier d'échange en le mettant à **0**, car il est toujours nécessaire, même si vous disposez d'une mémoire centrale physique importante, par exemple de 512 Mo ou davantage.

Menus

Rétablir les lettres soulignées des menus

Par défaut, les menus disposent d'une lettre soulignée. Si vous maintenez la touche **Alt** enfoncée et si vous appuyez, sur le clavier, sur cette lettre soulignée (la lettre *représentative*), c'est comme si vous cliquiez sur le menu. Si les lettres soulignées n'apparaissent pas :

1. Faites un clic droit sur une zone neutre du bureau et cliquez sur **Propriétés**.

2. Cliquez sur l'onglet **Apparence** ➜ bouton **Effets**.

3. Désactivez la case **Masquer les lettres soulignées pour la navigation au clavier jusqu'à ce que j'appuie sur la touche Alt** (figure 24-26).

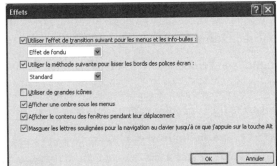

Figure 24-26
Décochez la case
Masquer les lettres
soulignées...

Trier le menu de démarrage par ordre alphabétique

Si les programmes du menu **Tous les programmes** apparaissent dans le désordre, triez-les : ouvrez la liste **Tous les programmes**, faites un clic droit sur l'un d'eux, puis choisissez la commande **Trier par nom**.

Multimédia

L'icône de volume sonore a disparu de la zone de notification

Elle s'y trouvait sagement puis, un beau jour, l'icône de volume sonore disparaît de la zone de notification de la barre des tâches. D'abord, vérifiez si l'ordre de la placer là est bien actif :

1. Cliquez sur **démarrer** ➜ **Panneau de configuration** ➜ **Sons, voix et périphériques audio** ➜ **Sons et périphériques audio** ➜ onglet **Volume** si ce volet n'est pas actif par défaut.

2. Cochez la case **Placer l'icône de volume dans la barre des tâches**.

3. Cliquez sur **Appliquer**, puis sur **OK**.

Note ⊗ Si la case **Placer l'icône de volume dans la barre des tâches** est déjà cochée, décochez-la, cliquez sur **Appliquer**, puis recochez-la et cliquez sur **Appliquer**, puis sur **OK**.

Vérifier que son affichage est autorisé

Une autre vérification peut s'imposer :

1. Faites un clic droit sur l'horloge, dans la barre des tâches, ou bien sur la flèche de suite de la zone de notification.

2. Cliquez sur **Personnaliser les notifications**, recherchez l'icône et la ligne **Volume** et cliquez dessus.

3. Ouvrez la liste déroulante et cliquez sur **Toujours afficher**.

4. Cliquez sur **OK** (figure 24-27).

Figure 24-27
Choisissez
Toujours
afficher
dans la liste
déroulante.

L'icône des sons a disparu (sndvol32.exe est introuvable)

L'icône des sons a disparu car, pour une raison quelconque, votre fichier `sdnvol32.exe` a été pollué, déplacé ou supprimé. Vous pouvez le rétablir de la manière suivante :

• Tentez d'abord de lancer une recherche sur votre disque dur s'il s'y trouve encore. Vous devez le copier dans le dossier `C:\Windows\System32`.

• Lancez `SFC /scannow` après avoir ouvert une session administrateur.

Ajuster les temps d'affichage d'un diaporama

Vous avez créé un diaporama et vous souhaitez modifier le temps d'affichage par défaut de chaque vue. Il faut intervenir dans le registre :

1. Cliquez sur **démarrer** ➜ **Exécuter**, tapez `regedit` et cliquez sur **OK**.

2. Naviguez vers la clé :

```
HKEY_CURRENT_USER\Software\Microsoft\Windows\
CurrentVersion\Explorer\ShellImageView\
```

3. Vérifiez la présence dans le volet de droite de l'entrée `Timeout`. Si elle n'existe pas, créez-la :

   - Faites un clic droit sur une zone libre du volet de droite et cliquez sur **Nouveau**.

   - Cliquez sur **Valeur DWORD** et nommez la nouvelle clé `Timeout`.

4. Double-cliquez dessus.

5. Déclarez le nombre de millisecondes souhaité, par exemple `12000` pour 12 secondes.

6. Fermez le registre.

Le son est de mauvaise qualité ou inaudible

Si le son est de mauvaise qualité, grésille ou est haché, le plus probable est que vous n'utilisez pas le bon pilote avec votre carte son. Vérifiez ses références, connectez-vous sur le site de son fabricant ou du fabricant de la carte mère si le son est incorporé, et téléchargez le pilote le plus récent.

Attention ! Il semble bien que l'un des grands fabricants de cartes son, Creative Labs, produise des cartes différentes sous la même référence. On a ainsi pu constater que certaines ne fonctionnaient pas bien avec leur pilote nominal. Dans un tel cas, vous avez le choix :

- Essayez successivement plusieurs pilotes.

- Mieux, peut-être, laissez Windows installer son propre pilote, sans utiliser le CD d'origine de Creative Labs.

Numéroteur téléphonique

Activer le Numéroteur téléphonique

Windows XP dispose d'un **Numéroteur téléphonique**, un programme toutefois différent de l'ancien numéroteur graphique que bien des utilisateurs estimaient agréable à utiliser. Il permet d'effectuer des appels vocaux, vidéo ainsi que de la vidéoconférence à partir de votre ordinateur personnel. Pour communiquer à l'aide du **Numéro-**

teur téléphonique, vous avez besoin d'une carte audio et d'un microphone. La présence d'une caméra pour les appels vidéo est facultative.

Pour expérimenter le numéroteur :

1. Ouvrez l'Explorateur Windows ou affichez autrement le contenu de votre disque dur **C:**.

2. Naviguez vers le dossier :

    C:\Program Files\Windows NT

3. Dans le volet de droite, double-cliquez sur Dialer.exe, le nom du **Numéroteur téléphonique**. Sa fenêtre s'affiche (figure 24-28).

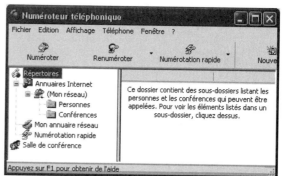

Figure 24-28
La fenêtre du
Numéroteur
téléphonique.

Pour effectuer un appel vocal, il faut simplement connaître le numéro de téléphone, l'adresse **IP** ou le nom **DNS** (système de noms de domaines) du correspondant. Le **Numéroteur téléphonique** vous permet d'effectuer des appels à partir d'un téléphone connecté à votre ordinateur par l'intermédiaire d'un modem, d'un réseau, d'un standard téléphonique relié à votre réseau local (LAN) ou d'une adresse Internet.

Tester votre installation téléphonique avec le Numéroteur

Grâce au **Numéroteur téléphonique**, vous pouvez tester votre installation de téléphonie informatique, qu'il s'agisse d'un modem vocal ou d'un standard connecté à votre réseau local, en appelant un numéro et en vérifiant si la connexion aboutit. Pour effectuer un premier appel :

1. Cliquez sur le menu **Téléphone ➔ Numéroter** ou cliquez sur l'icône **Numéroter**.

2. Tapez le numéro à composer à **Connexion à**.

3. Cochez la case **Appel téléphonique**.

4. Cliquez sur le bouton **Effectuer l'appel**.

Au cours de l'appel, des fenêtres de connexion apparaissent. Leur usage est très instinctif. Si l'appel aboutit, vous système fonctionne correctement.

Panneau de configuration

Supprimer des icônes du Panneau de configuration

Le **Panneau de configuration**, dans sa présentation classique, affiche une collection d'icônes. Deux types de problèmes peuvent surgir :

- Une icône ne correspond plus à rien, car vous avez supprimé sa carte ou son pilote, par exemple, mais elle n'a pas disparu pour autant.

- Vous avez supprimé un programme en respectant la procédure normale, mais Windows a oublié d'effacer le fichier appelant l'icône dans le **Panneau de configuration**. Il en résulte une erreur, affichée chaque fois que vous ouvrez le **Panneau de configuration**. Notez le nom du fichier provoquant l'erreur, ce que Windows a l'obligeance d'indiquer.

Pour créer les icônes dans le **Panneau de configuration**, Windows utilise des fichiers dont l'extension est `.cpl`. Il suffit donc de les rechercher et de supprimer ceux qui n'ont plus aucun intérêt :

1. Cliquez sur le bouton **démarrer** ➜ **Rechercher** ➜ ligne **Tous les fichiers et tous les dossiers**. Le volet de recherche apparaît.

2. Dans la zone de texte, tapez ce que vous recherchez, donc :

   `*.cpl`

3. L'astérisque (*) remplace tous les noms possibles et imaginables. Sélectionnez les disques sur lesquels la recherche portera, tous par défaut, et cliquez sur le bouton **Rechercher maintenant**. La recherche liste les fichiers demandés (figure 24-29).

4. Sélectionnez le fichier à supprimer. Vous pouvez faire un clic droit dessus et afficher ses propriétés pour vous assurer que c'est bien le bon `.cpl`. En une première étape, contentez-vous de modifier son extension, par sécurité, par exemple en lui ajoutant à `supprimer`.

5. Ouvrez le **Panneau de configuration** et vérifiez que l'icône indésirable a disparu.

Si l'icône ou le message d'erreur ont bel et bien disparu, vous pouvez supprimer le fichier, mais ne vous pressez pas trop et laissez passer quelque jours pour constater que rien n'est venu troubler le bon fonctionnement de votre système.

Dépannage rapide

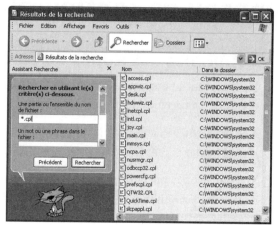

Figure 24-29
Liste des fichiers
avec
l'extension .cpl.

Les noms des fichiers .cpl sont souvent ésotériques : leur seule lecture ne permet pas forcément de deviner quelles icônes ils pilotent. Approfondissez alors votre recherche en vous aidant du texte qui légende l'icône dans le **Panneau de configuration**.

Débloquer le Panneau de configuration

Si le **Panneau de configuration** se trouve bloqué, interdisant tout accès à ses fonctions :

1. Ouvrez le registre et naviguez successivement vers :

    HKEY_CURRENT_USER\Software\Microsoft\Windows\ CurrentVersion\Policies\
    Explorer

    HKEY_LOCAL_MACHINE\Software\Microsoft\Windows\ CurrentVersion\Policies
    \Explorer

2. Dans le volet de droite, trouvez la valeur appelée NoControlPanel. Si elle n'existe pas, c'est que tout est en ordre de ce côté-là.

3. Double-cliquez dessus et changez-la pour 0 (zéro) ou faites un clic droit sur NoControl-Panel et choisissez **Supprimer**.

4. Réinitialisez l'ordinateur ou changez simplement d'utilisateur, puis revenez au précédent.

Le piège du Panneau de configuration de SP2

La mise à jour **SP2** de Windows XP modifie quelque peu le comportement du **Panneau de configuration**. Si vous l'affichez, une rubrique apparaît dans la colonne de gauche (figure 24-30) : **Autres options du Panneau de configuration**.

Cliquez dessus pour afficher des options complémentaires, par exemple **Options d'alimentation** qui apparaissait directement précédemment.

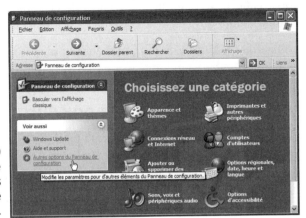

Figure 24-30
La commande
Autres options
du Panneau de
configuration.

Périphériques

Ouvrir le Gestionnaire de périphériques en ligne de commande

En variante, pour ouvrir le **Gestionnaire de périphériques** :

1. Cliquez sur **démarrer** ➔ **Exécuter** et tapez :

   devmgmt.msc

2. Cliquez sur **OK**.

Installer un périphérique sur le bus USB

Si votre nouveau périphérique se connecte au bus **USB** (*Universal Serial Bus*), il est externe à l'ordinateur. Ce peut être le cas d'un scanner, d'un appareil photo numérique, etc. Il s'agit toujours d'un dispositif **plug and play**. L'installation se déroule généralement de la façon suivante :

1. Ne connectez pas le périphérique, mais installez d'abord son pilote en utilisant le CD-ROM qui vous a été fourni par son fabricant.

2. Après l'installation du pilote, réinitialisez l'ordinateur.

3. Après le redémarrage, une boîte de dialogue vous demandera probablement de connecter votre périphérique et un assistant vous aidera à le paramétrer.

Une fois installé, le périphérique USB peut être déconnecté et reconnecté à chaud, sans éteindre l'ordinateur. Windows détecte la nouvelle situation et charge le pilote lors d'une reconnexion.

Notez toutefois qu'il existe des variantes ou des exceptions à cette procédure, qui qui devrait vous inciter à lire le mode d'emploi de votre nouveau périphérique.

Réactiver un périphérique en cours de session

Il se peut que vous ayez oublié d'allumer un périphérique avant le démarrage de Windows XP et que le système ne le reconnaisse pas. Parfois, le système peut même « perdre » un périphérique en cours de fonctionnement. Pour l'activer ou le réactiver :

1. Cliquez sur **démarrer**, puis faites un clic droit sur **Poste de Travail**.

2. Cliquez sur **Propriétés** ➜ onglet **Matériel** ➜ **Gestionnaire de Périphériques** ➜ **Ordinateur** ➜ menu **Action** ➜ commande **Rechercher les modifications sur le matériel** .

Le système met à jour ses périphériques.

Supprimer des périphériques fantômes

Vous avez débranché et rebranché le même périphérique et vous constatez que Windows le réinstalle en lui ajoutant le numéro d'ordre suivant. Tout fonctionne correctement, mais c'est agaçant. Il faut savoir que, lorsque vous supprimez physiquement certains périphériques, puis les rajoutez, Windows ne supprime pas l'ancien nom d'installation dans sa base de données et en crée un nouveau, avec un numéro d'ordre.

Vous pouvez vous débarrasser des périphériques fantômes en affichant les périphériques cachés. Dès lors :

1. Sélectionnez le périphérique qui n'existe plus.

2. Faites un clic droit dessus et cliquez sur **Supprimer**.

Si vous pratiquez l'anglais, vous pouvez consulter la note Microsoft suivante :

```
http://support.microsoft.com/
default.aspx?scid=kb;EN-US;q315539
```

Photo numérique et scanners

L'appareil photo numérique USB n'est plus reconnu

Vous connectez votre appareil photo numérique (APN) **USB** à votre ordinateur et vous téléchargez des photos. Tout fonctionne à la perfection. Après un moment, vous constatez qu'il vous manque une photo. Vous tentez donc, depuis votre ordinateur, d'ouvrir l'appareil de photo numérique, mais là, plus rien ne fonctionne. Votre appareil photo n'est plus reconnu par l'ordinateur !

C'est, généralement, la gestion de l'énergie de Windows XP qui est en cause. En effet, pour économiser l'énergie, Windows XP est configuré de façon à inhiber les ports USB lorsqu'ils sont inutilisés. Dès lors, si vous reprenez votre appareil photo, il n'est plus reconnu.

Vous pouvez le débrancher et le rebrancher, mais, pour éviter ce genre d'incident, il y a généralement mieux à faire :

1. Cliquez sur le bouton **démarrer**, faites un clic droit sur **Poste de travail** et choisissez **Propriétés**.

2. Cliquez sur l'onglet **Matériel** ➜ **Gestionnaire de périphériques**.

3. Développez la branche **Contrôleurs de bus USB** en cliquant sur son signe +.

4. Faites un clic droit sur la ligne **Concentrateur USB racine**.

5. Cliquez sur **Propriétés** ➜ onglet **Gestion de l'alimentation**.

6. Cliquez sur la case **Autoriser l'ordinateur à éteindre ce périphérique pour économiser l'énergie**, afin de la décocher et d'interdire cette option.

7. Cliquez sur **OK** et refermez ces boîtes de dialogue.

Le scanner USB est lent à scanner

Le scanner connecté sur un port USB est lent à scanner un document. La cause la plus probable : votre connexion USB fonctionne en mode USB 1. La transmission des informations scannées à l'ordinateur s'effectue donc à une faible vitesse. Si vous montez une carte d'extension USB 2 dans votre ordinateur, vous constaterez que vous travaillez immédiatement bien plus vite.

Le prix d'une telle carte est relativement modeste ; on en trouvait sur le marché à partir de 10 € lors de la rédaction de cette astuce, la carte offrant quatre ports USB2 externes plus un port interne. Il suffit d'implanter la carte qui est ensuite automatiquement reconnue par Windows XP.

Polices

Créer et éditer des caractères personnels (privés)

Windows XP contient un éditeur de caractères personnels qui sert à créer des lettres, des caractères et des logos exclusifs. Ceux-ci sont enregistrés dans la police de caractères de votre choix, ce qui vous permet de les utiliser de multiples façons. Il s'apparente à **Paint**, mais il reste très spécialisé et il s'emploie comme n'importe quel logiciel de dessin classique.

Cet éditeur de caractères privés (**PCE** : *Private Caracter Editor*) permet de créer jusqu'à 6 400 caractères différents, par exemple, des lettres spéciales ou des logos à utiliser dans votre bibliothèque de polices. L'éditeur de caractères privés contient non seulement les outils de base permettant de créer et de modifier des caractères, mais également des options avancées. Pour l'ouvrir :

1. Cliquez sur **démarrer**, ➜ **Exécuter** et, dans la zone **Ouvrir**, tapez :

   eudcedit

2. Cliquez sur **OK**.

Une première boîte de dialogue apparaît : elle sert à sélectionner le code du caractères que vous voulez créer, la notation s'effectuant en hexadécimal. Une fois fermée, la fenêtre sous-jacente de l'éditeur s'affiche (figure 24-31) .

Figure 24-31
L'éditeur de
caractères
privés.

Vous disposez des outils de dessin suivants (de haut en bas, dans la barre d'outils verticale de gauche) : **Pinceau, Brosse, Ligne droite, Rectangle vide, Rectangle plein, Ellipse vide, Ellipse pleine, Sélection rectangulaire** et **Sélection de forme libre** et **Gomme**.

Les manipulations sont classiques. Une fois un caractère dessiné, vous l'enregistrez ainsi :

- Pour enregistrer un caractère privé avec le code hexadécimal affiché dans la barre de guide, cliquez sur le menu **Edition** → **Enregistrer le caractère**.

- Pour enregistrer un caractère privé avec un code hexadécimal différent, cliquez sur le menu **Edition** → **Enregistrer le caractère sous**.

Les caractères étant dessinés et enregistrés, procédez ainsi pour les utiliser dans une application :

1. Ouvrez la **Table de caractères**. Cliquez sur **démarrer** → **Tous les programmes** → **Accessoires** → **Outils système** → **Table de caractères**.

2. Dans la liste **Police**, cliquez sur la police liée aux caractères privés que vous souhaitez utiliser. Le nom de la police est suivi de la mention (**Caractères privés**). Par exemple, si vous avez lié vos caractères privés à la police **Times New Roman**, cliquez sur **Times New Roman** (**Caractères privés**). Si vous les avez liés à toutes les polices, cliquez sur **Toutes les polices** (**Caractères privés**).

3. Cliquez sur le caractère privé que vous souhaitez utiliser, sur **Sélectionner**, puis sur **Copier**.

4. Ouvrez le programme dans lequel vous souhaitez utiliser les caractères privés.

5. Collez ce caractère. Sa police doit être identique à celle que vous avez sélectionnée dans la **Table de caractères**.

Le caractère privé est inséré dans le document.

Processeur

Identifier un processeur et sa fréquence de travail

Intel Processor Frequency Package, un utilitaire de reconnaissance des processeurs, gratuit, est disponible chez Intel. Il sert à identifier le processeur Intel qui équipe votre ordinateur.

Vous pouvez le télécharger depuis le site Internet :

```
http://www.intel.com/support/processors/tools/frequencyid/
```

Une fois téléchargé, décompactez-le et lancez-le :

1. Cliquez sur le bouton **démarrer** → **Tous les programmes** → **Intel Processor Frequency ID Utility**.

2. Acceptez l'accord de licence.

L'utilitaire affiche un écran d'analyse. La figure 24-32 illustre celui d'un Pentium 4 travaillant à 1,6 GHz. Vous y trouvez non seulement la fréquence du processeur, mais aussi celle du bus système, difficile à identifier autrement.

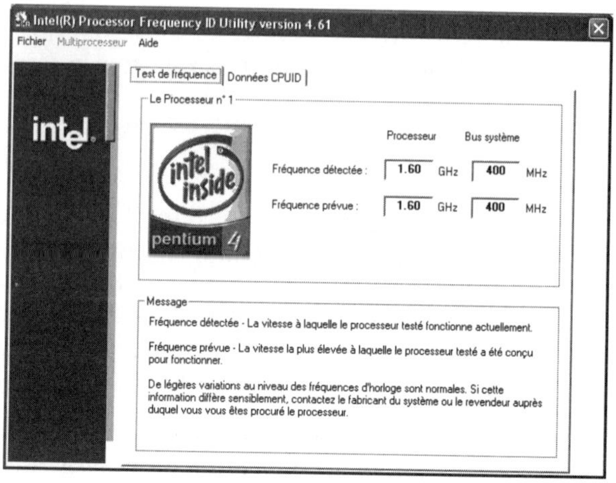

Figure 24-32
La fenêtre identifiant votre processeur et sa fréquence de travail.

Si vous cliquez sur l'onglet **Données CPUID** (identificateur d'unité centrale de traitement), des informations plus complètes apparaissent (figure 24-33).

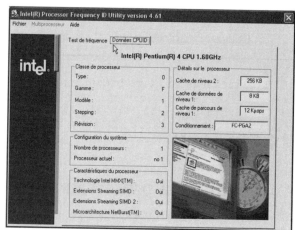

Figure 24-33
Analyse plus complète avec le volet Données CPUID.

Processus par défaut activés par Windows XP

Par défaut, Windows XP active une série de processus :

- `Csrss.exe` : un sous-système de Win32 (*client server run-time subsystem*).

- `Explorer.exe` : interface utilisateur.

- `Internat.exe` : charge les différents paramètres locaux d'entrée spécifiés par l'utilisateur.

- `Lsass.exe` : serveur local d'authentification de sécurité.

Figure 24-34
Le Processus
inactif du
système.

- `Mstask.exe` : service de planification de taches, responsable du lancement des tâches à un instant déterminé par l'utilisateur.

- `Smss.exe` : sous-système de gestion de session (*session manager subsystem*) responsable de démarrer la session utilisateur

- `Spoolsv.exe` : spouleur responsable de la gestion des travaux d'impression et de fax.

- `Svchost.exe` : processus générique fonctionnant en tant qu'hôte pour d'autres processus tournant à partir de bibliothèques DLL.

- `Services.exe` : gestionnaire de contrôle des services (*service control manager*) responsable du démarrage, de l'arrêt et de l'interaction avec les services système.

- `System` : processus système.

- `System Idle Process` : occupe le temps processeur lorsque le système ne fait tourner aucune autre **thread**.

- `Taskmgr.exe` : gestionnaire des tâches.

- `Winlogon.exe` : gère l'ouverture et la fermeture des sessions. N'est actif que lorsque l'utilisateur appuie sur **Ctrl + Alt + Del** : il affiche alors la boîte de sécurité.

Vous trouverez des explications plus complètes sur chacun de ces processus à :

www.laboratoire-microsoft.org/articles/win/process/

Profils matériels

Définir votre meilleur profil

Les profils matériels servent à spécifier les périphériques qu'utilise votre ordinateur lorsque vous le déplacez d'un endroit à l'autre. Ils sont particulièrement utiles dans le cas des ordinateurs portables. Un **profil matériel** n'est donc rien d'autre qu'un ensemble d'instructions indiquant à Windows :

- Les périphériques qu'il doit démarrer lorsque vous mettez votre ordinateur en route.

- Les paramètres qu'il doit appliquer pour chaque périphérique.

Lorsque vous installez Windows pour la première fois, un profil matériel, appelé pour la circonstance **Profil 1**, est créé (pour les ordinateurs portables, les profils s'appellent **Profil connecté** ou **Profil déconnecté**). Par défaut, chaque périphérique installé dans votre ordinateur au moment où vous installez Windows est activé dans **Profil 1**. Pour créer un profil matériel, vous devez conduire une session en tant qu'administrateur ou en tant que membre du groupe **Administrateurs**. Si votre ordinateur est connecté à un réseau, les paramètres de stratégie de réseau peuvent également vous empêcher d'exécuter cette procédure :

1. Cliquez sur **démarrer** ➜ **Panneau de configuration** ➜ **Performances et maintenance**.

2. Cliquez sur **Système** ➜ onglet **Matériel**, ➜ **Profils matériels**.

3. Sous **Profils matériels disponibles**, cliquez sur **Configuration d'origine (Actuel)** ➜ **Copier**.

4. Tapez un nom pour le nouveau profil matériel, puis cliquez sur **OK**.

Note ⊗ Le profil nommé **Profil 1** ou **Configuration d'origine (Actuel)** sert de modèle pour créer les profils matériels souhaités. Il ne figure pas dans la liste de profils matériels disponibles affichée durant le démarrage.

Vous pouvez maintenant personnaliser votre nouveau profil en activant ou en désactivant des périphériques, pour ce profil, dans le **Gestionnaire de périphériques** :

1. Cliquez sur **démarrer** ➜ **Panneau de configuration** ➜ **Performances et maintenance** ➜ **Système** ➜ onglet **Matériel** ➜ **Gestionnaire de périphériques**.

2. Double-cliquez sur le périphérique voulu pour ouvrir ses propriétés. Affichez le volet **Général**.

3. Tout en bas, sous la rubrique **Utilisation du périphérique**, ouvrez la liste déroulante et sélectionnez l'une de ses options, **activer** ou **désactiver**.

Copier, renommer ou supprimer un profil

Pour copier, renommer ou supprimer un profil matériel :

1. Cliquez sur **démarrer** ➜ **Panneau de configuration** ➜ **Performances et maintenance** ➜ **Système** ➜ onglet **Matériel** ➜ **Profils matériels**.

2. Sous **Profils matériels disponibles**, cliquez sur le profil matériel existant qui vous intéresse et effectuez l'une des actions suivantes en cliquant sur :

- **Copier** : pour ouvrir la boîte de dialogue **Copier le profil** ; tapez le nom que vous attribuez à la copie.

- **Renommer** : pour ouvrir la boîte de dialogue **Renommer le profil** ; tapez le nouveau nom que vous attribuez au profil sélectionné.

- **Supprimer** : pour supprimer le profil sélectionné.

Programmes

Voir aussi *Logiciels*.

Démarrer une application en tâche réduite

Si vous voulez ouvrir une application en tâche réduite, en bouton sur la barre des tâches :

1. Créez un raccourci de cette application.

2. Faites un clic droit sur ce raccourci et choisissez **Propriétés**.

3. Cliquez sur l'onglet **Raccourci**.

4. Ouvrez la liste **Exécuter** et choisissez **Réduite**.

Désactiver des programmes au démarrage

Si vous voulez désactiver des programmes au démarrage afin de procéder à certaines vérifications :

1. Ouvrez la fenêtre de configuration du système : cliquez sur **démarrer** ➜ **Exécuter**, tapez `msconfig` et cliquez sur **OK**.

2. Cliquez sur l'onglet **Démarrage**.

Dépannage rapide

3. Cliquez sur les cases des programmes à désactiver pour supprimer leur cochage (figure 24-35).

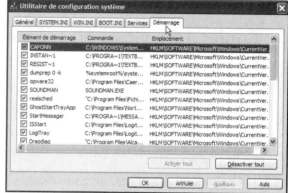

Figure 24-35
Cliquez sur les cases des programmes à désactiver pour les décocher.

Désinstaller un programme qui ne trouve pas son fichier .log

Vous voulez désinstaller un programme par la voie normale, mais il vous indique qu'il ne trouve pas le fichier `.log`. La solution la plus simple consiste alors à le réinstaller, ce qui recréera le fichier perdu, puis à procéder à sa désinstallation.

Désinstaller un programme récalcitrant

Si un programme refuse la désinstallation en affichant éventuellement un message, tentez ces opérations :

*   Réinstallez-le, puis essayez de le désinstaller de nouveau.

*   Parfois, vous devrez utiliser son CD d'origine et lancer la commande d'installation.

Désinstaller un programme récalcitrant en force

Parfois, les méthodes précédentes ne sont pas applicables. Dans ce cas, supprimez le programme en supprimant son dossier :

1. Utilisez le Poste de travail, l'Explorateur Windows ou **Rechercher** pour localiser le dossier du programme à supprimer.

2. Choisissez le dossier du programme et appuyez sur **Suppr**. Ou bien faites un clic droit sur le dossier et choisissez **Supprimer**.

3. Choisissez **Oui** pour confirmer la suppression et expédier le dossier et tout ce qu'il contient dans la Corbeille.

4. Si vous disposez de raccourcis ou d'options de menus menant au programme supprimé, recherchez-les et supprimez-les à leur tour.

5. Ouvrez le registre Windows et créez un point de restauration.

6. Lancez une recherche sur le nom du programme et supprimez toutes les entrées qui s'y réfèrent.

Le programme désinstallé subsiste dans le menu démarrer

Après désinstallation, le nom du programme ne devrait plus apparaître dans la liste des programmes du menu **démarrer**. Toutefois :

- Si le nom du programme supprimé subsiste, faites un clic droit dessus, puis cliquez sur la commande **Supprimer**.

- Si son icône de raccourci apparaît toujours sur le bureau, faites-la glisser sur la Corbeille.

En principe, les dossiers spécifiques du programme supprimé devraient avoir disparu avec leurs fichiers, mais c'est loin d'être toujours le cas. Mieux vaudra le vérifier et, s'ils subsistent, vous devrez les supprimer à la main. Exécutez quand même d'abord une sauvegarde de sécurité.

Un programme supprimé subsiste dans Ajout/Suppression

Vous avez supprimé un programme en appliquant les règles de Windows mais, à votre grande surprise, son nom subsiste dans la liste **Ajout**/**Suppression de programmes** et parfois même ailleurs. Voici ce qu'il faut faire :

1. Cliquez sur **démarrer** ➔ **Exécuter**, tapez regedit et cliquez sur **OK**.

2. Naviguez vers :

   HKEY_LOCAL_MACHINE\SOFTWARE\Microsoft\Windows\
   CurrentVersion\Uninstall

3. Dans les sous-clés, recherchez ce programme et sélectionnez-le.

4. Sauvegardez cette arborescence par sécurité en cliquant sur le menu **Fichier**, puis sur **Exporter**.

5. Supprimez la sous-clé.

Planifier une commande avec l'invite de commandes

Vous disposez du **Planificateur de tâches** pour planifier des tâches, certes, mais certaines opérations doivent parfois être menées autrement, par exemple *via* la fenêtre d'invite de commandes :

1. Cliquez sur **démarrer** ➔ **Tous les programmes** ➔ **Accessoires** ➔ **Invite de commandes**.

2. Tapez AT et votre planification. Si vous ne connaissez pas cette commande et si vous voulez découvrir ses paramètres, tapez (figure 24-36) :

   AT /?

Si vous n'obtenez rien, tapez la même commande en spécifiant le chemin d'accès complet :

   C:\Windows\System32\AT /?

Figure 24-36
Les paramètres de la commande AT.

Accès perdu à Ajouter ou supprimer des programmes

Vous ouvrez le **Panneau de configuration** et vous cliquez sur **Ajouter ou supprimer des programmes**, mais vous n'obtenez pas l'accès à la boîte de dialogue spécifique. Pour y remédier :

1. Ouvrez l'Explorateur Windows.

2. Cliquez sur **Outils** ➔ **Options des dossiers** ➔ onglet **Affichage**.

3. Cochez la case **Afficher les fichiers et dossiers cachés**.

4. Fermez cette boîte de dialogue.

5. Passez dans le dossier C:\Windows\inf, normalement caché mais maintenant visible.

6. Double-cliquez sur le fichier SYSOC.INF pour l'ouvrir dans le Bloc-notes.

7. Trouvez la ligne :

   MSMQ=MSMQOCM.DLL,MSMQOCM,MSQOM.INF,,6

8. Faites-la précéder par un point-virgule (;) pour en annuler l'exécution et obtenir

    ```
    ;MSMQ=MSMQOCM.DLL,MSMQOCM,MSQOM.INF,,6
    ```

9. Cliquez sur **Fichier**, sur **Enregistrer**, et fermez le Bloc-notes.

Si nécessaire, réinitialisez l'ordinateur.

Configurer les programmes par défaut

L'option **Configurer les programmes par défaut** est une fonction de confort installée avec l'extension **Service Pack 2** (**SP2**) de Windows XP. Elle sert à définir les programmes que vous utiliserez par défaut pour naviguer sur Internet ou envoyer des messages électroniques, par exemple. En outre, elle permet de spécifier les programmes qui seront disponibles dans le menu **démarrer**, sur le bureau ou ailleurs. Pour l'appliquer, vous devez ouvrir une session en tant qu'administrateur.

Pour modifier vos programmes par défaut à l'aide de la commande **Configurer les programmes par défaut** :

1. Cliquez sur **démarrer** ➜ **Configurer les programmes par défaut**.

2. Vous disposez alors de trois options de configuration : **Microsoft Windows**, **Non-Microsoft** et **Personnalisée**. Il s'y ajoute une option, **Fabricant de l'ordinateur**, qui sert à rétablir les paramètres par défaut du fabricant de votre ordinateur si ce dernier l'a implantée sur votre machine.

3. Cliquez sur l'une des paires de flèches dirigées vers le bas pour ouvrir la liste correspondante. Recliquez sur la même paire de flèches qui a inversé son sens pour la refermer.

Pour spécifier les programmes par défaut pour des activités telles que la navigation sur Internet et l'envoi de messages électroniques sur votre ordinateur, vous disposez des rubriques :

- **Fabricant de l'ordinateur** : pour rétablir les paramètres par défaut du fabricant de votre ordinateur.

- **Microsoft Windows** : pour utiliser les programmes Windows par défaut. Vous avez toujours accès aux autres programmes installés sur votre ordinateur.

- **Non-Microsoft** : pour utiliser des programmes par défaut autres que ceux de Microsoft installés sur votre ordinateur. Si vous choisissez cette option, l'accès au programme Microsoft Windows spécifié sera supprimé. Vous pouvez cependant définir l'accès au programme à tout moment, à l'aide de **Configurer les programmes par défaut**.

- **Personnalisée** : il s'agit d'une combinaison de programmes Microsoft Windows et de programmes autres que Microsoft par défaut. Une configuration personnalisée permet de spécifier les programmes par défaut pour chaque activité.

Il n'est pas possible de définir des programmes par défaut différents par utilisateur, ni de supprimer l'accès à des programmes pour un utilisateur particulier. Les options définies dans **Configurer les programmes par défaut** s'appliquent à tous les utilisateurs de l'ordinateur.

Supprimer du menu démarrer ou du bureau avec Configurer de SP2

Avec **SP2**, si vous ne voulez pas qu'un programme apparaisse dans le menu **démarrer**, sur le bureau ou sur tout autre emplacement réservé aux programmes :

1. Cliquez sur **démarrer** ➔ **Configurer les programmes par défaut**.

2. Désactivez la case **Activer l'accès à ce programme** à côté du nom de programme. Elle n'apparaît qu'avec l'option **Personnalisée** (figure 24-37).

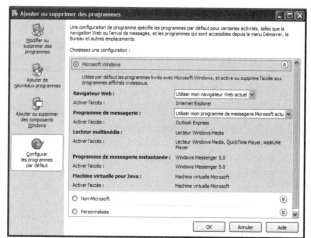

Figure 24-37
Configurez les
programmes
par défaut.

Windows XP refuse certains programmes d'installation

La cause la plus probable : un antivirus est actif en tâche de fond. Commencez par le désactiver et recommencez. Ou bien il s'agit d'un programme ancien, non adapté à Windows XP.

Conserver les modifications de configuration du Bloc-notes

Un excellent outil pour prendre des notes ou afficher de courts textes est le Bloc-notes, rangé dans les **Accessoires**. Outil rustique, il permet toutefois de modifier les marges ainsi que l'en-tête et le pied de page des documents. La difficulté réside dans le fait que ces informations ne sont pas sauvegardées et que vous ne les retrouvez plus lors d'une session suivante. Pour les conserver :

1. Ouvrez le registre et naviguez vers :

    `HKEY_CURRENT_USER/Software/Microsoft\Notepad`

2. Si cette clé n'existe pas, créez une nouvelle valeur **DWORD** dont le nom sera `fSavePageSettings`. Double-cliquez dessus puis tapez 1 dans le champ **Données de la valeur**.

3. Cliquez sur le bouton **OK**, fermez le registre et réinitialisez l'ordinateur.

Raccourcis

Créer un raccourci sans nom sur le bureau

Vous pouvez créer un raccourci sans nom, composé tout juste de l'image de l'icône :

1. Faites un clic droit sur un raccourci existant et choisissez **Renommer**.

2. Renommez le raccourci `0160` tout en maintenant la touche **Alt** enfoncée.

3. Appuyez sur **Entrée**.

4. Le raccourci ne porte plus de nom (figure 24-38).

Si vous voulez lui affecter un nom, recommencez cette même procédure et tapez le nom de votre choix.

Figure 24-38
Un raccourci
sans nom.

Le raccourci ouvre une fenêtre réduite et non en plein écran

Lorsque vous ouvrez une fenêtre, elle apparaît telle que vous l'aviez fermée, dans la même taille. Toutefois, s'il s'agit d'un raccourci, vous pouvez imposer son ouverture en plein écran :

1. Faites un clic droit sur le raccourci et cliquez sur **Propriétés**.

2. Cliquez sur l'onglet **Raccourci**.

3. Ouvrez la liste déroulante **Exécuter** et cliquez sur **Agrandie** (figure 24-39).

4. Cliquez sur **OK**.

Figure 24-39
Pour ouvrir une
fenêtre
en plein écran.

Rechercher

Enregistrer les critères d'une recherche

Élaborer les critères d'une recherche savante peut prendre du temps. Si vous pensez devoir relancer la même recherche ultérieurement, enregistrez ces critères :

1. Ouvrez la fenêtre de recherche et définissez vos critères.

2. Cliquez sur le menu **Fichier → Enregistrer la recherche** ; elle n'apparaît qu'à ce moment.

3. Dans la boîte de dialogue d'enregistrement, décernez un nom à cette recherche, puis décidez de son dossier de rangement.

Dès lors, pour relancer la même recherche, le plus simple consistera à faire un double clic sur le nom de ce fichier. La fenêtre de recherche s'ouvrira automatiquement.

La recherche ne trouve pas certains types de fichiers

Si vous lancez une recherche en utilisant l'option **Un mot ou une phrase dans le fichier**, il se peut que vous ne trouviez pas ce qui vous intéresse. En effet, une telle recherche ne porte pas sur certains types de fichiers.

Par exemple, les fichiers `.log`, `.dll`, `.js`, `.asp`, `.xml`, `.xsl`, `.hta`, `.css`, `.wsh`, `.cpp`, `.c` ou `.h` n'apparaissent pas dans les résultats de la recherche, même si un fichier de ce type contient le texte spécifié dans la zone **Un mot ou une phrase dans le fichier** et même si vous avez spécifié le nom ou le type (extension) du fichier dans la zone **Une partie ou l'ensemble du nom de fichier**, par exemple `*.log`.

En effet, pour qu'un type de fichier soit inclus dans les résultats d'une recherche **Un mot ou une phrase dans le fichier**, un composant filtre valide doit être enregistré. Or, Windows XP n'enregistre de composants filtres que pour les types de fichiers associés aux documents utilisateurs courants. Ces composants filtres standards intégrés à Windows XP sont :

- `Mimefilt.dll` : fichiers de type MIME.

- `Nlhtml.dll` : fichiers en langage HTML 3.0 ou version antérieure.

- `Offfilt.dll` : fichiers Microsoft Office (Microsoft Word, Microsoft Excel et Microsoft PowerPoint).

- `Query.dll` : fichiers texte normal (filtre par défaut) et fichiers binaires (filtre nul).

Si vous avez vraiment besoin de procéder à des recherches dans ces fichiers, il vous faut installer :

- Une mise à jour Microsoft que vous trouverez en consultant la base de connaissances, en particulier l'article :

      support.microsoft.com/default.aspx?scid=http://
      www.microsoft.com/intlkb/france/articles/f309/4/47.asp

- Une application qui enregistre un fournisseur de filtres pour le type de fichier voulu.

Si aucune de ces options ne vous donne satisfaction, vous pouvez tenter d'utiliser le filtre de texte normal en procédant comme suit :

1. Cliquez sur **démarrer** ➜ **Exécuter**, puis tapez `regedit`.

2. Choisissez `HKEY_CLASSES_ROOT` et localisez l'entrée pour le type de fichier ignoré lors de la recherche (par exemple `.adm` ou `asp`).

Dépannage rapide

3. Développez la branche du type de fichier.

4. Vérifiez la présence d'une sous-clé `PersistentHandler`.

5. Si `PersistentHandler` n'existe pas, créez-la en cliquant sur le menu **Edition** ➜ **Nouveau** ➜ **Clé**. Sélectionnez cette sous-clé et, dans la fenêtre droite, double-cliquez sur la valeur **Default** et entrez l'une de ces données (vous vérifierez laquelle fonctionne) :

   ```
   {5e941d80-bf96-11cd-b579-08002b30bfeb}
   {098f2470-bae0-11cd-b579-08002b30bfeb}
   {98de59a0-d175-11cd-a7bd-00006b827d94}
   ```

6. Si la clé `PersistentHandler` existe déjà, ne changez rien.

7. Fermez l'éditeur de registre.

8. Redémarrez l'ordinateur.

Désormais la recherche se fera également dans le type de fichier sur lequel vous avez agi dans le registre.

Registre Windows

Nettoyer le registre avec l'utilitaire Windows Installer CleanUp

Microsoft met à votre disposition gratuitement l'utilitaire **Windows Installer CleanUp**. Il sert à supprimer les informations de configuration d'un programme créé dans le registre par **Windows Installer**, essentiellement si vous rencontrez des problèmes d'installation.

Vous pouvez consulter la note technique Microsoft suivante :

```
http://support.microsoft.com/default.aspx?kbid=290301#kb1
```

Ce site propose le lien de téléchargement de **Windows Installer CleanUp**. L'utilitaire pèse environ 185 ko. Installez-le, puis ouvrez-le selon l'une de ces méthodes :

- Cliquez sur **démarrer** ➜ **Tous les programmes**, puis cliquez sur le raccourci **Windows Installer CleanUp**.

- Dans **Infos système Microsoft**, cliquez sur le menu **Outils** ➜ **Windows Installer CleanUp** .

L'utilitaire ouvre une boîte de dialogue permettant de sélectionner un ou plusieurs programmes installés par **Windows Installer**. Une fois les sélections effectuées, cliquez sur le bouton **Remove** pour supprimer les informations de configuration qui les concernent (figure 24-40).

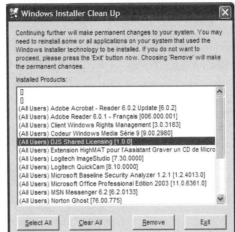

Figure 24-40
La boîte de
dialogue de
Windows
Installer
CleanUp.

Défragmenter le registre

Si vous installez et désinstallez constamment des programmes, si vous modifiez sans cesse votre configuration, vous enregistrez puis vous effacez des informations dans le registre qui se fragmente. La première conséquence réside dans un ralentissement de sa lecture.

Aussi pouvez-vous le recompacter à l'aide d'un utilitaire spécifique, **NTRegOpt**, pour *optimiseur de registre NT*. Cette opération ne vous apportera peut-être pas un bénéfice immédiat évident, mais elle vaut d'être tentée.

Cet utilitaire est, bien sûr, gratuit. De nombreux sites de téléchargement sont à votre disposition, tels que :

```
http://home.t-online.de/home/lars.hederer/erunt/
```

NTRegOpt ne pèse que 140 ko. Une fois téléchargé, double-cliquez sur son exécutable **ntregopt-setup.exe** pour l'installer. Il place, par défaut, une icône sur le bureau. La bonne procédure est alors la suivante :

1. Ouvrez une session de travail en tant qu'administrateur.

2. Créez un point de restauration par sécurité.

3. Double-cliquez sur l'icône de **NTRegOpt** pour ouvrir le programme.

4. Une petite fenêtre apparaît. Cliquez sur son bouton **OK** pour lancer l'optimisation.

Le programme procède en recréant totalement les **ruches** du registre. Il supprime ainsi les espaces de fragmentation. Il ne modifie en aucune façon le contenu du registre et il ne défragmente pas les fichiers sur le disque !

Au cours du processus, relativement rapide, vous verrez se manifester des barres de progression témoignant de son activité (figure 24-41). Enfin, la défragmentation terminée, il vous sera demandé de réinitialiser l'ordinateur pour que le nouveau registre soit pris en compte.

Figure 24-41
NTRegOpt
en action.

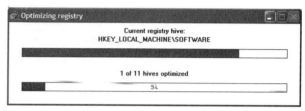

Réseau local

Évaluer les conditions de la mise en place d'un réseau

Si vous êtes novice, vous trouverez sur Internet de très nombreux sites expliquant la signification des termes spécifiques utilisés (TCP/IP, WINS, DNS...) et les conditions de la mise en place d'un réseau. L'un d'eux, très didactique, est :

```
http://www.pnfh.net/
```

Diagnostiquer le réseau sous Windows

Diagnostics réseau permet de recueillir et d'afficher des informations sur le matériel et le système d'exploitation de votre ordinateur, sur votre configuration Internet et sur la configuration de votre modem et de votre carte réseau. Pour ouvrir ce service :

1. Cliquez sur le bouton **démarrer** ➔ **Aide et support**, puis, sous la rubrique **Choisissez une tâche**, sur **Outils**.

2. Cliquez sur **Diagnostics du réseau** ou, selon votre version, sur **Utilisez Outils pour afficher les informations concernant votre ordinateur et diagnostiquer les problèmes** puis, dans la colonne **Outils** de gauche, sur **Diagnostics du réseau.**

Vous avez alors le choix entre deux commandes : **Analyser votre système** et **Définir les options d'analyse**. Si vous cliquez sur la première, l'analyse démarre aussitôt et fournit un compte rendu tel que celui de la figure 24-42. Développez-en les rubriques pour obtenir les détails très techniques qui vous intéressent.

Notez toutefois une réserve : si vous avez installé un modem téléphonique et un modem ADSL, il se peut que l'analyse se trompe de modem !

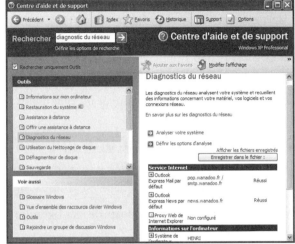

Figure 24-42
Compte rendu de l'analyse réseau.

Astuce Une autre façon d'accéder aux diagnostics réseau consiste à cliquer sur **démarrer → Tous les programmes → Accessoires → Outils système → Informations système → menu Outils → Diagnostics réseau**.

Diagnostiquer le réseau avec un utilitaire

Il existe de nombreux utilitaires permettant de diagnostiquer un réseau d'entreprise, tant en freeware qu'en shareware mais ils sont apparemment tous en anglais. On peut citer ces deux intéressants freewares :

• **Micro Net Utilities** est une suite logicielle destinée aux administrateurs de réseau, qui regroupe des outils tels que Whois, Finger, DNS, IP Monitor, Ping, Trce Route, Port Scan, Net Stat.

• **Network Toolbox** propose ces mêmes outils et fournit de nombreuses informations sur le réseau et ses ordinateurs.

En shareware, on trouve, par exemple :

• **TracePlus32Web Detective**, plus sophistiqué, qui analyse le transfert de données à partir du protocole HTTP et aide à diagnostiquer les sources des problèmes.

Vous pouvez lancer une recherche pour les télécharger ou encore passer par le site suivant qui vous en propose bien d'autres :

```
http://www.megagiciel.com/logiciels/102.html
```

Dépannage rapide

Appeler le service de dépannage de Windows

Si votre réseau ne fonctionne pas correctement, faites appel au dépanneur du **Centre d'aide et de support** de Windows ; il vous entraînera plus loin dans la technique, si besoin est :

1. Cliquez sur **démarrer** → **Aide et support** → **Gestion du réseau et Web**, puis, dans la colonne Windows de gauche, sur **Résolution des problèmes de réseau et de Web**.

2. Sélectionnez le problème qui vous préoccupe dans le volet de droite.

3. Laissez-vous guider par le dépanneur en répondant à ses questions.

Impossible de partager une application entre les utilisateurs

Si les utilisateurs ne parviennent pas à partager un programme sous Windows XP Pro, vérifiez, dans la console d'administration, quelle est la situation de **Stratégie de sécurité locale** :

1. Cliquez sur **démarrer** → **Panneau de configuration** → **Performances et maintenance** → **Outils d'administration**.

2. Double-cliquez sur **Stratégie de sécurité locale**. Ouvrez la liste **Stratégies locales**, dans le volet de gauche, puis cliquez sur **Options de sécurité**. Selon votre version de Windows, vous devrez, en variante et dans les **Outils d'administration**, double-cliquer ou cliquer sur **Stratégie ordinateur local** → **Configuration ordinateur** → **Paramètres Windows** → **Paramètres de sécurité** → **Options de sécurité**.

3. Visez la ligne **Accès réseau : modèle de partage et de sécurité pour les comptes locaux**. Elle doit être définie avec le paramètre **Classique - les utilisateurs locaux s'authentifient eux-mêmes**.

4. Si tel n'est pas le cas, double-cliquez sur cette ligne et sélectionnez cette option dans la liste déroulante de la petite fenêtre qui apparaît.

L'accès au réseau est lent ou difficile à cause d'un antivirus

Souvent, la lenteur ou la difficulté d'accès au réseau sont dues à un antivirus qui scanne les disques en réseau. Vous pouvez aisément le vérifier en inhibant l'antivirus, puis en redémarrant l'ordinateur. Si tel est bien le cas, paramétrez votre antivirus pour désactiver cette fonction.

La fenêtre des Favoris réseau est vide

Si la fenêtre **Favoris réseau** est vide ou si son icône ne s'affiche ni sur le bureau, ni dans le menu **démarrer**, c'est que la gestion de réseau n'est pas disponible. Vous devez configurer la gestion du réseau en appelant l'assistant pour pouvoir vous connecter à un autre ordinateur de votre réseau.

Le dossier Documents partagés (Sharedocs) n'est pas partagé

Le dossier **Documents partagés**, **Sharedocs** en anglais (il apparaît parfois sous ce nom), n'est un dossier partagé par défaut que pour les utilisateurs d'un même ordinateur. Il n'apparaîtra pas dans **Favoris réseau**, car seuls les dossiers que l'on a explicitement partagés y figurent.

Pour le partager, procédez comme avec les autres dossiers : faites un clic droit dessus, puis sélectionnez l'onglet **Partage** et activez ce dernier.

Le réseau fonctionne, mais pas le partage de dossiers

Si votre réseau fonctionne mais si l'accès à certains dossiers sur des ordinateurs en réseau vous est refusé, c'est probablement parce que leur partage n'a pas été activé. Sur l'ordinateur en réseau contenant le dossier à partager :

1. Faites un clic droit sur ce dossier et choisissez **Propriétés**.

2. Cliquez sur l'onglet **Partage**.

3. Cochez la case **Partager ce dossier sur le réseau**.

4. Attribuez un nom de partage à ce dossier.

5. Facultatif : cochez la case **Autoriser les utilisateurs réseau à modifier mes fichiers**.

6. Cliquez sur le bouton **Appliquer**.

7. Cliquez sur le bouton **OK**.

Les machines en réseau n'apparaissent pas

Si une ou plusieurs machines en réseau n'apparaissent pas alors que le réseau est bien installé, il se peut que :

- Vous n'ayez encore rien partagé. Or, il faut qu'un dossier, pour le moins, soit partagé.

- Un antivirus ou un mur pare-feu mal paramétrés bloquent le partage. Tentez de les désactiver pour vérifier cette hypothèse.

Nombre maximal de postes en réseau

En principe, vous ne pouvez connecter que cinq postes en réseau sous Windows XP, version familiale, et dix postes avec la version professionnelle. Au-delà, vous devrez créer un réseau avec un serveur.

Se connecter à un dossier ou à un disque avec un raccourci

Vous pouvez mapper un dossier ou un disque en réseau pour y accéder aisément, mais une autre méthode consiste à créer un raccourci que vous placerez sur votre bureau :

1. Cliquez sur le bouton **démarrer** ➜ **Favoris réseau**. Ou bien double-cliquez sur l'icône **Favoris réseau** si elle se trouve sur le bureau.

2. Avec la souris, bouton droit enfoncé, faites glisser un disque ou un dossier partagé sur le bureau.

3. Confirmez la création du raccourci lorsque vous relâchez le bouton de la souris.

Désormais, un double clic sur ce raccourci vous donnera accès à cet élément.

Restaurer le système

Voir aussi *Sauvegarder et restaurer des données*.

La restauration refuse de s'exécuter

Il arrive que Windows refuse d'exécuter une restauration. Dans un tel cas, les causes les plus probables sont les suivantes :

- Il n'y a pas assez de place sur le disque ou sur la partition. La restauration a besoin d'espace pour copier les fichiers.

- Le disque contient des erreurs. Lancez le vérificateur de disque.

- Le disque contient des fichiers corrompus. Lancez **SFC /Scannow**.

- Des fichiers temporaires empêchent la restauration de s'exécuter. Lancez le nettoyeur de disque ou videz le dossier :

  ```
  Documents and Settings\nom_utilisateur\Local Settings\Temp
  ```

- Le **Planificateur de tâches** est désactivé ; réactivez-le.

- Des fichiers protégés du système ont été remplacés ou supprimés soit par l'exécution de la commande **SFC**, soit par vous-même pour supprimer, par exemple, un fichier infecté par un virus. La restauration ne fonctionne alors logiquement pas, car elle rétablirait ces fichiers. Supprimez les points de restauration et recréez-en immédiatement un nouveau.

Restaurer le système en mode sans échec

Si vous ne pouvez plus démarrer le système en mode normal, mais s'il accepte de démarrer en mode sans échec, c'est dans ce mode que vous effectuerez la restauration du système :

1. Démarrez en mode sans échec.

2. Cliquez sur le bouton **démarrer** ➜ **Aide et support**.

3. Dans la fenêtre d'accueil de l'aide et sous **Choisissez une tâche**, cliquez sur **Annuler les modifications de votre ordinateur avec la restauration du système**.

4. Suivez les instructions qui s'affichent à l'écran.

Pour conserver vos paramètres les plus récents, sélectionnez le point de restauration le plus proche possible de la date courante.

Si le calendrier de restauration est vide

Par accident, il se peut que le calendrier de restauration soit vide. Il s'agit là d'une erreur recensée par Microsoft, et dont la solution, assez longue, est commentée sur le site :

```
support.microsoft.com/default.aspx?scid=kb;en-us;Q313853
```

La cause : l'association des fichiers HTML n'a pas été enregistrée dans le registre. Il vous faudra intervenir dans le registre Windows pour corriger cela.

Sauvegarder et restaurer des données

Voir aussi *Restaurer le système.*

Créer une archive autoextractible

Windows XP est plein de surprises, en voici une illustration supplémentaire. Il comporte un utilitaire caché servant à créer des archives compressées autoextractible. Une archive est une sauvegarde. Celle-ci inclut le programme d'extraction nécessaire pour récupérer les données ; de ce fait, aucun programme externe supplémentaire n'est nécessaire. Comparez cela aux fichiers `.exe` de PKzip, si vous les pratiquez. Le nom de ce programme est **iexpress** ; il se trouve dans le dossier `C:/Windows/System32`.

Pour l'exécuter :

1. Cliquez sur **démarrer** ➜ **Exécuter**, tapez `iexpress`, puis cliquez sur **OK**.

Dépannage rapide

2. Un assistant se présente. Vous n'avez plus qu'à vous laisser guider par ses soins. Vous remarquerez que tout est resté en anglais ! Le choix vous est d'abord offert entre :

- Créer un nouveau fichier autoextractible.

- Ouvrir un fichier autoextractible existant.

3. En supposant que vous ayez choisi la première option, un clic sur le bouton **Suivant** ouvre une deuxième boîte de dialogue servant à définir les options ultérieures d'extraction :

- Extraire les fichiers dans un dossier temporaire et lancer une commande d'installation.

- Extraire les fichiers dans un dossier spécifié par l'utilisateur.

- Créer un fichier compressé dans un fichier `.cab`, sans inclure la séquence d'autoextraction.

4. Supposons que vous ayez choisi la deuxième option. Cliquez sur **Suivant** et donnez un nom à votre fichier compressé.

5. Dans la fenêtre suivante, tapez une invite destinée à l'utilisateur de l'archive si vous souhaitez que celui-ci confirme son choix. Sinon, cochez la case **Pas d'invite**.

6. De même, dans la fenêtre suivante, spécifiez si un écran de licence devra s'afficher. Si oui, indiquez son nom et son emplacement.

7. La fenêtre suivante vous permet enfin de sélectionner les fichiers à inclure dans l'archive. Cliquez sur le bouton **Ajouter** et sélectionnez-les.

8. Cliquez encore sur **Suivant** et spécifiez le mode de présentation de la fenêtre Windows : normale, cachée, minimisée ou maximisée.

9. Dans la fenêtre suivante, si vous voulez qu'un message s'affiche à la fin de la création du fichier autoextractible, indiquez-le.

10. Indiquez ensuite le nom de votre fichier auto-extractible et son dossier, et sélectionnez les options présentées qui vous conviennent.

11. Le dernier écran est astucieux : vous pouvez enregistrer vos choix pour un usage ultérieur, ce qui vous épargnera de tout recommencer. Indiquez un nom de fichier et un dossier dont l'extension sera `sed`, pour *Self Extraction Directive*.

12. C'est enfin fini. Lancez la création du fichier. Une fenêtre d'invite de commandes indique la progression de l'opération. Puis une fenêtre vous indique qu'elle est terminée.

Pour ouvrir une archive :

1. Cliquez sur **démarrer** ➜ **Exécuter**, tapez `iexpress`, puis cliquez sur **OK**.

2. Un assistant se présente. Choisissez la seconde option, **Ouvrir un fichier auto-extractible existant**, et sélectionnez-le.

3. Vous pouvez modifier les paramètres d'extraction, si vous le désirez. Sinon, cliquez sur **Suivant**.

4. L'extraction démarre aussitôt, une fenêtre d'invite de commandes vous indiquant sa progression. À son issue, une fenêtre spécifique apparaît.

Restaurer des données sauvegardées sous Windows 98

Sous Windows XP, il est impossible de restaurer des données enregistrées avec **Backup** sous Windows 98. Les formats de sauvegarde sont différents. Il existe deux solutions à ce problème :

- Utiliser une machine tournant sous Windows 98.

- Faire appel, sous XP, à un utilitaire tel que **Backup MyPC**, payant. Il était disponible en version d'essai lors de la rédaction de ce texte. Vous pouvez le télécharger depuis :

    ```
    http://www.stompsoft.com/backupmypc.html
    ```

Sécurité

Afficher les services en cours d'exécution

En cas de problème, vous pouvez lister les services se trouvant en cours d'exécution à un instant donné sur votre machine. Pour cela :

1. Cliquez sur le bouton **démarrer** ➜ **Aide et support**.

2. Dans la colonne de droite, sous **Choisissez une tâche**, cliquez sur la ligne **Utilisez Outils pour afficher les informations concernant votre ordinateur et diagnostiquer les problèmes.**

3. Sous **Outils**, cliquez sur **Informations sur mon ordinateur**.

4. Dans la colonne de droite, sous **Que voulez-vous faire ?,** cliquez sur la ligne **Afficher les informations système avancées**.

5. Toujours dans la colonne de droite, sous **Que voulez-vous faire ?**, cliquez sur la ligne **Afficher les services en cours d'exécution**.

Un écran tel que celui de la figure 24-43 apparaît. Il liste tous les services que Windows est en train d'exécuter à cet instant.

Figure 24-43
Une liste des
services en
cours
d'exécution.

Récupérer un fichier système avec MSConfig

Si l'un de vos fichiers système est manquant ou corrompu, vous pouvez tenter de le réinstaller en lançant une réparation du système d'exploitation Windows avec **SFC /Scannow**.

Mais vous pouvez aussi le recharger en utilisant la commande **MSConfig** :

1. Cliquez sur le bouton **démarrer → Exécuter**. Tapez **msconfig**, puis cliquez sur **OK**. Sa fenêtre apparaît.

2. Sous l'onglet **Général**, cliquez sur le bouton **Extraire le fichier**.

3. Dans la boîte de dialogue qui apparaît (figure 24-44), recherchez le fichier à récupérer ou bien tapez son nom, indiquez où il se trouve (probablement sur le CD de Windows) et où il doit être installé. Si vous ne découvrez pas son emplacement, lancez simplement une recherche.

4. Cliquez sur **Décompresser**.

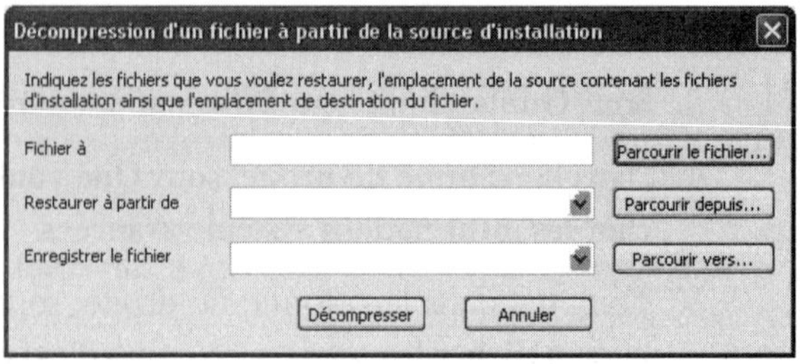

Figure 24-44
Pour charger
un fichier
système
manquant.

Des quotas pour limiter l'occupation disque des utilisateurs

Microsoft à mis au point un service de quotas qui permet d'attribuer aux utilisateurs un certain espace disque qu'ils gèrent à leur guise, mais qu'ils ne peuvent outrepasser. Ce système surveille l'utilisation d'un volume NTFS par utilisateur individuel. Par exemple, dans un milieu familial, vous interdirez à un enfant d'occuper la totalité de votre disque dur avec ses jeux ou ses musiques en ne lui accordant qu'un certain espace.

L'espace disque occupé par un utilisateur quelconque n'a aucune influence sur les quotas de disque des autres utilisateurs du même volume. Les quotas de disque sont fondés sur la propriété des fichiers et sont indépendants de l'emplacement des dossiers qui contiennent les fichiers des utilisateurs dans le volume :

- Si un utilisateur **déplace** ses fichiers d'un dossier à l'autre sur le même volume, son utilisation de l'espace du volume ne change pas.

- Si un utilisateur **copie** ses fichiers vers un dossier différent sur le même volume, son utilisation de l'espace du volume double.

- Si l'utilisateur A crée un fichier de 500 Ko et si l'utilisateur B en devient propriétaire, l'espace disque de A diminue de 500 Ko tandis que celui de B augmente de 500 Ko.

Affecter des valeurs de quotas par défaut

Pour affecter des valeurs de quotas par défaut :

1. Cliquez sur **démarrer** ➜ **Poste de travail**.

2. Faites un clic droit sur le volume pour lequel vous voulez définir des valeurs de quotas par défaut, puis cliquez sur **Propriétés**.

3. Dans la boîte de dialogue **Propriétés**, cliquez sur l'onglet **Quota** ➜ **Activer la gestion de quota** ➜ **Limiter l'espace disque à**. Vous activez ainsi des champs permettant de limiter l'espace disque et de définir des niveaux d'avertissement.

4. Tapez des valeurs numériques dans les zones de texte, sélectionnez dans la zone de liste déroulante une unité de limite d'espace disque, puis cliquez sur **OK** (figure 24-45). Vous pouvez utiliser des valeurs décimales (par exemple, 20,5 Mo).

Analyser votre sécurité avec Microsoft

Microsoft met gratuitement à votre disposition un utilitaire servant à analyser la sécurité de votre système : **Microsoft Baseline Security Analyzer, MBSA** en abrégé.

Il sert à analyser et à rechercher toute faille de sécurité non seulement dans le système d'exploitation (Windows NT 4.0, Windows 2000, Windows XP, Windows Server 2003) mais aussi dans diverses applications telles qu'Internet Explorer, Outlook Express, le Lecteur Windows Media, Office, IIS, SQL Server, Exchange Server, Microsoft Data Access Components, MSXML, Microsoft Virtual Machine, Commerce Server, Content Management Server, BizTalk Server et Host Integration Server.

Figure 24-45
Affecter un
quota.

Cet utilitaire pèse 1,6 Mo en version 1.2 compatible Service Pack 2 et il offre l'avantage d'être en français. Pour le télécharger, connectez-vous à :

```
hwww.microsoft.com/france/securite/outils/mbsa.asp
```

Ouvrez ensuite cet utilitaire ; un assistant se met à votre disposition. Dans son deuxième écran, choisissez les sujets de votre analyse ; mieux vaut tout cocher, ou presque.

Cliquez ensuite sur **Démarrer l'analyse**. Celle-ci ne demande que quelques minutes. Un écran s'affiche ensuite avec les résultats (figure 24-46). Curieusement, même si l'on se croit très bien protégé, des failles peuvent subsister, en particulier concernant les mises à jour. Vous n'avez plus qu'à vous laisser guider par les liens proposés pour améliorer votre sécurité.

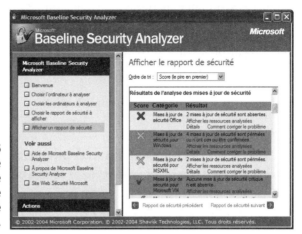

Figure 24-46
Compte rendu de l'analyse de sécurité avec MBSA.

Kit de sécurité 2003-2004 Microsoft

Si vous n'avez pas installé le **Service Pack 2** (**SP2**), qui reste la meilleure mise à jour que l'on puisse recommander, vous pouvez recourir au kit gratuit de sécurité pour Windows, comprenant deux CD, que Microsoft avait proposé, fin 2003.

À ce sujet, vous pouvez consulter le site :

```
http://www.microsoft.com/france/securite/
protection/cdrom.asp
```

Le premier des CD contient l'ensemble des mises à jour critiques pour Windows disponibles jusqu'en octobre 2003, ainsi que des informations pratiques pour vous aider à protéger votre PC. Le second propose une version d'évaluation gratuite d'un logiciel antivirus et pare-feu.

Le Gestionnaire des tâches ne s'affiche pas correctement

Lorsque vous appuyez sur **Ctrl + Alt + Suppr**, le **Gestionnaire des tâches** de Windows ne s'affiche pas correctement : ses onglets ou la barre de titre n'apparaissent pas, par exemple. La solution est simple : double-cliquez sur la bordure de cette fenêtre (double clic **gauche**). Vous pouvez d'ailleurs faire défiler ses volets en appuyant sur **Ctrl + Tab**.

Rendre un dossier confidentiel

Vous pouvez rendre un dossier confidentiel. Vous seul pourrez y accéder. Lorsque vous créez un dossier privé, les fichiers et les sous-dossiers qu'il contient deviennent privés à leur tour. Cette option n'est disponible que pour les dossiers de votre profil d'utilisateur et dans un système de fichiers NTFS :

1. Faites un clic droit sur le dossier à rendre confidentiel.

2. Cliquez sur **Propriétés** ➜ **Partage**.

3. Cochez la case **Rendre ce dossier confidentiel**.

4. Cliquez sur **OK**.

Si vous voulez rendre un fichier d'un dossier privé accessible aux autres utilisateurs, vous pouvez le déplacer dans les dossiers Documents partagés, Images partagées ou Musique partagée.

Renouveler le mot de passe

Windows peut vous informer tous les mois que votre mot de passe vient à expiration et vous invite à le renouveler. Si vous préférez conserver votre mot de passe :

1. Cliquez sur **démarrer**, puis faites un clic droit sur **Poste de travail**.

2. Cliquez sur **Gérer**, et, dans la fenêtre **Gestion de l'ordinateur**, ouvrez la liste **Outils système** dans le volet de gauche.

3. Ouvrez la liste **Utilisateurs et groupes locaux** et cliquez sur **Utilisateurs**.

4. Dans le volet de droite, faite un clic droit sur votre nom et choisissez **Propriétés**.

5. Dans l'onglet **Général**, cochez la case **Le mot de passe n'expire jamais** (figure 24-47).

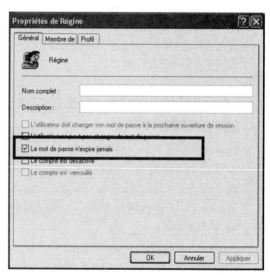

Figure 24-47
Pour que le mot de passe n'expire jamais.

Éliminer le mouchard de Windows Media Player

Windows Media Player, également appelé **Lecteur Windows Media**, est l'outil universel de lecture des fichiers musicaux et vidéo. Or, ce que vous ignorez probablement, c'est que le site Internet auquel vous vous connectez peut vous identifier de manière unique en récupérant des informations sur votre machine sous la forme d'un identifiant. Telle est, du moins, la situation par défaut. Mais vous pouvez supprimer cet espion. Avec la version 9 :

1. Cliquez sur **démarrer** ➔ **Tous les programmes** ➔ **Accessoires** ➔ **Divertissement** ➔ **Windows Media Player** pour l'ouvrir.

2. Cliquez sur le menu **Outils** ➔ **Options** ➔ onglet **Lecteur**.

3. Sous la rubrique **Paramètres Internet**, décochez l'option **Autoriser les sites Internet à identifier le Lecteur de manière unique**.

4. Cliquez sur **OK**. Dès lors, un nouvel identifiant unique sera créé chaque fois que votre navigateur sera lancé, rendant impossible le suivi de votre machine.

Avec la version 10 du Lecteur Windows Media :

1. Procédez de même pour l'ouvrir, mais cliquez sur l'onglet **Confidentialité**.

2. Décochez la case **Envoyer un ID de lecteur unique aux fournisseurs de contenu**. Par défaut, d'ailleurs, cette option n'est pas active.

Tester votre sécurité Internet

Alors que les infections virales se multiplient, en particulier *via* le réseau Internet, il n'est pas inutile de tester la vulnérabilité de votre ordinateur à des attaques externes.

Il faut savoir que votre machine dispose d'une collection de quelque 64 000 points d'entrée, des **ports** en langage technique, ou encore des **adresses** par lesquelles des visiteurs externes peuvent s'introduire dans votre ordinateur. Pour les spécialistes : ces adresses d'entrées-sorties sont codées sur 16 bits, ce qui explique leur nombre de 64 K. Un intrus peut très bien tester ces points d'entrée *via* Internet et, si certains sont ouverts, s'introduire dans votre machine.

Par défaut, tous les points d'entrée risquent d'être ouverts, sauf si vous avez installé un mur pare-feu qui ferme ceux que vous n'utilisez pas. Par exemple, si vous avez installé le mur pare-feu de Windows XP, tous les points d'accès sont automatiquement fermés et votre protection contre des intrus utilisant ce mode d'effraction est totale.

Il est quand même conseillé de vérifier la qualité de votre protection. Plusieurs sites Internet vous offrent de le faire, gratuitement, dont Microsoft (voir les astuces page 636 et page 637). L'un de ces autres sites est :

```
http://check.sdv.fr:3658/cgi/scan
```

Pour lancer ce test, il vous suffit de taper cette adresse dans l'Explorateur Internet, puis d'appuyer sur **Entrée**. Le test démarre aussitôt. Il ne dure que quelques minutes. Bien sûr, votre mur pare-feu, si vous en avez installé un, va s'apercevoir des tentatives répétées d'intrusion du test et, si c'est dans ses cordes, vous alertera, mais passez outre.

Une protection complète amènera un message final très rassurant. Sinon, les failles dans le système d'entrées-sorties seront signalées. D'autres excellents sites sont :

```
http://security.symantec.com/sscv6/
default.asp?productid=globalsites&langid=fr&venid=sym
```

```
http://www.pcflank.com/test.htm
```

Se méfier de certains tests de sécurité

Méfiez-vous toutefois de certains tests de sécurité proposés sur le Web et émanant d'éditeurs spécialisés, d'antivirus par exemple. Ils ont tout intérêt à vous faire peur pour vous recommander ensuite leur produit. Les tests ne sont généralement pas faux, mais ils sont fortement orientés, ce qui constitue une tromperie sur la sécurité.

Obtenir des produits de sécurité gratuits sur le Web

Le Web est plein de ressources. Si, par exemple, le pare-feu de Windows XP ne vous suffit pas, si vous vous heurtez à des problèmes de sécurité ou si vous voulez comprendre ces problèmes ou tester votre machine, consultez le site suivant (figure 24-48) dans lequel vous découvrirez des logiciels gratuits capables d'assurer votre sécurité :

```
http://websec.arcady.fr/
```

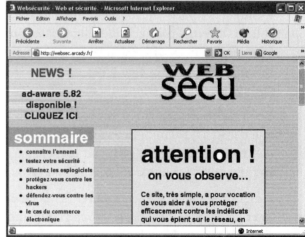

Figure 24-48
Un site
riche sur
la sécurité
du Web.

Visiter le site Microsoft sur la sécurité

Les épidémies de virus se sont multipliées en utilisant généralement des failles de sécurité d'Internet Explorer ou d'Outlook Express. Microsoft combat ces failles en proposant continuellement des correctifs, des patches, que vous devez télécharger et installer le plus rapidement possible.

La société dispose également d'un site sur la sécurité, en anglais, très intéressant, à consulter à l'adresse :

```
http://www.microsoft.com/security/
```

Service Pack 2 (SP2)

Des programmes apparemment incompatibles avec SP2

Microsoft a dressé la liste des programmes qui pourraient se révéler incompatibles avec la mise à jour **SP2**. Vous la trouverez (avec la liste des solutions possibles) sur le site :

```
http://support.microsoft.com/
default.aspx?scid=kb;en-us;884130
```

Commander le CD gratuit du SP2 à Microsoft

Si vous voulez obtenir gratuitement le CD contenant le **SP2** de Microsoft, vous pouvez le commander sur le site :

```
http://www.microsoft.com/windowsxp/downloads/updates/
sp2/cdorder/fr/default.mspx
```

Vous pouvez aussi trouver le même CD livré avec certaines revues de micro-informatique.

Des programmes semblent cesser de tourner avec SP2

Depuis que vous avez installé **SP2**, certains programmes ou jeux semblent cesser de fonctionner. Ces derniers doivent probablement recevoir des informations par le biais d'un réseau, qui entrent dans votre ordinateur par un port entrant.

Or, pour que le pare-feu de **SP2** autorise ces informations à entrer, le port entrant approprié doit être ouvert sur votre ordinateur. Pour permettre à un programme de communiquer de la même manière qu'avant l'installation de **SP2** et activer les

programmes que vous souhaitez exécuter, il vous faut appliquer l'une des méthodes décrites dans la note suivante de la base de connaissances Microsoft que nous vous invitons à consulter :

```
http://support.microsoft.com/
default.aspx?kbid=842242&product=windowsxpsp2
```

Outlook Express démarre tout seul avec SP2

Depuis l'installation du **SP2**, à chaque démarrage de la machine, Outlook Express démarre automatiquement. Pour supprimer ce démarrage :

1. Cliquez sur **démarrer** ➜ **Exécuter**, tapez `msconfig` et cliquez sur **OK.**

2. Cherchez la ligne qui lance Outlook Express et qui devrait contenir son appel sous le nom `msimn.exe`.

3. Décochez-la.

Nero Burning Rom 6 ne fonctionne plus avec SP2

Lorsque vous ouvrez Nero version 6 après l'installation de **SP2**, vous recevez un message tel que :

```
Nero - Burning Rom présente un problème de compatibilité connu avec cette
version de Windows. Pour obtenir une mise à jour qui soit compatible avec
cette version de Windows, contactez Ahead Software.
```

Connectez-vous sur le site suivant et téléchargez les quatre modules indiqués, puis mettez Nero à jour :

```
http://www.nero.com/en/632261794581159.php
```

Windows Messenger ne fonctionne plus avec Hotmail

Si, après l'installation de **SP2**, **Windows Messenger** ne fonctionne plus avec **Hotmail**, c'est que **SP2** ne supporte pas les programmes complémentaires **add-ins** nécessaires. Vous pouvez soit revenir à la version précédente de Windows Messenger, téléchargeable depuis le site :

```
http://www.microsoft.com/windows/messenger/download.asp
```

soit utiliser **MSN Messenger**, téléchargeable depuis :

```
http://messenger.msn.com/Download
```

Problèmes d'installation de la faute des processeurs

Certains ordinateurs équipés de processeurs **Intel Céleron** version **D** ou du tout récent **Prescott** n'acceptent pas aisément la mise à jour **SP2** et se bloquent. Le code du BIOS est incorrect et vous devrez le mettre à jour en prenant toutes les précautions requises par cette manipulation.

Intel s'en explique sur le site :

```
http://www.intel.com/support/processors/sb/CS-015171.htm
```

et Microsoft sur le site :

```
http://support.microsoft.com/?id=885626
```

Un logiciel joue les trouble-fête

L'installation de **SP2** peut aussi se bloquer si l'accès au fichier :

```
%WINDIR%/System32/Drivers/atapi.sys
```

est impossible. La raison la plus probable : des logiciels de lecteur virtuel ou de graveur tels que DaemonTools, Alcohol 120%, Nero INCD sont chargés au démarrage et bloquent l'installation. La solution est évidente (si cette cause est la bonne) : désinstallez ces logiciels.

Le bureau se bloque à cause d'un codec

Vous faites un clic droit sur le bureau et tout se bloque : il se peut que cela provienne d'un codec **Divx** (Divx Pro, DrDivx , *etc.*). Tentez de le désinstaller, puis procédez à un nouvel essai.

L'installation de SP2 produit un fichier journal à consulter

Notez que l'installation du **SP2** produit un fichier journal :

```
C:\Windows\svcpack.log
```

Consultez-le si vous vous heurtez à un problème. Rappelez-vous aussi que si le conflit vous paraît insoluble, vous pouvez toujours désinstaller **SP2**.

Dépannage rapide

Synchroniser des ordinateurs

Synchroniser des fichiers

Windows XP dispose d'un **Gestionnaire de synchronisation** permettant de synchroniser des fichiers, c'est-à-dire de mettre ces fichiers à jour sur différentes machines lorsqu'ils ont été modifiés sur l'une d'elles. Vous pouvez configurer le **Gestionnaire de synchronisation** pour synchroniser automatiquement les informations auxquelles vous accédez hors connexion de différentes manières :

- Chaque fois que vous ouvrez et/ou fermez une session sur votre ordinateur.

- À des intervalles spécifiques pendant que votre ordinateur est inactif.

- À des heures planifiées.

Ces options peuvent être utilisées selon différentes combinaisons pour les fichiers hors connexion de chaque source partagée.

Le **Gestionnaire de synchronisation** compare les éléments du réseau aux éléments que vous avez ouverts et mis à jour hors connexion, puis met leur version la plus récente à la disposition de votre ordinateur et du réseau. Il est possible de synchroniser des fichiers individuels, des dossiers tout entiers et des pages web hors connexion à condition que les fichiers aient été préalablement partagés pour pouvoir être utilisés avec **Fichiers hors connexion**. Une fois partagés, les fichiers sont affichés dans la liste des éléments disponibles à synchroniser.

Pour synchroniser des fichiers individuels, des dossiers ou des pages web :

1. Ouvrez l'Explorateur Windows, le Poste de travail ou Internet Explorer.

2. Cliquez sur l'élément à synchroniser. Vous aurez dû assurer son partage au préalable.

3. Cliquez sur le menu **Outils ➜ ynchroniser**. La fenêtre du **Gestionnaire de synchronisation** apparaît (figure 24-49).

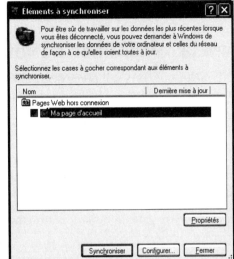

Figure 24-49
Fenêtre du
Gestionnaire de
synchronisation.

Planifier les éléments hors connexion à synchroniser

Pour planifier les éléments hors connexion à synchroniser :

1. Ouvrez le composant **Gestionnaire de synchronisation**, comme dans la figure 24-49.

2. Cliquez sur **Configurer ➜ Planification**.

3. Cliquez sur **Ajouter** pour démarrer l'assistant **Synchronisation planifiée**, qui vous guidera pour créer un agenda de synchronisation.

Variante pour ouvrir le Gestionnaire de synchronisation

Le **Gestionnaire de synchronisation** peut également être ouvert à partir de la ligne de commande :

1. Cliquez sur **démarrer ➜ Exécuter**. Tapez :

    mobsync

2. Cliquez sur **OK**.

Unité centrale

Découvrir la composition de votre système avec XP

Windows XP inclut plusieurs utilitaires décrivant votre ordinateur. Le premier d'entre eux fait apparaître une analyse succincte permettant d'appréhender certains problèmes.

Pour afficher cette première ressource :

1. Cliquez sur **démarrer** ➜ **Aide et support**.

2. Sous la rubrique **Choisissez une tâche**, cliquez sur la ligne **Utiliser Outils pour afficher des informations concernant votre ordinateur et diagnostiquer les problèmes**.

3. Dans la colonne de gauche de la fenêtre **Outils**, cliquez sur **Informations sur mon ordinateur**.

4. Dans la colonne de droite, cliquez sur **Afficher les informations système générales concernant cet ordinateur**. Une fenêtre d'informations telle que celle de la figure 24-50 apparaît.

Détailler le matériel et le logiciel système avec XP

Vous pouvez en apprendre un peu plus sur votre système et même déclencher diverses actions en procédant ainsi :

1. Cliquez sur **démarrer** ➜ **Aide et support**.

2. Sous la rubrique **Choisissez une tâche**, cliquez sur la ligne **Utiliser Outils pour afficher des informations concernant votre ordinateur et diagnostiquer les problèmes**.

3. Dans la colonne de gauche de la fenêtre **Outils**, cliquez sur **Informations sur mon ordinateur**.

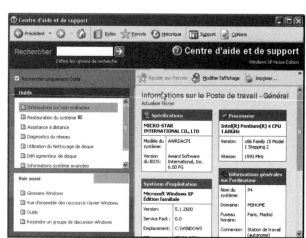

Figure 24-50
Informations générales sur l'ordinateur.

4. Dans la colonne de droite, cliquez sur **Afficher le statut du matériel et des logiciels de mon système**. Une fenêtre spécifique d'informations apparaît.

Le composant **Statut système** permet d'effectuer les opérations suivantes :

1. Contrôler la version et la date du système BIOS.

2. Déterminer le dossier dans lequel est installé le système d'exploitation.

3. Vérifier que la mémoire est installée correctement en contrôlant la mémoire physique totale et la mémoire physique disponible.

4. Contrôler la valeur du paramètre **Espace du fichier d'échange** si des problèmes liés à la mémoire surviennent sur l'ordinateur.

5. Vérifier l'état de votre activation du produit. Si vous avez déjà activé le système d'exploitation, ces informations n'apparaissent pas dans la page de résumé du système.

Rechercher des informations sur le matériel avec Windows

Vous pouvez en apprendre davantage en examinant d'autres fenêtres ouvertes comme le présentent les fiches précédentes :

1. Cliquez sur **démarrer** ➜ **Aide et support**.

2. Sous la rubrique **Choisissez une tâche**, cliquez sur la ligne **Utiliser Outils pour afficher des informations concernant votre ordinateur et diagnostiquer les problèmes**.

3. Dans la colonne de gauche de la fenêtre **Outils**, cliquez sur **Informations sur mon ordinateur**.

4. Dans la colonne de droite, cliquez sur **Rechercher des informations concernant le matériel installé sur cet ordinateur**. Une fenêtre d'informations spécialisée apparaît.

Analyser l'unité centrale avec des utilitaires

Pour analyser le contenu d'un ordinateur, tant matériel que logiciel, il existe des utilitaires gratuits ou en shareware autrement plus puissants que ceux fournis par Windows. Les plus connus sont :

- Aida, qui est certainement l'utilitaire gratuit le plus puissant :

  ```
  http://www.aida32.hu/aida-download.php?bit=32
  ```

- Everest, son successeur, édité par Lavalys (figure 24-51) :

  `http://www.lavalys.com/`

- Sandra, pour *System ANalyser, Diagnostic and Reporting Assistant* :

  `http://www.sisoftware.co.uk/sandra`

- Belarc Advisor :

  `http://www.belarc.com/Programs/advisor.exe`

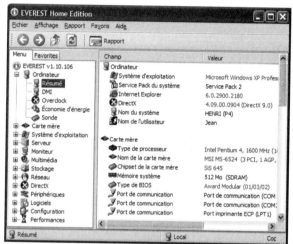

Figure 24-51
Un écran
d'analyse type
d'Everest.

Sonder votre ordinateur sans l'ouvrir avec Aida

Il existe plusieurs utilitaires gratuits sur le Web permettant d'analyser le contenu d'un ordinateur sans l'ouvrir. L'un d'eux est **Aida** (qui semble toujours disponible sur le Web, bien qu'il ait un successeur, **Everest**), un programme de 2 à 3 Mo d'origine hongroise qui se révèle extrêmement efficace et puissant. Il analyse même le contenu logiciel de votre ordinateur, ce qui permet, à l'occasion, de récupérer des clés d'installation égarées.

Sa dernière version est Aida32, version 3.75. Elle récupère toutes les informations système de votre machine et elle les sauvegarde. L'accent est mis sur la qualité des rapports imprimables déclinables sous HTML, CSV ou XML. Ajoutons que les utilisateurs professionnels seront intéressés par le diagnostic à distance (*via* TCP/IP) et les statistiques réseau. Le logiciel lui-même est riche d'une base comprenant plus de 20 000 composants et il supporte les bases de données ADO/ODBC.

Vous pouvez lancer une recherche avec un moteur de recherche quelconque pour découvrir les nombreux sites de téléchargement qui proposent encore cet excellent programme. En voici un :

`http://www.blue-hardware.com/divers/download/telecharge98.php`

L'offre existe en trois versions : personnelle, réseau ou entreprise. Téléchargez celle de votre choix et installez-la, ce qui s'effectue sans aucune difficulté. Surprise : le français, s'installe automatiquement. Sinon, le menu **Fichier ➜ Préférences** permet de sélectionner la langue.

Lancez le programme. L'écran d'accueil d'Aida est passablement riche. Vous pouvez dès lors choisir votre poste d'observation en cliquant sur une icône ou sur une option dans le volet de gauche. Parfois, un sous-menu, parfaitement explicite, vous est proposé.

Une astuce supplémentaire fait qu'une bulle suit le pointeur de la souris et complète les informations affichées. Elle offre même un lien vers le site d'origine du produit et permet de télécharger des mises à jour éventuelles.

Sonder votre ordinateur sans l'ouvrir avec Everest

Everest, de la société Lavalys, est le successeur d'Aida32. Il est toujours gratuit, en version **Home Edition**, avec les mêmes écrans et quelques adaptations dans les commandes.

En effet, l'auteur d'Aida32, Tamas Miklos, a décidé de stopper son développement en 2004. Il a alors été contacté par Lavalys Computing Group qui lui a proposé de rejoindre son équipe. Ainsi, Tamas Miklos travaille désormais chez Lavalys en tant que CTO (*Chief Technology Officer*) et vice-président exécutif en recherche et développement logiciel. Le site officiel Aida32 renvoie désormais sur le site de Lavalys.

Lavalys propose Everest en deux versions, **Home Edition**, gratuite, et **Professionnelle** (30 €). Pour télécharger Everest, qui ne pèse que quelque 2,6 Mo en version exécutable `.exe` et 2,4 Mo en version `.zip`, connectez-vous à :

```
http://www.lavalys.com/products.php?lang=en
```

Si vous avez téléchargé la version `.exe` du programme, il suffit de double-cliquer dessus pour lancer son installation, rapide et sans problème. Si vous l'avez accepté, un raccourci est déposé sur votre bureau. Il vous suffira de double-cliquer dessus pour ouvrir Everest.

La fenêtre de base d'Everest et son interface sont identiques à celles d'Aida. Vous pouvez ouvrir les rubriques de la colonne de gauche, puis sélectionner un item pour afficher ses caractéristiques très détaillées dans le volet de droite.

De nombreuses possibilités sont offertes. Par exemple, vous pouvez désinstaller un programme en cliquant dessus dans la liste des programmes installés.

Malheureusement, une option précieuse présente dans Aida32 Home Edition semble avoir disparu avec cette version d'Everest : le relevé des numéros de licence des logiciels installés.

USB

Est-ce que vous disposez de ports USB 1 ou USB 2 ?

Pour savoir si votre ordinateur est équipé d'un port USB 1.1 ou 2.0 (USB signifie *Universal Serial Bus*) :

1. Cliquez sur le bouton **démarrer** → **Panneau de configuration** → **Performances et maintenance** → **Système** → onglet **Matériel** → bouton **Gestionnaire de périphériques**.

2. Dans la liste des périphériques, double-cliquez sur **Contrôleur de bus USB** puis sur l'un des **Contrôleurs hôte** listés. Si une mention **USB 2.0** ou **fonction 2** apparaît sur l'une des lignes qui s'affichent, c'est que vous possédez un port à la norme USB 2.0. Dans le cas contraire, le port est à la norme USB 1.

En cas de problème avec le bus USB, afficher les consommations

Le récent bus USB (*Universal Serial Bus*) est capable d'alimenter des périphériques consommant peu de puissance, par exemple un scanner, mais à la condition de ne pas dépasser quelques watts. Pour afficher les allocations de l'énergie pour les concentrateurs USB :

1. Cliquez sur **démarrer**, puis faites un clic droit sur **Poste de Travail**.

2. Cliquez sur **Propriétés**, → onglet **Matériel** → **Gestionnaire de périphériques.**

3. Double-cliquez sur **Contrôleur de bus USB**. Cette option n'est disponible que si votre ordinateur comprend un port USB.

4. Faites un clic droit sur **Concentrateur USB racine**, puis cliquez sur **Propriétés**.

5. Cliquez sur l'onglet **Marche/Arrêt** pour afficher l'énergie requise par chaque périphérique figurant dans la liste **Périphériques attachés** (figure 24-52).

Tous vos périphériques autoalimentés ne peuvent pas fonctionner simultanément, puisque 500 mA seulement sont disponibles au total.

Conseil ⊗   Si vous avez besoin de tirer davantage de puissance du bus USB, adoptez soit une carte spéciale multiaccès, soit un hub d'extension alimenté séparément et fournissant un courant supplémentaire.

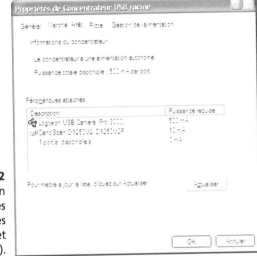

Figure 24-52
La consommation
des périphériques
USB autoalimentés
(ici, un scanner et
une webcam).

Modem USB non reconnu Windows ou consommant trop

Vous connectez votre modem ADSL sur le port USB et Windows affiche un message d'alerte annonçant que ce modem n'est pas reconnu parce qu'il ne porte pas le logo Windows. Vous pouvez passer outre, car nombre d'autres périphériques n'ont pas ce logo et s'installent quand même très bien.

Il se peut aussi que ce message provienne du fait que le modem est autoalimenté et que la ligne USB ne parvient pas à lui fournir la puissance nécessaire. Soit le fabricant de votre ordinateur a mal étudié les ports USB qui délivrent trop peu de courant, soit votre modem consomme réellement trop. Dans ce dernier cas, vous avez le choix :

- Changez de modem.

- Utilisez un modem avec un bloc d'alimentation externe.

- Faites l'acquisition d'un hub USB autoalimenté et branchez votre modem dessus.

- Tentez de mettre à jour les pilotes de votre carte mère, le jeu de circuits ou les ports USB.

Afficher la bande passante du bus USB

Chaque contrôleur USB possède une quantité fixe de bande passante que tous les périphériques connectés se partagent. Si vous suspectez un manque de bande passante, vous pouvez le vérifier en affichant les allocations en cours d'utilisation et ce, pour chaque périphérique.

Pour afficher les allocations de bande passante pour un contrôleur hôte USB :

1. Cliquez sur **démarrer**, puis faites un clic droit sur **Poste de Travail**.

2. Cliquez sur **Propriétés** ➜ onglet **Matériel** ➜ **Gestionnaire de périphériques.**

3. Double-cliquez sur **Contrôleur de bus USB**.

4. Faites un clic droit sur un **Contrôleur d'hôte USB** pour votre système, puis cliquez sur **Propriétés**.

5. Cliquez sur l'onglet **Avancé** pour afficher la bande passante consommée par chaque périphérique figurant dans la liste **Périphériques consommateurs de bande passante** (figure 24-53).

Vous pouvez afficher la bande passante uniquement pour un contrôleur de bus USB. Il se peut que certains périphériques USB (par exemple, un modem) n'apparaissent pas, car ils ne signalent aucune exigence en matière de consommation de bande passante au système d'exploitation.

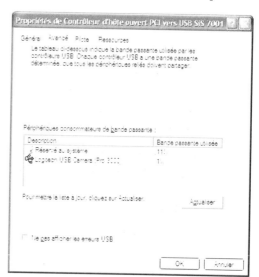

Figure 24-53
La bande
passante
du bus USB.

Le port USB ne répond plus

Vous connectez un périphérique au port USB et ce périphérique n'est pas reconnu. Ce problème survient généralement lorsqu'aucun périphérique USB n'est connecté en permanence à l'ordinateur. Le système estime alors que ces ports sont inutilisés et les désactive pour économiser l'énergie.

La première opération à exécuter consiste à installer le **Service Pack 1** ou **2** de Windows XP, si ce n'est déjà chose faite. Puis :

1. Cliquez sur **démarrer** ➜ **Panneau de configuration** ➜ **Performances et maintenance** ➜ **Système** ➜ onglet **Matériel** ➜ bouton **Gestionnaire de périphériques**.

2. Cliquez sur le + de la ligne **Contrôleurs de bus USB**.

3. Faites un clic droit sur la ligne **Concentrateur USB racine** et cliquez sur **Propriétés**.

4. Cliquez sur l'onglet **Gestion de l'alimentation**.

5. Décochez la case **Autoriser l'ordinateur à éteindre ce périphérique pour économiser l'énergie**.

6. Cliquez sur **OK** et refermez ces boîtes de dialogue.

Ports USB supplémentaires non reconnus

Certaines cartes mères disposes de sorties USB supplémentaires que vous pouvez connecter à votre gré. Par défaut, ils ne sont pas reconnus, car il faut installer leurs pilotes. Ceux-ci devraient se trouver sur le CD de la carte mère.

Conditions pour disposer de ports USB 2

Les spécifications **USB** (*Universal Serial Bus*) version 2.0 font passer le débit maximal de l'USB 1.0 de 12 à 480 Mbps (mégabits par seconde), tout en conservant la compatibilité avec les spécifications précédentes USB 1.0. Si vous installez un périphériques USB 2 et si vous recevez un message d'erreur ou s'il ne fonctionne pas à haute vitesse, c'est que votre version de XP ne supporte pas USB 2.

Pour que USB 2 soit actif, il faut que :

• Le système d'exploitation supporte cette norme, avec des pilotes appropriés. C'est le cas de Windows XP, mais seulement avec sa mise à jour **SP1** (**Service Pack 1**) et, *a fortiori*, avec **SP2**.

• La carte mère supporte USB 2 ou que vous utilisiez une carte d'interface spéciale supplémentaire.

• Vous disposiez d'un périphérique USB 2.0.

Sachez que :

• Les câbles et les connecteurs USB 2 sont les mêmes que ceux de USB 1.

Dépannage rapide

- La structure (en arbre, sur cinq niveaux maximum du réseau des périphériques) reste identique.

- Vous pouvez toujours connecter les périphériques à chaud, c'est-à-dire sans arrêter ni l'ordinateur, ni le périphérique.

- Les périphériques utilisant USB 1 peuvent être raccordés à la nouvelle interface USB 2, mais sans bénéficier d'un gain de vitesse.

- Il faut cependant construire un réseau USB de telle sorte que les périphériques lents n'empêchent pas les périphériques rapides de fonctionner à leur vitesse.

- Le nombre maximal de périphériques reste le même, 127.

- La distance maximale entre l'ordinateur et le périphérique le plus éloigné est de 5 mètres.

Vous pouvez consulter l'article 312370 de la base de connaissances Microsoft sur ce sujet :

```
http://support.microsoft.com/
default.aspx?scid=kb;en-us;Q312370
```

Un autre site très intéressant, en anglais, sur le bus USB, est :

```
http://www.usbnews.net/news/list_of_usb_bug_fixes_in_windows.htm
```

Le site USB de référence est :

```
http://www.usb.org/home
```

Un intéressant article, en français, existe à :

```
http://cerig.efpg.inpg.fr/Note/2002/usb2.htm
```

Les périphériques USB paraissent lents

Si certains périphériques connectés à un port USB paraissent lents, par exemple si un scanner met du temps à analyser un document, c'est peut-être parce que vous êtes en USB 1. Vous pouvez facilement passer en USB 2 en insérant dans votre ordinateur (dans un connecteur libre) une carte d'extension USB 2 que Windows XP reconnaîtra automatiquement. Le prix d'une telle carte était de 10 € environ lors de la rédaction de cette astuce.

La clé USB n'est pas reconnue

Vous insérez votre clé dans un port USB et le Poste de travail ou l'Explorateur Windows ne la reconnaît pas :

- Fermez le Poste de travail ou l'Explorateur Windows puis rouvrez-le pour la voir s'afficher.

- Sinon, cliquez sur **démarrer** ➜ **Exécuter**, tapez `diskmgmt.msc` et cliquez sur **OK**, puis attribuez une lettre de lecteur à votre clé.

- Parfois, la clé n'est pas reconnue comme étant un disque amovible mais comme une carte du type **compact flash** ou **smart média**. Si tel est votre cas, tentez d'ouvrir l'icône qui s'affiche alors pour vérifier si le contenu de votre clé est listé.

Veille simple et veille prolongée

L'ordinateur se plante à la sortie d'une veille simple

Vous ne parvenez pas à sortir d'une veille : bien qu'agitant la souris et tapant sur le clavier, l'écran ne se rallume pas. Vous avez peut-être mis les disques en veille en les arrêtant et ils ne parviennent pas à redémarrer. Dans ce cas, supprimez la mise en veille des disques.

La veille prolongée ne fonctionne pas

Avec certaines versions familiales de Windows, vous devez appuyer sur le bouton **démarrer** ➜ **Arrêter l'ordinateur** ➜ **Veille prolongée** pour mettre l'ordinateur en veille prolongée. Avec d'autres ou avec la version professionnelle, vous devez maintenir la touche **Maj** enfoncée tandis que vous cliquez sur le bouton **Veille prolongée** (anciennement **Mettre en veille**).

Certains utilisateurs ont constaté que la mise en veille prolongée ne fonctionnait pas ou que, s'ils exécutaient cette commande pour passer en veille prolongée, leur ordinateur s'éteignait bien, mais se réinitialisait automatiquement dans la foulée, refusant de s'arrêter. En effet :

- La veille prolongée n'est pas activée par défaut. C'est une opération simple qu'il vous appartient d'exécuter. Désormais, votre bouton de veille retrouvera toute sa raison d'être.

- Notez que la mise en veille prolongée a besoin d'environ 300 Mo sur le disque dur pour enregistrer l'état de votre travail actuel.

- La procédure est très sensible et même parfois fantaisiste. Par exemple, la veille prolongée risque de ne pas fonctionner si :

    - Des pilotes de périphériques ne sont pas signés.

    - Des périphériques sont inadaptés ou entrent en conflit. Ouvrez le **Gestionnaire de périphériques** pour le vérifier.

Dépannage rapide

- Certaines applications ont été lancées. Fermez celles qui bloquent.

- Certains périphériques USB restent connectés. Il faut les déconnecter.

- Le disque est défaillant : lancez **Chkdsk** après avoir désactivé la veille, puis réinstallez-la.

Le clavier ne fait pas sortir l'ordinateur de la veille

Votre ordinateur s'est mis en veille selon vos paramétrages. Sans douter un seul instant, vous appuyez sur une touche du clavier, par exemple sur **Echappement**, et rien ne se passe : la machine refuse de s'extraire de la veille. En revanche, fort heureusement, la souris agit.

En fait, il se produit un phénomène tout simple : le clavier n'a pas été paramétré pour que l'appui sur une touche sorte l'ordinateur de la veille. Vérifiez-le :

1. Cliquez sur **démarrer** → **Panneau de configuration** → **Imprimantes et autres périphériques** → **Clavier** → onglet **Matériel** de la boîte de dialogue qui s'affiche.

2. Cliquez sur le bouton **Propriétés** → onglet **Gestion de l'alimentation**.

3. Cochez la case **Autoriser ce périphérique à sortir l'ordinateur de la mise en veille**.

4. Cliquez sur **OK** autant de fois que nécessaire pour tout refermer.

La souris ne fait pas sortir l'ordinateur de la veille

Il se peut que la souris n'agisse pas et ne sorte pas l'ordinateur de son hibernation. La solution reste la même qu'avec le clavier, mais la méthode d'accès passe, de préférence, par le **Gestionnaire de périphériques** (avec certaines souris, l'accès précédent peut mener à une impasse) :

1. Cliquez sur **démarrer** → **Panneau de configuration** → **Performances et maintenance** → **Afficher des informations de base sur votre ordinateur** ou sur **Système**.

2. Cliquez sur l'onglet **Matériel** → **Gestionnaire de périphériques**.

3. Ouvrez la liste **Souris et autres périphériques de pointage** en cliquant sur son signe plus (+).

4. Faites un clic droit sur la ligne de votre souris et choisissez **Propriétés**.

5. Cliquez sur l'onglet **Gestion de l'alimentation**.

6. Cochez la case **Autoriser ce périphérique à sortir l'ordinateur de la mise en veille**.

7. Cliquez sur **OK** autant de fois que nécessaire pour tout refermer.

L'écran de veille n'apparaît pas

Bien que configuré, l'écran de veille n'apparaît jamais. Ce problème a généralement pour cause une mauvaise synchronisation des paramètres :

1. Faites un clic droit sur une zone libre du bureau et choisissez **Propriétés**.

2. Cliquez sur l'onglet **Écran de veille** ➜ **Gestion de l'alimentation**.

3. Spécifiez la temporisation de l'extinction du moniteur comme vous l'entendez, mais à **Arrêt des disque durs** et à **Mise en veille**, choisissez **Jamais**.

4. Cliquez sur **OK**.

5. Vérifiez si, cette fois, l'écran de veille apparaît. Vous pourrez, ensuite, modifier ces mêmes paramètres.

Le retour de veille prolongée plante l'ordinateur

Vous mettez l'ordinateur en veille prolongée et tout se passe bien. Lorsque vous rallumez la machine, le chargement démarre normalement, mais le processus se bloque et l'ordinateur se plante. La seule ressource consiste à le réinitialiser : au redémarrage, l'écran vous demandera s'il doit reprendre la mise en route à partir de la veille prolongée ou s'il doit démarrer une mise en service classique. Heureusement, cette dernière fonctionne correctement.

Songez d'abord à une incompatibilité. Le plus probable : un pilote, et plus particulièrement le pilote vidéo, plante la machine. La solution consiste à le mettre à jour.

Une autre solution à tenter consiste à débrancher tous les périphériques USB avant de rallumer l'ordinateur.

Sinon, c'est probablement une bogue ayant Microsoft pour origine. Ce problème peut en effet survenir si vous avez installé le **Service Pack 1** (**SP1**) Windows XP ou un correctif inadapté. Microsoft a reconnu l'existence de ce problème et propose soit de désactiver la mise en veille prolongée et de patienter jusqu'à ce que la bonne mise à jour apparaisse, soit de téléphoner à son support technique pour obtenir un correctif non finalisé lors de la rédaction de cette astuce.

Mise en veille impossible lorsqu'un écran de veille 3D est actif

La mise en veille simple ou prolongée ne s'effectue pas : il se peut que vous utilisiez un économiseur d'écran 3D, tel que **Objets volants**, **Boîtes florissantes**, **Canalisations**, **Texte 3D**, et qu'il soit en activité. Il s'agit là d'une erreur répertoriée par Microsoft. Vous pouvez télécharger le correctif à :

```
http://www.microsoft.com/downloads/
release.asp?releaseid=37942&area=top&ordi
```

Problèmes possibles avec la veille prolongée

Certains utilisateurs ont pu constater quelques problème après le retour d'une veille prolongée :

- Il n'y a plus de son.

- La souris est reconnue comme une souris simple ; le double clic et la roulette ne fonctionnent plus.

- L'affichage graphique est de mauvaise qualité, ou des barres verticales colorées apparaissent à l'écran.

- L'affichage disparaît tandis que le curseur se bloque en haut et à gauche de l'écran. On est obligé de procéder à une réinitialisation avec une opération de test de disque en FAT 32.

Si vous vous heurtez à de tels problèmes, songez d'abord à mettre vos pilotes à jour. S'ils persistent, n'utilisez pas la fonction de veille prolongée tant qu'elle ne sera pas stabilisée.

Virus

Voir aussi *Sécurité*.

Des sites à consulter sur les virus

Méfiez-vous des virus, lesquels se multiplient ces derniers temps et deviennent de plus en plus sophistiqués. La meilleure méthode consiste à installer un excellent antivirus sur votre ordinateur et à le maintenir à jour. Certains d'entre eux savent effectuer automatiquement leur mise à jour en profitant des moments où vous êtes connecté.

Les virus se propagent davantage par Internet, maintenant, que par les anciennes voies, par exemple des disquettes. Méfiez-vous surtout des documents joints aux messages que vous recevez :

- Ne les ouvrez que si vous êtes sûr de leur contenu.

- En cas de doute absolu, détruisez-les.

- En cas de doute relatif, envoyez un message à l'expéditeur pour lui demander de vous confirmer que c'est bien lui qui a joint un document et attendez sa réponse avant de l'ouvrir.

En effet, certains virus de la catégorie des **mass-mailers** s'envoient eux-mêmes à toutes les adresses qu'ils découvrent dans le carnet d'adresses de l'ordinateur dans lequel ils se sont installés, à l'insu de son propriétaire.

Si vous êtes infecté et si vous n'avez pas d'antivirus ou s'il n'est pas à jour, rendez-vous sur le site de son éditeur pour découvrir comment agir et télécharger l'antidote. Vous pouvez aussi généralement télécharger un antidote disponible chez un éditeur autre que celui de votre propre antivirus. Parmi ces sites :

- Symantec : `http://www.symantec.ca/avcenter/`

- MacAfee : `http://hq.mcafeeasap.com/`

- Kaspersky : `http://www.kaspersky.com/`

- F-Secure : `http://www.f-secure.com/`

Vous pouvez également consulter le site généraliste :

> `http://www.secuser.com`

Il existe aussi de nombreux autres sites intéressants, par exemple, à propos du virus Bugbear :

> `http://www.sophos.fr/support/bugbear.html`

Se méfier des chimères (hoax)

Un autre problème surgit avec les faux virus, appelés **chimères** ou *hoax* en anglais. Pour semer la panique, les auteurs de ce type de canular annoncent des virus qui n'existent pas.

Si vous voulez vérifier que le virus annoncé n'est pas un hoax, consultez l'un de ces sites :

> `www.hoaxbuster.com/hoaxliste/hoax.php?idArticle=2774`
> `http://www.secuser.com`

Alertes constantes de virus dans la restauration du système

Des virus se trouvent dans vos fichiers de restauration. Votre antivirus, qui les détecte parfois, ne peut pas les détruire. Vous recevez, par conséquent, des messages constants d'alerte. La situation est sans danger, en pratique, mais ennuyeuse. Comment vous en débarrasser ?

Il existe une méthode chirurgicale très efficace, dont le défaut est de supprimer tous les points de restauration :

1. Appuyez sur la touche **Windows + Pause**.

2. Cliquez sur l'onglet **Restauration du système**.

3. Cochez la case **Désactiver la Restauration du système**.

4. Cliquez sur **OK** et réinitialisez l'ordinateur. Toutes les restaurations sont détruites, avec leurs virus.

5. Renouvelez la même opération en décochant la même case.

6. Créez un point de restauration, qui restera encore unique.

Blocages ou lenteur du système dus aux antivirus

Plusieurs grands programmes antivirus peuvent se trouver, à l'occasion, à l'origine de problèmes parmi lesquels :

- Windows ne démarre pas en mode normal.

- Il se bloque.

- L'initialisation ou certaines autres fonctions ralentissent parfois considérablement.

- Des conflits apparaissent avec certains programmes.

- Des plantages surviennent.

Mettez d'abord votre antivirus hors de cause en le désactivant, si nécessaire, et vérifiez si les symptômes persistent. Accessoirement, vous pourriez aussi tenter de démarrer en mode sans échec pour déceler d'éventuels conflits.

L'antivirus ne supprime pas un fichier infecté en utilisation

Votre antivirus a détecté un virus, mais il vous signale qu'il ne peut pas supprimer son fichier parce que celui-ci est en cours d'utilisation. Dans ce cas, la seule solution consiste à supprimer le fichier manuellement :

1. Notez son nom et son emplacement.

2. Appuyez sur **Ctrl + Alt + Suppr** pour ouvrir le **Gestionnaire des tâches**.

3. Supprimez le processus correspondant au fichier.

4. Tentez de nouveau de le supprimer avec votre antivirus.

Si vous n'y parvenez pas, redémarrez Windows en mode sans échec et supprimez le fichier à la main. Notez que la plupart des antivirus fonctionnent parfaitement en mode sans échec.

L'antivirus signale des erreurs de I/O

Vous scannez votre ordinateur et l'antivirus signale des erreurs d'entrée-sortie (**I/O**, pour *in-out*). Ne vous affolez pas : il manifeste ainsi le fait qu'il ne lui est pas possible de scanner certains fichiers soit parce qu'ils sont protégés, soit parce qu'ils sont en cours d'utilisation.

Antivirus commerciaux

Voici une sélection de quelques antivirus très connus :

- Command : `http://www.commandcom.com/`

- F-Secure : `http://www.datafellows.com/`

- F-Prot : `http://www.complex.is/cgi-bin/home_pager`

- Kaspersky Lab : `http://www.kaspersky.com/default.asp`

- eTrust InoculateIT (de Computer Associates) :
  `http://ca.com/offices/france/`

- MacAfee VirusScan : `http://www.mcafee.com/`

- Norman : `http://www.norman.no/`

- Norton Antivirus (Symantec) :
  `http://www.symantec.com/region/can/fr/`

- PC-Cillin (de Trend Micro) : `http://www.antivirus.com/`

Voici encore quelques antivirus gratuits dont on dit parfois le plus grand bien :

- AVG : `http://www.grisoft.com/html/us_index.htm` ou :

- AVG : `http://www.grisoft.com/us/us_dwnl_free.php`

- Antivir : `http://www.free-av.com/`

- Avast! : `http://www.avast.com/i_idt_153.html`

- BitDefender : `http://www.bitdefender.com/bd/site/`
  `products.php?p_id=24`

N'hésitez pas à vous connecter à ces sites. Leur contenu est généralement très riche, avec des listes de virus, des mises en garde et des conseils, l'actualité virale, *etc.* Quel que soit l'antivirus que vous avez acquis, lisez attentivement son manuel et son mode d'emploi pour en tirer la quintessence.

Dépannage rapide

Note ⊗ Il n'existe pas d'antivirus parfait, qui se révélerait totalement supérieur à tous les autres. Le choix est donc difficile. Vous pouvez vous référer aux analyses comparatives que certaines revues professionnelles publient régulièrement. Il existe aussi plusieurs sites Internet consacrés aux tests des antivirus, dont (en anglais) :
http://www.av-test.org/sites/tests.php3?lang=en

Télécharger des séquences gratuites de désinfection

Si vous êtes infecté par un virus et si vous n'avez pas installé d'antivirus, vous pouvez tenter de désinfecter votre ordinateur en téléchargeant l'une des séquences spécialisées que vous trouverez sur le site :

http://www.secuser.com/telechargement/index.htm#ut_desinfection

Beaucoup de sites d'éditeurs d'antivirus vous offrent gracieusement ce même service.

Tester votre ordinateur avec un antivirus sans l'acheter

Plusieurs sites de sécurité ou d'éditeurs d'antivirus vous offrent la possibilité de tester votre machine, *via* le réseau, par exemple :

* PC-Cillin, de Trend, à :

    http://housecall.antivirus.com/pc_housecall/

* Des sites de sécurité de référence :

    http://www.secuser.com/

    http://www.symantec.com/

Connectez-vous et cliquez sur le lien de test. Mais rien ne vous interdit d'acheter un antivirus, ce qui s'avérera nécessaire si vous êtes infecté et si vous voulez détruire les virus. Encore que certains sites, tels Secuser, vous offrent la possibilité de télécharger des programmes éradiquant certains types de virus récents, principalement.

Utiliser deux antivirus

Vous pouvez installer deux antivirus sur une unique machine, mais en prenant la précaution de n'en faire fonctionner qu'un seul à la fois. Et encore ! Il se peut, en effet, que l'antivirus actif lise les fichiers du second et y découvre une liste de signatures de virus : il déclenchera alors une fausse alerte.

Windows XP : installer

Configuration requise pour installer Windows XP

Windows XP demande une solide configuration matérielle avec, au minimum :

- Un microprocesseur Pentium fonctionnant sur une fréquence égale ou supérieure à 233 MHz (mégahertz), ou un processeur équivalent. Visez plutôt le gigahertz.

- 128 Mo (mégaoctets) de RAM sont conseillés (64 Mo au minimum). Vous pouvez installer jusqu'à 4 Go (gigaoctets) de RAM au maximum. Notre conseil : ne démarrez pas à moins de 256 Mo.

- 1,5 Go d'espace disque sur votre disque dur pour le seul système.

- Un moniteur VGA, pour le moins. Préférez un 17" pour un tube à rayons cathodiques, un 15" pour un écran plat LCD.

- Un clavier et une souris ou un périphérique de pointage compatible. Préférez une souris à roulette.

- Un lecteur de CD-ROM ou de DVD.

Parmi les composants matériels, citons :

- Un modem pour l'accès Internet *via* un fournisseur extérieur. Il n'est pas nécessaire si vous êtes connecté en réseau et si celui-ci est en relation avec Internet. Préférez un modem rapide, par exemple à 56 kbits/s, ou une connexion ADSL ou par câble.

- Une carte son et des haut-parleurs ou un casque.

- Un microphone, si vous voulez communiquer verbalement ou enregistrer.

- Une carte radio ou TV pour les amateurs.

- Un graveur sera utile pour les sauvegardes.

Versions de Windows pouvant être mises à jour

Dans le cas d'une mise à jour de Windows :

- Windows XP Édition familiale ne peut mettre à jour que Windows 98 ou Windows Me, mais pas Windows 95.

- Windows XP Professionnel peut mettre à jour Windows 98, Windows Me, Windows NT, Windows 2000 ou Windows XP Édition familiale.

Dépannage rapide

Si vous mettez à jour Windows NT ou Windows 2000, il est probable que tous vos pilotes et tous vos programmes fonctionneront correctement, sans davantage de souci. Mais si vous mettez à jour Windows 98 ou Windows Me, vous constaterez probablement que plusieurs pilotes ou plusieurs programmes ne fonctionnent plus. Vous devrez aussi les mettre à jour.

Pour la même raison, si vous installez Windows XP sur un disque vierge ou reformaté, vous devrez vous munir des pilotes et des programmes fonctionnant avec ce système d'exploitation. Vous trouverez une liste des compatibilités sur le site Microsoft suivant ou sur des sites liés :

```
http://www.microsoft.com/hcl/
```

Installer Windows XP sur un disque SATA

Vous voulez installer Windows XP sur un nouveau disque dure **Serial ATA** (ou **SATA**), mais vous n'y parvenez pas : le CD de Windows ne le reconnaît pas. Pour contourner cette difficulté :

1. Récupérez le CD de la carte mère de votre ordinateur et copiez les pilotes SATA sur une disquette.

2. Lancez l'installation de Windows.

3. Pendant la phase de copie du pilote de l'installation en mode texte, un message devrait s'afficher :

```
Appuyer sur la touche F6 pour installer des pilotes SCSI supplémentaires
```

4. Appuyez sur la touche **F6** et chargez les pilotes SATA depuis la disquette.

Télécharger des disquettes de démarrage d'installation

Si vous en avez réellement besoin, ce qui est le cas si votre ordinateur dispose d'un lecteur de CD sans démarrage automatique ou encore d'un lecteur SCSI, téléchargez les six disquettes de démarrage de Windows XP. Elles permettent d'effectuer une nouvelle installation du système d'exploitation.

Elles chargent automatiquement les pilotes du CD-ROM. Laissez-vous simplement guider par le site de téléchargement, puis par l'exécution du fichier téléchargé (figure 24-54).

Les sites auxquels vous pouvez vous connecter sont :

• Windows XP version familiale :

```
http://www.microsoft.com/downloads/release.asp?releaseid=33481
```

Figure 24-54
Le fichier
téléchargé,
exécuté, affiche
une fenêtre
d'invite de
commandes
indiquant ce
que vous devez
faire.

```
C:\DOCUME~1\Jean\LOCALS~1\Temp\IX                                    _ □ ×
**********************************************************
Ce programme crée les disquettes de démarrage de l'installation
pour Microsoft Windows XP.
Pour créer ces disquettes, vous devez fournir 6 disquettes
haute densité, formatées et vierges.

Spécifiez le lecteur de disquette sur lequel il faut copier les images : a

Insérez une de ces disquettes dans le lecteur a:. Cette disquette
deviendra la Disquette de démarrage de l'installation de Windows XP.
Appuyez sur une touche quand vous êtes prêt.
```

- Windows XP version professionnelle :

  http://www.microsoft.com/downloads/release.asp?releaseid=33482

Notez que vous pouvez aussi tenter d'initialiser l'ordinateur sur une disquette de démarrage DOS réalisée sous Windows 98 ou Me.

Transférer XP sur un nouveau disque sans réinstallation

Vous avez acquis un second disque dur et vous voulez y transférer Windows XP sans avoir à tout réinstaller. Vous ferez ensuite de ce disque votre disque maître. Cette opération est possible avec un utilitaire tel que **Norton Ghost**, de Symantec. Il suffit de faire un transfert de disque à disque. Le site de Symantec est :

  http://enterprisesecurity.symantec.com/products/
  products.cfm?productID=3

Installer les outils complémentaires du CD-ROM

Des outils de support supplémentaires, réservés aux experts, sont inclus sur le CD-ROM de Windows XP dans le dossier (remplacez x par la lettre de son lecteur) :

  x:\Support\Tools

Ils ont été conçus afin d'aider le personnel de support Microsoft et les administrateurs réseau à diagnostiquer et à résoudre les problèmes informatiques. Ils ne sont pas installés par défaut ; vous devez les installer séparément :

1. Insérez le CD-ROM de Windows dans votre lecteur de CD-ROM.

2. Cliquez sur **Non** si vous êtes invité à réinstaller Windows.

3. Lorsque l'écran de bienvenue s'affiche, cliquez sur **Fermer**.

4. Ouvrez le Poste de travail et affichez le contenu du CD-ROM.

Dépannage rapide

5. Placez-vous dans le dossier \Support\Tools. Pour obtenir des informations complètes sur l'installation, consultez le fichier Readme.htm dans ce dossier (tout est en anglais).

6. Double-cliquez sur **Setup.exe** ou sur **install.exe** et laissez l'installation se dérouler.

Une fois installés, ces utilitaires apparaissent par défaut dans le dossier :

```
C:\Program Files\Support Tools
```

Consultez les fichiers de texte ou pointez un exécutable pour afficher une bulle spécifiant généralement sa vocation (figure 24-55). Tout est en anglais.

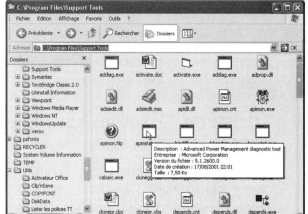

Figure 24-55
Le dossier des
outils
complémentaires
de support.

Désinstaller Windows XP

Voici un cas peu banal et très improbable : vous voulez supprimer Windows XP pour revenir à l'ancienne version de votre système d'exploitation. Vous éprouverez ce besoin si vous vous heurtez à des difficultés de fonctionnement avec Windows XP, en particulier, si des programmes importants pour vous ne fonctionnent plus et si vous ne disposez pas de leurs mises à jour.

Dans un tel cas, vous pouvez désinstaller Windows XP et revenir à la version antérieure de votre système d'exploitation, mais à une double condition :

• Vous avez procédé à une installation **en mise à jour**.

• Vous avez sauvegardé l'ancienne configuration.

La procédure de désinstallation est simple :

1. Cliquez sur le bouton **démarrer** ➜ **Panneau de configuration**.

2. Double-cliquez sur **Ajouter ou supprimer des programmes**.

3. Dans la colonne de gauche, l'icône **Modifier ou supprimer des programmes** doit être active.

4. Faites défiler la liste pour trouver **Désinstallation de Windows XP** et cliquez dessus.

5. Cliquez sur le bouton **Modifier/Supprimer.**

6. Laissez-vous ensuite guider par les écrans de désinstallation.

7. À l'issue de cette procédure, votre ordinateur redémarrera automatiquement et vous vous retrouverez avec votre ancienne configuration.

Si vous désinstallez Windows XP, vous devrez réinstaller tous les programmes que vous aviez installés depuis que vous l'exécutez.

Note ⊗ Vous ne pouvez pas désinstaller Windows XP si vous avez modifié la configuration de votre disque dur, par exemple si vous êtes passé d'un système de fichiers FAT à NTFS ou si vous avez créé de nouvelles partitions.

Windows XP : activer

Conserver l'activation de Windows XP pour une réinstallation

Vous réinstallez Windows après une modification matérielle ou un reformatage du disque dur. Voici comment faire pour tenter de conserver votre activation (la réussite de cette procédure n'est pas garantie, beaucoup d'utilisateurs ayant constaté des échecs, mais on peut toujours essayer) :

1. Windows XP étant correctement installé et activé auprès de Microsoft, passez dans le dossier :

   ```
   C:\Windows\System32
   ```

2. Copiez le fichier suivant sur une disquette :

   ```
   wpa.dbl
   ```

3. Si vous découvrez aussi un fichier nommé comme suit, copiez-le également sur la même disquette ; il n'est pas forcément indispensable, mais mieux vaut s'entourer des plus grandes précautions :

   ```
   wpa.bak
   ```

4. Après une réinstallation ou une modification importante, redémarrez en mode **sans échec**.

5. Renommez le fichier `wpa.dbl` existant sur le disque dur en `wpa.ex` par exemple. Renommez le fichier `wpa.bak` en `wpa.ex`.

6. Copiez les fichiers depuis la disquette sur le disque dur dans le dossier :

   `C:\Windows\System32`

7. Réinitialisez votre ordinateur.

Des demandes réitérées de réactivation s'affichent

Il se peut que le système vous demande, à chaque remise en service de l'ordinateur, d'activer Windows. Ce que vous faites, et cela se passe très bien. Mais cette demande est irritante. Les causes probables sont :

- Vous avez installé un programme contournant l'activation officielle, un **crack**, comme l'on dit (pour *craquer* la sécurité). Essayez d'appliquer la méthode suivante, mais il vous faudra très certainement recommencer une installation propre (reformatage du disque et réinstallation de Windows sans crack).

- Certains fichiers ont été altérés. Ces fichiers, qui se trouvent dans le dossier `C:\Windows\System32`, sont :

  - `licwmi.dll`

  - `licdll.dll`

  - `regwizc.dll`

Vérifiez d'abord leur présence. S'il en manque un, commencez par le restaurer en utilisant le CD de Windows. Éventuellement, n'hésitez pas à les restaurer tous les trois. Puis :

1. Cliquez sur **démarrer → Exécuter**.

2. Tapez successivement ces trois commandes en cliquant sur **OK** à chaque fois :

   ```
   regsvr32.exe licwmi.dll
   regsvr32.exe regwizc.dll
   regsvr32.exe licdll.dll
   ```

Vous pouvez aussi tenter de lancer la réparation de Windows XP, en faisant appel au CD d'origine du système, puis en lançant **SFC /Scannow**.

À combien de réactivations avez-vous droit ?

Sur la même machine, vous pouvez réinstaller et réactiver plusieurs fois Windows XP sans problème. C'est une bonne nouvelle mais je ne vous garantis pas que ce sera toujours le cas.

Réactiver après une restauration

Vous savez que Windows XP permet de restaurer le système à une date antérieure. Si le point de restauration que vous avez choisi précède la date d'activation, vous devrez réactiver XP immédiatement après. Cela ne pose généralement guère de problème, mais sachez que vous pouvez éviter cette opération :

1. Démarrez en mode sans échec et passez dans le dossier :

    `C:\Windows\System32`

2. Renommez le ficher `wpa.dbl` par exemple en `wpa.ex`.

3. Renommez le fichier `wpa.bak` en `wpa.dbl`.

4. Réinitialisez le système.

Quand faut-il vraiment réactiver Windows ?

Vous pouvez réinstaller Windows XP sur le même ordinateur sans vous réenregistrer si certains fichiers se corrompent ou se perdent. Hélas, si vous reformatez votre disque dur ou si vous procédez à de multiples modifications matérielles (plus de quatre éléments critiques), vous aurez probablement besoin d'un nouveau code de déverrouillage. Deux cas se présentent :

- Vous avez changé de carte mère, par exemple : il y a des chances pour que le même code élaboré lors de la première installation puisse être utilisé.

- Sinon, la réinstallation de Windows XP en produira un nouveau qui vous permettra de vous réenregistrer pour obtenir une autre clé de déverrouillage.

Il vous faudra alors convaincre les services de Microsoft qu'il ne s'agit pas d'un usage abusif. Bien que Microsoft affirme que vous pouvez réinstaller Windows sur une machine que vous avez mise à jour, restez quand même prudent.

Note ⊗ Si vous devez développer votre configuration, par exemple en changeant de disque dur, mieux vaut probablement le faire avant d'installer Windows XP pour ne pas prendre de risques.

Tout apprendre sur l'activation de Windows XP

La nouvelle méthode de protection antipiratage appliquée par Microsoft, consistant à activer Windows après son installation, porte le nom de **MPA** *(Microsoft Product Activation)* ou encore **WPA** *(Windows Product Activation)*. Vous trouverez toutes les informations nécessaires sur le site :

`http://www.microsoft.com/france/logiciel_original/mpa/intro.asp`

Vérifier si XP a été activé avec la commande du menu

Vous voulez vérifier si votre version de Windows XP a bien été activée. Fiez-vous d'abord au programme qui vous rappellera, *via* une bulle sur la barre des tâches, le nombre de jours pendant lesquels vous pouvez encore utiliser une version non activée (figure 24-56).

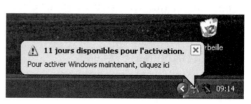

Figure 24-56
Le rappel pour
réactiver
Windows XP.

Sinon, une première méthode est la suivante :

1. Cliquez sur le bouton **démarrer** ➜ **Tous les programmes** ➜ **Accessoires** ➜ **Outils système**.

2. Cliquez sur la commande **Activation de Windows :**

   - Si elle vous dit que votre système d'exploitation a déjà été activé, la messe est dite. Le message affiché est du style :

     `Windows est déjà activé. Cliquer sur OK pour quitter.`

   - Sinon, profitez-en pour procéder à cette activation en vous laissant guider par l'écran.

   - Si cette commande n'apparaît pas dans la liste, c'est probablement parce que Windows a déjà été activé. Vous pouvez le vérifier en appliquant l'astuce précédente.

Windows XP : gérer les clés d'installation

Retrouver la clé de Windows

Vous avez bêtement égaré la clé qui vous permet d'installer et de réinstaller Windows et qui se trouve, en principe, sur son CD ou sur le boîtier de votre ordinateur. Il existe plusieurs petits utilitaires gratuits sur le Web qui vous permettent de l'afficher à l'écran, depuis Windows XP en activité. Vous pouvez lancer une recherche pour les trouver. Leurs noms : **ViewKeyXP**, **Key Viewer**, *etc.*

D'autres utilitaires, plus généralistes et plus puissants, offrent également cette possibilité. Tel est le cas d'Aida32, gratuit, ou de son successeur Everest. Voyez les astuces « Sonder votre ordinateur sans l'ouvrir avec Aida/avec Everest ».

Le message Clé non valide s'affiche

Lorsque vous entrez la clé de votre produit au cours de l'installation de Windows XP, un message d'erreur semblable à ce qui suit s'affiche :

```
La clé CD Key que vous avez entrée n'est pas valide. Réessayez.
```

Il survient si une ou plusieurs des conditions suivantes sont vérifiées :

- Vous n'avez pas entré la clé de produit appropriée.

- Un logiciel antivirus fonctionne pendant l'installation.

- Le CD-ROM d'installation est endommagé.

Pour résoudre ce problème, exécutez les opérations suivantes dans l'ordre indiqué, en procédant à un essai à chaque fois afin de vérifier si le problème a été résolu :

- Vérifiez que la clé de produit est entrée correctement dans les zones **Clé de produit**.

- Vérifiez que votre logiciel antivirus est désactivé lorsque vous exécutez le programme d'installation de Windows.

- Désactivez les paramètres antivirus dans le BIOS de votre ordinateur avant de démarrer l'installation.

- Vérifiez que votre support d'installation n'est pas endommagé. Si tel est le cas, remplacez-le.

- Vérifiez que la date système de l'ordinateur est correcte.

- Essayez de démarrer Windows sans charger des pilotes ni des programmes supplémentaires. Cette méthode permet d'optimiser l'intégrité de l'environnement d'installation. Après avoir effectué un démarrage minimal (*clean boot*) de l'ordinateur, exécutez à nouveau le programme d'installation.

- Installez le système d'exploitation à partir d'une invite de commandes plutôt qu'à partir de Windows.

- Copiez les fichiers d'installation du CD sur le disque dur, puis exécutez le programme d'installation depuis ce dernier.

- S'il s'agit d'une mise à niveau depuis Microsoft Windows 98 ou Microsoft Windows Millennium Édition (Me), servez-vous de l'outil **ScanDisk** (`Scandskw.exe`) pour vérifier que le disque dur ne contient pas d'erreurs.

- Utilisez les touches numériques de votre clavier plutôt que le pavé numérique pour taper la clé de produit.

Windows XP : problèmes d'arrêt et de démarrage

Causes principales des difficultés d'arrêt et de démarrage de XP

Les difficultés lors du démarrage ou de l'arrêt de l'ordinateur sont généralement liées à des problèmes communs, simples dans leurs principes, mais parfois assez subtils à éliminer. Les causes les plus fréquentes sont les suivantes :

- Un pilote n'est pas (parfaitement) compatible. C'est le cas, par exemple, de certains pilotes de claviers Logitech ou de souris. Essayez alors de les supprimer et de les remplacer par des pilotes génériques de Microsoft.

- Un programme que vous chargez n'est pas compatible. En particulier, songez aux anciennes versions du programme de gravure de CD de Roxio, Easy CD et Direct CD, qui ont donné du fil à retordre aux utilisateurs avant qu'ils ne soient mis à jour.

- Un matériel n'est pas compatible.

- Votre BIOS n'est pas à jour.

- Si un redémarrage de la machine s'effectue au lieu de l'arrêt demandé, cliquez sur **démarrer → Panneau de configuration → Performances et maintenance → Système →** onglet **Avancé.** Dans la rubrique **Démarrage et récupération**, cliquez sur le bouton **Paramètres** puis, sous **Défaillance du système**, décochez la case **Redémarrer automatiquement** (figure 24-57).

- Si un blocage se manifeste lorsque l'avis **Vous pouvez maintenant arrêter votre ordinateur en toute sécurité** apparaît, mettez Windows XP à jour, car il peut s'agir d'une bogue du programme.

- Tentez d'activer ou de désactiver la gestion de l'énergie ACPI ou APM sur votre ordinateur, pour voir si cela modifie son comportement. Avec la mise à jour **SP2**, cette gestion s'effectue automatiquement ; vous ne trouverez donc probablement pas d'onglet spécifique.

- Des barrettes mémoire différentes peuvent aussi provoquer des problèmes, par exemple une barrette PC 100 MHz avec une barrette PC 133 MHz. Lancez un test avec **Memtest**.

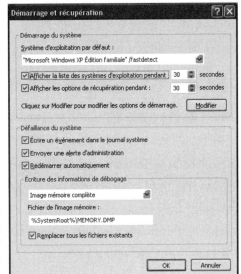

Figure 24-57
Décochez la case
Redémarrer
automatiquement

- La mémoire virtuelle est insuffisante : accroissez-la.

- Tentez de démarrer en mode sans échec.

- Tentez de lancer **SFC** /**Scannow**.

Tentez une réparation de Windows.

Windows XP est lent à démarrer : causes probables

Plus fréquent qu'on ne le pense, un problème de lenteur du démarrage de Windows XP peut avoir bien des causes :

- Le BIOS n'est pas à jour. Vérifiez ses références et visitez le site du fabricant de votre carte mère pour vous en assurer.

- Le pilote de votre **chipset** j, par exemple VIA, n'est pas à jour. Consultez le site du fabricant de votre ordinateur ou de sa carte mère pour télécharger le pilote de mise à jour.

- Le réseau. Supprimez la carte réseau. En effet, par défaut, XP essaie de se connecter à un réseau local.

- Des pilotes de périphériques entrent en conflit ou ne sont pas à jour. Pour le vérifier, le démarrage en mode sans échec n'apporte pas forcément d'informations claires. Commencez par entrer dans le **Gestionnaire de périphériques** pour vérifier qu'aucun point d'exclamation marquant un problème n'apparaît (cliquez sur

démarrer → **Panneau de configuration** → **Performances et maintenance** → **Système** → **Matériel** → **Gestionnaire de périphériques**).

- Les cartes. Supprimez toutes les cartes d'extension, sauf la carte graphique, et procédez à un essai en réinsérant une à une les cartes puis en redémarrant à chaque fois l'ordinateur. Avec un peu de chance, vous découvrirez la carte fautive.

- La gestion de l'énergie. Si un périphérique ne fonctionne pas, ce n'est pas forcément de la faute de son pilote : il peut s'agir de la gestion de l'énergie **ACPI**, par exemple.

- Des périphériques. Déconnectez les lecteurs de CD et de DVD et le graveur, vérifiez si le démarrage redevient normal, puis reconnectez-les un à un en procédant à la même vérification à chaque fois.

- Des logiciels. Désinstallez les programmes et les protocoles inutiles ou sujets à risque, par exemple l'antivirus. Refaites un essai.

- Votre disque dur est trop fragmenté. Défragmentez-le.

- Vérifiez si vous n'avez pas programmé une opération quelconque au démarrage de Windows, par exemple une recherche de virus sur votre disque dur, ce qui expliquerait le temps de mise en route. Notez que certains antivirus facétieux programment d'office une vérification totale ou partielle, par exemple portant sur cent fichiers sensibles.

- Vous n'avez installé que 128 Mo de mémoire, ou bien l'une de vos barrettes mémoire est tombée en panne et il ne vous reste que 128 Mo. Or, un minimum de 256 Mo est requis.

- La nappe de votre disque dur IDE, en interne, a été branchée à l'envers (le connecteur au bout de l'espace de câble le plus long doit se trouver branché sur la carte mère).

Une méthode avancée de diagnostic consiste à examiner la configuration du système et à exécuter des démarrages sélectifs en lançant la séquence **MSConfig**. Une autre méthode d'analyse du démarrage et de correction consiste à lancer **Bootvis** et à afficher le listage complet des opérations de chargement.

Windows XP est lent à se fermer

Si Windows XP est lent à se fermer, vérifiez si vous n'avez pas demandé l'exécution de certaines opérations à la fermeture ou si un programme malicieux ne l'a pas fait pour vous.

Par exemple, il a été demandé à Windows de supprimer le fichier d'échange à la fermeture. En annulant cette opération, vous gagnerez quelques instants.

Comment bien réinitialiser Windows

Dès que vous mettez votre ordinateur en service, il s'initialise de lui-même, c'est-à-dire qu'il se met en état de fonctionner. Si, au cours de cette mise en service, vous vous heurtez à certaines difficultés, vous pouvez imposer une réinitialisation autoritaire ; elle se révélera obligatoire si votre système se bloque.

Les modes de réinitialisation à votre disposition sont classiques :

- **Réinitialisation à chaud** : cliquez sur **démarrer** ➜ **Arrêter** ➜ **Redémarrer**.

- Si cela ne fonctionne pas, appuyez sur **Ctrl + Alt + +Maj** et cliquez sur le menu **Arrêter** ➜ **Redémarrer**.

- La plupart des micro-ordinateurs disposent d'un bouton-poussoir de réinitialisation à chaud qui vous épargne de stopper la machine. Il suffit d'appuyer dessus pour réinitialiser la machine. Il est généralement placé de façon qu'on ne risque pas de l'actionner par mégarde.

- **Arrêt de l'ordinateur** : arrêtez l'ordinateur, attendez une bonne douzaine **de secondes** afin que tout entre en repos, puis rallumez-le.

Rappelez-vous qu'une réinitialisation vous fait perdre toutes les données non sauvegardées au préalable.

Astuce ⊗ Lorsque vous éteignez l'ordinateur, attendez douze secondes avant de le remettre en service. Vous laissez ainsi le temps aux disques de s'arrêter, à leurs têtes de se poser sur leur lieu de parking sécurisé, aux condensateurs électriques de se décharger, aux mémoires vives de se décharger également, bref à tous les circuits de revenir à une situation de repos. Ce n'est qu'alors que vous pourrez l'allumer de nouveau sans crainte. Ce principe de temporisation après extinction s'applique d'ailleurs aussi à tous les dispositifs électroniques, par exemple à votre récepteur de télévision.

Impossible de démarrer Windows

Lorsque vous démarrez Windows, l'ordinateur se plante après avoir affiché l'écran de démarrage : vous obtenez un écran noir. La **Console de récupération** plante aussi la machine, de même que le mode de démarrage sans échec qui lance toutefois la vérification du disque.

Une barrette mémoire est probablement défectueuse. Si vous n'avez qu'une seule barrette, vérifiez son fonctionnement sur un autre ordinateur ou tentez de vous en

faire prêter une bonne. Si vous êtes équipé de deux barrettes, essayez l'une ou l'autre à tour de rôle pour trouver celle qui est en panne.

Windows se bloque à la fermeture

Vous fermez normalement Windows et, lorsque le message Enregistrement de vos paramè- tres s'affiche, Windows se bloque. Le raccourci clavier **Ctrl + Alt + Suppr** n'a aucun effet. Vous pouvez néanmoins déplacer la souris à l'écran.

L'une des causes probables est la suivante : vous avez supprimé l'écran de bienvenue et Windows le recherche désespérément. Pour corriger ce problème :

1. Connectez-vous sur le site (ou bien lancez **Windows Update**) :

   http://v4.windowsupdate.microsoft.com

2. Cliquez sur **Installation rapide**.

3. Installez les mises à jour qui vous sont recommandées.

Une commande inexistante est appelée au démarrage de XP

Vous avez supprimé un programme devenu inutile mais, malheureusement, Windows, au démar- rage, invoque l'un de ses fichiers et, ne le trouvant plus, affiche une erreur. La solution :

1. Notez le nom du fichier demandé.

2. Cliquez sur **démarrer → Exécuter**, tapez regedit et cliquez sur **OK**.

3. Lancez une recherche dans le registre sur le nom de ce fichier et supprimez toutes ses occur- rences. Il ne sera très certainement plus appelé.

Le curseur se fige sur un écran noir au démarrage de Windows

Si, au démarrage de Windows, vous constatez que le curseur clignotant se fige sur un écran noir, l'une des causes possibles réside dans les connexions USB. Débranchez alors les périphériques USB avant d'allumer l'ordinateur puis, une fois que Windows est installé, rebranchez-les.

L'ordinateur se rallume lorsque vous cliquez sur Arrêter

Vous voulez arrêter l'ordinateur en respectant la procédure normale et la machine s'éteint, puis se rallume d'elle-même. Suivez les pistes ci-après, après avoir consulté l'astuce page 672 :

- Appuyez pendant cinq à dix secondes sur le bouton d'arrêt de la machine alors qu'elle redé- marre tout juste.

- Extrayez tous les supports amovibles de leurs lecteurs avant d'arrêter l'ordinateur.

- Mettez les pilotes des périphériques à jour, sans oublier le BIOS et la carte mère.

- Mettez vos logiciels à jour.

- Ouvrez le **Panneau de configuration** et cliquez sur **Performances et maintenance** → **Options d'alimentation** → onglet **Avancé.** Si vous avez installé **SP2**, cliquez d'abord dans la colonne de gauche du **Panneau de configuration**, sur **Autres options du Panneau de configuration**, pour faire apparaître **Options d'alimentation**.

- Vérifiez si la rubrique **Lorsque j'appuie sur le bouton de mise sous tension** est bien positionnée sur **Arrêter** (figure 24-58).

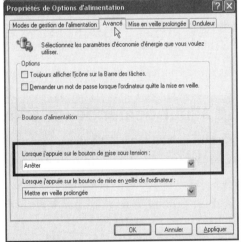

Figure 24-58
Le choix affiché
doit être
Arrêter.

Le PC s'allume tout seul

C'est un phénomène assez déconcertant : l'ordinateur s'allume tout seul. Deux cas sont probables :

- S'il s'allume à heure fixe, vous avez programmé une tâche planifiée.

- S'il ne s'allume pas à heure fixe, la mise en route automatique peut avoir été prévue dans le BIOS où vous trouverez très certainement des rubriques d'activation :

  - **Wake on Ring** ou **Wake on Com** (sonnerie sur le modem).

  - **Wake on LAN** (activité sur le réseau local).

  - **Wake on Alarm** et **Alarm Set** (à heure fixe).

La solution est évidente : supprimez la tâche planifiée si c'est de cela qu'il s'agit, ou désactivez les fonctions citées du BIOS. Pour vous en assurer, entrez dans le BIOS, trouvez la rubrique **Wake Up On** (réveil sur…) et désactivez toutes ses options.

Windows XP : mettre à jour

Afficher l'historique des mises à jour

Si vous voulez savoir quelles mises à jour ont été installées sur votre machine :

1. Connectez-vous à Internet.

2. Cliquez sur **démarrer** ➜ **Aide et support** ➜ **Maintenir votre ordinateur à jour avec Windows Update**.

3. Lorsque la connexion avec le site de mise à jour est établie, la fenêtre affiche plusieurs options dans son volet de gauche. Cliquez sur **Afficher l'historique des installations**.

4. L'historique apparaît ; vous pouvez en parcourir les étapes.

La mise à jour demande un administrateur

Vous vous connectez au service **Windows Update** de mise à jour et celui-ci vous indique que vous devez être connecté en tant qu'administrateur pour mettre votre version à jour. Or, c'est bien le cas.

Il s'agit là d'un problème recensé par Microsoft, qui en propose la solution sur ce site (en anglais) :

```
http://v4.windowsupdate.microsoft.com/troubleshoot/
```

Où sont copiées les mises à jour ?

Les mises à jour de Windows que vous téléchargez sont copiées dans le dossier `C:\Wutemp`. Ce dossier s'efface automatiquement après leur installation.

Windows Update ne s'affiche pas en français

Si, sans raison apparente, la page de **Windows Update** s'affiche en suisse, en belge ou en québécois, vous devez savoir que cela provient d'une option Internet :

1. Ouvrez Internet Explorer.

2. Cliquez sur le menu **Outils** ➜ **Options Internet** ➜ onglet **Général** ➜ bouton **Langues**.

3. Si **Français** n'y figure pas, cliquez sur le bouton **Ajouter** et ajoutez le français. Il doit apparaître en première ligne.

Windows XP : réparer et paramétrer

Réinstaller Windows en démarrant sous Windows

Pour réinstaller Windows XP en démarrant sous Windows XP :

1. Démarrez votre ordinateur puis, quand Windows est actif, insérez le CD d'installation de Windows XP dans son lecteur.

2. Dans l'écran de bienvenue de Microsoft Windows XP qui s'affiche, cliquez sur **Installer Microsoft Windows XP**.

3. Sur la page **Bienvenue dans l'installation de Windows**, cliquez sur **Mise à niveau (recommandé)** dans la zone **Type d'installation**, puis cliquez sur **Suivant**.

4. Sur la page **Contrat de licence**, cliquez sur **J'accepte les termes de ce contrat**, puis sur **Suivant**.

5. Sur la page **Clé du produit**, tapez les 25 caractères dans les zones, puis cliquez sur **Suivant**.

6. Sur la page **Obtenir les fichiers d'installation mis à jour**, sélectionnez l'option de votre choix, puis cliquez sur **Suivant**.

7. Suivez les instructions de l'assistant d'installation de Windows XP pour réinstaller Windows XP.

Le piège des CD de Windows en OEM

Il existe deux versions de CD pour Windows XP Édition familiale : la version Microsoft d'origine complète et des versions **OEM** (*Original Equipment Manufacturer*, équipementier ou assembleur de PC). Il est important de bien comprendre leurs différences.

Avec les versions Microsoft complètes, vous pourrez exécuter toutes les opérations décrites dans ce livre, par exemple, lancer la réparation de Windows ou formater le disque d'installation. Vos écrans devraient ressembler à ceux qui sont présentés dans ce livre.

Les versions OEM, elles, sont parfois modifiées par les équipementiers et elles permettent généralement la réinstallation de Windows XP sous des conditions imposées. Par exemple, vous n'avez pas le choix du système de fichiers (FAT ou NTFS), ou bien vous

ne disposez pas des options de partitionnement ou de formatage. Avec les versions OEM, c'est l'équipementier qui assure le support de Windows en cas de problème.

Il existe d'ailleurs plusieurs types de versions OEM. Certains CD OEM s'apparentent parfois davantage à une copie du type Ghost ; ils permettent une réinstallation, sans qu'il soit nécessaire de réactiver le produit.

Si vous vous trouvez limité avec votre CD OEM et si, bien sûr, vous disposez d'un numéro de licence (généralement collé sur le côté ou sur l'arrière de votre machine), il semble alors parfaitement légal d'emprunter une version complète à une connaissance, d'en faire une copie, puis de l'utiliser.

Parfois, enfin, certains fournisseurs ne livrent aucun CD, se contentant d'enregistrer tout ce qui concerne l'installation de Windows XP sur une partition protégée ou même cachée du disque dur. Vous pouvez donc réinstaller le système. Malheureusement, le mode d'emploi de la partition cachée n'est souvent pas clair. Si tel est le cas, commencez par graver un CD avec le contenu de cette partition.

Enfin, notez qu'avec les versions OEM de Windows XP :

- Certaines sont livrées avec un numéro de licence (souvent collé sur le côté de l'unité centrale), d'autres non.

- Vous disposez parfois d'un CD de réinstallation.

- Le disque dur contient une partition cachée pour la réinstallation.

- La réinstallation peut demander un numéro de licence.

- La réinstallation peut demander une activation (parfois, le CD contient l'activation).

- Le CD peut contenir les pilotes spécifiques de la machine mais ce n'est pas forcément le cas.

Chapitre
25

> > Astuces pratiques

| Suivant > | Annuler |

Barre des tâches

Ajouter vos raccourcis dans la barre des tâches

Si vous n'utilisez pas les icônes du bureau et que vous trouviez qu'il trop est long de chercher une application dans le menu Démarrer, ajoutez directement vos raccourcis dans la barre des tâches.

Pour ajouter une barre d'outils dans la barre des tâches, il suffit qu'un dossier contienne des raccourcis pour cette barre. Créez votre propre dossier de raccourcis pour éviter de modifier celui du menu Démarrer.

Créer un dossier de raccourcis

1. Ouvrez l'Explorateur Windows ou le Poste de travail.

2. Créez un nouveau dossier pour recevoir les raccourcis (menu **Fichier → Nouveau → Dossier**). Nommez-le, par exemple, Barre 1.

Ajouter des raccourcis existants

1. Cliquez avec le bouton droit de la souris le bouton **Démarrer**.

2. Cliquez **Explorer** dans le menu contextuel.

3. Dans le dossier **Menu Démarrer**, sélectionnez le sous dossier qui contient le raccourci à ajouter.

Note ⊗ En fonction de votre configuration, tous les raccourcis ne sont peut-être pas disponibles. Si c'est le cas, effectuez la recherche dans le dossier Documents and Settings\All Users\Menu Démarrer.

4. Cliquez et faites glisser avec le bouton droit de la souris le raccourci à copier, vers le dossier créé précédemment.

Note ⊗ Si vous faites glisser le raccourci avec le bouton gauche, il est déplacé. Vous pouvez toujours annuler la dernière action avec le menu **Edition → Annuler...** ou en tapant **Ctrl+Z**. Vous pouvez aussi utiliser les touches **Ctrl+C** pour copier le raccourci, puis les touches **Ctrl+V** pour le coller.

5. Cliquez **Copier** dans le menu contextuel.

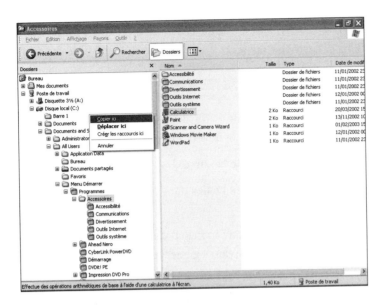

Figure 25-1 Dossier contenant des raccourcis.

6. Répétez les étapes **3** à **5** pour tous les autres raccourcis.

Vous pouvez bien sûr ajouter d'autres raccourcis que ceux du menu Démarrer. Vous pouvez aussi en créer de nouveaux (menu **Fichier → Nouveau → Raccourci**).

Placer une barre d'outils dans la barre des tâches

Dès que votre dossier avec les raccourcis est réalisé, vous pouvez l'utiliser comme barre d'outils à l'intérieur de la barre des tâches.

1. Cliquez avec le bouton droit une zone vide de la barre des tâches.

2. Cliquez la commande **Barres d'outils → Nouvelle barre d'outils** dans le menu contextuel.

3. Sélectionnez le dossier qui contient les raccourcis (figure 25-2).

Figure 25-2 Création d'une nouvelle barre d'outils.

4.   Cliquez le bouton **OK**.

La barre d'outils s'affiche dans la barre des tâches.

Déverrouiller la barre des tâches

Par défaut, la barre des tâches est verrouillée pour éviter de la modifier par inadvertance. Pour choisir l'emplacement de la barre d'outils, il faut la déverrouiller.

1.   Cliquez avec le bouton droit une zone vide de la barre des tâches.

2.   Cliquez la commande **Verrouiller la Barre des tâches** dans le menu contextuel pour ôter la coche.

Vous pouvez maintenant déplacer la barre d'outils à l'intérieur de la barre des tâches. Pour laisser de la place aux boutons des applications en cours, faites glisser le bord supérieur de la barre des tâches pour l'agrandir.

Si la barre d'outils est incomplète, cliquez le bouton avec les chevrons (figure 25-3).

Figure 25-3 Barre d'outils dans la barre des tâches.

Placer la barre d'outils sur le bureau

Les barres d'outils peuvent aussi se placer sur le bureau.

1.   Ouvrez l'Explorateur ou le Poste de travail.

2.   Réduisez la fenêtre pour voir le fond du bureau.

3.   Double-cliquez le lecteur qui contient le dossier.

4.   Faites glisser le dossier vers un bord de l'écran.

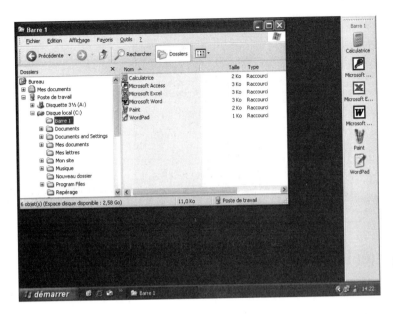

Figure 25-4
Barre d'outils
sur le bureau.

Une grande barre d'outils est placée sur le bord de l'écran.

Astuce ⊗ Vous pouvez aussi faire glisser le dossier vers une zone vide de la barre des tâches pour créer une nouvelle barre d'outils.

Modifier une barre d'outils

Les barres d'outils proposent plusieurs options d'affichage (taille des icônes, titre, noms, *etc.*). Elles peuvent aussi être placées à divers emplacements du bureau.

Déplacer une barre d'outils

1. Faites glisser le bouton ▌ de la barre à déplacer vers le nouvel emplacement (la barre des tâches doit être déverrouillée).

Note ⊗ Si la barre est placée au milieu du bureau, faites glisser sa barre de titre. La barre peut être placée sur un bord de l'écran, sur le bureau ou dans la barre des tâches.

Choisir la taille des icônes

1. Cliquez avec le bouton droit le bouton ▌ de la barre d'outils.

2. Cliquez la commande **Affichage** dans le menu contextuel, puis cliquez **Grandes icônes** ou **Petites icônes**.

Les icônes de la barre d'outils sont agrandies ou réduites.

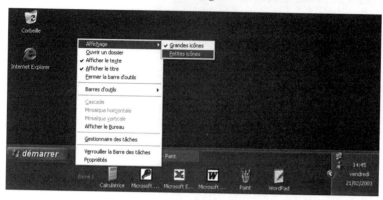

Figure 25-5 Modification de la taille des icônes d'une barre d'outils.

Afficher ou masquer le titre d'une barre d'outils

Puisque vous avez créé votre propre barre d'outils, vous n'aurez sûrement pas besoin de son titre.

1. Cliquez avec le bouton droit ▌ de la barre d'outils.

2. Cliquez la commande **Afficher le titre** pour afficher (coché) ou masquer (décoché) le titre de la barre d'outils.

Le titre de la barre est affiché ou masqué. Quand il est masqué, il laisse plus de place aux icônes.

Afficher ou masquer les noms des raccourcis

Pour gagner de la place pour les icônes dans la barre des tâches, supprimez les textes.

1. Cliquez avec le bouton droit ▌ de la barre d'outils.

2. Cliquez la commande **Afficher le texte** pour afficher (coché) ou masquer (décoché) les noms des raccourcis.

Les noms des raccourcis de la barre sont affichés ou masqués.

Astuce ⊙ Vous pouvez bien sûr ajouter autant de barres que nécessaire en agrandissant la barre des tâches.

Figure 25-6 Plusieurs barres d'outils dans la barre des tâches.

Réorganiser une barre d'outils

Par défaut, les raccourcis sont classés en ordre alphabétique.

1. Faites glisser l'icône du raccourci vers un autre emplacement.

    Une barre indique le point d'insertion pendant le déplacement.

Figure 25-7
Déplacement d'une icône dans une barre d'outils.

    Le raccourci est déplacé.

2. Répétez l'étape 1 pour les autres raccourcis.

Note Il n'est pas nécessaire que la Barre des tâches soit déverrouillée.

Supprimer une barre d'outils

1. Cliquez avec le bouton droit le bouton ▌ de la barre d'outils.

Note Il est nécessaire que la Barre des tâches soit déverrouillée.

2. Cliquez la commande **Fermer la barre d'outils** dans le menu contextuel.

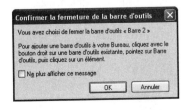

Figure 25-8 Fermeture d'une barre d'outils.

3. Si la boîte de la figure 25-8 apparaît, cliquez le bouton **OK**.

La barre est supprimée, mais le dossier contenant les raccourcis reste disponible.

Supprimer les phylactères

Si les bulles d'informations vous gênent (« Nouvelles mises à jour », « Espace disque faible », *etc.*), supprimez-les.

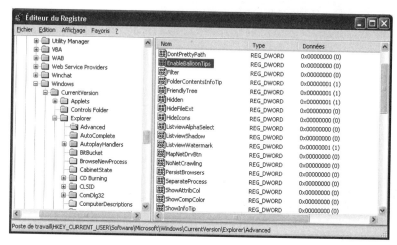

Figure 25-9 Bulles d'informations dans la barre des tâches.

Attention ⊗ Cette astuce nécessite de modifier le Registre. Consultez éventuellement le chapitre 22.

1. Tapez ⊞+**R**.

2. Tapez **Regedit** puis appuyez sur **Entrée** dans la boîte Exécuter.

3. Recherchez la clé HKEY_CURRENT_USER\Software\Microsoft\Windows\CurrentVersion\ Explorer\Advanced.

4. Double-cliquez la valeur **ShowInfoTip**.

5. Tapez **0** dans la zone Données de la valeur puis cliquez le bouton **OK**.

6. Double-cliquez la valeur **EnableBalloonTips**.

Note ⊗ Si cette valeur n'existe pas, créez une nouvelle valeur DWORD (consultez le chapitre 22).

7. Tapez **0** dans la zone Données de la valeur puis cliquez le bouton **OK**.

Figure 25-10 Modification du comportement des phylactères dans le Registre.

8.   Fermez l'Éditeur du Registre.

Pour que les modifications soient prises en compte, vous devez redémarrer Windows, ou fermer la session en cours et en ouvrir une nouvelle.

Clavier

Créer un raccourci clavier vers une application

Pour accéder plus rapidement à vos applications ou à vos dossiers préférés, ajoutez des touches de raccourci.

1.   Cliquez avec le bouton droit le raccourci de l'application ou du dossier (raccourci du bureau ou du menu Démarrer).

2.   Cliquez la commande **Propriétés** dans le menu contextuel.

3.   Cliquez la zone **Touche de raccourci** (figure 25-11).

4.   Tapez au clavier la combinaison de touches. Vous pouvez combiner les touches **Ctrl**+**Maj** ou **Ctrl**+**Alt**.

     La combinaison choisie apparaît dans la zone **Touche de raccourci**. Elle n'apparaît pas si elle est refusée par Windows.

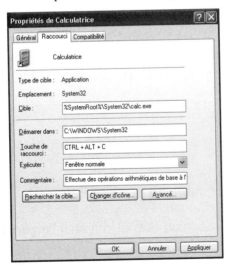

Figure 25-11   Ajout d'un raccourci clavier à une application.

5.   Cliquez le bouton **OK**.

Vous pouvez maintenant taper votre combinaison de touches pour exécuter l'application ou ouvrir le dossier dans une nouvelle fenêtre.

Conseil ⊗ Pour ajouter un raccourci vers un dossier, ouvrez l'Explorateur, puis faites glisser avec le bouton droit le dossier vers le bureau ou le menu Démarrer. Cliquez la commande **Créer les raccourcis ici** dans le menu contextuel.

Déverrouiller les majuscules avec la touche Maj à la place de Verr Maj

Par défaut, Windows XP déverrouille les majuscules avec la touche **Verr Maj**, alors que dans les versions plus anciennes de Windows on utilisait la touche **Maj** comme sur les machines à écrire. Il est tout à fait possible de revenir à l'ancienne méthode.

1. Cliquez le bouton **Démarrer → Panneau de configuration**.

2. Double-cliquez l'icône **Options régionales et linguistiques** (si vous êtes en affichage par catégories, cliquez **Options régionales, date, heure et langue**, puis le lien **Options régionales et linguistiques**).

3. Cliquez l'onglet **Langue**s.

4. Dans la zone **Service de texte…**, cliquez le bouton **Détails**.

Figure 25-12 Paramètres de langues.

5. Cliquez le bouton **Paramétrages de touches**. Si ce bouton est grisé, consultez l'explication ci-après.

6. Cochez l'option **Appuyez sur la touche Maj**.

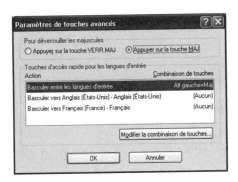

Figure 25-13 Paramètres des touches.

7. Cliquez **OK**.

Accéder aux paramétrages des touches

Si une seule langue est installée, il n'y a pas lieu de choisir les combinaisons de touches pour passer d'une langue à une autre. Le bouton **Paramétrages de touches** est alors indisponible. Malheureusement, c'est dans cette boîte de dialogue que l'on peut choisir le passage de **Verr Maj** à **Maj**. Il est donc nécessaire d'ajouter une autre langue.

1. Dans la boîte Services de texte et langues d'entrée, cliquez le bouton **Ajouter**.

2. Sélectionnez une nouvelle langue, au hasard, dans la liste **Langue d'entrée**.

Figure 25-14 Ajout d'une nouvelle langue.

3. Cliquez le bouton **OK**.

   Le bouton **Paramétrages de touches** est maintenant disponible.

4. Modifiez l'option **Appuyez sur la touche Maj** comme vu précédemment.

5. Supprimez la langue que vous avez ajoutée à l'étape **2**.

Utiliser les raccourcis Windows

La touche ⊞ permet d'accéder rapidement à des éléments Windows, même si vous avez des applications ouvertes.

Afficher le bureau

1. Tapez ⊞+**D**.

Le bureau s'affiche et toutes les applications sont réduites.

2. Tapez de nouveau ⊞+**D**.

Les fenêtres des applications sont agrandies.

Note ⊗ Ce raccourci correspond au bouton ⊞ de la barre d'outils Lancement rapide.

Accéder au menu Démarrer, à la barre des tâches et à la zone de notification

Pour ouvrir le menu Démarrer :

1. Tapez ⊞.

Le menu Démarrer s'ouvre. Vous pouvez vous déplacer dans ce dernier avec les quatre flèches de direction. Appuyez sur la touche **Echap** pour fermer le menu.

Pour accéder à la barre des tâches quand elle est masquée automatiquement :

1. Tapez ⊞+**B**.

La Barre des tâches revient au premier plan.

Pour accéder à la zone de notification :

1. Tapez ⊞+**B** puis **Entrée**.

Tous les programmes de la zone de notification sont affichés. Déplacez-vous dans cette dernière avec les quatre flèches de direction. Appuyez ensuite sur la touche **Entrée** pour ouvrir le programme sélectionné.

Ouvrir l'Explorateur

1. Tapez ⊞+**E**.

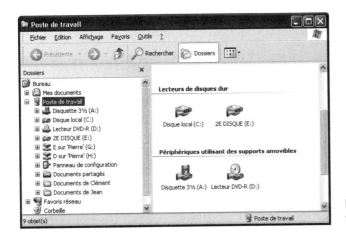

Figure 25-15 Poste de travail.

Ce raccourci évite d'ouvrir le Poste de travail puis de cliquez le bouton **Dossiers**, ou de cliquez le bouton **Démarrer** → **Tous les programmes** → **Accessoires** → **Explorateur Windows** (son emplacement par défaut).

Afficher les propriétés du système

1. Tapez ⊞+**Pause**.

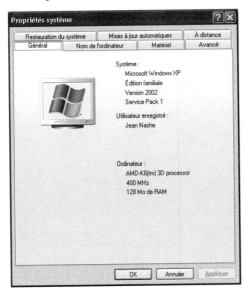

Figure 25-16 Propriétés système.

La boîte des propriétés s'affiche. Elle permet de connaître les ressources de l'ordinateur, d'ajouter du matériel, de gérer les périphériques, *etc.* (consultez le chapitre 19).

Exécuter un programme

1. Tapez ⊞+**R**.

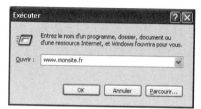

Figure 25-17 Boîte d'exécution d'un programme.

2. Tapez le nom du programme puis appuyez sur **Entrée**.

Astuce ⊗ Pour les programmes Windows, il n'est pas nécessaire de tapez le chemin et l'extension. La commande Calc, par exemple, ouvrira directement la calculatrice.

Astuce ⊗ Vous pouvez aussi taper dans cette boîte des adresses Web, par exemple www.monsite.fr. Le site sera ouvert dans le navigateur.

Effectuer une recherche

1. Tapez ⊞+**F**.
2. Utilisez le panneau de gauche pour définir votre recherche.

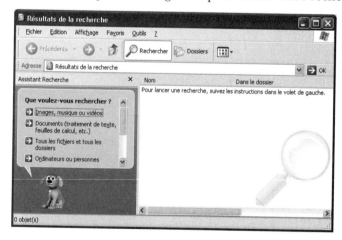

Figure 25-18 Fenêtre de recherche.

Verrouiller l'ordinateur

Si vous vous absentez, verrouillez rapidement votre PC pour éviter qu'une autre personne l'utilise.

1. Tapez ⊞+**L**.

   L'ordinateur est verrouillé et propose la boîte d'ouverture de session.

2. À votre retour, tapez votre mot de passe pour déverrouiller l'ordinateur.

Note ⊗ Un utilisateur avec un compte d'administrateur peut aussi déverrouiller votre PC en saisissant son nom et son mot de passe. Pensez-y.

Accéder au Gestionnaire d'utilitaires

Le Gestionnaire d'utilitaires permet d'ouvrir les programmes d'accessibilité.

1. Tapez ⊞+**U**.

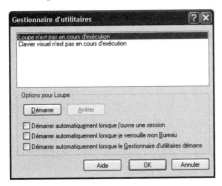

Figure 25-19 Gestionnaire des utilitaires d'accessibilité.

2. Sélectionnez le programme à exécuter.

Note ⊗ Cette boîte propose des options pour accéder plus facilement à chacun de ces programmes.

3. Cliquez le bouton **Démarrer**.

Déconnecter la touche Windows pour les joueurs

Si vous utilisez fréquemment des jeux qui nécessitent l'utilisation des touches **Ctrl** et **Alt**, la touche ⊞, qui se trouve entre ces deux touches, peut être un obstacle majeur. D'autant plus que l'appui sur cette touche peut vous faire retourner à Windows en plein milieu du jeu.

Attention ⊗ Cette astuce nécessite d'accéder au Registre. Pour plus d'informations, reportez-vous au chapitre 22.

1. Tapez ⊞+**R** ou le bouton **Démarrer** → **Exécuter**.

2. Tapez **Regedit** puis **Entrée** dans la boîte Exécuter.

3. Sélectionnez la clé HKEY_LOCAL_MACHINE\SYSTEM\CurrentControlSet\Control\Keyboard Layout.

4. Cliquez le menu **Edition → Nouveau → Valeur binaire**.

5. Tapez **Scancode Map** pour le nom de la nouvelle valeur.

6. Double-cliquez la valeur **Scancode Map**.

8. Tapez les valeurs

00 00 00 00 00 00 00 00 03 00 00 00 00 00 5B E0 00 00 5C E0 00 00 00 00.

Note ⊗ Pour être sûr de votre saisie, consultez l'exemple de la figure 25-20. Vérifiez avec soin chaque chiffre ou lettre saisi.

Figure 25-20 Modification d'une valeur binaire dans le Registre.

9. Cliquez le bouton **OK**.

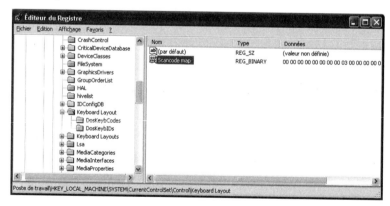

Figure 25-21 Modification du Registre pour la touche Windows.

10. Fermez l'Éditeur du Registre.

Pour que les modifications soient prises en compte, vous devez redémarrer l'ordinateur, ou fermez la session en cours et en ouvrir une nouvelle.

Pour rétablir la touche ⊞, supprimez la valeur **Scancode Map** dans de la clé HKEY_LOCAL_ MACHINE\SYSTEM\CurrentControlSet\Control\Keyboard Layout.

Conseil ⊗ Si vous désirez utiliser la touche ⊞ dans Windows et la désactiver pour les jeux, il est plus simple de créer des fichiers texte pour mettre à jour le Registre. Vous pouvez, pour plus de facilité, ajouter des raccourcis sur le bureau (figure 25-22).

Conseil ⊗ Pour créer des fichiers de mise à jour du Registre, et supprimer des valeurs, consultez le chapitre 22.

Figure 25-22 Raccourcis pour activer ou désactiver la touche Windows.

Bureau

Afficher Windows en mode classique

Si vous êtes déboussolé par l'apparence de Windows XP, affichez-le avec la présentation des anciennes versions.

1. Cliquez avec le bouton droit le fond du bureau.

2. Cliquez la commande **Propriétés** dans le menu contextuel.

3. Cliquez l'onglet **Thèmes**.

4. Sélectionnez **Windows classique** dans la liste **Thèmes**.

5. Cliquez le bouton **Appliquer** pour afficher immédiatement la modification.

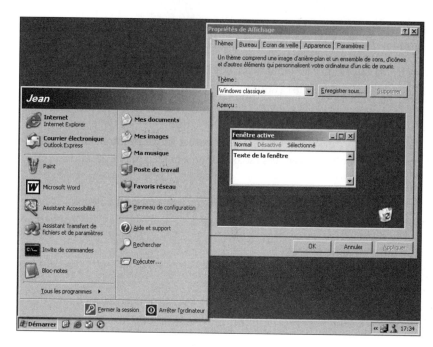

Figure 25-23
Windows avec
l'affichage classique.

Pour modifier l'apparence des fenêtres :

1. Cliquez l'onglet **Apparence** dans la boîte **Propriétés de Affichage**.

2. Cliquez le bouton **Avancé**.

3. Modifiez dans cette boîte l'apparence de Windows comme dans les anciennes versions.

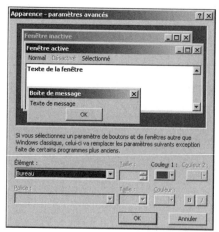

Figure 25-24 Paramètres d'affichage de Windows en mode classique.

Modifier la taille des icônes

Pour en afficher plus ou pour mieux les voir, modifiez la taille des icônes du bureau et du menu Démarrer.

Attention ⊗ Cette astuce nécessite d'accéder au Registre. Pour plus d'informations, reportez-vous au chapitre 22.

1. Tapez ⊞+**R**.

2. Tapez **Regedit** puis **Entrée** dans la boîte Exécuter.

3. Recherchez la clé `HKEY_CURRENT_USER\Control Panel\Desktop\Window Metrics`.

4. Double-cliquez la valeur **Shell Icon Size**.

Note ⊗ Si cette valeur n'existe pas, créez-la. Il y a des espaces entre les trois mots.

5. Tapez la taille des icônes dans la zone Données de la valeur, par exemple 16 pour de petites icônes ou 64 pour des icônes géantes.

Note ⊗ La valeur par défaut est 32.

6. Cliquez le bouton **OK** pour mettre à jour la valeur.

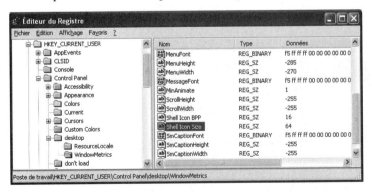

Figure 25-25
Modification de la taille des icônes dans le Registre.

7. Fermez l'Éditeur du Registre.

Pour que les modifications soient prises en compte, vous devez redémarrer Windows, ou fermer la session en cours et en ouvrir une nouvelle. Vous pouvez aussi modifier la résolution de l'écran.

Figure 25-26 Bureau avec de grandes icônes.

Dans l'exemple de la figure 25-26, les icônes ont une taille de 64, et la résolution de l'écran est de 800 x 600.

Note ⊗ Si votre résolution d'écran n'est pas supérieure à 800 x 600, certains raccourcis du menu Démarrer ne sont pas accessibles.

Figure 25-27 Bureau avec de petites icônes.

Dans l'exemple de la figure 25-27, les icônes ont une taille de 16, et la résolution de l'écran est de 800 x 600.

Afficher les icônes en vraies couleurs

Par défaut, Windows affiche les icônes dans une palette de soixante cinq mille couleurs. Si vous avez créé vos propres icônes, vous pouvez augmenter ce nombre de couleurs.

Attention  Cette astuce nécessite une modification du Registre. Reportez-vous au chapitre 22 pour plus d'informations.

1. Tapez ⊞+**R**.

2. Tapez **Regedit** puis **Entrée** dans la boîte Exécuter.

3. Recherchez la clé HKEY_CURRENT_USER\Control Panel\Desktop\WindowMetrics.

4. Double-cliquez la valeur **Shell Icon BPP**. (BPP veut dire Bits Par Pixel.)

5. Tapez **32** dans la zone Données de la valeur.

Note La valeur par défaut est 16 (65 536 couleurs). La valeur 32 correspond à 16 777 216 couleurs.

6. Cliquez le bouton **OK** pour mettre à jour la valeur.

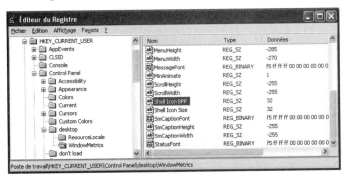

Figure 25-28
Modification du nombre de couleurs des icônes dans le Registre.

7. Fermez l'Éditeur du Registre.

Pour que les modifications soient prises en compte, vous devez redémarrer votre PC.

Déplacer le papier peint

En fonction du type de papier peint du bureau, certaines icônes et le texte en dessous risquent d'être difficilement lisibles. En modifiant le Registre, vous pouvez choisir la position exacte du papier peint, et donc ménager un espace pour vos icônes si elles ne sont pas trop nombreuses.

Windows n'offre que trois solutions dans la disposition du papier peint : Centré, Mosaïque et Étirer (clic droit sur le fond du bureau, **Propriétés** dans le menu contextuel, onglet **Bureau**, puis liste **Position** - consultez le chapitre 17).

Figure 25-29   Paramètres de l'image du bureau.

Attention ⊗   Cette astuce nécessite d'accéder au Registre. Si vous n'avez pas toutes les informations sur ce sujet, consultez au préalable le chapitre 22.

1.   Tapez ⊞+**R**.

2.   Tapez **Regedit** puis tapez sur **Entrée** dans la boîte Exécuter.

3.   Recherchez la clé HKEY_CURRENT_USER\Control Panel\Desktop.

     Windows prend toujours en référence le centre de l'image. En créant deux nouvelles clés, vous pouvez choisir le décalage horizontal ou vertical, par rapport à ce centre. Le décalage s'exprime en pixels.

4.   Dans la partie de droite, cliquez avec le bouton droit une zone vide (même entre les colonnes Nom et Type – Vous pouvez aussi choisir le menu **Fichier → Nouveau → Valeur chaîne**)).

5.   Cliquez la commande **Nouveau → Valeur chaîne** dans le menu contextuel.

6.   Tapez **WallPaperOriginX** comme nom de la valeur.

7.   Double-cliquez la valeur **WallPaperOriginX** pour la modifier.

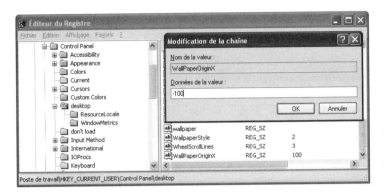

Figure 25-30
Position horizontale
du papier peint dans
le Registre.

8. Tapez dans la zone Données de la valeur, le nombre de pixels de décalage vers la gauche (donnée négative) ou le nombre de pixels de décalage vers la droite (donnée positive).

9. Cliquez le bouton **OK** pour mettre à jour la valeur.

La figure 25-31 montre le papier peint du bureau quand il est décalé de 100 pixels vers la gauche (donnée négative).

Figure 25-31
Papier peint décalé
vers la gauche.

10. Dans la partie de droite, cliquez avec le bouton droit une zone vide (même entre les colonnes Nom et Type).

11. Cliquez la commande **Nouveau → Valeur chaîne** dans le menu contextuel.

12. Tapez **WallPaperOriginY** comme nom de la valeur.

13. Double-cliquez la valeur **WallPaperOriginY** pour la modifier.

Astuces pratiques

14. Tapez dans la zone Données de la valeur, le nombre de pixels de décalage vers le haut (donnée négative) ou le nombre de pixels de décalage vers le bas (donnée positive).

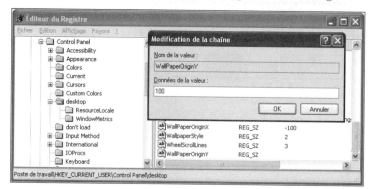

Figure 25-32 Position verticale du papier peint dans le Registre.

15. Cliquez le bouton **OK** pour mettre à jour la valeur.

Note ⊗ Les données des valeurs **WallPaperOriginY** et **WallPaperOriginY** se cumulent pour choisir la position du papier peint. Vous pouvez choisir d'ajouter l'une ou l'autre, ou les deux à la fois. Pour supprimer le décalage, supprimez les valeurs précédemment créées, ou donnez-leur la donnée 0.

Pour mettre à jour les modifications, choisissez un papier peint au hasard dans la liste proposée (clic droit sur le fond du bureau, **Propriétés** dans le menu contextuel, onglet **Bureau**, puis liste **Arrière-plan**), puis choisissez le vôtre. Il n'est pas nécessaire de redémarrer l'ordinateur ou de changer de session.

La figure 25-33 montre le papier peint du bureau quand il est décalé de 100 pixels vers le bas (donnée positive).

Figure 25-33
Papier peint décalé
vers le bas.

Choisir une résolution d'écran inférieure à 800 x 600

Windows XP exige une résolution d'écran de 800 x 600 au minimum. Si vous désirez modifier votre résolution, il ne propose pas de valeurs inférieures à cette taille dans la boîte des propriétés de l'affichage.

1.   Cliquez avec le bouton droit le fond du bureau.

2.   Cliquez la commande **Propriétés** dans le menu contextuel.

3.   Cliquez l'onglet **Paramètres** dans la boîte Propriétés de Affichage.

Le curseur de la zone **Résolution de l'écran** permet de choisir la taille de l'écran. Mais, pas défaut, il ne propose que la résolution 800 x 600 pixels comme seuil minimal.

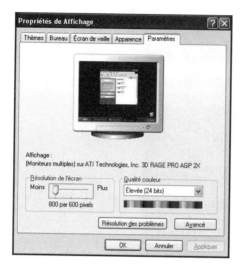

Figure 25-34 Paramètres de l'écran.

4. Cliquez le bouton **Avancé**.

5. Cliquez l'onglet **Carte**.

Même si Windows impose une limite, votre carte graphique permet de gérer des dizaines de modes d'affichage qui ne sont pas accessibles dans la boîte des propriétés.

6. Cliquez le bouton **Lister tous les modes**.

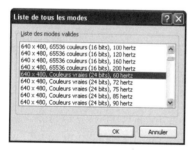

Figure 25-35 Liste de toutes les résolutions d'écran supportées par la carte graphique.

7. Sélectionnez dans la liste la résolution de l'écran et le nombre de couleurs.

8. Cliquez le bouton **OK**.

Comme les écrans ne supportent pas toutes les tailles et tous les taux de rafraîchissement, Windows effectue un test avant de conserver les paramètres que vous avez choisis.

Note Les valeurs proposées par la boîte Liste de tous les modes concernent uniquement la carte graphique et non le moniteur. La liste peut donc vous proposer des valeurs supportées par votre carte mais pas par votre écran.

Figure 25-36 Avertissement avant le changement de résolution d'écran.

9. Cliquez **Oui** si l'affichage paraît normal, **Non** dans le cas contraire.

Si vous n'avez pas pu cliquer **Oui**, parce que l'affichage était incorrect, Windows applique automatiquement les anciens paramètres.

Avec une résolution inférieure à 800 x 600, toutes les entrées du menu Démarrer ne peuvent pas être affichées. Windows affiche d'ailleurs un phylactère la première fois que vous ouvrez le menu pour vous signaler le problème.

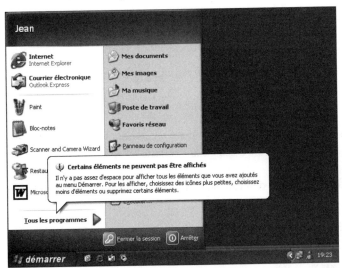

Figure 25-37 Taille d'écran trop petite pour afficher tous les éléments du menu Démarrer.

Modifier la fréquence de rafraîchissement du moniteur

Ce réglage, parfois méconnu, a une importance capitale pour une qualité d'image optimale, mais aussi pour vos yeux. Plus la fréquence est élevée, plus le scintillement est faible. Il est donc nécessaire d'utiliser la plus grande valeur pour ce paramètre.

L'intérêt de modifier la fréquence est fonction du type d'écran utilisé.

- Écran standard : pour les écrans à tube cathodique, une fréquence élevée permet de réduire le scintillement de l'image. Même si ce scintillement est presque imperceptible, il finit par fatiguer vos yeux. Les télévisions ont une fréquence de rafraîchissement de 50 Hz, ce qui est très bas. C'est pour cela que l'on trouve des télévisions dites « à double balayage » ou « 100 Hz ». Votre moniteur, lui, peut aller bien au-delà des 50 Hz. Profitez-en !

- Écrans LCD : pour les écrans à cristaux liquides, la bonne fréquence supprime l'effet d'image trouble ou dédoublée. Si vous avez un écran de ce type, regardez les textes d'une barre de menus. Si le texte apparaît légèrement en gras ou dédoublé, il est temps pour vous de choisir une autre fréquence de rafraîchissement.

Avant toutes modifications, il est nécessaire de vous reporter à la documentation du moniteur. Celle-ci vous indiquera la fréquence maximale utilisable. Il est fortement déconseillé d'utiliser une fréquence supérieure à celle indiquée par le constructeur. Ne confondez pas les possibilités de votre carte graphique et celles de votre moniteur. Même si la première génère l'image, ce sont deux éléments séparés pour lequel il est nécessaire de respecter la fréquence maximale du second.

1. Cliquez avec le bouton droit le fond du bureau.

2. Cliquez la commande **Propriétés** dans le menu contextuel.

3. Dans l'onglet **Paramètres** de la boîte Propriétés de Affichage, cliquez le bouton **Avancé**.

4. Cliquez l'onglet **Écran**.

Note ⊗ Vous pouvez aussi choisir la fréquence de rafraîchissement en utilisant l'astuce de la section « Choisir une résolution d'écran inférieure à 800 x 600 » ci-dessus.

5. Sélectionnez dans la liste **Fréquence d'actualisation**... la fréquence de rafraîchissement à appliquer.

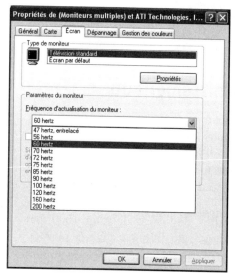

Figure 25-38 Fréquence de rafraîchissement du moniteur.

6. Cliquez le bouton **OK** pour fermer toutes les boîtes de dialogue ouvertes.

7. Cliquez le bouton **Oui** si l'affichage paraît normal, **Non** dans le cas contraire.

Si vous n'avez pas pu cliquer le bouton **Oui**, parce que l'affichage était incorrect, Windows applique automatiquement les anciens paramètres.

La modification de la fréquence peut engendrer des déformations de l'image à l'écran. Si vous désirez conserver la valeur choisie précédemment, modifiez directement sur le moniteur les réglages tels que la taille et la position, le trapèze, le coussin, *etc.* Consultez sa documentation pour plus d'informations.

Modifier l'écran de veille au démarrage

Si, après le démarrage du PC, personne n'intervient pendant 10 minutes pour cliquez son nom d'utilisateur ou saisir son mot de passe, Windows affiche l'écran de veille par défaut. Vous pouvez modifier ce dernier.

Attention ⊗ Cette astuce nécessite de modifier le Registre. Consultez éventuellement le chapitre 22.

1. Tapez 🪟+**R**.

2. Tapez **Regedit** puis **Entrée** dans la boîte Exécuter.

3. Recherchez la clé
    HKEY_USERS\.DEFAULT\Control Panel\Desktop.

4. Double-cliquez la valeur **Scrnsave.exe**.

5. Tapez le chemin et le nom de votre écran de veille dans la zone Données de la valeur.

Note ⊗ Les écrans de veille portent l'extension .scr. Ce sont en réalité des exécutables. L'écran par défaut se nomme Logon.scr. Si votre écran se trouve dans le dossier Windows\System32, il n'est pas nécessaire d'ajouter le chemin.

6. Cliquez le bouton **OK** pour mettre à jour la valeur.

7. Double-cliquez la valeur **ScreenSaveTimeOut**.

8. Tapez le nombre de secondes avant l'exécution de l'écran de veille (600, par défaut) puis cliquez le bouton **OK**.

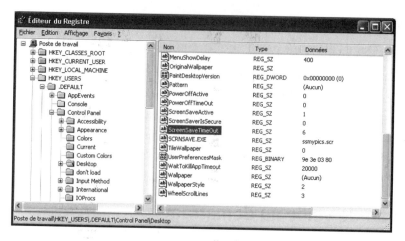

Figure 25-39 Définition dans le Registre de la période avant déclenchement de l'écran de veille.

9. Fermez l'Éditeur du Registre.

Les modifications sont prises en compte dès l'ouverture d'une nouvelle session.

Note La valeur **ScreenSaveActive** doit contenir la valeur **1** pour que l'écran de veille se déclenche.

Améliorer l'affichage d'un écran LCD

Avec la méthode de lissage de police « ClearType », vous pouvez améliorer l'affichage de votre écran à cristaux liquides.

1. Cliquez avec le bouton droit le fond du bureau.

2. Cliquez la commande **Propriétés** dans le menu contextuel.

3. Cliquez l'onglet **Apparence**.

4. Cliquez le bouton **Effets**.

5. Cochez la case **Utiliser la méthode suivante…**

6. Sélectionnez **ClearType** dans la liste en dessous.

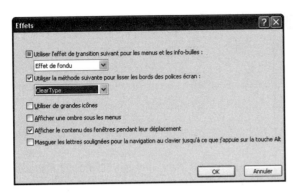

Figure 25-40 Application de la méthode ClearType.

7. Cliquez le bouton **OK**.

8. Cliquez le bouton **OK** dans la boîte **Propriétés de Affichage**.

L'affichage est immédiatement modifié.

Note 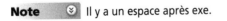 Vous pouvez aussi tester cette méthode avec un écran à tube cathodique, mais le résultat n'est généralement pas très bon.

Explorateur et Poste de travail

Choisir le disque ou le dossier qui s'affiche à l'ouverture de l'Explorateur

Par défaut, l'explorateur s'ouvre sur le dossier Mes documents. Vous pouvez créer des raccourcis pour atteindre plus aisément les disques ou les dossiers que vous utilisez très fréquemment.

1. Cliquez avec le bouton droit le fond du bureau.

2. Cliquez la commande **Nouveau → Raccourci** dans le menu contextuel.

3. Tapez **Explorer.exe /n,/e,C:**. Remplacez C:\ par le chemin de votre choix : par exemple D:\ pour le lecteur D ou C:\Mes dossiers\Mes lettres pour accéder à ce sous-dossier (figure 25-41).

Note 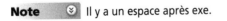 Il y a un espace après exe.

Figure 25-41 Raccourci vers l'Explorateur avec des paramètres.

4.   Cliquez le bouton **Suivant**.

5.   Tapez le nom du raccourci, par exemple le nom du dossier à ouvrir.

6.   Cliquez le bouton **Terminer**.

Conseil ⊗ Si le raccourci existe déjà, cliquez-le avec le bouton droit, puis choisissez **Propriétés** dans le menu contextuel. Modifiez ensuite la zone **Cible**.

Afficher les dossiers et fichiers cachés

Pour éviter les mauvaises manipulations, Windows masque certains fichiers. Si cela est nécessaire, vous pouvez les afficher.

1.   Ouvrez le Poste de travail ou l'Explorateur.

2.   Cliquez le menu **Outils → Options des dossiers**.

3.   Cliquez l'onglet **Affichage**.

4.   Cochez l'option **Afficher les fichiers et dossiers cachés**.

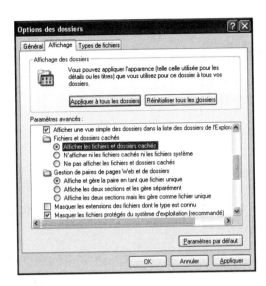

Figure 25-42 Modifications des paramètres du Poste de travail.

Vous pouvez aussi afficher les fichiers protégés de Windows, bien que cela ne soit pas recommandé.

5. Décochez la case **Masquer les fichiers protégés...**.

Figure 25-43 Avertissement sur l'utilité des fichiers système.

6. Cliquez le bouton **Oui** pour confirmer.

7. Cliquez le bouton **OK**.

Note Les fichiers système apparaissent grisés dans l'Explorateur.

Renommer plusieurs fichiers

Si vous devez renommer une grande quantité de fichiers, il existe plusieurs solutions. Dans tous les cas, le nom des fichiers sont ou seront l'objet d'une suite chronologique.

Utiliser l'Explorateur

1. Sélectionnez le dossier qui contient les fichiers à renommer dans l'Explorateur ou le Poste de travail.

2. Sélectionnez les fichiers à renommer.

3.   Appuyez sur **F2** pour passer en mode modification.

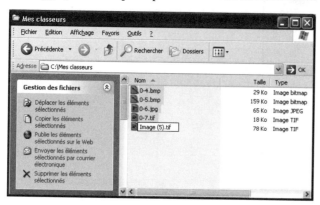

Figure 25-44   Noms des fichiers avant modification.

4.   Tapez le nom générique suivi du premier numéro de la chronologie entre parenthèses. Ajoutez aussi le point et les trois lettres de l'extension si elle est visible ici. Appuyez sur **Entrée**.

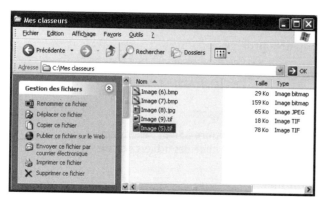

Figure 25-45   Noms des fichiers après modification.

Tous les fichiers sont renommés avec une suite chronologique. Les extensions sont conservées. Notez qu'il n'est pas nécessaire de commencer par 1.

Conseil ⊗   Pour afficher ou masquer les extensions des fichiers, cliquez le menu **Outils → Options des dossiers**, cliquez l'onglet **Affichage**, puis cochez ou décochez la case **Masquer les extensions des fichiers dont le type est connu**.

Utiliser l'Invite de commandes

1.   Cliquez le bouton **Démarrer → Tous les programmes → Accessoires → Invite de commandes**.

Note ⊗   Vous pouvez aussi taper ⊞+**R** puis **CMD** et **Entrée**.

2. Placez-vous dans le dossier qui contient les fichiers. Pour changer de dossier, tapez CD puis le chemin, par exemple CD C:\Mes documents, puis appuyez sur **Entrée**.

3. Tapez **Dir** puis **Entrée** pour vérifier le contenu du dossier.

```
Invite de commandes                                                    _ □ ×

C:\Documents and Settings\Jean Nashe>cd c:\mes classeurs

C:\Mes classeurs>Dir
 Le volume dans le lecteur C n'a pas de nom.
 Le numéro de série du volume est 1610-1EDC

 Répertoire de C:\Mes classeurs

27/02/2003  12:57    <REP>          .
27/02/2003  12:57    <REP>          ..
22/01/2003  10:26           17 490  0-7.tif
22/01/2003  10:26           65 887  0-6.jpg
22/01/2003  10:26          162 806  0-5.bmp
22/01/2003  10:26           29 455  0-4.bmp
22/01/2003  10:26           79 282  0-8.tif
               5 fichier(s)        354 920 octets
               2 Rép(s)  1 968 177 152 octets libres

C:\Mes classeurs>_
```

Figure 25-46 Liste des fichiers à renommer.

Dans l'exemple, les fichiers portent les noms 0-4 à 0-8 avec des extensions différentes. L'astuce consiste à utiliser les caractères génériques « * » (remplace une partie du nom) et « ? » (remplace une lettre ou un chiffre).

4. Tapez **Ren AncienNom NouveauNom**. Dans l'exemple (figure 25-47), pour remplacer tous les 0 par des 5 et conserver les extensions, tapez **Ren 0-?.* 5-?.***.

5. Tapez **Dir** puis **Entrée** pour afficher le résultat.

```
Invite de commandes                                                    _ □ ×

 Répertoire de C:\Mes classeurs

27/02/2003  12:57    <REP>          .
27/02/2003  12:57    <REP>          ..
22/01/2003  10:26           17 490  0-7.tif
22/01/2003  10:26           65 887  0-6.jpg
22/01/2003  10:26          162 806  0-5.bmp
22/01/2003  10:26           29 455  0-4.bmp
22/01/2003  10:26           79 282  0-8.tif
               5 fichier(s)        354 920 octets
               2 Rép(s)  1 968 177 152 octets libres

C:\Mes classeurs>Ren 0-?.* 5-?.*

C:\Mes classeurs>Dir
 Le volume dans le lecteur C n'a pas de nom.
 Le numéro de série du volume est 1610-1EDC

 Répertoire de C:\Mes classeurs

27/02/2003  12:57    <REP>          .
27/02/2003  12:57    <REP>          ..
22/01/2003  10:26           17 490  5-7.tif
22/01/2003  10:26           65 887  5-6.jpg
22/01/2003  10:26          162 806  5-5.bmp
22/01/2003  10:26           29 455  5-4.bmp
22/01/2003  10:26           79 282  5-8.tif
               5 fichier(s)        354 920 octets
               2 Rép(s)  1 968 144 384 octets libres

C:\Mes classeurs>Exit
```

Figure 25-47 Liste des fichiers après modification.

6. Tapez **Exit** puis **Entrée** pour fermer la fenêtre Invite de commandes.

Modifier l'icône et le nom des disques

Windows attribut une icône à chacun des lecteurs présents dans l'Explorateur et le Poste de travail (disques durs, lecteurs de CD, lecteurs réseau, *etc.*). Modifiez-les pour personnaliser votre PC.

Modifier l'icône d'un disque

Cette première méthode est facile à mettre en œuvre. Vous devez cependant posséder un fichier contenant une icône (.ico ou .bmp).

Conseil ⊗ Vous trouverez facilement sur Internet des icônes, des applications pour en créer de nouvelles, et des utilitaires pour consulter les bibliothèques qui en regroupent plusieurs (format .icl).

1. Ouvrez le Bloc-notes.

2. Tapez **[Autorun]**.

3. Tapez **Icon = MonIcône.ico** en remplaçant le nom MonIcône par le nom de l'icône à utiliser. Vous pouvez aussi utiliser un fichier au format BMP.

4. Cliquez le menu **Fichier → Enregistrer sous**.

5. Sélectionnez la racine du disque dont vous désirez modifier l'icône.

6. Sélectionnez **Tous les fichiers** dans la liste **Type**.

7. Enregistrez le fichier sous le nom **Autorun.inf**.

Figure 25-48 Fichier texte Autorun.inf dans le Bloc-notes.

8. Copiez l'icône (fichier .ico ou .bmp) à la racine du disque.

9. Redémarrez l'ordinateur pour que la modification soit prise en compte.

10. Ouvrez l'Explorateur.

Figure 25-49
Modification de l'icône
d'un lecteur.

L'icône du lecteur est modifiée.

Modifier l'icône par défaut d'un disque *via* le Registre

En passant par le Registre, vous pouvez attribuer par défaut des icônes existantes sur
le PC. Vous pouvez aussi modifier leur nom.

Note ⊗ Cette astuce ne fonctionne que si vous avez installé le Service Pack 1a de
Windows XP. Pour l'installer, cliquez le bouton **Démarrer → Tous les programmes
→ Windows Update** et suivez les indications sur le site de Microsoft.

1. Tapez ⊞ + **R**.

2. Tapez **Regedit** puis **Entrée** dans la boîte Exécuter.

3. Recherchez la clé `HKEY_LOCAL_MACHINE\SOFTWARE\Microsoft\Windows\
CurrentVersion\Explorer`.

4. Dans la partie de droite, cliquez avec le bouton droit une zone sans valeur.

5. Cliquez le menu **Nouveau → Clé**.

6. Tapez **DriveIcons** comme nom de la clé.

7. Cliquez cette clé pour la sélectionner.

8. De la même manière, créez une nouvelle clé avec comme nom la lettre du lecteur
à modifier (par exemple « D » pour le lecteur D:).

9. Cliquez cette clé pour la sélectionner.

10. De la même manière, créez deux nouvelles clés portant les noms **DefaultIcon** et
DefaultLabel.

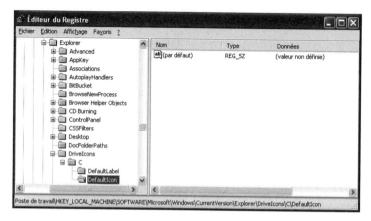

Figure 25-50 Modification de l'icône d'un lecteur avec le Registre.

11. Cliquez la clé **DefaultLabel**.

12. Double-cliquez dans la partie de droite la valeur (**par défaut**).

13. Tapez le nom à attribuer au lecteur dans la zone Données de la valeur, puis cliquez le bouton **OK**.

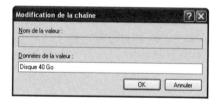

Figure 25-51 Modification du nom du lecteur avec le Registre.

14. Cliquez la clé **DefaultIcon**.

15. Double-cliquez dans la partie de droite la valeur (**par défaut**).

16. Tapez le chemin du fichier qui contient la ou les icônes (voir encadré ci-après). Pour choisir une icône en particulier, tapez une virgule après le chemin, puis tapez le numéro de l'icône : 0 pour la première, 1 pour la seconde, *etc.* Cliquez le bouton **OK** pour valider.

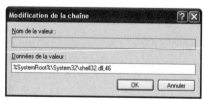

Figure 25-52 Modification du nom du lecteur avec le Registre.

Astuce ⊗ Dans l'exemple de la figure 25-52, nous utilisons la variable `%SystemRoot%` qui correspond au chemin d'installation de Windows (`C:\Windows` par défaut).

17. Fermez l'Éditeur du Registre.

Trouver le numéro d'une icône

La quasi-totalité des fichiers .exe proposent une ou plusieurs icônes. C'est aussi le cas de certains fichiers .dll. Vous pouvez donc y faire appel pour choisir vos icônes. La majorité des icônes de Windows se trouvent dans le fichier C:\Windows\System32\Shell32.dll. Mais vous en trouverez d'autres dans les fichiers C:\Windows\Explorer.exe, C:\Windows\System32\Pifmgr.dll ou C:\Windows\System32\Progman.exe.

Pour connaître le numéro d'une icône : cliquez avec le bouton droit n'importe quel raccourci dans le menu Démarrer. Cliquez **Propriétés** dans le menu contextuel. Cliquez le bouton **Changer d'icône**. Cliquez le bouton **Parcourir** pour sélectionner le fichier qui contient la ou les icônes. La boîte Changer d'icône affiche celles qui sont disponibles. Vous devez les compter (ligne par ligne) pour connaître le numéro de celle qui vous intéresse. Cliquez les boutons **Annuler** pour ne pas modifier l'icône du raccourci choisi au hasard.

Figure 25-54 Icône utilisée dans l'exemple de la figure 25-53.

Pour que les modifications soient prises en compte, vous devez redémarrer Windows, ou fermez la session en cours et en ouvrir une nouvelle.

Le nom et l'icône par défaut du lecteur sont modifiés dans l'Explorateur (figure 25-53).

Astuces pratiques

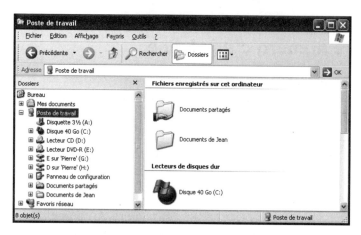

Figure 25-53 Icône de lecteur modifiée *via* le Registre.

Exécuter un programme à l'insertion d'un CD-ROM

Si vous gravez un CD-R, vous pouvez choisir le programme qui sera exécuté à son insertion.

1. Créez un fichier Autorun.inf comme expliqué précédemment.

2. Ajoutez lui la ligne **Open = Programme.exe** en remplaçant Programme.exe par le chemin de l'application à exécuter. Ne préciser pas la lettre du lecteur. Pour exécuter le programme Vidéo.exe du dossier Programme du CD, tapez `Open = Programme\Vidéo.exe`.

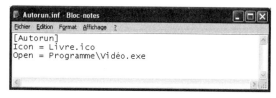

Figure 25-55 Fichier Autorun destiné à un CD-R.

3. Au moment de graver le CD-R, ajoutez à la racine le fichier Autorun.inf et le fichier de l'icône, et, bien sûr, le fichier exécutable dans le dossier indiqué.

Modifier l'icône d'un dossier

Pour retrouver plus facilement un dossier dans le Poste de travail, personnalisez son icône ou son affichage en miniature.

1. Cliquez avec le bouton droit le dossier à personnaliser.

2. Cliquez la commande **Propriétés** dans le menu contextuel.

3. Cliquez l'onglet **Personnaliser**.

Choisir l'image de l'affichage en miniature

1. Cliquez le bouton **Choisir une image**.

2. Sélectionnez le dossier qui contient l'image à utiliser.

3. Cliquez l'image puis le bouton **Ouvrir**.

Figure 25-56 Propriétés d'un dossier dans le Poste de travail.

La boîte affiche l'aperçu du dossier quand vous avez sélectionné l'affichage en **Miniatures** (bouton ▦).

Choisir l'icône pour les autres types d'affichage

1. Cliquez le bouton **Changer d'icône** dans la boîte Propriétés de.

2. Sélectionnez une icône dans la boîte Modifie l'icône pour.

3. Cliquez le bouton **OK**.

   L'icône choisie sera utilisée comme nouvelle présentation du dossier pour les affichages autres que celui en **Miniatures**.

4. Cliquez le bouton **OK**.

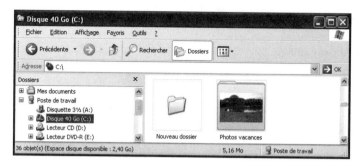

Figure 25-57 Affichage en mode Miniatures d'un dossier personnalisé.

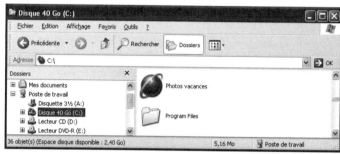

Figure 25-58 Affichage en mode Mosaïque d'un dossier personnalisé.

Astuce ⊗ Vous pouvez faire la même chose pour les dossiers du menu Démarrer.

Définir l'exécution automatique des CD

Quand un CD ne possède pas de fichier Autorun, Windows détermine l'action à exécuter en fonction de son contenu. C'est à vous de choisir cette action et l'application à utiliser.

1. Ouvrez l'Explorateur.

2. Cliquez avec le bouton droit le lecteur de CD ou de DVD.

3. Cliquez la commande **Propriétés** dans le menu contextuel.

4. Cliquez l'onglet **Exécution automatique**.

5. Sélectionnez dans la liste du haut un contenu (audio, vidéo, photos, *etc.*)

6. Cochez l'option **Sélectionner une action à exécuter**.

7. Sélectionnez dans la liste en dessous l'action à effectuer pour ce type de fichier.

8. Répétez les étapes **5** à **7** pour tous les types de fichiers.

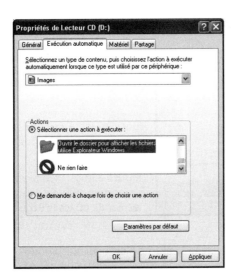

Figure 25-59 Modification de l'exécution automatique d'un lecteur de CD.

Note ⊗ Pour supprimer l'exécution automatique, cochez l'option **Me demander....**

Activer ou désactiver le démarrage des CD avec le Registre

Vous pouvez aussi utiliser le Registre pour activer ou désactiver les CD-Audio.

Attention ⊗ Cette manipulation nécessite de modifier le Registre. Reportez-vous au chapitre 22 pour des informations complémentaires.

1. Tapez ⊞ + **R**.

2. Tapez **Regedit** puis **Entrée** dans la boîte Exécuter.

3. Recherchez la clé `HKEY_LOCAL_MACHINE\SYSTEM\CurrentControlSet\Services\Cdrom`.

4. Pour désactiver le démarrage automatique, mettez 0 dans la valeur **AutoRun**.

5. Pour activer le démarrage automatique, mettez 1 dans la valeur **AutoRun**.

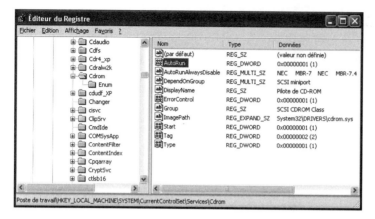

Figure 25-60 Modification de l'exécution automatique d'un lecteur de CD *via* le Registre.

Note ⊗ Pour les CD possédant un autorun, il suffit de maintenir la touche Maj pendant leur introduction.

Afficher l'Explorateur en plein écran

Pour obtenir un maximum de surface de travail dans L'Explorateur ou Internet Explorer, vous pouvez masquer toutes les barres (titre, menus, outils et état).

1. Appuyez sur la touche **F11**, ou maintenez la touche **Ctrl** puis double cliquez la barre de titre.

    Toutes les barres disparaissent, à l'exception de la barre d'outils.

2. Cliquez avec le bouton droit la barre d'outils.

3. Cliquez la commande **Masquer automatiquement** dans le menu contextuel.

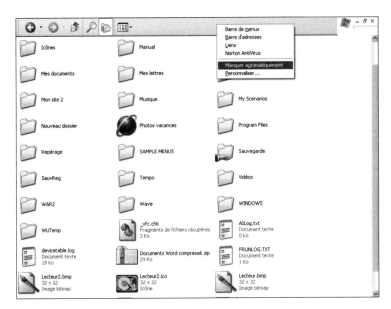

Figure 25-61
L'Explorateur
Windows en
plein écran.

Note  Ce menu contextuel permet aussi de choisir les autres barres à afficher.

La barre d'outils disparaît.

4. Pour accéder momentanément à la barre d'outils, pointez le haut de l'écran.

5. Pour afficher de nouveau la barre d'outils, effectuez l'étape **4** puis les étapes **2** et **3**.

6. Pour afficher toutes les barres, cliquez le bouton 🗗 en haut à droite.

Dans l'Explorateur, la liste des dossiers est aussi masquée. Il en est de même pour les volets d'Internet Explorer (Favoris, Historique, *etc.*).

1. Pour afficher le volet masqué, pointez le bord gauche de l'écran.

Le volet réapparaît.

Astuces pratiques

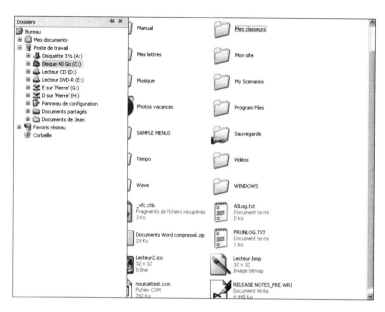

Figure 25-62 L'Explorateur Windows en plein écran avec le volet d'accès aux dossiers.

Même si en temps normal elle est toujours visible, la Barre des tâches est aussi masquée.

1. Pour afficher la Barre des tâches, pointez le bord inférieur de l'écran.

Paramétrer l'affichage des miniatures

Si un dossier contient des photos, vous pouvez les afficher sous forme de miniatures. En modifiant le Registre, vous pouvez choisir leur taille.

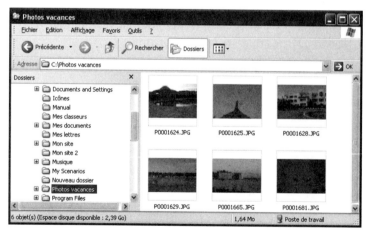

Figure 25-63 Affichage en miniatures standard.

Attention ⊗ Cette astuce nécessite d'accéder au Registre. Pour plus d'informations, reportez-vous au chapitre 22.

1. Tapez ⊞+**R**.

2. Tapez **Regedit** puis **Entrée** dans la boîte Exécuter.

3. Sélectionnez la clé HKEY_CURRENT_USER\Software\Microsoft\Windows\
   CurrentVersion\Explorer.

4. Cliquez le menu **Edition** → **Nouveau** → **Valeur DWORD**.

5. Tapez **ThumbnailSize** pour le nom de la nouvelle valeur.

6. Double-cliquez la valeur **ThumbnailSize**.

7. Cliquez l'option **Décimale**.

8. Tapez dans la zone Données de la valeur, la taille en pixels des images. Par défaut,
   la taille est de 96 pixels. Pour la doubler, par exemple, saisissez 192. Cliquez le bouton
   OK pour valider.

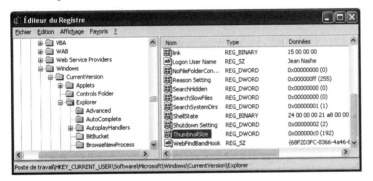

Figure 25-64
Modification de la
taille des miniatures
via Registre.

9. Fermez l'Éditeur du Registre.

Pour que les modifications soient prises en compte, vous devez redémarrer l'ordinateur,
ou fermez la session en cours et en ouvrir une nouvelle.

Figure 25-65 Affichage en miniatures après les modifications.

La taille des images est modifiée dans l'affichage en miniatures.

Désactiver le cache des miniatures

Pour afficher plus rapidement les miniatures, Windows les conserve dans un fichier nommé Thumbs.db, et ce pour chaque dossier. Ces fichiers n'étant pas de taille négligeable, vous pouvez supprimer leur création.

1. Ouvrez l'Explorateur ou le Poste de travail.

2. Cliquez le menu **Outils → Options des dossiers**.

3. Cliquez l'onglet **Affichage**.

4. Cochez la case **Ne pas mettre les miniatures en cache**.

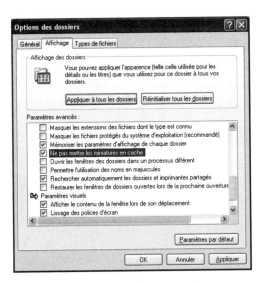

Figure 25-66 Suppression de la mise en cache des miniatures.

Note  Les fichiers Thumbs.db sont des fichiers système. Pour les afficher, décochez la case **Masquer les fichiers protégés du système** dans la boîte de la figure 25-66.

5. Cliquez le bouton **OK**.

Définir le type d'un dossier

Par défaut, c'est Windows qui choisit le type d'un dossier. Or ce choix est important car la partie de gauche de l'Explorateur propose des options différentes en fonction du type. Il en est de même pour le menu Affichage et le bouton correspondant.

1. Cliquez avec le bouton droit le dossier à modifier.

2. Cliquez la commande **Propriétés** dans le menu contextuel.

3. Cliquez l'onglet **Personnaliser**.

4. Sélectionnez le type de dossier dans la liste **Utiliser ce type**.

5. Si vous désirez appliquer ce type aux sous-dossiers, cochez la case **Appliquer également ce modèle à tous les sous-dossiers**.

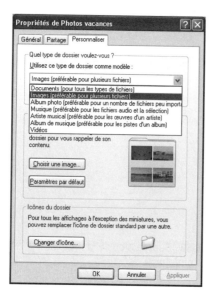

Figure 25-67 Sélection du type d'un dossier.

6. Cliquez le bouton **OK**.

Le type de dossier se repère immédiatement grâce au dessin en bas à droite (figure 25-67).

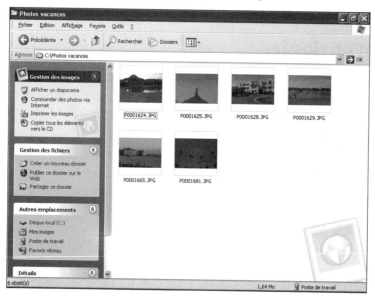

Figure 25-68 Dossier de type « Images ».

Activer la recherche avancée

Vous pouvez accéder aux paramètres de la recherche sans passer pas l'assistant si ce dernier vous encombre.

1. Ouvrez l'Explorateur ou le Poste de travail.

2. Cliquez le bouton **Rechercher** pour ouvrir le volet correspondant ou appuyez sur la touche **F3**.

3. Cliquez le lien **Modifier les préférences** en bas du volet Assistant recherche.

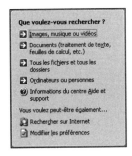

Figure 25-69 Volet des paramètres des recherches.

4. Cliquez le lien **Modifier les paramètres de recherche des fichiers et des dossiers**.

5. Cochez l'option **Recherche avancée**.

6. Cliquez le bouton **OK**.

Figure 25-70 Volet de recherche sans l'assistant.

L'assistant ne s'affiche plus. Vous pouvez saisir votre recherche directement.

Modifier ou supprimer le personnage de la recherche

L'assistant de recherche propose un personnage animé. Vous pouvez en choisir un autre parmi les quatre proposés. S'il prend trop de place dans la recherche avancée, vous pouvez aussi le supprimer.

1. Ouvrez L'Explorateur ou le Poste de travail.

2. Cliquez le bouton **Rechercher** pour ouvrir le volet correspondant ou appuyez sur la touche **F3**.

3. Cliquez le lien **Modifier les préférences** en bas du volet Assistant recherche.

Figure 25-71 Personnage de l'Assistant recherche.

4. Cliquez le lien **Sans personnage animé à l'écran** pour le désactiver.

5. Cliquez le lien **Avec un autre personnage** pour le modifier.

6. Cliquez les boutons **Suivant** et **Précédent** pour choisir le personnage.

Figure 25-72 Autre personnage de l'Assistant recherche.

7. Cliquez le bouton **OK**.

Supprimer l'affichage du dossier des documents partagés

Si vous n'utilisez pas les dossiers partagés, parce que vous n'êtes pas en réseau ou le seul utilisateur de l'ordinateur, vous pouvez les masquer dans l'Explorateur.

Attention ⊗ Cette manipulation nécessite la modification du Registre. Consultez le chapitre 22 pour des informations complémentaires.

1. Tapez ⊞+**R**.

2. Tapez **Regedit** puis **Entrée** dans la boîte Exécuter.

3. Recherchez la clé `HKEY_LOCAL_MACHINE\SOFTWARE\Microsoft\Windows\ CurrentVersion\Explorer\MyComputer\NameSpace\DelegateFolders\{5903 1a47-3f72-44a7-89c5-5595fe6b30ee}`.

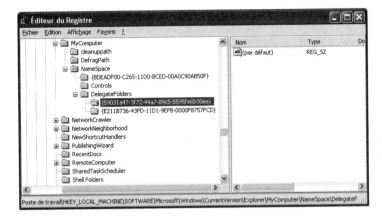

Figure 25-73
Suppression du dossier des documents partagés *via* le Registre.

4. Cliquez le menu **Fichier → Exporter**, puis enregistrez la clé sélectionnée.

5. Supprimez la clé `{59031a47-3f72-44a7-89c5-5595fe6b30ee}`.

6. Fermez l'Éditeur du Registre.

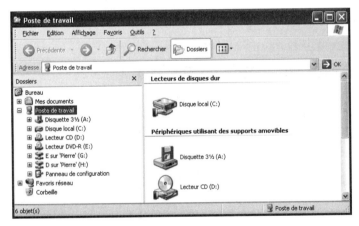

Figure 25-74 Poste de travail sans le dossier « Documents partagés ».

Dans l'Explorateur ou le Poste de travail, les dossiers partagés n'apparaissent plus dans le volet Dossiers ou dans la partie de droite quand le Poste de travail est sélectionné.

Note Pour rétablir les dossiers partagés, double-cliquez dans l'Explorateur le fichier enregistré à l'étape **4**. Vous pouvez aussi recréer cette clé. Elle ne contient aucune valeur.

Masquer des lecteurs dans le poste de travail

Pour éviter que des utilisateurs puissent accéder à certains lecteurs, vous pouvez masquer ces derniers dans le Poste de travail.

Attention ⊗ Cette astuce nécessite de modifier le Registre. Pour plus d'informations, reportez-vous au chapitre 22.

1. Tapez ⊞+**R**.

2. Tapez **Regedit** puis **Entrée** dans la boîte Exécuter.

3. Sélectionnez la clé HKEY_LOCAL_MACHINE\SOFTWARE\Microsoft\Windows\Current Version\policies.

Note ⊗ Si la clé **Explorer** existe déjà, n'effectuez pas les étapes **4** et **5**.

4. Cliquez le menu **Edition → Nouveau → Clé**.

5. Tapez **Explorer** pour le nom de la nouvelle clé.

6. Sélectionnez la clé **Explorer**.

7. Cliquez le menu **Edition → Nouveau → Valeur DWORD**.

8. Tapez **NoDrives** pour le nom de la nouvelle valeur.

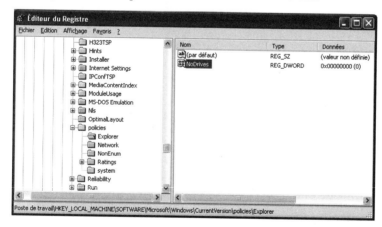

Figure 25-75 Entrée NoDrives pour masquer des lecteurs.

La valeur NoDrives est une valeur binaire. Chaque bit représente une lettre de lecteur : premier bit pour la lettre A, deuxième bit pour la lettre B, *etc.* Si le bit est à 0, le lecteur est affiché. Si le bit est à 1, le lecteur est masqué.

Le tableau 25-1 donne les valeurs pour les huit premiers lecteurs. Pour masquer le lecteur de disquettes A, la valeur NoDrives doit contenir la donnée 1. Pour masquer le lecteur D, la valeur NoDrives doit contenir la valeur 8. Si vous désirez masquer le lecteur A et le lecteur D, la valeur NoDrives doit contenir la valeur 9, c'est-à-dire 1+8.

Lecteur	Binaire	Décimal
A	1	1
B	10	2
C	100	4
D	1000	8
E	10000	16
F	100000	32
G	1000000	64
H	10000000	128

Tableau 25-1 Valeurs binaires et décimales des lecteurs.

9. Double-cliquez la valeur **NoDrives**.

10. Cliquez l'option **Décimale**.

11. Tapez le chiffre correspondant aux lecteurs à masquer dans la zone Données de la valeur.

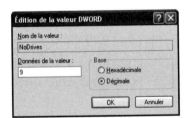

Figure 25-76 Code pour masquer certains lecteurs.

12. Cliquez le bouton **OK** pour valider.

13. Fermez l'Éditeur du Registre.

Pour que les modifications soient prises en compte, vous devez redémarrer l'ordinateur, ou fermez la session en cours et en ouvrir une nouvelle.

14. Ouvrez le Poste de travail ou l'Explorateur.

Les lecteurs choisis sont masqués. Ils ne sont plus accessibles dans le Poste de travail (lecteurs A et D dans l'exemple de la figure 25-77).

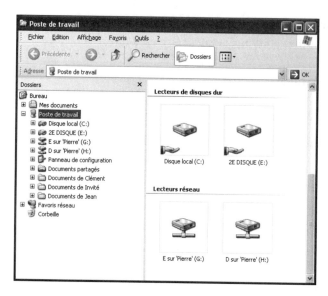

Figure 25-77 Lecteurs masqués dans le Poste de travail.

Pour rétablir tous les lecteurs, mettez **0** comme données de la valeur **NoDrives**, ou supprimez-la.

Note N'oubliez pas que vous pouvez créer des fichiers .reg pour modifier rapidement le Registre (consultez le chapitre 22).

Convertir des données

Pour convertir des données dans des bases différentes, vous pouvez utiliser la calculatrice de Windows (bouton **Démarrer** → **Tous les programmes** → **Accessoires** → **Calculatrice**).

Dans la calculatrice, cliquez le menu **Affichage** → **Scientifique**. Cliquez l'option correspondant à la base de votre nombre, par exemple **Bin** pour un nombre binaire. Tapez le nombre.

Figure 25-78 Calculatrice Windows avec l'affichage scientifique.

Cliquez l'option correspondant à la base dans laquelle vous désirez convertir le nombre, par exemple **Déc** pour une conversion en décimal.

Verrouiller l'accès partagé du lecteur de disquettes

Si vous utilisez un lecteur de disquettes partagé sur le réseau, vous pouvez momentanément y interdire tout accès.

Attention ⓘ Cette manipulation nécessite de modifier le Registre. Reportez-vous au chapitre 22 si vous avez des doutes.

1. Tapez ⊞+**R**.

2. Tapez **Regedit** puis **Entrée** dans la boîte Exécuter.

3. Sélectionnez la clé HKEY_LOCAL_MACHINE\SOFTWARE\Microsoft\Windows NT\ CurrentVersion\Winlogon.

4. Double-cliquez la valeur **AllocateFloppies**.

5. Tapez **1** dans la zone Données de la valeur, puis cliquez le bouton **OK**.

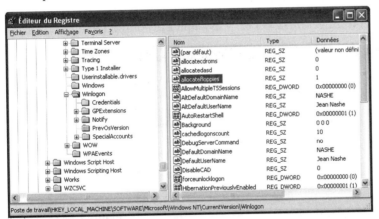

Figure 25-79
Verrouillage du partage du lecteur de disquettes *via* le Registre.

6. Fermez l'Éditeur du Registre.

Pour que les modifications soient prises en compte, vous devez ouvrir une nouvelle session, ou redémarrer l'ordinateur.

Les utilisateurs du réseau qui tentent d'accéder au lecteur de disquettes auront la boîte de la figure 25-80.

Figure 25-80 Boîte de refus d'accès au lecteur de disquettes.

Pour rétablir l'accès au lecteur de disquettes, mettez **0** comme données de la valeur **AllocateFloppies**.

Verrouiller l'accès partagé des lecteurs de CD-ROM

Si vous partagez vos lecteurs et graveurs de CD et de DVD sur le réseau, vous pouvez momentanément y interdire tout accès.

Attention ⊗ Cette manipulation modifie le Registre. Reportez-vous au chapitre 22 pour des informations complémentaires.

1. Tapez ⊞+**R**.

2. Tapez **Regedit** puis **Entrée** dans la boîte Exécuter.

3. Sélectionnez la clé HKEY_LOCAL_MACHINE\SOFTWARE\Microsoft\Windows NT\CurrentVersion\Winlogon.

4. Double-cliquez la valeur **Allocatecdroms**.

5. Tapez **1** dans la zone Données de la valeur, puis cliquez le bouton **OK**.

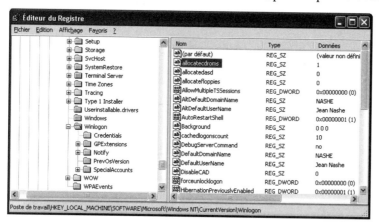

Figure 25-81 Verrouillage du partage du lecteur de CD *via* le Registre.

6. Fermez l'Éditeur du Registre.

Pour que les modifications soient prises en compte, vous devez ouvrir une nouvelle session, ou redémarrer l'ordinateur.

Pour rétablir l'accès aux lecteurs et graveurs de CD/DVD, mettez **0** comme données de la valeur **Allocatecdroms**.

Note ⊗ N'oubliez pas que vous pouvez créer des fichiers .reg pour modifier rapidement le Registre (consultez le chapitre 22).

Modifier l'emplacement du dossier Mes documents

Pour mieux organiser vos disques durs, par exemple pour séparer les données des programmes, vous pouvez choisir l'emplacement du dossier Mes documents.

1. Ouvrez le Poste de travail ou l'Explorateur.

2. Cliquez avec le bouton droit le dossier **Mes documents**.

3. Cliquez la commande **Propriétés** dans le menu contextuel.

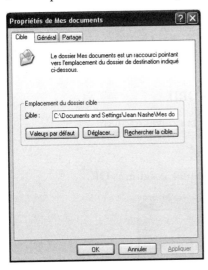

Figure 25-82   Propriétés du dossier Mes documents.

4. Cliquez le bouton **Déplacer**.

5. Sélectionnez le disque et le dossier qui doit contenir Mes documents. Si le dossier n'existe pas, cliquez le bouton **Créer un nouveau dossier**.

Figure 25-83   Nouvel emplacement du dossier Mes documents.

6. Cliquez le bouton **OK**.

Le dossier Mes documents est maintenant disponible à un autre emplacement.

Verrouiller le déplacement du dossier Mes documents

Comme vous avez pu le constater à la page précédente, l'utilisateur peut déplacer facilement le dossier Mes documents. Avec le Registre, il est possible d'empêcher cela.

Attention ⊗ Cette astuce nécessite de modifier le Registre. Reportez-vous au chapitre 22 pour plus d'informations.

1. Tapez ⊞+**R**.

2. Tapez **Regedit** puis **Entrée** dans la boîte Exécuter.

3. Sélectionnez la clé `HKEY_CURRENT_USER\Software\Microsoft\Windows\CurrentVersion\Policies\Explorer`.

4. Cliquez le menu **Edition → Nouveau → Valeur DWORD**.

5. Tapez **DisablePersonalDirChange** pour le nom de la nouvelle valeur.

6. Double-cliquez la valeur **DisablePersonalDirChange**.

7. Tapez **1** dans la zone Données de la valeur, puis cliquez le bouton **OK**.

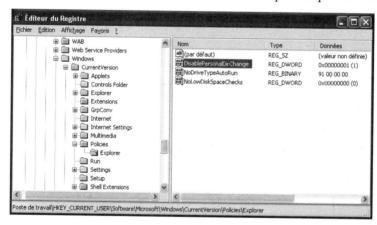

Figure 25-84 Verrouillage du dossier Mes documents *via* le Registre.

8. Fermez l'Éditeur du Registre.

    Pour que les modifications soient prises en compte, vous devez redémarrer l'ordinateur, ou fermez la session en cours et en ouvrir une nouvelle.

9. Ouvrez le Poste de travail ou l'Explorateur.

10. Cliquez avec le bouton droit le dossier **Mes documents**.

11. Cliquez **Propriétés** dans le menu contextuel.

Le bouton **Déplacer** n'est plus disponible (figure 25-85).

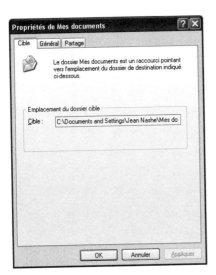

Figure 25-85 Propriétés du dossier Mes documents.

Pour déplacer de nouveau le dossier Mes documents, supprimez la valeur **DisablePersonalDirChange** de la clé `HKEY_CURRENT_USER\Software\Microsoft\Windows\CurrentVersion\Policies\Explorer`.

Internet

Déverrouiller la page de démarrage d'Internet Explorer

Certains sites et fournisseurs d'accès se permettent des pratiques très contestables. Cela va du simple changement de votre page de démarrage, jusqu'au verrouillage complet qui vous oblige à « consulter » leur page, le plus souvent commerciale, à chaque ouverture d'Internet Explorer.

Pour vérifier la page de démarrage :

1. Dans Internet Explorer, Cliquez le menu **Outils → Options Internet**.

2. Cliquez l'onglet **Général**.

En haut de cette boîte de dialogue, vous retrouvez l'adresse de votre page de démarrage. Si l'ensemble de ces informations est grisé, votre page est verrouillée.

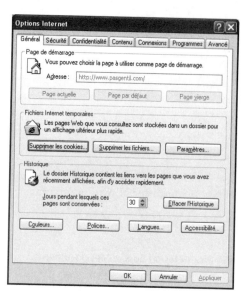

Figure 25-86 Page de démarrage verrouillée dans Internet Explorer.

Déverrouiller la page de démarrage

Si cette mauvaise aventure vous arrive, il ne vous reste plus que la modification du Registre pour remettre les choses en place.

Attention ⊗ Cette astuce nécessite d'accéder au Registre. Avant toutes modifications, lisez le chapitre 22.

1. Tapez ⊞+**R**.

2. Tapez **Regedit** puis **Entrée** dans la boîte Exécuter.

3. Recherchez la clé `HKEY_CURRENT_USER\Software\Policies\Microsoft\Internet Explorer\Control Panel`.

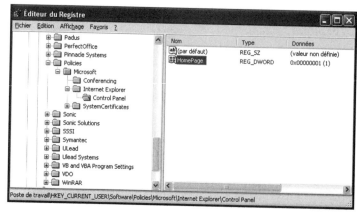

Figure 25-87 Déverrouillage de la page de démarrage avec le Registre.

4. Dans la partie de droite, double-cliquez la valeur **HomePage**.

5. Tapez **0** dans la zone Données de la valeur.

6. Cliquez le bouton **OK** pour mettre à jour la valeur.

Note ⊗ Pour verrouiller la page de démarrage, tapez **1** pour la donnée de la valeur **HomePage**. Cette valeur n'existe pas si la page n'a jamais été verrouillée.

7. Fermez l'Éditeur du Registre.

Vous pouvez maintenant ouvrir Internet Explorer pour modifier la page de démarrage.

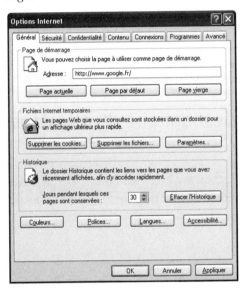

Figure 25-88 Page de démarrage déverrouillée dans Internet Explorer.

Définir la page de démarrage dans le Registre

Vous pouvez aussi définir la page de démarrage, sans la déverrouiller.

1. Ouvrez l'Éditeur du Registre.

2. Recherchez la clé `HKEY_CURRENT_USER\Software\Microsoft\Internet Explorer\Main`.

3. Dans la partie de droite, double-cliquez la valeur **HomePage**.

4. Tapez l'adresse de la page de démarrage dans la zone Données de la valeur.

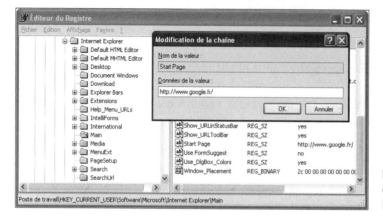

Figure 25-89 Définition de la page de démarrage avec le Registre.

5.   Cliquez le bouton **OK** pour mettre à jour la valeur.

6.   Fermez l'Éditeur du Registre.

La mise à jour est immédiate.

Supprimer le mot de passe du Gestionnaire d'accès dans Internet Explorer

Le gestionnaire d'accès permet de limiter la navigation sur Internet. Pour l'activer, le désactiver ou modifier ces paramètres, il est nécessaire de définir un mot de passe. Si vous ne vous souvenez plus de ce dernier, supprimez-le dans la base de registre.

Pour modifier le gestionnaire d'accès :

1.   Cliquez le menu **Outils → Options Internet**.

2.   Cliquez l'onglet **Contenu**.

Si vous cliquez le bouton **Activer** ou **Paramètres**, le gestionnaire demande le mot de passe.

Figure 25-90   Mot de passe du Gestionnaire d'accès.

Attention ⊗   Cette astuce nécessite de modifier le Registre. Consultez le chapitre 22.

1.   Tapez 🎴+**R**.

2.   Tapez **Regedit** puis **Entrée** dans la boîte Exécuter.

3. Recherchez la clé `HKEY_LOCAL_MACHINE\SOFTWARE\Microsoft\Windows\CurrentVersion\policies\Ratings`.

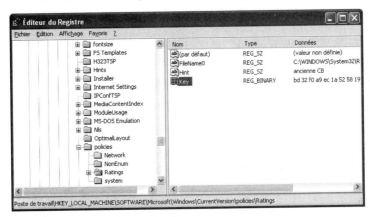

Figure 25-91
Suppression du mot de passe avec le Registre.

4. Dans la partie de droite, cliquez la valeur **Key** et appuyez sur **Suppr**.

5. Cliquez le bouton **Oui** pour supprimer la valeur.

6. Fermez l'Éditeur du Registre.

7. Ouvrez Internet **Explorer**.

8. Cliquez le menu **Outils** → **Options Internet**.

9. Cliquez l'onglet **Contenu**.

10. Cliquez le bouton **Activer**.

Figure 25-92 Création d'un nouveau mot de passe dans le Gestionnaire d'accès.

Vous pouvez maintenant choisir un mot de passe. L'ancien a disparu.

Ajouter des domaines aux adresses Internet

Quand une URL est approximative, Internet Explorer tente de la compléter en ajoutant, si nécessaire, les trois lettres www et une extension de domaine (.com, .org, *etc.*). Vous pouvez étendre cette liste pour ajouter, par exemple, notre .fr national.

Attention ⊗ Cette astuce oblige à modifier le Registre. Consultez le chapitre 22 à ce sujet.

1. Tapez ⊞+**R**.

2. Tapez **Regedit** puis **Entrée** dans la boîte Exécuter.

3. Recherchez la clé `HKEY_LOCAL_MACHINE\SOFTWARE\Microsoft\Internet Explorer\Main\UrlTemplate`.

Les valeurs des extensions déjà présentes dans le Registre portent des numéros séquentiels (1, 2, *etc.*).

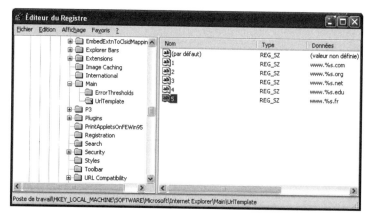

Figure 25-93 Ajout d'un domaine dans le Registre.

4. Cliquez le menu **Fichier → Nouveau → Valeur chaîne**.

5. Tapez un numéro qui suit la séquence existante.

6. Double-cliquez la nouvelle valeur.

7. Tapez **www.%s** puis l'extension, par exemple **.fr**, dans la zone Données de la valeur. Cliquez le bouton **OK** pour valider.

8. Fermez l'Éditeur du Registre.

Conserver la taille d'origine des images dans la navigation

Par défaut, Internet Explorer redimensionne les grandes images pour qu'elles tiennent dans la fenêtre actuelle. Ceci oblige à cliquer le bouton ⛶ en bas à droite de l'image pour l'afficher à sa taille normale. Si vous consultez très souvent ce type d'images, désactivez le redimensionnement.

Figure 25-94 Image réduite dans Internet Explorer.

1. Ouvrez Internet Explorer.

2. Cliquez le menu **Outils → Options Internet**.

3. Cliquez l'onglet **Avancé**.

4. Décochez l'option **Autoriser le redimensionnement automatique de l'image** (section Multimédia).

Note Pour supprimer les boutons qui apparaissent en haut à gauche de l'image, décochez l'option **Activer la barre d'outils de l'image**.

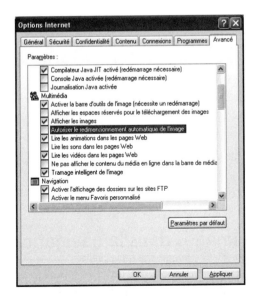

Figure 25-95 Suppression du redimensionnement automatique des images dans Internet Explorer.

5.   Cliquez le bouton **OK**.

Supprimer le redimensionnement avec le Registre

Si vous désirez modifier cette option avec le Registre :

1.   Ouvrez le Registre.

2.   Sélectionnez la clé HKEY_CURRENT_USER\Software\Microsoft\Internet Explorer\Main.

3.   Double-cliquez la valeur **EnableAutoImageResize**, et attribuez-lui la donnée **No** pour désactiver l'option et **Yes** pour l'activer.

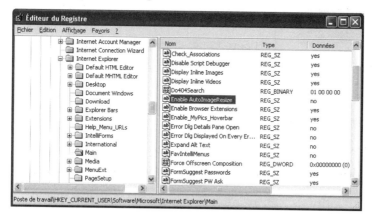

Figure 25-96 Suppression du redimensionnement automatique des images *via* le Registre.

Quand le redimensionnement est supprimé, il est nécessaire d'utiliser les barres de défilement pour consulter l'intégralité de l'image.

Figure 25-97 Image à sa taille réelle.

Astuce  **Pourquoi modifier le Registre quand il existe une option dans une boîte de dialogue ?** Si vous désirez modifier et mettre à jour plusieurs options, vous pouvez créer un fichier texte, avec les clés à modifier, pour les appliquer en une seule fois au Registre. Consultez pour cela le chapitre 22.

Supprimer les vérifications de mise à jour d'Internet Explorer

Pour accélérer le démarrage d'Internet Explorer, supprimer la vérification des mises à jour. De toute façon, si vous utilisez régulièrement Internet, Windows Update vous avertira si cela est nécessaire.

1. Ouvrez Internet Explorer.

2. Cliquez le menu **Outils → Options Internet**.

3. Cliquez l'onglet **Avancé**.

4. Décochez l'option **Vérifier automatiquement les mises à jour de Internet Explorer** (section Navigation).

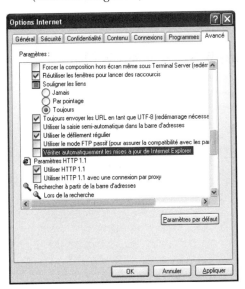

Figure 25-98 Suppression de la recherche des mises à jour d'Internet Explorer.

5. Cliquez le bouton **OK**.

Supprimer la vérifications avec le Registre

Si vous désirez modifier cette option avec le Registre :

1. Ouvrez le Registre.

2. Sélectionnez la clé HKEY_CURRENT_USER\Software\Microsoft\Internet Explorer\Main.

3. Double-cliquez la valeur **NoUpdateCheck**, et attribuez-lui la donnée **1** pour désactiver la vérification et **0** pour l'activer.

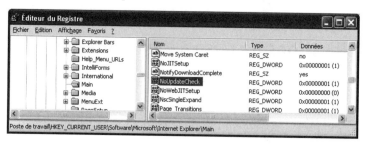

Figure 25-99 Suppression de la recherche des mises à jour d'Internet Explorer *via* le Registre.

Supprimer les musiques des sites Web

Si vous avez l'habitude de surfer en écoutant un CD audio, les musiques qui accompagnent certaines pages du Web risquent de vous perturber. Supprimez-les avec le Registre.

1. Ouvrez Internet Explorer.

2. Cliquez le menu **Outils** → **Options Internet**.

3. Cliquez l'onglet **Avancé**.

4. Décochez l'option **Lire les sons dans les pages Web** (section Multimédia).

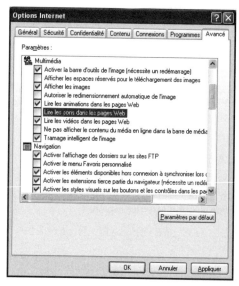

Figure 25-100 Suppression des sons dans la navigation.

5. Cliquez le bouton **OK**.

Supprimer la vérifications avec le Registre

Si vous désirez modifier cette option avec le Registre :

1. Ouvrez le Registre.

2. Recherchez la clé HKEY_CURRENT_USER\Software\Microsoft\Internet Explorer\Main.

3. Double-cliquez la valeur **Play_Background_Sounds** et attribuez-lui la donnée **No** pour désactiver les sons et **Yes** pour les activer.

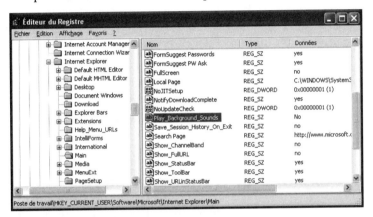

Figure 25-101
Suppression des sons dans la navigation avec le Registre.

Régler les problèmes de démarrage d'Internet Explorer

Si Internet Explorer refuse de démarrer, c'est probablement dû à l'installation d'un complément, soit volontairement, soit ajouté à votre insu par un site Web.

Comme vous ne pouvez pas ouvrir Internet Explorer pour modifier les options, il est nécessaire de modifier le Registre (consultez le chapitre 22 pour des informations complémentaires).

1. Tapez ⊞+**R**.

2. Tapez **Regedit** puis **Entrée** dans la boîte Exécuter.

3. Recherchez la clé HKEY_CURRENT_USER\Software\Microsoft\Internet Explorer\Main.

4. Double-cliquez la valeur **Enable Browser Extensions**.

5. Tapez **No** dans la zone Données de la valeur. Cliquez le bouton **OK** pour valider.

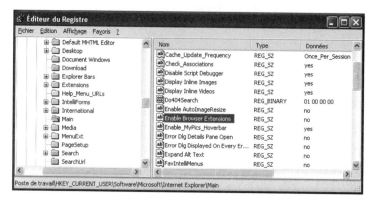

Figure 25-102 Arrêt des compléments d'Internet Explorer *via* le Registre.

6.   Fermez l'Éditeur du Registre.

Astuce ⊗ Une autre solution consiste à redémarrer Windows en mode sans échec (appuyez sur la touche **F8** au démarrage). Vous pourrez alors ouvrir Internet Explorer et modifier les options Internet qui bloquent le démarrage normal. La valeur **Enable Browser Extensions** correspond à l'option **Activer les extensions tierce partie du navigateur**.

Réinstaller Internet Explorer et Outlook Express

Si Internet Explorer ou Outlook Express refuse obstinément de démarrer, vous pouvez essayer de les réinstaller.

Réinstaller Internet Explorer

1.   Tapez ⊞+**R**.

2.   Tapez **rundll32.exe setupapi,InstallHinfSection DefaultInstall 132 %windir%\Inf\ie.inf** puis **Entrée** dans la boîte Exécuter.

Figure 25-103   Réinstallation d'Internet Explorer.

Suivez les instructions à l'écran. Vous devrez fournir le CD-ROM d'installation de Windows.

Réinstaller Outlook Express

1. Tapez ⊞+**R**.

2. Tapez **rundll32.exe setupapi,InstallHinfSection DefaultInstall 132 %windir%\Inf \msoe50.inf** puis **Entrée** dans la boîte Exécuter.

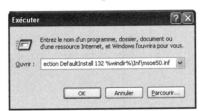

Figure 25-104 Réinstallation d'Outlook Express.

Suivez les instructions à l'écran. Vous devrez fournir le CD-ROM d'installation de Windows.

Supprimer l'accès à Internet Explorer ou Outlook Express

Si vous ne désirez pas utiliser Internet Explorer ou Outlook Express, vous pouvez supprimer les accès qui se trouvent dans le menu Démarrer ou sur le bureau.

Note ⊗ Cette possibilité n'est accessible que si vous avez installé au minimum le Service Pack 1a de Windows XP. Pour l'installer, cliquez **Démarrer → Tous les programmes → Windows Update** et suivez les instructions du site de Microsoft.

1. Cliquez le bouton **Démarrer → Tous les programmes → Configurer les programmes par défaut**.

2. Cliquez l'option **Personnalisée**.

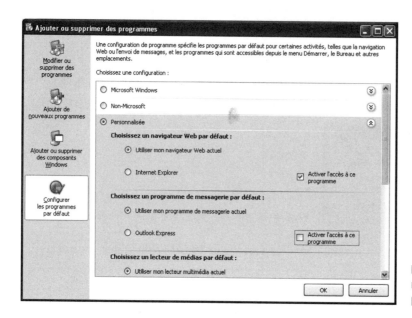

Figure 25-105 Choix du navigateur et du programme de messagerie.

3. Décochez la case **Activer l'accès à ce programme** pour les applications désirés.

Note ⊗ Vous pouvez aussi utiliser le traditionnel Ajout/Suppression de programmes du Panneau de configuration pour supprimer les accès.

Désactiver Windows Messenger au démarrage

Windows Messenger se charge automatiquement au démarrage de Windows et de Outlook Express. Désactivez-le si vous désirez le lancer uniquement quand cela est nécessaire.

Désactiver Messenger au démarrage de Windows

1. Double-cliquez l'icône de Windows Messenger dans la zone de notification de la barre des tâches (à côté de l'heure).

2. Cliquez le menu **Outils → Options**.

3. Cliquez l'onglet **Préférences**.

4. Décochez la case **Exécuter ce programme lors du démarrage de Windows**.

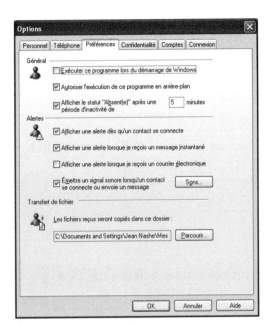

Figure 25-106 Désactivation de Messenger au démarrage de Windows.

5. Cliquez le bouton **OK**.

Désactiver Messenger au démarrage d'Outlook Express

1. Ouvrez Outlook Express.

2. Cliquez le menu **Outils → Options**.

3. Cliquez l'onglet **Général**.

4. Décochez la case **Se connecter automatiquement à Windows Messenger**.

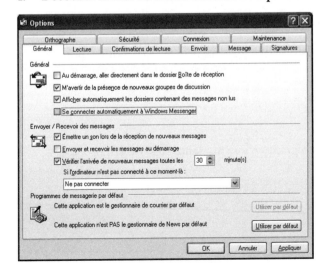

Figure 25-107 Désactivation de Messenger au démarrage de Outlook Express.

5. Cliquez le bouton **OK**.

Supprimer Windows Messenger

Pour supprimer définitivement Windows Messenger :

1. Tapez ⊞+**R**.

2. Tapez **RunDll32 advpack.dll,LaunchINFSection %windir%\INF\msmsgs.inf,BLC.Remove** puis **Entrée** dans la boîte Exécuter.

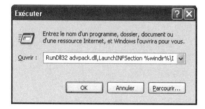

Figure 25-108   Désinstallation de Windows Messenger.

Se connecter et se reconnecter automatiquement à Internet

Si vous avez le câble, l'ADSL ou un abonnement illimité, vous désirez probablement rester connecter en permanence, et ce, dès le démarrage Windows.

Définir une connexion permanente

1. Ouvrez votre connexion Internet (bouton **Démarrer → Connexions**).

   Il est impératif que la connexion possède toutes les informations nécessaires.

2. Éventuellement, tapez le nom d'utilisateur et le mot de passe.

3. Cochez la case **Enregistrer ce nom d'utilisateur et ce mot de passe**.

4. Cochez l'option **Toute personne qui utilise cet ordinateur**.

Figure 25-109   Boîte de connexion à Internet.

5. Cliquez le bouton **Propriétés**.

6. Cliquez l'onglet **Options**.

7. Décochez la case **Demander un nom, un mot de passe**.

8. Tapez **20** dans la zone **Tentatives de rappel**.

9. Sélectionnez **5 secondes** dans la liste **Délai d'attente entre chaque tentative**.

10. Sélectionnez **Jamais** dans la liste **Délai d'inactivité avant de raccrocher**.

11. Cochez la case **Rappeler si la ligne a été raccrochée**.

Figure 25-110 Paramètres de connexion à Internet.

12. Cliquez le bouton **OK**.

Définir la connexion au démarrage

Pour lancer un programme à l'ouverture de Windows, il suffit d'ajouter son raccourci dans le dossier **Démarrage**.

1. Cliquez le bouton **Démarrer → Connexion**.

2. Cliquez avec le bouton droit votre connexion.

3. Cliquez la commande **Créer un raccourci** dans le menu contextuel.

4. Cliquez **Oui** pour ajouter le raccourci au bureau.

5. Cliquez et faites glisser le raccourci du bureau vers le bouton **Démarrer → Tous les programmes → Démarrage**, puis dans la liste qui s'ouvre.

La connexion sera établie à l'ouverture de Windows. Éventuellement, supprimez le raccourci du bureau.

Partager une connexion Internet

Si plusieurs ordinateurs sont connectés *via* un réseau local, vous pouvez partager votre connexion Internet avec les autres utilisateurs même si vous n'avez pas de routeur.

Définir le partage de la connexion Internet

1. Cliquez le bouton **Démarrer** → **Connexions** → **Afficher toutes les connexions**.

2. Cliquez avec le bouton droit la connexion à partager.

3. Cliquez la commande **Propriétés** dans le menu contextuel

4. Cliquez l'onglet **Avancé**.

5. Cochez l'option **Autoriser d'autres utilisateurs du réseau à se connecter**.

Note ⊗ Cochez **Établir une connexion d'accès...** pour que la connexion à Internet soit automatique si une personne du réseau en a besoin. Cochez **Autoriser d'autres utilisateurs...** pour que les personnes du réseau puissent modifier la connexion.

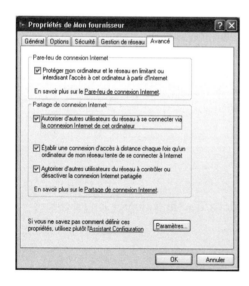

Figure 25-111 Partage d'une connexion Internet.

6. Cliquez le bouton **OK** pour débuter le partage.

Se connecter à une connexion partagée

Si un ordinateur de votre réseau local partage sa connexion Internet, vous pouvez vous aussi vous connecter sans modem ni ligne téléphonique.

1. Cliquez le bouton **Démarrer** → **Tous les programmes** → **Accessoires** → **Communications** → **Assistant configuration du réseau**.

L'installation s'effectue avec un assistant (une suite de boîtes de dialogue).

2. Cliquez le bouton **Suivant**.

    Avant d'établir la connexion, vous devez effectuer plusieurs vérifications.

3. Vérifiez les trois points demandés par l'assistant.

4. Cliquez le bouton **Suivant**.

    L'assistant recherche la connexion partagée de votre réseau local.

5. Cliquez **Oui, utiliser la connexion partagée pour l'accès Internet**.

6. Cliquez le bouton **Suivant**.

7. Éventuellement, tapez dans la première zone une description de l'ordinateur.

8. S'il est exact, ne modifiez pas le nom de l'ordinateur.

9. Cliquez le bouton **Suivant**.

10. S'il est exact, ne modifiez pas le nom de votre groupe de travail.

11. Cliquez le bouton **Suivant**.

    La boîte suivante affiche les paramètres de la connexion. Si les données sont erronées, cliquez le bouton **Précédent** pour les modifier.

12. Cliquez le bouton **Suivant**.

    L'assistant recherche et établit la connexion à Internet *via* l'autre ordinateur du réseau.

Figure 25-112   Utilisation d'une connexion partagée.

Pour utiliser une connexion partagée, vous devez exécuter l'assistant sur tous les ordinateurs. Si ces derniers n'utilisent pas Windows XP, l'assistant propose une étape supplémentaire pour créer une disquette.

13. Cochez l'option **Terminer uniquement cet Assistant**... (figure 25-112).

14. Cliquez le bouton **Suivant**.

15. Cliquez le bouton **Terminer**.

Note ⊗ Pour vous connecter, il suffit d'ouvrir Internet Explorer. La connexion est automatique.

Système

Modifier le nom de l'utilisateur de l'installation

Windows enregistre votre nom et celui de votre société à l'installation. Si ceux-ci sont erronés, vous pouvez les modifier dans le Registre.

Attention ⊗ Cette astuce nécessite de modifier le Registre, consultez éventuellement le chapitre 22.

1. Tapez 🪟+**R**.

2. Tapez **Regedit** puis **Entrée** dans la boîte Exécuter.

3. Recherchez la clé `HKEY_LOCAL_MACHINE\SOFTWARE\Microsoft\Windows NT\CurrentVersion`.

4. Double-cliquez la valeur **RegisteredOwner**.

5. Tapez le nouveau nom dans la zone Données de la valeur.

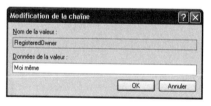

Figure 25-113 Modification du nom d'utilisateur.

6. Cliquez le bouton **OK**.

7. Double-cliquez la valeur **RegisteredOrganization**.

8. Tapez le nouveau nom de votre société dans la zone Données de la valeur. Vous pouvez aussi supprimer l'ancienne valeur et laisser la zone vide. Cliquez le bouton **OK**

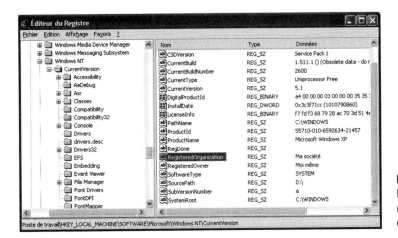

Figure 25-114
Modification du
nom d'utilisateur
dans le Registre.

9. Fermez l'Éditeur du Registre.

Les modifications sont prises en compte immédiatement.

10. Tapez ⊞+**Pause**.

Note Vous pouvez aussi cliquez l'icône du **Poste de travail** avec le bouton droit puis cliquer la commande **Propriétés** dans le menu contextuel.

La boîte de la figure 25-115 affiche les ressources de votre ordinateur (processeur et mémoire), ainsi que le nom de l'utilisateur enregistré et le nom de la société ou de l'organisme.

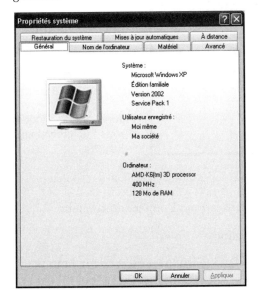

Figure 25-115 Propriétés de l'ordinateur.

Note ☒ Si vous avez acheté une machine d'occasion et que le précédent propriétaire vous ait fourni le CD d'origine de Windows et qu'il n'utilise pas la licence correspondante sur un autre ordinateur, vous pouvez modifier votre nom sur cette machine comme expliqué précédemment.

Simplifier l'accès à un programme

Si vous êtes un adepte du clavier, vous pouvez réduire l'accès à un programme, à partir de la boîte Exécuter, en créant un chemin d'accès simplifié.

Attention ☒ Cette astuce nécessite d'accéder au Registre. Pour plus d'informations, reportez-vous au chapitre 22.

1. Tapez ⊞+**R**.

2. Tapez **Regedit** puis **Entrée** dans la boîte Exécuter.

3. Sélectionnez la clé HKEY_LOCAL_MACHINE\SOFTWARE\Microsoft\Windows\Current Version\App Paths.

4. Cliquez le menu **Edition → Nouveau → Clé**.

5. Tapez le nom à utiliser suivi de l'extension .exe (même si le nom avec l'extension .exe ne correspond pas à un nom de programme existant). Dans l'exemple, nous créons une clé I.exe pour accéder plus rapidement à Internet Explorer.

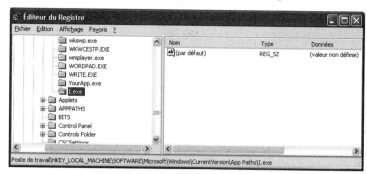

Figure 25-116 Ajout d'un d'accès à un programme dans le Registre.

6. Double-cliquez la valeur **(par défaut)**.

7. Tapez le chemin complet de l'application dans la zone Données de la valeur.

Figure 25-117 Ajout du chemin d'accès au programme.

8. Cliquez **OK** pour valider.

Note  Pour obtenir le chemin complet d'une application, cliquez son raccourci avec le bouton droit, puis cliquez la commande **Propriétés** dans le menu contextuel. Le chemin apparaît dans la zone **Cible**.

9. Fermez l'Éditeur du Registre.

    La modification est prise en charge immédiatement.

    Vous pouvez maintenant utiliser votre raccourci dans la boîte Exécuter.

10. Tapez ⊞+**R**.

11. Tapez le chemin simplifié dans la zone **Ouvrir**, puis appuyez sur **Entrée**.

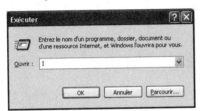

Figure 25-118 Accès simplifié à un programme.

Dans notre exemple, il suffit de taper **I** puis **Entrée** pour accéder à Internet *via* Internet Explorer.

Accélérer l'affichage des menus

Quand vous cliquez un menu, Windows ne l'ouvre qu'après quelques dixièmes de secondes. En modifiant le Registre, vous pouvez accélérer cette ouverture.

Attention ⊗ Cette astuce nécessite d'accéder au Registre. Pour plus d'informations, reportez-vous au chapitre 22.

1. Tapez ⊞+**R**.

2. Tapez **Regedit** puis **Entrée** dans la boîte Exécuter.

3. Recherchez la clé HKEY_CURRENT_USER\Control Panel\Desktop.

4. Double-cliquez la valeur **MenuShowDelay**.

5. Tapez le délai en millisecondes dans la zone Données de la valeur (entre 1 et 999).

Note ⊗ La valeur par défaut est 400 millisecondes.

6. Cliquez le bouton **OK** pour mettre à jour la valeur.

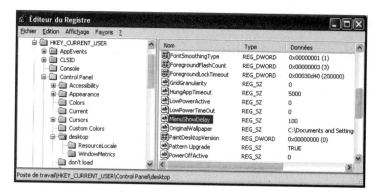

Figure 25-119 Modification du délai des menus dans le Registre.

7. Fermez l'Éditeur du Registre.

Pour que les modifications soient prises en compte, vous devez redémarrer Windows, ou fermer la session en cours et en ouvrir une nouvelle.

Modifier la mise à jour automatique de l'heure

Par défaut, Windows met à jour l'horloge de votre PC, *via* Internet, une fois par semaine. Modifiez ce laps de temps directement dans le Registre.

Attention ⊗ Cette astuce nécessite d'accéder au Registre. Reportez-vous au chapitre 22 pour plus d'informations.

1. Tapez ⊞+**R**.

2. Tapez **Regedit** puis **Entrée** dans la boîte Exécuter.

3. Recherchez la clé `HKEY_LOCAL_MACHINE\SYSTEM\ControlSet001\Services\W32Time\TimeProviders\NtpClient`.

4. Double-cliquez la valeur **SpecialPollInterval**.

5. Cliquez l'option **Décimale**.

6. Tapez le délai en secondes dans la zone Données de la valeur (86 400 secondes correspond à 24 heures).

Note ⊗ La valeur par défaut est 604 800 (7 jours).

7. Cliquez le bouton **OK** pour mettre à jour la valeur.

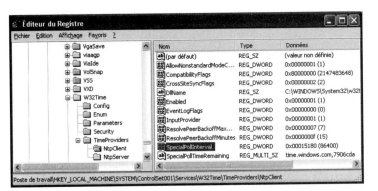

Figure 25-120
Modification de la
mise à jour de
l'heure dans le
Registre.

8. Fermez l'Éditeur du Registre.

Pour que les modifications soient prises en compte, vous devez redémarrer Windows.

Pour vérifier les dates de synchronisation de l'horloge *via* Internet :

1. Double l'heure dans la barre des tâches.

2. Cliquez l'onglet **Temps Internet**.

La boîte Propriétés de Date et heure affiche la date de la dernière et de la prochaine mise à jour de l'horloge.

Arrêter Windows d'un double clic

Si vous utilisez souvent les raccourcis sur le bureau, vous pouvez en ajouter un pour arrêter Windows.

1. Cliquez avec le bouton droit le fond du bureau.

2. Cliquez **Nouveau → Raccourci** dans le menu contextuel.

3. Tapez **Shutdown.exe –s -t 0**.

Le paramètre -s indique que vous désirez stopper l'ordinateur. Le paramètre -t X indique le temps avant l'arrêt. Remplacez X par le nombre de secondes (0 pour un arrêt immédiat).

Vous pouvez aussi ajouter les paramètres suivants :

- -i pour déconnecter l'utilisateur en cours ;

- -f pour forcer la fermeture des applications ;

- -c «message» pour afficher un message à la fermeture (127 caractères maximum).

Figure 25-121 Création d'un raccourci pour la fermeture de Windows.

4. Cliquez le bouton **Suivant**.

5. Tapez le nom du raccourci, par exemple Fermer Windows.

6. Cliquez le bouton **Terminer**.

   Le programme Shutdown ne contient pas d'icône. Vous devez en choisir une parmi celles proposées par Windows.

7. Cliquez avec le bouton droit le raccourci.

8. Cliquez la commande **Propriétés** dans le menu contextuel.

9. Cliquez le bouton **Changer d'icône**.

10. Sélectionnez une icône, par exemple celle utilisée dans le menu **Démarrer → Arrêter**.

Figure 25-122 Choix de l'icône pour le raccourci de fermeture de Windows.

11. Cliquez le bouton **OK**.

12. Cliquez le bouton **OK** dans la boîte Propriétés.

Vous pouvez maintenant fermer Windows en cliquant ou double-cliquant le raccourci.

Figure 25-123 Raccourci sur le bureau pour fermer Windows.

Si vous avez choisi une durée avant la fermeture, une boîte affiche un compte à rebours. Comme elle ne possède pas de bouton, vous ne pouvez pas annuler la fermeture de la machine.

Fermer Windows plus rapidement

Avant de fermer votre PC, Windows attend une vingtaine à une trentaine de secondes. Écourtez ce laps de temps en modifiant le Registre.

Attention ⊗ Cette astuce modifie le Registre. Consultez le chapitre 22 pour des compléments d'information.

Fermer automatiquement les applications

1. Tapez ⊞+**R**.

2. Tapez **Regedit** puis **Entrée** dans la boîte Exécuter.

3. Recherchez la clé HKEY_CURRENT_USER\Control Panel\Desktop.

4. Double-cliquez la valeur **AutoEndTasks**.

   Cette valeur permet de fermer automatiquement les applications.

5. Tapez **1** dans la zone Données de la valeur.

Note ⊗ La valeur par défaut est 0.

6. Cliquez le bouton **OK** pour mettre à jour la valeur.

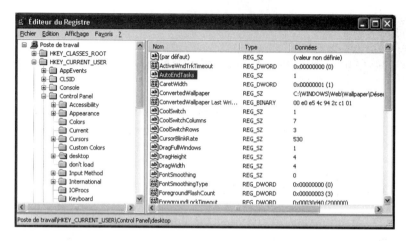

Figure 25-124
Fermeture automatique
des applications dans le
Registre.

7. Fermez l'Éditeur du Registre.

Fermer les services en cours

1. Éventuellement, ouvrez le Registre.

2. Recherchez la clé `HKEY_LOCAL_MACHINE\SYSTEM\CurrentControlSet\Control`.

3. Double-cliquez la valeur **WaitToKillServiceTimeout**.

   Cette valeur permet de forcer la fermeture des services après un laps de temps.

4. Tapez le nombre de millisecondes avant la fermeture des services dans la zone Données de
   la valeur, par exemple 5 000 pour 5 secondes.

Note La valeur par défaut est 20 000 (20 secondes).

5. Cliquez **OK** pour mettre à jour la valeur.

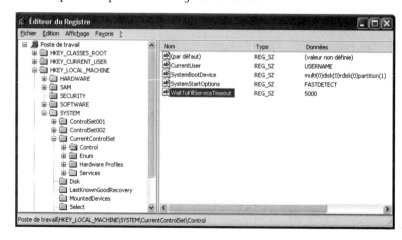

Figure 25-125 Délai
avant fermeture des
services dans le Registre.

6.   Fermez l'Éditeur du Registre.

Pour que les modifications soient prises en compte, vous devez redémarrer Windows.
À la prochaine fermeture, vous pourrez constater la différence.

Note   Certains services supportent mal la fermeture trop brutale de Windows. Si c'est
le cas, augmentez le nombre de millisecondes à l'étape **4**.

Astuces pratiques

>> Dépannage avancé

Suivant >   Annuler

Dépannage

Vérifier la compatibilité des programmes

Si l'un de vos programmes ne fonctionne plus alors qu'il ne posait aucun problème avec une ancienne version de Windows, ne désespérez pas. Il est possible de l'exécuter dans un mode compatible.

1. Cliquez le bouton **Démarrer → Tous les programmes → Accessoires → Assistant Compatibilité des programmes**.

2. Cliquez le bouton **Suivant** dans la première boîte.

3. Cochez l'option **Je veux choisir à partir d'une liste**.

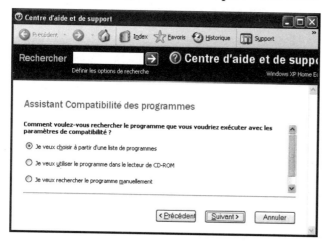

Figure 26-1 Assistant de compatibilité des programmes.

4. Cliquez le bouton **Suivant**.

5. Cliquez le programme dans la liste.

Figure 26-2 Liste des programmes installés dans votre ordinateur.

Note Si le programme n'apparaît pas dans la liste, cliquez le bouton **Précédent**, cochez l'option **Je veux rechercher le programme manuellement**, cliquez le bouton **Suivant** puis saisissez ou rechercher l'emplacement du programme.

6. Cliquez le bouton **Suivant**.

7. Cochez le système d'exploitation sous lequel fonctionnait correctement le programme.

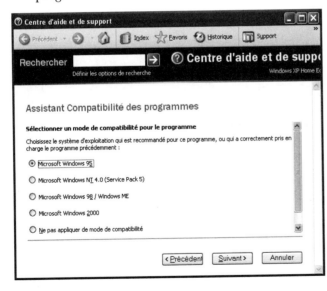

Figure 26-3 Liste des systèmes d'exploitation.

8. Cliquez le bouton **Suivant**.

9. Cochez les cases qui correspondent au bon fonctionnement du programme.

Note ✧ Si vous ne connaissez pas le mode qui convient le mieux, l'assistant vous proposera de modifier les paramètres si le test n'est pas convaincant. Vous pourrez aussi modifier ces derniers dans l'Explorateur (voir ci-après).

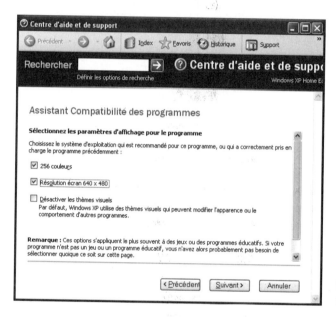

Figure 26-4 Liste des paramètres d'affichage.

10. Cliquez le bouton **Suivant**.

     La boîte suivante récapitule vos choix.

11. Cliquez le bouton **Suivant**.

     L'assistant teste le programme.

12. Cochez une des options proposées en fonction du résultat.

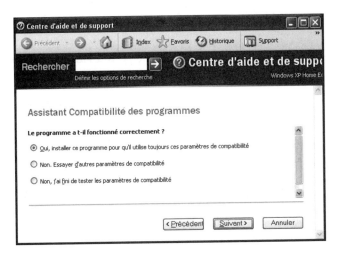

Note  Si vous cochez **Non. Essayer d'autres paramètres**, l'assistant revient au début.

13. Cliquez le bouton **Suivant**.

Modifier directement le mode de compatibilité

1. Cliquez avec le bouton droit, dans le menu Démarrer, l'icône du programme qui n'est pas compatible.

2. Cliquez la commande **Propriétés** dans le menu contextuel.

3. Dans la boîte Propriétés, cliquez l'onglet **Compatibilité**.

Vous retrouvez ici toutes les options proposées par l'assistant.

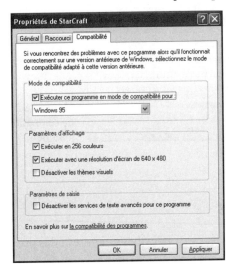

Figure 26-6 Boîte de compatibilité d'un programme.

Vérifier la compatibilité des matériels

S'il existe un assistant pour les programmes, il n'en est pas de même pour les matériels. Avant d'en acheter un nouveau, vous pouvez vérifier sa compatibilité avec Windows XP.

Le plus simple est de consulter le site du constructeur. S'il propose des pilotes pour Windows XP, c'est que le matériel est supposé être compatible.

Si vous ne trouvez pas le site du constructeur, ou si ce dernier n'en a pas (c'est très rare), consultez dans ce cas la liste des compatibilités proposée par Microsoft.

1. Ouvrez le site (en anglais) `http://www.microsoft.com/windows/catalog/default.aspx`.

2. Tapez le nom du constructeur ou du matériel dans la zone **Search for**.

3. Sélectionnez le type de nom dans la liste en dessous (figure 26-7).

4. Cliquez le bouton **Go**.

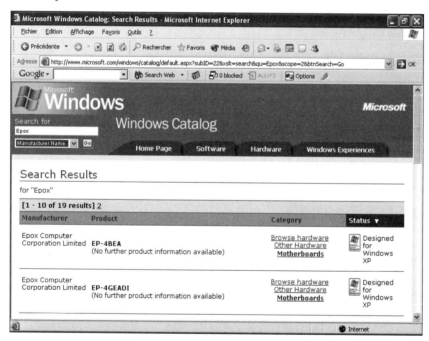

Figure 26-7 Site de compatibilité des matériels.

Le site affiche la liste des matériels compatibles.

Rechercher les pilotes non signés

Dans la grande majorité des cas, ce sont les pilotes des périphériques qui posent des problèmes. Windows propose un utilitaire pour détecter les pilotes non signés numériquement.

1. Tapez ⊞+**R**.

2. Tapez **sigverif** puis **Entrée** dans la boîte Exécuter.

Figure 26-8 Utilitaire de vérification des fichiers système.

3. Cliquez le bouton **Avancé**.

4. Cochez l'option **Rechercher les autres fichiers**.

5. Tapez **C:\Windows\System32\Drivers** dans la zone **Rechercher dans ce dossier**.

Figure 26-9 Paramètres de la vérification des fichiers système.

6. Cliquez le bouton **OK**.

7. Cliquez le bouton **Démarrer** pour débuter la recherche.

   La boîte de la figure 26-10 affiche la liste des pilotes non signés.

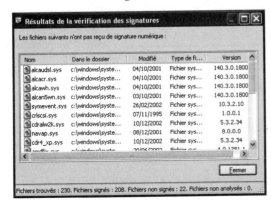

Figure 26-10 Liste des pilotes non signés.

8. Cliquez le bouton **Fermer**.

Note La liste de tous les pilotes, signés ou non, est conservée dans le fichier Sigverif.txt du dossier C:\Windows.

Installer un pilote Windows 2000

Si vous ne trouvez pas le pilote (*driver*) Windows XP pour votre matériel, mais que le constructeur propose celui pour Windows 2000, vous pouvez essayer cette astuce.

Attention Cette astuce fonctionne sur certains matériels. Elle ne fonctionnera pas forcément pour le vôtre. Cette manipulation nécessite de modifier le Registre. Reportez-vous au chapitre 22.

1. Tapez ⊞+**R**.

2. Tapez **Regedit** puis **Entrée** dans la boîte Exécuter.

3. Sélectionnez la clé HKEY_LOCAL_MACHINE\SOFTWARE\Microsoft\Windows NT\Current Version.

4. Cliquez le menu **Fichier → Exporter**, puis enregistrez la clé sélectionnée.

5. Double-cliquez la valeur **ProductName**.

6. Tapez **Microsoft Windows 2000** dans la zone Données de la valeur. Cliquez le bouton **OK**.

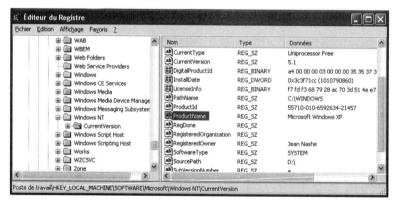

Figure 26-11
Modification du nom du produit *via* le Registre.

7. Fermez l'Éditeur du Registre.

8. Installez votre pilote Windows 2000.

9. Double-cliquez dans l'Explorateur le fichier enregistré à l'étape **4** pour rétablir la valeur d'origine (Microsoft Windows XP).

Restaurer les fichiers corrompus de Windows

Si les fichiers système indispensables au bon fonctionnement de Windows venaient à être corrompus, vous pouvez les restaurer à partir du CD-ROM d'origne.

1. Insérez le CD-ROM d'installation de Windows.

2. Tapez ⊞+**R**.

3. Tapez **sfc /scannow** puis **Entrée** dans la boîte Exécuter.

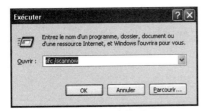

Figure 26-12 Restauration des fichiers corrompus de Windows.

Windows vérifie l'intégrité de tous les fichiers système (cette opération est très longue).

Figure 26-13 Vérification des fichiers système.

Si les fichiers d'origine ont été modifiés, par exemple par un Service Pack, la boîte suivante peut s'afficher. Cliquez dans ce cas le bouton **Recommencer**, puis le bouton **Oui** dans la boîte qui s'affiche.

Figure 26-14 Copie des fichiers système.

Réparer Windows à partir du CD-ROM d'installation

Si vous ne pouvez pas réparer les fichiers corrompus car Windows ne peut pas s'exécuter, vous pouvez essayer de démarrer à partir du CD-ROM d'installation.

Démarrer à partir d'un CD

La plupart des BIOS permettent de démarrer à partir d'un CD-ROM. Il suffit pour cela de modifier la séquence de boot.

1. Redémarrez l'ordinateur et ouvrez le BIOS (Recherchez le mot BIOS dans l'index de ce livre pour des explications complémentaires).

2. Changez la séquence de démarrage (généralement le paramètre **Boot sequence**) pour qu'elle débute sur le CD-ROM.

3. Enregistrez les paramètres et fermez le BIOS.

Réparer l'installation de Windows

Après redémarrage, le PC utilise les fichiers du CD-ROM.

1. Au premier écran, appuyez sur la touche **Entrée** pour choisir l'installation de Windows (n'appuyez pas sur R pour la réparation).

2. Appuyez sur la touche **F8** pour accepter les termes de la licence.

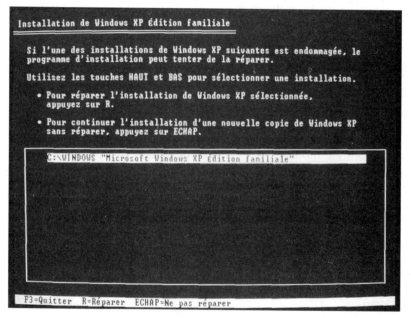

Figure 26-15
Réparation de Windows
à partir du CD-ROM.

3. Appuyez sur la touche **R** pour réparer l'installation de Windows.

4. Suivez les indications à l'écran.

Modifier la configuration de démarrage

Pour rechercher un problème qui empêche Windows de démarrer correctement, utilisez l'utilitaire de configuration système.

1. Tapez ⊞+**R**.

2.   Tapez **msconfig** puis **Entrée** dans la boîte Exécuter.

L'option **Démarrage en mode diagnostic** est semblable à un démarrage en mode sans échec.

3.   Cochez l'option **Démarrage sélectif**.

4.   Décochez les options que vous ne désirez pas exécuter au démarrage.

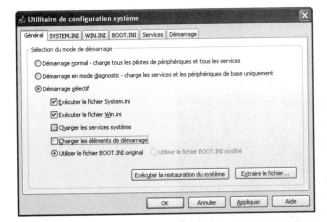

Figure 26-16 Configuration de démarrage de Windows.

Vous pouvez aussi laisser une option cochée, puis décochez un à un les programmes à ne pas exécuter dans l'onglet correspondant.

5.   Cliquez le bouton **OK**.

Figure 26-17 Redémarrage de l'ordinateur après les modifications.

Pour que les modifications soient prises en compte immédiatement, vous devez redémarrer l'ordinateur.

6.   Cliquez le bouton **Redémarrer**.

Démarrer en mode sans échec

Dans le mode sans échec, Windows démarre avec le strict minimum. Il ne charge pas, entre autres, certains pilotes et certains services. Cela permet de supprimer le problème, généralement l'installation d'un pilote de périphérique non compatible.

1.   Démarrez ou redémarrez l'ordinateur.

2.   Dès la fin de la séquence du BIOS (généralement après un bip sonore), appuyez sur la touche **F8**.

Un premier écran vous propose de choisir le système d'exploitation.

3. Sélectionnez avec les flèches **Microsoft Windows XP**.

4. Appuyez sur la touche **F8** pour accéder aux options de démarrage.

5. Sélectionnez avec les flèches **Mode sans échec**, puis appuyez sur la touche **Entrée**.

Note ⊗ Choisissez **Mode sans échec avec prise en charge réseau** si vous avez besoin du réseau local pour résoudre le problème. Consultez aussi les autres solutions proposées, elles peuvent peut-être aussi vous dépanner.

Windows démarre en mode sans échec.

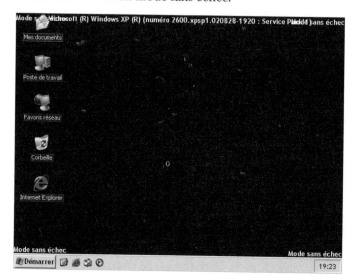

Figure 26-18 Windows XP en mode sans échec.

Désinstallez le pilote ou le programme qui pose problème. Vous pouvez aussi effectuer une restauration du système.

Utiliser la console de récupération

Windows propose une console de récupération pour résoudre les problèmes que vous pouvez rencontrer.

Installer la console de récupération

1. Insérez le CD-ROM d'installation de Windows.

2. Tapez ⊞+**R**.

3. Tapez **D:\i386\Winnt32.exe /cmdcons** (remplacez D: par la lettre de votre lecteur de CD).

4. Cliquez le bouton **OK** pour démarrer l'installation.

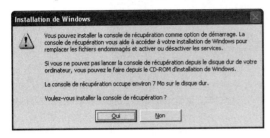

Figure 26-19 Boîte d'avertissement sur l'installation de la console de récupération.

5. Cliquez le bouton **Oui** pour confirmer l'installation.

La mise à jour de la console s'effectue *via* Internet. Si vous n'avez pas de connexion, appuyez sur **Echap** pour passer cette étape.

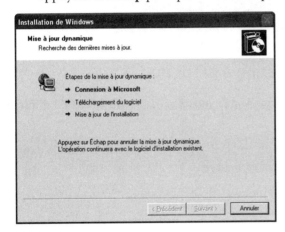

Figure 26-20 Mise à jour de la console de récupération *via* Internet.

6. Cliquez le bouton **OK** après l'installation.

Pour lancer la console, redémarrer l'ordinateur. Un menu vous proposera de démarrer avec Windows ou avec la console.

7. Tapez le numéro de l'installation à utiliser (**1** si vous n'avez qu'une seule installation).

8. Tapez le mot de passe de l'administrateur.

Dépannage avancé

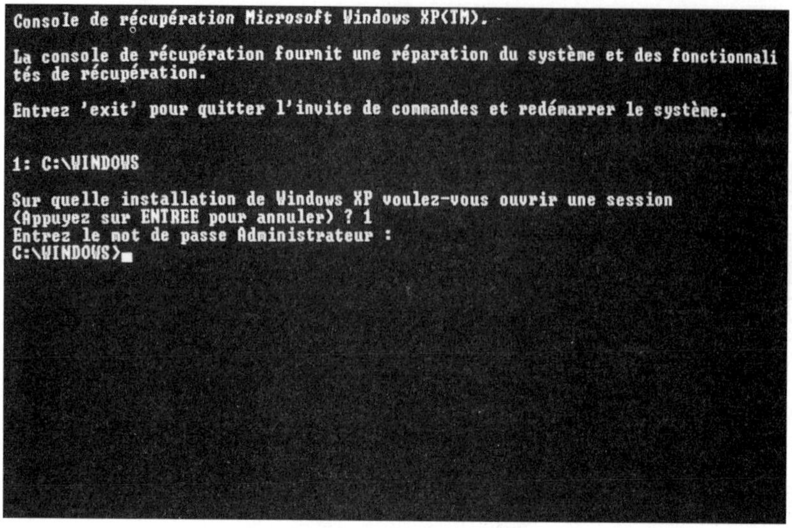

```
Console de récupération Microsoft Windows XP(TM).

La console de récupération fournit une réparation du système et des fonctionnali
tés de récupération.

Entrez 'exit' pour quitter l'invite de commandes et redémarrer le système.


1: C:\WINDOWS

Sur quelle installation de Windows XP voulez-vous ouvrir une session
(Appuyez sur ENTREE pour annuler) ? 1
Entrez le mot de passe Administrateur :
C:\WINDOWS>_
```

Figure 26-21 Console de récupération de Windows XP.

Exécuter la console de récupération à partir du CD

Si vous n'avez pas installé la console, vous pouvez l'exécuter à partir du CD-ROM d'installation de Windows.

1. Choisissez dans le BIOS le démarrage avec le CD-ROM (Recherchez le mot BIOS dans l'index de ce livre pour des explications complémentaires).

2. Insérez le CD-ROM d'installation de Windows.

3. Redémarrez l'ordinateur.

4. Au premier écran, appuyez sur la touche **R** pour choisir l'option de réparation.

Commandes de la console

La console utilise des commandes en mode texte, comme chkdsk pour réparer les disques, ou bootcfg pour réparer le fichier d'amorçage.

Pour connaître les paramètres d'une commande, tapez son nom suivi de /?.

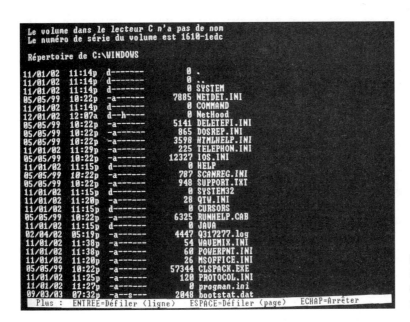

Figure 26-22
Utilisation de la console de récupération.

Voici la liste des commandes utilisables avec la console de récupération (tableau 26-1).

Commande	Description
Attrib	Modifie les attributs d'un fichier.
Batch	Exécute les commandes d'un fichier .bat.
Bootcfg	Répare le fichier d'amorçage (boot.ini).
ChDir ou CD	Affiche ou change le dossier en cours.
Chkdsk	Vérifie et répare les disques durs.
Cls	Efface l'écran.
Copy	Copie un ou plusieurs fichiers.
Delete ou Del	Supprime un ou plusieurs fichiers.
Dir	Affiche le contenu du dossier en cours et de ses sous-dossiers.
Disable	Désactive un service ou un pilote.
Diskpart	Gère les partitions des disques durs.
Enable	Active un service ou un pilote.
Exit	Redémarre l'ordinateur.

Commande	Description
Expand	Extrait un fichier d'une archive compressée (du CD de Windows par exemple).
Fixboot	Écrit un nouveau secteur d'amorçage sur une partition.
Fixmbr	Répare le secteur d'amorçage d'un disque.
Format	Formate une partition.
Help	Affiche la liste des commandes de la console de récupération.
Listsvc	Liste les services et les pilotes.
Logon	Ouvre une session.
Map	Affiche le mappage des lettres des lecteurs.
MkDir ou MD	Crée un nouveau dossier.
Net use	Connecte un partage réseau.
Rename ou Ren	Renomme un ou plusieurs fichiers.
RmDir ou RD	Supprime un dossier.
Type	Affiche un fichier texte.

Tableau 26-1 Commandes de la console de récupération.

Résoudre les problèmes de restauration

Si vous avez des problèmes avec la restauration du système, vérifiez les points suivants.

Vérifier que le service de restauration est démarré

Pour être sûr que Windows crée régulièrement des points de restauration, vous devez vous assurer que ce service est activé.

1. Cliquez le bouton **Démarrer** ➔ **Panneau de configuration**.

2. Cliquez **Outils d'administration** puis **Services**.

3. Recherchez dans la liste **Service de restauration système**.

4. Vérifiez que ce service est **Démarré**.

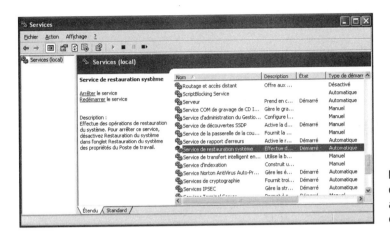

Figure 26-23 Liste des services actuellement disponibles.

Si vous êtes un adepte du clavier, vous pouvez aussi effectuer les opérations suivantes :

1. Tapez ⊞+**R**.

2. Tapez **cmd** puis **Entrée** dans la boîte Exécuter.

3. À l'invite de commandes, tapez **net start** puis **Entrée**.

4. Vérifiez que le **Service de restauration système** est bien dans la liste.

5. Tapez **exit** pour fermer la fenêtre.

Figure 26-24
Liste des services actuellement démarrés.

Vérifier et modifier la taille allouée à la restauration

Un point de restauration prend énormément de place. Il est donc nécessaire de prévoir une taille suffisante sur vos disques durs.

1. Tapez ⊞+**Pause**.

2. Cliquez l'onglet Restauration du système.

Note Pour modifier ces paramètres, vous devez faire partie du groupe Administrateur.

3. Au besoin, décochez la case **Désactiver la restauration** pour que les points de restauration s'effectuent en tâche de fond.

4. Cliquez le disque à modifier dans la liste **Lecteurs disponible**.

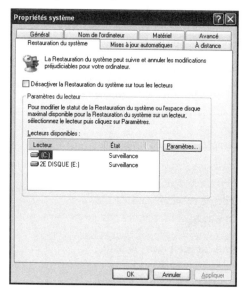

Figure 26-25 Paramètres de la restauration du système.

5. Cliquez le bouton **Paramètres**.

6. Si vous ne désirez pas utiliser ce lecteur, cochez la case **Désactiver la restauration**.

7. Faites glisser le curseur pour choisir la taille maximale utilisée par les fichiers de restauration.

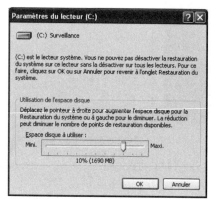

Figure 26-26 Taille allouée à la restauration.

8. Cliquez le bouton **OK**.

Note ⊗ Windows supprime automatiquement les anciens points de restauration pour en créer de nouveaux. Plus vous allouerez de place sur les disques, plus vous aurez de points disponibles.

Effectuer la restauration en mode sans échec

Si vous n'arrivez pas à restaurer votre ordinateur, vous pouvez essayer de le faire en mode sans échec.

1. Redémarrer l'ordinateur et choisissez le mode sans échec.

2. Effectuez la restauration (consultez le chapitre 20).

Astuce ⊗ Si votre souris de fonctionne pas en mode sans échec, effectuez les opérations suivantes à partir du clavier : tapez ⊞ pour ouvrir le menu Démarrer (si vous n'avez pas la touche ⊞, appuyez sur **Ctrl+Echap**). Naviguez dans les menus avec les quatre flèches de direction. Quand vous avez sélectionné l'icône **Restauration du système**, appuyez sur **Entrée**. Pour passer à l'étape suivante dans l'assistant de restauration, appuyez sur **Alt+S**. Pour choisir une date, utilisez les flèches gauche et droite. Pour choisir le point de restauration, utilisez les flèches haut et bas.

Retrouver les lecteurs de CD disparus de la configuration

Après l'installation de certains programmes, comme les logiciels de gravure, les lecteurs de CD et de DVD disparaissent de l'Explorateur. Voici une solution efficace pour les retrouver.

Attention ⊗ Cette manipulation nécessite la modification du Registre. Consultez le chapitre 22 pour des informations complémentaires.

1. Tapez ⊞+**R**.

2. Tapez **Regedit** puis **Entrée** dans la boîte Exécuter.

3. Sélectionnez la clé `HKEY_LOCAL_MACHINE\SYSTEM\CurrentControlSet\Control\Class\{4D36E965-E325-11CE-BFC1-08002BE10318}`.

4. Cliquez le menu **Fichier** → **Exporter**, puis enregistrez la clé sélectionnée.

Dépannage avancé

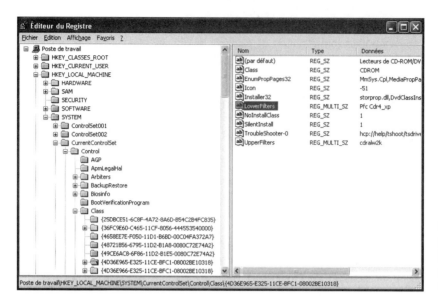

Figure 26-27
Modification du Registre pour retrouver les lecteurs de CD et de DVD.

5. Supprimez la valeur **LowerFilters** (sélectionnez la valeur, appuyez sur **Suppr** puis cliquez **Oui**).

6. Supprimez la valeur **UpperFilters**.

7. Fermez l'Éditeur du Registre.

8. Redémarrer l'ordinateur.

Note Si la modification du Registre ne résout pas le problème, double-cliquez dans l'Explorateur le fichier enregistré à l'étape **4** pour rétablir la clé ou utilisez le menu **Fichier ➜ Importer** dans l'Éditeur du Registre.

Effectuer une assistance à distance

Avec votre connexion Internet, vous pouvez prendre le contrôle d'un autre ordinateur pour effectuer des réglages, installer un périphérique ou tout simplement le dépanner.

1. Cliquez le bouton **Démarrer ➜ Tous les programmes ➜ Assistance à distance**.

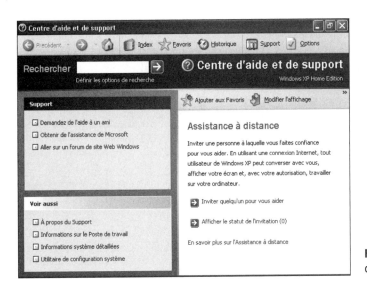

Figure 26-28 Fenêtre de l'assistance à distance.

2. Cliquez le lien **Inviter quelqu'un pour vous aider**.

3. Tapez l'adresse e-mail de la personne à inviter.

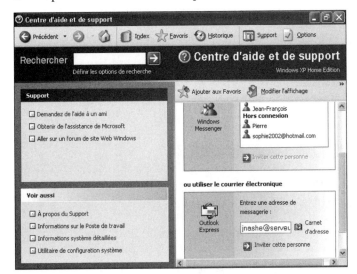

Figure 26-29 Saisie de l'adresse e-mail de la personne à qui vous demandez de l'aide.

4. Cliquez le bouton **Inviter cette personne**.

Note ⊗ Si vous êtes connecté à Windows Messenger, cliquez le nom de la personne dans la liste des contacts.

5. Tapez dans la zone **Message** le texte de votre demande d'aide.

6. Cliquez le bouton **Continuer**.

7. Sélectionnez dans les deux listes du haut le temps limite de prise de contrôle de votre ordinateur (figure 26-30).

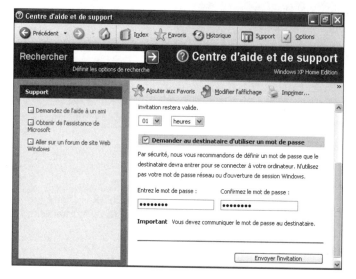

Figure 26-30 Paramètres de l'invitation.

8. Tapez et confirmez le mot de passe dans les zones du bas.

9. Cliquez le bouton **Envoyer l'invitation**.

Note N'oubliez pas d'expédier le message avec Outlook Express.

Recevoir une invitation d'assistance à distance

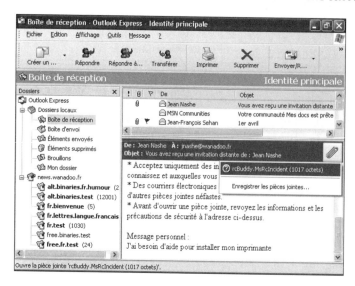

Figure 26-31 Réception d'une invitation de demande d'aide.

1. Ouvrez Outlook Express.

2. Cliquez le message d'invitation.

3. Ouvrez le fichier joint du message.

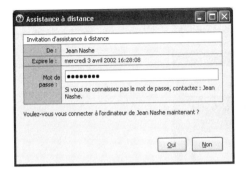

Figure 26-32 Invitation de demande d'aide.

4. Tapez le mot de passe fourni par le demandeur.

5. Cliquez le bouton **Oui**.

Accepter le contrôle de votre ordinateur

Dès que l'invité est prêt, cette boîte s'affiche.

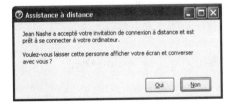

Figure 26-33 Confirmation de l'invitation de demande d'aide.

1. Cliquez le bouton **Oui** pour qu'il voie l'écran de votre ordinateur.

Dés qu'il désire prendre le contrôle de votre ordinateur, cette boîte s'affiche.

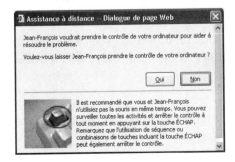

Figure 26-34 Demande de prise de contrôle.

2. Cliquez le bouton **Oui**.

Note ⊗ Vous pouvez encore utiliser votre ordinateur, mais, pour des questions d'interférences, ceci est déconseillé.

Contrôler un ordinateur à distance

Dès que le demandeur accepte la prise de contrôle, la fenêtre de la figure 26-35 s'affiche.

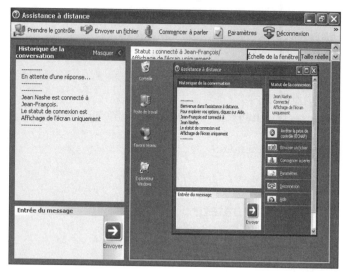

Figure 26-35 Dernier écran avant la prise de contrôle.

1. Cliquez le bouton **Prendre le contrôle**.

   Vous devez attendre maintenant que le demandeur clique le bouton **Oui**.

2. Cliquez le bouton **OK** dans la boîte qui vous donne le contrôle.

   Vous avez maintenant le contrôle de l'autre ordinateur.

3. Pour rendre la main à l'autre personne, cliquez **Libérer le contrôle** ou appuyez sur **Echap**.

4. Pour cesser l'assistance, cliquez **Déconnexion**.

Conseil ⊗ Pour des raisons pratiques, il est préférable que la résolution de l'écran de l'ordinateur qui prend le contrôle soit supérieure à celle de l'ordinateur contrôlé. Si c'est le cas, cliquez le bouton **Taille réelle**.

Conseil ⊗ Attention : les combinaisons de touches incluant la touche **Echap** vous déconnectent de l'ordinateur distant. Utilisez plutôt la souris.

Conseil ⊗ Pour expédier un message, cliquez la zone **Entrée du message**, tapez le texte du message puis cliquez **Envoyez**.

Conseil  Si chaque ordinateur possède un microphone et des haut-parleurs, vous pouvez converser vocalement avec l'autre personne. Cliquez pour cela le bouton **Commencer à parler**.

Résoudre les problèmes d'arrêt et de redémarrage

Si l'ordinateur redémarre au lieu de s'arrêter, vous pouvez essayer l'astuce qui suit. Si Windows refuse de s'arrêter, il est nécessaire de consultez le site de Microsoft pour trouver une solution.

Annuler le redémarrage

1. Tapez ⊞+**Pause** pour afficher les propriétés du système.

Note Vous pouvez aussi cliquer avec le bouton droit l'icône Poste de travail, puis cliquer **Propriétés** dans le menu contextuel.

2. Cliquez l'onglet **Avancé**.

3. Dans la zone Démarrage et récupération, cliquez le bouton **Paramètres**.

4. Décochez la case **Redémarrer automatiquement**.

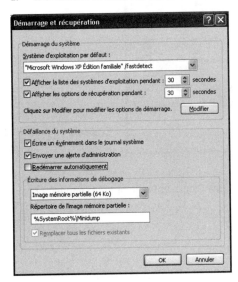

Figure 26-36 Suppression du redémarrage automatique.

5. Cliquez le bouton **OK**.

6. Cliquez le bouton **OK** dans la boîte Propriétés Système.

Note Si cette astuce règle le problème de redémarrage, elle n'en règle pas la cause pour autant. Vous devez donc trouver pourquoi Windows ne s'arrête pas correctement. Vous pourrez ensuite recocher la case **Redémarrer automatiquement**.

Windows ne s'arrête pas

Si vous restez bloqué sur la fenêtre « Enregistrement de vos paramètres », il est nécessaire de consultez l'aide sur Internet du site Microsoft.

1. Connectez-vous à l'adresse suivante : `http://support.microsoft.com/?kbid=307274`

Persistance d'une application dans Ajout/Suppression de programmes

Si une application a été supprimée manuellement ou si la désinstallation ne s'est pas effectuée correctement, son nom reste présent dans la liste des programmes installés dans votre ordinateur.

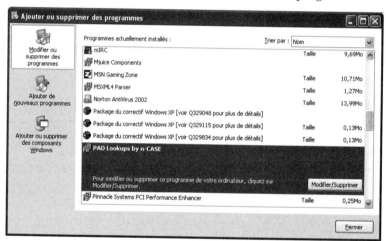

Figure 26-37 Liste des programmes installés.

Attention Cette astuce nécessite de modifier le Registre. Consultez éventuellement le chapitre 22.

1. Tapez **⊞+R**.

2. Tapez **Regedit** puis **Entrée** dans la boîte Exécuter.

3. Recherchez la clé `HKEY_LOCAL_MACHINE\SOFTWARE\Microsoft\Windows\Current Version\Uninstall`.

   La clé de chaque programme n'est pas toujours explicite.

4. Cliquez la première sous-clé de la clé Uninstall.

Chaque sous-clé propose une valeur Name dans laquelle vous trouverez le nom de l'application.

5. Appuyez sur la flèche vers le bas pour consulter chacune des sous-clés et trouver celle qui correspond au programme qui vous intéresse.

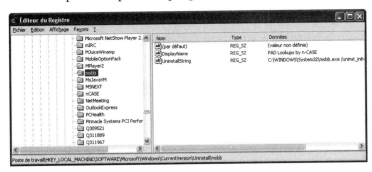

Figure 26-38 Liste du Registre des programmes installés.

6. Cliquez le menu **Fichier → Exporter**, puis enregistrez la clé sélectionnée.

7. Appuyez sur **Suppr** pour supprimer la sous-clé puis cliquez le bouton **Oui** pour confirmer.

8. Fermez l'Éditeur du Registre.

Note Pour rétablir l'entrée dans la liste des programmes installés, double-cliquez dans l'Explorateur le fichier enregistré à l'étape **6** ou cliquez le menu **Fichier → Importer** dans l'Éditeur du Registre.

Gestion des disques

Connaître la structure des disques durs

La console de Gestion de l'ordinateur ou MMC *(Microsoft Management Console)* permet de connaître la structure de l'ordinateur et en particulier celle des disques. Elle vous sera d'un grand secours pour gérer et modifier vos disques durs (partition, formatage, *etc.*), principalement si vous venez d'en installer un nouveau.

1. Cliquez le bouton **Démarrer**.

2. Cliquez avec le bouton droit **Poste de travail**.

3. Cliquez la commande **Gérer** dans le menu contextuel.

4. Dans la fenêtre Gestion de l'ordinateur, cliquez **Gestion des disques** dans la partie de gauche.

Vous retrouvez ici la structure complète des disques durs, disques amovibles, lecteurs de CD/DVD-ROM et graveurs.

Attention ⊗ Vous devez être membre du groupe Administrateurs pour exécuter la Gestion des disques.

La partie en haut à droite donne des indications sur les lecteurs logiques.

La partie en bas à droite donne la structure de chaque lecteur physique : partition principale, partition étendue et lecteur logique à l'intérieur de chaque partition.

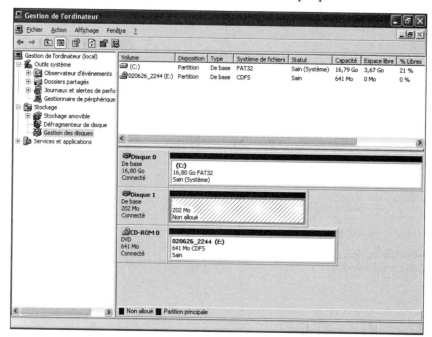

Figure 26-39
Structure des disques durs de l'ordinateur.

Note ⊗ Référez-vous au symbole de couleur en bas de la fenêtre pour repérer la structure de chaque disque.

Partitionner et formater un nouveau disque dur

Le partitionnement scinde un disque en plusieurs parties. Cela permet d'avoir plusieurs disques logiques, désignés par une lettre dans l'Explorateur, dans un seul disque physique. Le formatage prépare les disques à recevoir des données d'un format particulier utilisable par le système d'exploitation.

1. Ouvrez la console de Gestion de l'ordinateur (consultez le paragraphe précédent).

2. Cliquez **Gestion des disques** dans la partie de gauche.

Attention ⊗ Le partitionnement et le formatage suppriment toutes les données d'un disque. N'effectuez ces opérations que sur un disque neuf, ou sauvegardez au préalable les fichiers importants d'un disque contenant déjà des données.

Créer une partition principale

1. Cliquez avec le bouton droit, dans la partie en bas à droite, le disque à partitionner.

2. Cliquez la commande **Nouvelle partition** dans le menu contextuel.

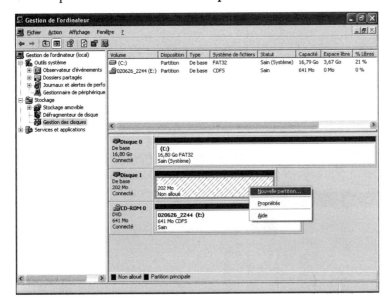

Figure 26-40
Création d'une partition principale.

Windows propose un assistant pour effectuer cette opération.

3. Cliquez le bouton **Suivant** dans la première boîte de l'assistant.

Si vous ne destinez pas ce disque à des utilisations particulières, comme l'utilisation d'un autre système d'exploitation, créez une partition principale.

4. Cliquez l'option **Partition principale**.

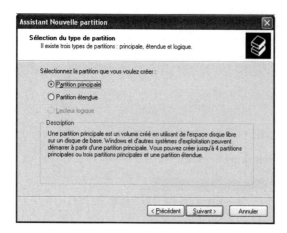

Figure 26-41 Choix du type de partition.

5. Cliquez le bouton **Suivant**.

Si vous ne désirez pas scinder votre disque en plusieurs parties, utilisez l'intégralité du disque. S'il doit être scindé, précisez la taille utilisée par cette partition.

6. Tapez dans la zone **Taille** le nombre de Mo à utiliser pour cette partition. Ne modifiez pas cette zone si la partition doit utiliser tout le disque.

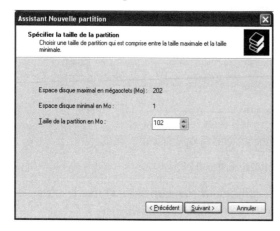

Figure 26-42 Taille de la partition.

7. Cliquez le bouton **Suivant**.

8. Sélectionnez la lettre du lecteur telle qu'elle apparaîtra dans le Poste de travail.

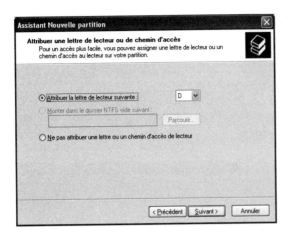

Figure 26-43 Choix de la lettre à utiliser pour le disque.

9. Cliquez le bouton **Suivant**.

La boîte suivante propose de formater le disque. Pour l'utiliser sous Windows, le disque doit être formaté avec un des trois systèmes proposés (FAT, FAT32 et NTFS).

Note Pour des compléments d'information sur les formats, consultez le tableau 26-2.

10. Sélectionnez le format dans la liste **Système de fichier**.

11. Sélectionnez la taille des clusters dans la liste **Taille d'unité d'allocation** ou laissez la valeur **Par défaut**.

12. Tapez un nom pour le lecteur dans la zone **Nom du volume**.

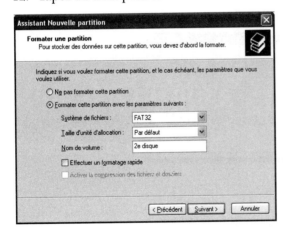

Figure 26-44 Choix du format.

13. Cliquez le bouton **Suivant**.

14. Cliquez le bouton **Terminer** dans la dernière boîte de l'assistant.

Note ⊗ Pour supprimer une partition, cliquez-la avec le bouton droit, puis choisissez **Supprimer la partition** dans le menu contextuel.

Créer une partition étendue

Si vous avez déjà créé trois partitions principales sur le même disque, vous pouvez créer une partition étendue puis créer des disques logiques.

Note ⊗ Un disque est limité à quatre partitions principales ou à trois partitions principales et une partition étendue.

1. Cliquez avec le bouton droit la partie **Non alloué**.

2. Cliquez la commande **Nouvelle partition** dans le menu contextuel.

3. Cliquez le bouton **Suivant** dans la première boîte de l'assistant.

4. Cliquez l'option **Partition étendue**.

5. Cliquez le bouton **Suivant**.

6. Sélectionnez la taille de la partition.

7. Cliquez les boutons **Suivant** puis **Terminer**.

   Vous devez maintenant assigner une lettre de lecteur à la partition.

8. Cliquez avec le bouton droit la partie **Espace libre**.

9. Cliquez la commande **Créer un nouveau lecteur logique** dans le menu contextuel.

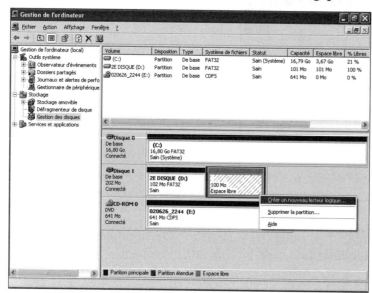

Figure 26-45 Création d'un nouveau lecteur logique sur un disque physique.

10. Suivez les instructions de l'assistant comme vu précédemment pour définir la taille, la lettre du lecteur et le formatage.

Format des disques

Windows propose trois types de format pour vos disques. Le tableau 26-2 donne des indications et des conseils sur chacun de ces formats.

Format	Caractéristiques et conseils
FAT (FAT16)	Ancien format avant Windows 95B (OSR2). Partitions limitées à 2 Go. Unités d'allocation (clusters) de taille importante. N'utilisez pas ce format.
FAT32	Nouveau format depuis Windows 95B. Prise en charge des disques de grande capacité, jusqu'à 2 To. Petite taille des unités d'allocation (4 Ko pour un disque de 8 Go). Format plus rapide que NTFS. Utilisez ce format, sauf si vous avez besoin de sécuriser vos données.
NTFS	Format utilisé par Windows NT. Sécurité au niveau des fichiers. Prend en charge la compression, le cryptage et les quotas. Réparation à chaud des disques. (Il n'est pas nécessaire de lancer manuellement Scandisk.) Les disques en NTFS ne sont pas accessibles par Windows Me et précédents si vous avez plusieurs systèmes d'exploitation sur la même machine (multi-boot). Ils ne le sont pas non plus avec le DOS, sauf avec un utilitaire spécialisé. Format adapté aux entreprises.

Tableau 26-2 Formats proposés par Windows XP.

Modifier la lettre des lecteurs

La modification de la lettre d'un lecteur est intéressante si vous venez d'installer un nouveau disque dur. Par contre, vous ne devez pas changer la lettre de n'importe quel disque dur déjà utilisé, sous peine de voir certains programmes et certains raccourcis ne plus fonctionner.

Dans une configuration classique, la lettre C correspond au disque dur principal, et la lettre D au lecteur de CD-ROM. Si vous ajoutez un nouveau disque dur, celui-ci prendra tout naturellement la lettre E. Pour inverser les lettres du second disque dur avec celle du lecteur de CD-ROM, vous devez utiliser la console de Gestion de l'ordinateur.

1. Ouvrez la console de Gestion de l'ordinateur (consultez le paragraphe « Connaître la structure des disques durs » plus haut dans ce chapitre).

2. Cliquez **Gestion des disques** dans la partie de gauche.

3. Cliquez avec le bouton droit le lecteur à modifier.

4. Cliquez la commande **Modifier la lettre de lecteur** dans le menu contextuel.

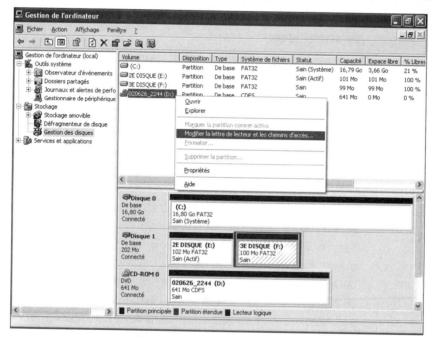

Figure 26-46
Modification de la lettre d'un lecteur.

5. Dans la boîte Modifier la lettre, cliquez le bouton **Modifier**.

6. Sélectionnez une nouvelle lettre dans la liste.

Note Il est impossible d'attribuer au lecteur une lettre déjà utilisée. Si vous désirez inverser les lettres des lecteurs D et F : donner au lecteur F une lettre inutilisée, par exemple G, changer le lecteur D en lecteur F, puis changer le lecteur G en lecteur D. En revanche, il est possible d'utiliser la lettre d'un lecteur réseau. Pour éviter des confusions, il est préférable de déconnecter le lecteur réseau dans le Poste de travail avant d'utiliser la lettre qui lui a été attribuée.

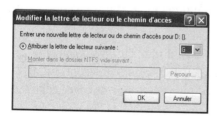

Figure 26-47 Choix de la nouvelle lettre pour le lecteur.

7. Cliquez le bouton **OK**.

Note ⊗ Si vous avez choisi la lettre d'un lecteur réseau, une boîte vous informe de son remplacement. Si c'est le cas, cliquez le bouton **Oui** pour confirmer le changement de lettre.

8. Cliquez le bouton **Oui** pour confirmer le changement de lettre après avoir pris connaissance des problèmes que cela peut engendrer.

Figure 26-48 Confirmation du changement de lettre d'un lecteur.

Convertir une partition en NTFS

Contrairement au formatage, la conversion permet de changer le format d'un disque sans perdre les données qu'il contient. Si vous pensez que le format NTFS peut vous apporter quelque chose, convertissez vos disques actuellement en FAT ou FAT32.

1. Cliquez le bouton **Démarrer** → **Tous les programmes** → **Accessoires** → **Invite de commande**.

2. Tapez **Convert lecteur: /FS:NTFS** en remplaçant le mot « Lecteur » par la lettre du lecteur à convertir. Appuyez sur **Entrée** pour débuter la conversion.

3. Tapez le nom actuel du volume à convertir et validez avec **Entrée**.

Note ⊗ Le nom de volume apparaît à droite de l'icône du disque dans le Poste de travail.

Figure 26-49
Conversion d'un disque au format NTFS.

4. Fermez l'invite de commande après conversion.

Note ⊗ Si le disque est actuellement utilisé, vous aurez un message d'erreur. Tapez alors la lettre **O**. Le disque sera converti au prochain démarrage de Windows.

Convertir une partition NTFS en FAT32

Windows ne propose aucun outil pour convertir une partition NTFS vers la FAT32. Vous pouvez cependant le faire avec un logiciel extérieur comme Partition Magic 7 ou 8. Pour de plus amples informations sur ce logiciel, consultez le site www.powerquest.com/partitionmagic/.

Libérer de l'espace disque

Avant d'avoir le message « Espace disque faible », supprimez les fichiers inutiles. Voici quelques idées pour gagner de la place sur vos disques.

Note ⊗ Pour utiliser le programme « Nettoyage de disque », consultez le chapitre 20.

Supprimer les fichiers de présentation de Windows

Comme vous serez des experts après la lecture de ce livre, vous pouvez supprimer les fichiers de présentation de Windows réservés aux débutants. Vous gagnerez ainsi près de 24 Mo.

1. Ouvrez l'Explorateur ou le Poste de travail.

2. Sélectionnez le dossier **Windows\Help\Tours**.

3. Supprimez le dossier **Tours** et ses sous-dossiers.

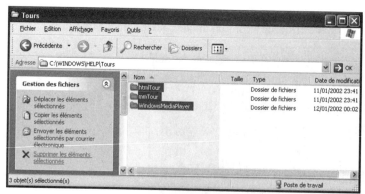

Figure 26-50
Suppression des fichiers de présentation.

Note ⊗ Pour supprimer un fichier ou un dossier sans passer par la Corbeille, appuyez sur **Maj+Suppr** et confirmez la suppression définitive.

Supprimer les anciennes sauvegardes du système

Windows fait régulièrement des sauvegardes complètes du système. En supprimant les sauvegardes les plus anciennes, et en ne conservant que la plus récente, vous pouvez encore gagner de précieux Mo.

1. Ouvrez l'Explorateur ou le Poste de travail.

2. Cliquez avec le bouton droit le lecteur à nettoyer.

3. Cliquez la commande **Propriétés** dans le menu contextuel.

4. Cliquez le bouton **Nettoyage de disque**.

5. Cliquez l'onglet **Autres options**.

Figure 26-51 Options de nettoyage de disque.

Note ⊗ Cette boîte propose aussi de supprimer des composants Windows et des programmes que vous n'utilisez pas.

6. Dans la zone Restauration du système, cliquez le bouton **Nettoyer**.

7. Cliquez le bouton **Oui** pour confirmer la suppression des anciennes sauvegardes.

Nettoyer les fichiers temporaires Internet

L'utilitaire de nettoyage de disque (voir chapitre 20) supprime les fichiers Internet si vous en faites la demande. Mais si vous êtes plusieurs utilisateurs pour la même machine, il ne supprime que vos fichiers. Il est donc nécessaire, pour gagner vraiment de la place, de supprimer les fichiers temporaires de chacun des utilisateurs.

Si vous désirez le faire manuellement, quand il y a trop d'utilisateurs, ouvrez le dossier **Documents et Settings**. Pour chacun des utilisateurs, supprimez le contenu du dossier **Local Settings\Temporary Internet Files**.

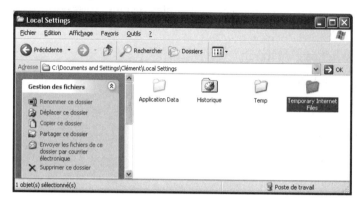

Figure 26-52 Dossier des fichiers temporaires d'Internet Explorer.

Supprimer le fichier de mise en veille prolongée

Pour mettre en veille prolongée votre ordinateur, Windows a besoin d'un espace disque équivalent à la taille de la mémoire. Si vous n'utilisez jamais cette fonctionnalité, vous pouvez récupérer cet espace.

1. Cliquez avec le bouton droit le fond du bureau.

2. Cliquez la commande **Propriétés** dans le menu contextuel.

3. Cliquez l'onglet **Écran de veille**.

4. Cliquez le bouton **Gestion de l'alimentation**.

5. Cliquez l'onglet **Mise en veille prolongée**.

6. Décochez la case **Activer la mise en veille prolongée**.

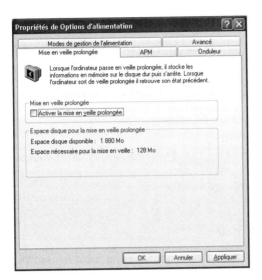

Figure 26-53 Suppression de la mise en veille prolongée.

7. Cliquez le bouton **OK**.

8. Cliquez le bouton **OK** dans la boîte **Propriétés de Affichage**.

La place est récupérée immédiatement.

Note Le fichier de mise en veille prolongée se trouve à la racine du disque sur lequel est installé Windows. Il porte le nom Hiberfil.sys. C'est un fichier système caché.

Gérer l'espace faible des disques durs

Si un de vos disques venait à être saturé, Windows affiche une info-bulle pour vous en informer. Si vous êtes conscient du problème, ce message peut devenir déplaisant, surtout quand il apparaît toutes les cinq minutes et qu'il superpose la barre des tâches à la fenêtre en cours, et ce, tant que vous n'avez pas trouvé de solution (voir paragraphes précédents).

Figure 26-54 Phylactère d'avertissement sur l'espace disque faible.

Windows gère l'espace insuffisant avec les critères suivants :

Dépannage avancé

- Espace disque < 200 Mo : le message apparaît 10 secondes, une fois par session.

- Espace disque < 80 Mo : le message apparaît 30 secondes toutes les 4 heures, 2 fois par session.

- Espace disque < 50 Mo : le message apparaît 30 secondes toutes les 5 minutes.

Vous pouvez supprimer ce message en éditant la base de registre.

Attention ⊗ Cette astuce nécessite d'accéder au Registre. Pour plus d'informations, reportez-vous au chapitre 22.

1. Tapez ⊞+**R**.

2. Tapez **Regedit** puis **Entrée** dans la boîte Exécuter.

3. Sélectionnez la clé `HKEY_CURRENT_USER\Software\Microsoft\Windows\CurrentVersion\Policies\Explorer`.

4. Cliquez le menu **Edition** ➜ **Nouveau** ➜ **Valeur DWORD**.

5. Tapez **NoLowDiskSpaceChecks** pour le nom de la nouvelle valeur.

6. Double-cliquez la valeur **NoLowDiskSpaceChecks**.

7. Tapez **1** dans la zone Données de la valeur et cliquez **OK** pour valider.

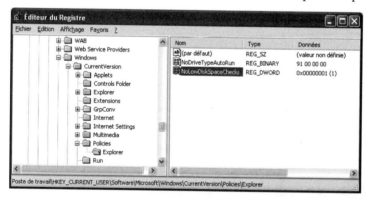

Figure 26-55 Suppression de la vérification de l'espace disque *via* le Registre.

Note ⊗ Pour rétablir la vérification des disques, supprimez la valeur **NoLowDiskSpaceChecks**.

Pour que les modifications soient prises en compte, vous devez redémarrer l'ordinateur, ou fermez la session en cours et en ouvrir une nouvelle.

Attention ⊗ La saturation du disque contenant le système d'exploitation, généralement le disque C:, peut être une cause de non démarrage de Windows. Si c'est le cas, vous devez redémarrer en mode sans échec, puis trouver des fichiers à supprimer comme cela est expliqué un peu plus haut dans ce chapitre. Redémarrez ensuite normalement.

Système

Choisir les options de démarrage

Si vous avez plusieurs systèmes d'exploitation qui cohabitent, ou si vous avez installé la Console de récupération, vous pouvez choisir les options à appliquer lors du démarrage.

1. Tapez ⊞+**Pause** pour afficher les propriétés du système.

Astuce ⊗ Vous pouvez aussi cliquer avec le bouton droit l'icône Poste de travail, puis cliquer **Propriétés** dans le menu contextuel.

2. Cliquez l'onglet **Avancé**.

3. Dans la zone Démarrage et récupération, cliquez le bouton **Paramètres**.

4. Sélectionnez dans la liste **Système d'exploitation par défaut** celui à utiliser en priorité.

5. Pour utiliser uniquement le système d'exploitation choisi à l'étape **4**, décochez la case **Afficher la liste des systèmes**.

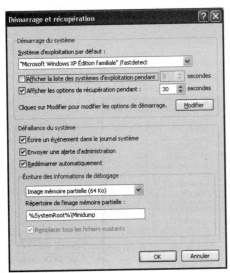

Figure 26-56 Options de démarrage de Windows XP.

6. Si vous désirez garder le choix des systèmes au démarrage, sélectionnez, dans la zone en regard de **Afficher la liste des systèmes**, le nombre de secondes.

7. Cliquez le bouton **OK**.

8. Cliquez le bouton **OK** dans la boîte Propriétés système.

Éviter qu'un problème dans l'Explorateur se répercute dans Windows

Windows gère l'Explorateur, la Barre des tâches et le bureau dans un seul processus. Si l'Explorateur doit être fermé suite à une « opération non conforme », votre ordinateur se retrouve gelé pendant quelques dizaines de secondes voire plusieurs minutes. Pour éviter cela, il suffit d'exécuter l'Explorateur dans un autre processus.

Attention ⊗ Si vous avez peu de mémoire (moins de 256 Mo), n'utilisez pas cette astuce.

1. Tapez ⊞+**R**.

2. Tapez **Regedit** puis **Entrée** dans la boîte Exécuter.

Attention ⊗ Cette astuce nécessite d'accéder au Registre. Pour plus d'informations, reportez-vous au chapitre 22.

3. Sélectionnez la clé HKEY_CURRENT_USER\Software\Microsoft\Windows\CurrentVersion\ Explorer.

4. Cliquez le menu **Edition** → **Nouveau** → **Valeur DWORD**.

5. Tapez **DesktopProcess** pour le nom de la nouvelle valeur.

6. Double-cliquez la valeur **DesktopProcess**.

7. Tapez **1** dans la zone Données de la valeur, puis cliquez le bouton **OK**.

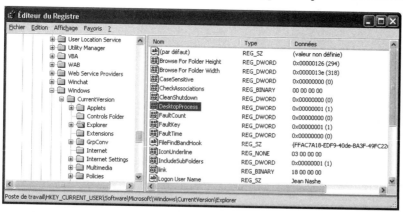

Figure 26-57 Ajout d'un processus pour l'Explorateur *via* le Registre.

8. Fermez l'Éditeur du Registre.

Pour que les modifications soient prises en compte, vous devez redémarrer votre ordinateur.

Note ⊗ Pour retrouver la configuration d'origine, supprimez la valeur **DesktopProcess** ou donnez-lui la valeur **0**.

Vérifier les processus en cours

Si vous trouvez que votre PC est instable ou trop lent, le Gestionnaire des tâches peut vous aider à trouver le coupable et à remédier au problème.

1. Appuyez sur **Ctrl+Alt+Suppr**.

2. Cliquez le bouton **Gestionnaire des tâches**.

Note ⊗ Vous pouvez aussi cliquer avec le bouton droit une zone vide de la barre des tâches, puis cliquer la commande **Gestionnaire des tâches** dans le menu contextuel. Autre solution, tapez ⊞+R, puis **Taskmgr** puis **Entrée**.

Applications en cours

1. Cliquez l'onglet **Applications.**

   Vous retrouvez ici toutes les applications en cours d'exécution (les applications que vous avez vous-même lancées).

   Si une application pose des problèmes, vous pouvez l'arrêter. Vous perdrez cependant le document en cours. Si vous décidez de prendre cette décision, c'est probablement parce que le programme ne répond plus. Dans ce cas, de toute façon, le document sera perdu.

2. Cliquez l'application à arrêter dans la liste **Tâches**.

3. Cliquez le bouton **Fin de tâche**.

Figure 26-58 Liste des tâches en cours.

Processus en cours

1. Cliquez l'onglet **Processus**.

Les processus sont des programmes exécutés par Windows. Ils gèrent les fonctions essentielles du système d'exploitation, comme les réseaux, les imprimantes, *etc.* On trouve aussi dans la liste vos applications. Notez que les programmes réduits dans la zone de notification apparaissent ici, mais pas dans la liste Tâches de l'onglet Applications.

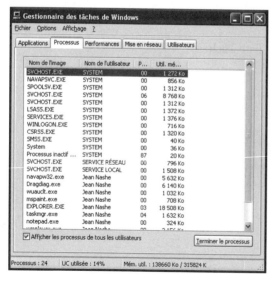

Figure 26-59 Liste des processus en cours.

Chaque processus utilise de la mémoire et sollicite le processeur. C'est ici que vous pouvez déterminer le logiciel qui sature éventuellement votre PC. Comme pour les applications, vous pouvez arrêter un processus. Cependant, vous devez être sûr de ne pas en stopper un qui rende instable votre ordinateur. La colonne Nom de l'utilisateur vous indique l'origine du processus. En temps normale, vous ne devez pas terminer des processus autres que les vôtres.

Voici la liste des processus système auxquels vous ne devez pas toucher : Csrss.exe, Explorer.exe, Internat.exe, Lsass.exe, Mstask.exe, Smss.exe, Spoolsv.exe, Svchost.exe, Services.exe, Taskmgr.exe, Winlogon.exe et Winmgmt.exe.

Note ⊗ Svchost est un processus générique. Il est normal qu'il apparaisse plusieurs fois dans la liste.

Performances du PC

1. Cliquez l'onglet **Performances**.

Cette boîte affiche, sous forme graphique, l'utilisation du processeur et de la mémoire. Elle donne donc un historique du fonctionnement du PC.

Note ⊗ Il s'agit ici de l'utilisation globale. Pour connaître le détail de chaque programme, consultez l'onglet **Processus**.

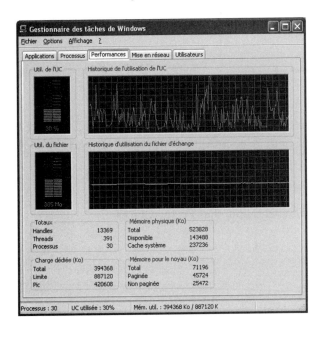

Figure 26-60 Performances de l'ordinateur.

Performances réseau

Si vous êtes en réseau, mais aussi connecté à Internet, vous pouvez vérifier l'utilisation de vos connexions.

1. Cliquez l'onglet **Mise en réseau**.

Ici aussi, l'utilisation des réseaux s'affiche sous forme graphique.

Si votre PC est utilisé comme serveur (s'il partage des ressources, disques ou imprimantes), un excès de demande des autres ordinateurs peut faire baisser les performances globales de votre machine.

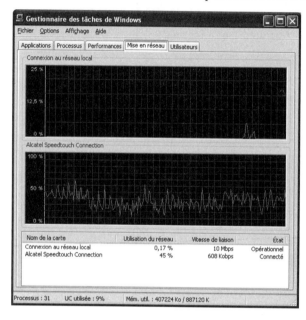

Figure 26-61 Performances du réseau.

Moniteur système

Windows propose une autre solution pour visualiser graphiquement les performances de la machine : le moniteur système.

1. Cliquez le bouton **Démarrer → Panneau de configuration**.

2. Double-cliquez l'icône **Outils d'administration**, puis **Performances**.

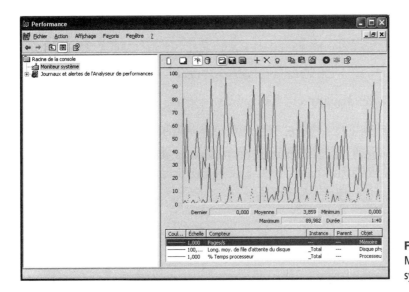

Figure 26-62
Moniteur
système.

Par défaut, le moniteur système affiche des courbes pour l'utilisation de la mémoire (Pages/s), du disque dur (Long. Moy. de file d'attente) et du CPU (% temps processeur). Mais il existe d'autres performances que vous pouvez consulter. Cliquez simplement le bouton + dans la barre d'outils. La boîte qui s'ouvre propose d'autres objets à consulter. Pour comprendre ceux proposés, sélectionnez-les puis cliquez le bouton **Expliquer**.

Figure 26-63 Ajout d'éléments au moniteur
système.

Détecter les problèmes logiciels ou matériels

Windows crée des journaux dans lesquels sont consignés tous les événements de fonctionnement. Consultez-les pour détecter d'éventuelles anomalies.

1.   Cliquez le bouton **Démarrer**.

2. Cliquez avec le bouton droit **Poste de travail**.

3. Cliquez la commande **Gérer** dans le menu contextuel.

4. Développez l'arborescence **Observateur d'événements**.

5. Cliquez un des groupes **Application**, **Sécurité** ou **Système**.

6. La partie de droite affiche les événements notés par Windows.

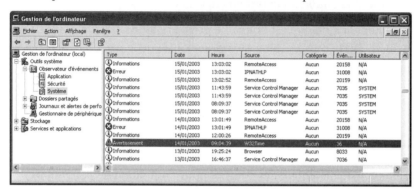

Figure 26-64
Gestion de
l'ordinateur.

7. Double-cliquez un événement dans la liste de droite.

La boîte qui s'ouvre donne des explications sur l'événement choisi.

Figure 26-65 Propriétés d'un événement.

8. Cliquez le bouton **OK**.

Gérer la mémoire

L'essentiel des ralentissements d'un PC est dû à un manque de mémoire. Voici quelques idées pour améliorer les performances dans ce domaine.

Ajouter de la mémoire vive

Windows XP fonctionne avec un minimum de 64 Mo de mémoire vive (RAM). Cependant, Microsoft conseille, pour certaines applications, une mémoire de 128 Mo.

Quand Windows manque de mémoire, il utilise le fichier d'échange, appelé aussi « mémoire virtuel », c'est-à-dire un fichier sur le disque dur. Comme l'accès au disque est très lent, cela ralentit d'autant le fonctionnement du PC.

Augmenter physiquement la mémoire est donc une première solution. Le passage de 128 Mo à 256 Mo augmentera sensiblement la vitesse globale de la machine. Si vous utilisez des applications gourmandes en RAM (images, vidéos, *etc.*), ou si vous utilisez beaucoup de logiciels en même temps, le passage à 512 Mo doit être envisagé. Au delà des 512 Mo, l'amélioration des performances est presque négligeable.

Pour connaître la taille de la mémoire vive :

1. Cliquez le bouton **Démarrer**.

2. Cliquez avec le bouton droit l'icône **Poste de travail**.

3. Cliquez la commande **Propriétés** dans le menu contextuel.

L'onglet Général affiche le taille de la mémoire vive ainsi que le type et la vitesse du processeur.

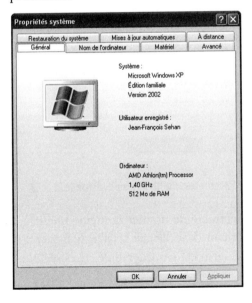

Figure 26-66 Mémoire vive de l'ordinateur.

Gérer le fichier d'échange

Pour améliorer les performances de votre PC, vous pouvez modifier les paramètres du fichier d'échange (mémoire virtuelle).

1. Cliquez le bouton **Démarrer → Panneau de configuration**.

2. Double-cliquez l'icône **Système**. Si vous êtes en affichage par catégorie, cliquez **Performance et maintenance**, puis cliquez le lien **Système**.

Note ⊗ Vous pouvez aussi cliquez avec le bouton droit l'icône **Poste de travail** (bureau ou menu Démarrer), puis cliquez la commande **Propriétés** dans le menu contextuel.

3. Dans la boîte Propriétés, cliquez l'onglet **Avancé**.

4. Dans la zone Performances, cliquez le bouton **Paramètres**.

5. Dans la boîte Options de performances, cliquez l'onglet **Avancé**.

6. Dans la zone Mémoire virtuelle, cliquez le bouton **Modifier**.

    Cette boîte permet de changer la taille du fichier d'échange.

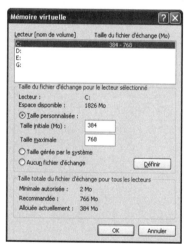

Figure 26-67 Paramètres de la mémoire virtuelle.

Pour de meilleures performances, il est préférable de donner la même valeur à la **Taille initiale** et à la **Taille maximale**. Cela évite au système de recalculer la taille du fichier d'échange. De plus, comme la taille ne varie pas, le fichier n'est pas fragmenté. (Les secteurs restent contigus.)

Par défaut, la taille du fichier d'échange correspond 75 % de la taille de la mémoire vive pour la valeur initiale, et à 150 % pour la valeur maximale. Si la mémoire est supérieure à 256 Mo, vous pouvez légèrement diminuer ce rapport, dans la mesure où cela ne fait pas baisser les performances du système.

Dans tous les cas, vous ne devez pas supprimer le fichier d'échange. Il est néces-saire pour le bon fonctionnement de Windows.

7. Cliquez le bouton **OK**.

8. Une boîte vous indique que les modifications seront prises en compte après le redé-marrage de l'ordinateur. Cliquez **OK**.

Astuce ⊗ Si vous avez plusieurs disques, vous pouvez placer le fichier d'échange sur un disque physiquement différent de celui sur lequel est installé Windows. L'accès au fichier sera plus rapide. « Physiquement » signifie deux disques matériellement différents. Cela ne fonctionne pas si vous utilisez deux lecteurs logiques créés dans des partitions du même disque.

Astuce ⊗ Si vous venez d'installer un nouveau disque dur, créez le fichier d'échange immé-diatement avant d'écrire des données. Il sera placé au début du disque et dans des secteurs contigus si vous donnez les mêmes valeurs aux tailles initiale et maximale.

Astuce ⊗ Pour cela, cliquez la lettre du disque dans la liste du haut, tapez les tailles initiale et maximale, puis cliquez le bouton **Définir**. Supprimez ensuite le fichier d'échange sur le disque sur lequel se trouve installé Windows.

Optimiser l'affichage

L'affichage est aussi un élément clé des performances d'un PC. Si Windows définit lui-même certains paramètres visuels à l'installation, rien ne vous empêche d'en supprimer certains.

1. Cliquez le bouton **Démarrer** → **Panneau de configuration**.

2. Double-cliquez l'icône **Système**. Si vous êtes en affichage par catégorie, cliquez **Performance et maintenance**, puis cliquez le lien **Système**.

Note ⊗ Vous pouvez aussi cliquer avec le bouton droit l'icône **Poste de travail** (bureau ou menu Démarrer), puis cliquer la commande **Propriétés** dans le menu contex-tuel.

3. Dans la boîte Propriétés, cliquez l'onglet **Avancé**.

4. Dans la zone Performances, cliquez le bouton **Paramètres**.

L'onglet Effets visuels de cette boîte permet d'activer ou de désactiver les effets visuels. Vous pouvez soit choisir une des quatre solutions prédéfinies, soit cocher ou décochez un à un les effets visuels proposés.

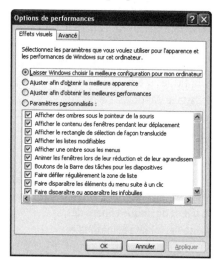

Figure 26-68   Paramètres de l'affichage.

5.   Modifiez les paramètres proposés.

6.   Cliquez le bouton **OK**.

Astuce ⊗   Pour gagner en rapidité, vous pouvez aussi réduire la taille de l'affichage et le nombre de couleurs (clic droit sur le fond du bureau puis la commande **Propriétés**).

Gérer les services

Les services sont de petites applications qui s'exécutent automatiquement au démarrage. Elles gèrent diverses fonctions du système d'exploitation. Elles ralentissent donc le démarrage et utilisent des ressources. Vous pouvez en arrêter certaines si elles sont inutiles.

1.   Cliquez le bouton **Démarrer → Panneau de configuration**.

2.   Double-cliquez l'icône **Outils d'administration**, puis **Performances**.

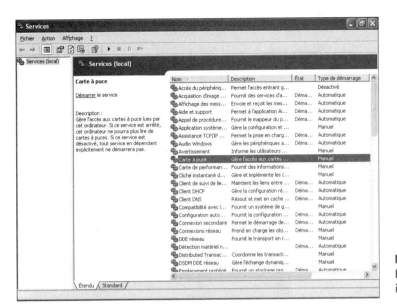

Figure 26-69
Liste des services
installés.

Cette boîte affiche tous les services disponibles.

1. Cliquez le nom d'un service pour afficher sa description.

2. Pour en modifier un, double-cliquez-le dans la liste, puis choisissez son mode de démarrage dans la boîte qui s'ouvre.

Attention ⊗ N'arrêtez pas des services au hasard. Lisez attentivement la description. Après chaque changement, redémarrez l'ordinateur pour tester les nouvelles valeurs. N'effectuez qu'un seul changement entre chaque redémarrage.

Accélérer le démarrage de Windows

Si Windows exécute des services au démarrage, il exécute aussi les programmes qui en ont fait la demande à leur installation.

Chaque éditeur de logiciels, pensant qu'il est seul au monde, se dit que son programme ne changera pas grand-chose dans les performances de votre PC. Mais après l'installation de dizaines de programmes, dont les éditeurs ont les mêmes revendications, la charge devient de plus en plus imposante et ralentit les performances. Il est peut-être temps pour vous de vérifier ce qui est utile, au démarrage et pendant l'exécution de Windows, et ce qui ne l'est pas. Vous aurez probablement la désagréable surprise de constater que des programmes, que vous utilisez moins d'une fois par mois, se chargent tous les jours au démarrage de Windows.

Modifier le dossier Démarrage

C'est sûrement la chose la plus simple à vérifier en quelques clics de souris.

1. Cliquez le bouton **Démarrer** ➜ **Tous les programmes** ➜ **Démarrage**.

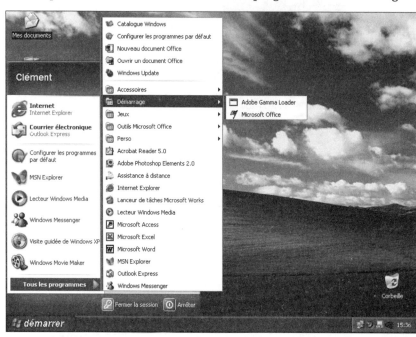

Figure 26-70
Dossier des programmes qui s'exécutent au démarrage de Windows.

Ce dossier affiche la liste des programmes qui s'exécutent au démarrage de Windows. Pour éviter le démarrage de ces applications, supprimez les raccourcis qu'il contient. Vous pouvez aussi les déplacer vers un autre dossier, par exemple le dossier Démarrage inactif (si ce dossier n'existe pas, créez-le).

Choisir les programmes du démarrage

Si les programmes du dossier Démarrage sont facilement consultables, il existe une autre liste beaucoup moins accessible.

1. Tapez ⊞+**R**.

2. Tapez **msconfig** puis **Entrée** dans la boîte Exécuter.

3. Cliquez l'onglet **Démarrage**.

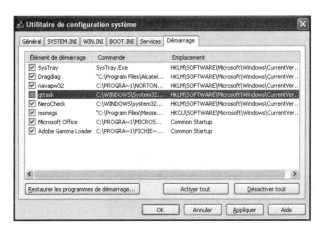

Figure 26-71 Liste des programmes qui s'exécutent au démarrage de Windows.

Vous retrouvez ici tous les programmes qui s'exécutent au démarrage. Vous pouvez ôter la coche de ceux qui ne vous semblent pas indispensables.

Conseil La colonne **Emplacement** indique la clé correspondante dans le Registre. Consultez ce dernier pour des informations complémentaires sur le programme.

Après chaque changement, redémarrez l'ordinateur pour vérifier que cela ne pose pas de problèmes. N'effectuez qu'un seul changement entre chaque redémarrage.

Note Les programmes qui se trouvent dans « Common Startup » (colonne Emplacement) sont ceux de la liste **Démarrer → Tous les programmes → Démarrage**.

Accélérer le démarrage du PC

Avant même d'exécuter Windows, votre PC doit effectuer quelques opérations de base pour démarrer. C'est le rôle du BIOS (*Basic Input Output System*), un programme qui se trouve dans un circuit électronique de la carte mère (ROM, EPROM, *etc.*). Celui-ci effectue des opérations de démarrage et de reconnaissance de l'environnement de la machine, dont certaines ne sont plus nécessaires quand votre ordinateur n'est pas modifié physiquement.

Accéder au BIOS

Pour accéder au BIOS, il suffit d'appuyer sur une touche, généralement **Suppr** (**Del**), ou une combinaison de touches. Pour connaître cette dernière, il suffit d'allumer le PC. Lisez le premier écran qui s'affiche, son accès est indiqué.

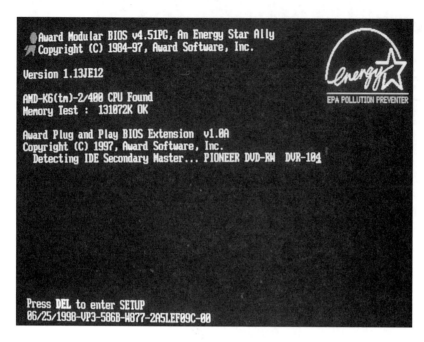

Figure 26-72 Écran de démarrage d'un PC.

Note ⊗ Certains PC de marque rendent l'accès au BIOS difficile, voire presque impossible. Exigez de ces sociétés de connaître le moyen d'y accéder.

Contrairement à Windows qui est identique pour toutes les machines, le BIOS est fonction de la carte mère installée dans votre PC. Pour obtenir des indications précises, consultez la documentation de cette dernière.

Test de la mémoire

Par défaut, les BIOS vérifient la quantité de mémoire, mais effectuent aussi un test complet de celle-ci. Même si les PC sont de plus en plus rapide, la mémoire, elle, est de plus en plus importante. Si vous ne changez pas la taille physique de la mémoire vive, il n'est pas nécessaire d'effectuer un test, d'autant plus que les circuits électroniques sont aujourd'hui de plus en plus fiables.

1. Appuyez sur la touche **Echap** (ou la touche indiquée à l'écran) dès le démarrage de l'ordinateur pour passer le test mémoire.

Recherche des lecteurs

Note ⊗ Comme pour la mémoire, le BIOS recherche, par défaut, les lecteurs présents dans l'ordinateur (disques durs, CD-ROM, *etc.*). Cette détection n'est pas nécessaire si vous ne modifiez pas physiquement les disques.

1. Dans le BIOS, définissez les caractéristiques de chacun de vos lecteurs. Sélectionnez **User** pour les disques durs (en conservant les caractéristiques déjà détectées), **Auto** pour les lecteurs et graveurs de CD/DVD, et **None** s'il n'y a pas de lecteur installé.

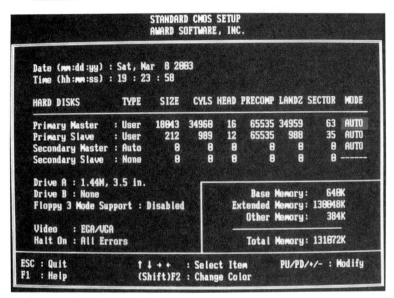

Figure 26-73
Écran de mise à jour du BIOS.

Note Ces actions sont données à titre indicatif. Consultez la documentation du BIOS de la carte mère. Vérifiez après le redémarrage que tous les disques et lecteurs sont bien présents dans l'Explorateur Windows.

Fermer rapidement les applications qui ne répondent plus

Si une application est « plantée », vous pouvez écourter sa fermeture définitive.

Attention Cette astuce nécessite de modifier le Registre, consultez éventuellement le chapitre 22.

1. Tapez ⊞+**R**.

2. Tapez **Regedit** puis **Entrée** dans la boîte Exécuter.

3. Recherchez la clé HKEY_CURRENT_USER\Control Panel\Desktop.

4. Double-cliquez la valeur **HungAppTimeout**.

Dépannage avancé

5. Tapez le nombre de millisecondes, par exemple 5000, dans la zone Données de la valeur.

Note ⊗ La valeur par défaut est de 40 000.

6. Cliquez le bouton **OK** pour accepter la valeur.

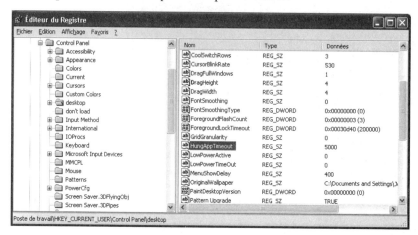

Figure 26-74
Modification du temps
de fermeture d'une
application.

7. Fermez l'Éditeur du Registre.

Pour que les modifications soient prises en compte, vous devez redémarrer l'ordinateur, ou fermez la session en cours et en ouvrir une nouvelle.

Remplacer momentanément le clavier

Si votre clavier est subitement en panne (il est débranché, les piles d'un modèle sans fil sont usées, vous avez renverser votre café, *etc.*), vous pouvez le remplacer rapidement par un clavier virtuel, le temps de finir votre travail avant de trouver une solution au problème.

1. Cliquez le bouton **Démarrer** → **Tous les programmes** → **Accessoires** → **Accessibilité** → **Clavier visuel**.

Figure 26-75 Clavier visuel.

Note ⊗ Vous pouvez utiliser la souris ou une manette de jeu pour accéder au clavier virtuel.

2. Pour que le clavier visuel ne reste pas au premier plan, cliquez le menu **Paramètres** → **Toujours visible** pour ôter la coche.

3. Si vous désirez réduire sa taille pour avoir plus de place pour votre application, cliquez le menu **Clavier** → **Clavier standard**.

Figure 26-76 Clavier visuel réduit.

Si vous désirez utiliser intensivement ce clavier virtuel, examinez les menus pour connaître toutes ses possibilités, et consultez aussi l'aide en ligne.

Désactiver la gravure de CD de Windows

Si vous avez déjà un logiciel de gravure de CD, celui fourni avec Windows ne vous est d'aucune utilité. De plus, ce dernier peut rentrer en conflit avec votre application.

1. Cliquez le bouton **Démarrer** → **Panneau de configuration**.

2. Double-cliquez l'icône **Outils d'administration** (si vous êtes en affichage par catégories, cliquez **Performances et maintenance**, puis le lien **Outils d'administration**).

3. Double-cliquez l'icône **Services**.

4. Dans la fenêtre Services, double-cliquez **Service COM de gravage de CD IMAPI** (figure 26–77).

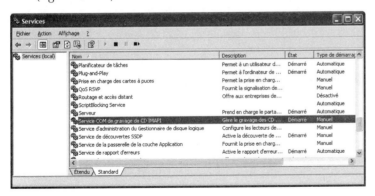

Figure 26-77
Liste des services
disponibles.

5. Dans la liste **Type de démarrage**, sélectionnez **Désactivé**.

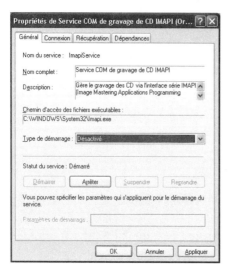

Figure 26-78 Désactivation du service de gravure.

6. Cliquez le bouton **OK**, puis fermez la fenêtre Services.

7. Ouvrez l'Explorateur ou le Poste de travail.

8. Cliquez avec le bouton droit le graveur de CD ou de DVD.

9. Cliquez l'onglet **Enregistrement**.

10. Décochez la case **Activer l'écriture de CD sur ce lecteur**.

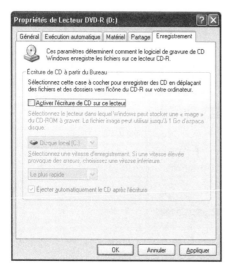

Figure 26-79 Propriétés d'enregistrement d'un graveur de CD/DVD.

11. Cliquez le bouton **OK**.

Conseil Si vous avez de gros problèmes avec votre logiciel de gravure suite à un conflit avec celui de Windows, désinstallez-le, faites la modification ci-dessus, puis réinstallez-le.

Afficher la version de Windows sur le bureau

Pour connaître immédiatement la version de Windows installée sur un PC, affichez-la sur le bureau.

Attention ⊗ Cette astuce nécessite de modifier le Registre. Consultez le chapitre 22 pour des informations complémentaires.

1. Tapez ⊞+**R**.

2. Tapez **Regedit** puis **Entrée** dans la boîte Exécuter.

3. Recherchez la clé HKEY_CURRENT_USER\Control Panel\Desktop.

4. Double-cliquez la valeur **PaintDesktopVersion**.

5. Tapez **1** dans la zone Données de la valeur

Note ⊗ La valeur par défaut est 0 (pas d'affichage de la version).

6. Cliquez le bouton **OK** pour mettre à jour la valeur.

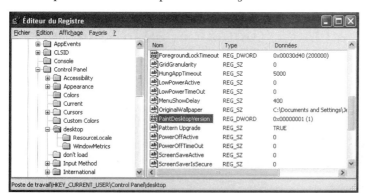

Figure 26-80
Affichage de la version de Windows *via* le Registre.

Pour que les modifications soient prises en compte, vous devez redémarrer Windows, ou fermer la session en cours et en ouvrir une nouvelle.

Figure 26-81 Version de Windows affichée sur le bureau.

Sécurité

Supprimer l'accès au menu contextuel du bureau

Un simple clic droit sur le bureau permet d'accéder rapidement aux propriétés de l'affichage. Désactivez cette possibilité à partir du Registre.

Figure 26-82 Accès aux paramètres du bureau.

Attention ⊗ Cette astuce nécessite de modifier le Registre. Pour plus d'informations, reportez-vous au chapitre 22.

1. Tapez ⊞+**R**.

2. Tapez **Regedit** puis **Entrée** dans la boîte Exécuter.

3. Sélectionnez la clé `HKEY_LOCAL_MACHINE\SOFTWARE\Microsoft\Windows\CurrentVersion\policies`.

Note ⊗ Si la clé **Explorer** existe déjà, n'effectuez pas les étapes **4** et **5**.

4. Cliquez le menu **Edition** ➔ **Nouveau** ➔ **Clé**.

5. Tapez **Explorer** pour le nom de la nouvelle clé.

6. Sélectionnez la clé `Explorer`.

7. Cliquez le menu **Edition** ➔ **Nouveau** ➔ **Valeur DWORD**.

8. Tapez **NoViewContextMenu** pour le nom de la nouvelle valeur.

9. Double-cliquez la valeur **NoViewContextMenu**.

10. Tapez **1** dans la zone Données de la valeur, puis cliquez le bouton **OK**.

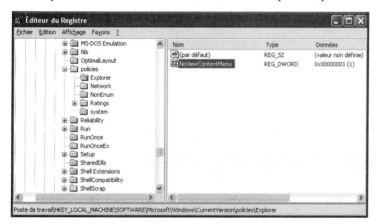

Figure 26-83
Suppression du menu contextuel du bureau avec le Registre.

11. Fermez l'Éditeur du Registre.

Pour que les modifications soient prises en compte, vous devez ouvrir une nouvelle session, ou redémarrer l'ordinateur.

Pour rétablir le menu contextuel du bureau, mettez **0** comme données de la valeur **NoViewContextMenu** ou supprimez cette valeur.

Supprimer l'accès aux propriétés de l'ordinateur

Pour éviter qu'un utilisateur modifie les propriétés de l'ordinateur, désactivez l'accès à ces dernières, que se soit par un clic droit sur le Poste de travail, ou par l'icône Système du Panneau de configuration.

Attention ⊗ Cette astuce modifie le Registre. Reportez-vous au chapitre 22 pour plus d'informations.

1. Tapez ⊞+**R**.

2. Tapez **Regedit** puis **Entrée** dans la boîte Exécuter.

3. Sélectionnez la clé HKEY_LOCAL_MACHINE\SOFTWARE\Microsoft\Windows\Current Version\policies.

Note ⊗ Si la clé **Explorer** existe déjà, n'effectuez pas les étapes **4** et **5**.

4. Cliquez le menu **Edition** → **Nouveau** → **Clé**.

5. Tapez **Explorer** pour le nom de la nouvelle clé.

6. Sélectionnez la clé Explorer.

7. Cliquez le menu **Edition** → **Nouveau** → **Valeur DWORD**.

8. Tapez **NoPropertiesMyComputer** pour le nom de la nouvelle valeur.

9. Double-cliquez la valeur **NoPropertiesMyComputer**.

10. Tapez **1** dans la zone Données de la valeur, puis cliquez le bouton **OK**.

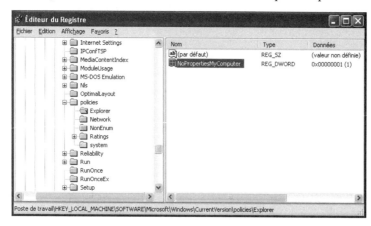

Figure 26-84 Suppression de l'accès aux propriétés de l'ordinateur *via* le Registre.

11. Fermez l'Éditeur du Registre.

Pour que les modifications soient prises en compte, vous devez ouvrir une nouvelle session, ou redémarrer l'ordinateur.

La commande Propriétés n'est plus accessible à partir du menu contextuel du Poste de travail (figure 26-85).

Figure 26-85
Menu contextuel du Poste de travail : la commande Propriétés est supprimée.

Note Si l'icône Système reste présente dans le Panneau de configuration, un double-clic sur cette dernière reste cependant sans effet.

Pour rétablir l'accès aux propriétés de l'ordinateur, mettez **0** comme données de la valeur **NoPropertiesMyComputer** ou supprimez cette valeur.

Désactiver l'icône Ajout/Suppression de programmes

Pour qu'un utilisateur ne puisse pas ajouter ou supprimer des programmes, masquez l'icône correspondante dans le Panneau de configuration.

Attention Cette astuce nécessite de modifier le Registre. Pour plus d'informations, reportez-vous au chapitre 22.

1. Tapez ⊞+**R**.

2. Tapez **Regedit** puis **Entrée** dans la boîte Exécuter.

3. Sélectionnez la clé HKEY_CURRENT_USER\Control Panel\don't load.

4. Cliquez le menu **Edition** → **Nouveau** → **Valeur chaîne**.

5. Tapez **appwiz.cpl** pour le nom de la nouvelle valeur.

6. Double-cliquez la valeur **appwiz.cpl**.

7. Tapez **No** dans la zone Données de la valeur, puis cliquez le bouton **OK**.

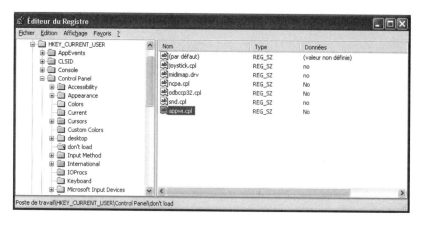

Figure 26-86
Suppression de l'icône Ajout/Suppression de programmes *via* le Registre.

8. Fermez l'Éditeur du Registre.

Pour que les modifications soient prises en compte, vous devez redémarrer l'ordinateur, ou fermez la session en cours et en ouvrir une nouvelle.

Note ⊗ Pour réafficher l'icône Ajout/Suppression de programmes dans le Panneau de configuration, supprimez la valeur **appwiz.cpl** dans la clé HKEY_CURRENT_USER\Control Panel\don't load.

Interdire la fermeture de Windows

Pour éviter qu'une tierce personne ne ferme votre ordinateur, supprimez le bouton Arrêter du menu Démarrer.

Attention ⊗ Cette astuce nécessite de modifier le Registre. Consultez éventuellement le chapitre 22.

1. Tapez ⊞+**R**.

2. Tapez **Regedit** puis **Entrée** dans la boîte Exécuter.

3. Recherchez la clé HKEY_CURRENT_USER\Software\Microsoft\Windows\CurrentVersion\ Policies\Explorer.

4. Cliquez le menu **Edition → Nouveau → Valeur DWORD**.

5. Tapez **NoClose** pour le nom de la nouvelle valeur.

6. Double-cliquez la valeur **NoClose**.

7. Tapez **1** dans la zone Données de la valeur, puis cliquez le bouton **OK**.

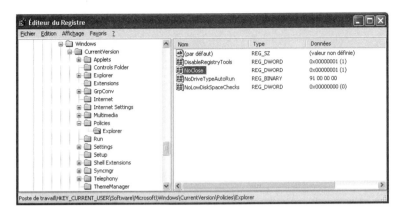

Figure 26-87
Suppression de
la fermeture de
Windows avec le
Registre.

8.   Fermez l'Éditeur du Registre.

Pour que les modifications soient prises en compte, vous devez redémarrer l'ordinateur, ou fermez la session en cours et en ouvrir une nouvelle.

Figure 26-88   Menu Démarrer : le bouton de fermeture est indisponible.

Note   Pour rétablir le bouton Arrêter dans le menu Démarrer, supprimez la valeur **NoClose**.

Masquer l'accès au Panneau de configuration

Que ce soit dans le menu Démarrer ou dans le Poste de travail, les utilisateurs peuvent accéder au Panneau de configuration. Masquez-le en modifiant le Registre.

Attention   Cette astuce nécessite de modifier le Registre. Reportez-vous éventuellement au chapitre 22.

1.   Tapez ⊞+**R**.

2.   Tapez **Regedit** puis **Entrée** dans la boîte Exécuter.

3.   Sélectionnez la clé HKEY_LOCAL_MACHINE\SOFTWARE\Microsoft\Windows\
CurrentVersion\policies.

Note   Si la clé **Explorer** existe déjà, n'effectuez pas les étapes **4** et **5**.

4.   Cliquez le menu **Edition** → **Nouveau** → **Clé**.

5.   Tapez **Explorer** pour le nom de la nouvelle clé.

6.   Sélectionnez la clé `Explorer`.

7.   Cliquez le menu **Edition** → **Nouveau** → **Valeur DWORD**.

8.   Tapez **NoControlPanel** pour le nom de la nouvelle valeur.

9.   Double-cliquez la valeur **NoControlPanel**.

10. Tapez **1** dans la zone Données de la valeur, puis cliquez le bouton **OK**.

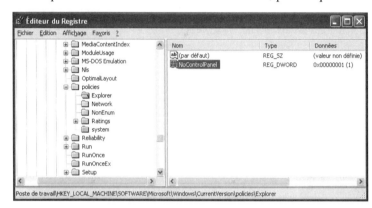

Figure 26-89 Suppression de l'accès au Panneau de configuration *via* le Registre.

11. Fermez l'Éditeur du Registre.

Pour que les modifications soient prises en compte, vous devez ouvrir une nouvelle session, ou redémarrer l'ordinateur.

Le Panneau de configuration n'est plus disponible dans le menu Démarrer et dans le Poste de travail.

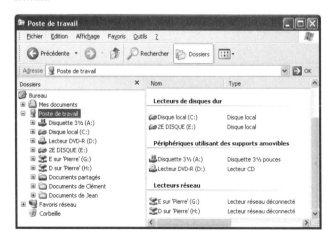

Figure 26-90 L'accès au Panneau de configuration n'est plus disponible dans le Poste de travail.

Les propriétés du menu Démarrer ne proposent plus les options d'affichage pour le Panneau de configuration (clic droit sur la Barre des tâches puis commande **Propriétés**, onglet **Menu Démarrer**, bouton **Personnaliser**, onglet **Avancé**, zone **Éléments du menu Démarrer**).

Pour rétablir l'affichage du Panneau de configuration, tapez **0** comme données de la valeur **NoControlPanel** ou supprimez cette valeur.

Ne pas mémoriser la dernière clé du Registre

Quand vous ouvrez le Registre, la dernière clé consultée est sélectionnée. Vous pouvez empêcher le programme Regedit de se souvenir de cet emplacement.

Attention 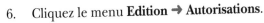 Cette astuce nécessite de modifier le Registre. Consultez éventuellement le chapitre 22.

1. Tapez ⊞+**R**.

2. Tapez **Regedit** puis **Entrée** dans la boîte Exécuter.

3. Sélectionnez la clé HKEY_CURRENT_USER\Software\Microsoft\Windows\CurrentVersion\Applets\Regedit.

4. Double-cliquez la valeur **LastKey**.

5. Tapez **Poste de travail** dans la zone Données de la valeur, puis cliquez le bouton **OK**.

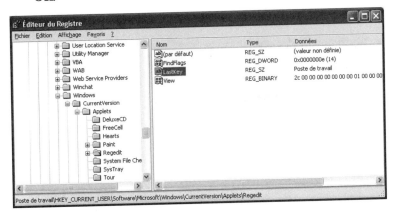

Figure 26-91
Suppression de la mémorisation de la dernière clé du Registre.

6. Cliquez le menu **Edition** → **Autorisations**.

7. Cliquez votre nom dans la liste **Nom d'utilisateur ou de groupe**.

8. Dans la ligne **Contrôle total**, cochez la case **Refuser**.

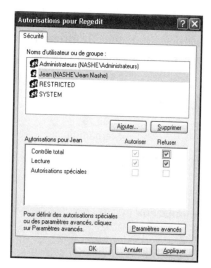

Figure 26-92 Modifications des autorisations pour l'éditeur du Registre.

9. Cliquez le bouton **OK**.

   Une boîte vous avertit des paramètres de sécurité.

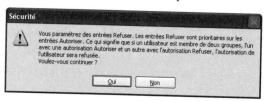

Figure 26-93 Avertissement sur les changements de paramètres de sécurité.

10. Cliquez le bouton **Oui**.

11. Fermez l'Éditeur du Registre.

12. Ouvrez de nouveau l'Éditeur du Registre.

L'éditeur de Registre s'ouvre sur le Poste de travail.

Pour rétablir l'accès à la dernière clé à l'ouverture du Registre :

1. Sélectionnez la clé HKEY_CURRENT_USER\Software\Microsoft\Windows\CurrentVersion\ Applets\Regedit.

   Comme vous pouvez le constater, les valeurs de cette clé ne sont plus affichées.

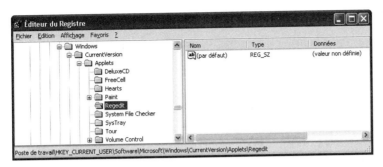

Figure 26-94
Paramètres
concernant le
Registre.

2. Cliquez le menu **Edition** → **Autorisations**.

3. Cliquez votre nom dans la liste **Nom d'utilisateur ou de groupe**.

4. Dans la ligne **Contrôle total**, décochez la case **Refuser**.

5. Fermez l'Éditeur du Registre.

Transférer les paramètres d'une ancienne version de Windows

Vous pouvez transférer les paramètres d'un ordinateur vers un autre, même si l'ordinateur d'origine exécute une ancienne version de Windows (95, 98, Me, NT 4 et 2000).

Créer une disquette de paramètres

1. Cliquez le bouton **Démarrer** → **Tous les programmes** → **Accessoires** → **Outils système** → **Assistant Transfert de fichiers et de paramètres**.

2. Dans la première boîte de l'assistant, cliquez le bouton **Suivant**.

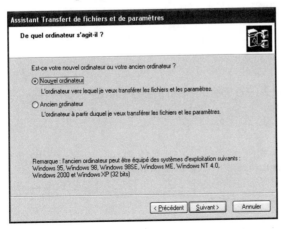

Figure 26-95 Assistant de transfert de paramètres.

3. Laissez cochée l'option **Nouvel ordinateur**, puis cliquez le bouton **Suivant**.

Dépannage avancé

4. Cochez l'option **Je veux créer une disquette**.

5. Sélectionnez le lecteur dans la liste en dessous. (Vous pouvez sélectionner un lecteur Zip si l'ancien ordinateur possède ce type de lecteur.)

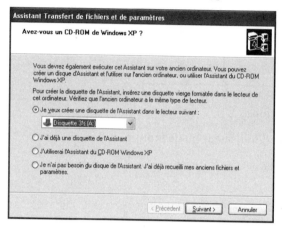

Figure 26-96 Création d'une disquette de paramètres.

6. Cliquez le bouton **Suivant**.

7. Insérez une disquette vierge et formatée dans le lecteur.

8. Cliquez le bouton **OK** pour créer la disquette.

Note Si vous pouvez faire l'échange de paramètres maintenant, laissez la boîte de l'assistant ouverte.

Collecter les paramètres sur l'ancien ordinateur

1. Insérez la disquette dans le lecteur la disquette créée précédemment.

2. Cliquez le bouton **Démarrer** ➜ **Exécuter**.

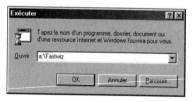

Figure 26-97 Exécution du programme de récupération de paramètres.

3. Tapez **A:\Fastwiz** puis **Entrée**.

4. Cliquez le bouton **Suivant** dans la première boîte de l'assistant.

5. Cochez l'option du type de transfert.

Note  Si l'ancien ordinateur est connecté sur le réseau, le transfert sera évidemment beaucoup plus simple et plus rapide. Si vous utilisez des disquettes ordinaires, il sera nécessaire d'en prévoir un grand nombre si vous désirez copier aussi des documents.

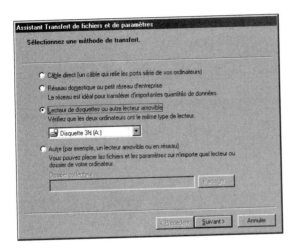

Figure 26-98 Choix de la méthode de transfert.

6. Cliquez le bouton **Suivant**.

7. Cochez ce que vous désirez transférer (paramètres et/ou fichiers).

Note  Si vous désirez choisir vous-même les fichiers et paramètres à transférer, cochez la case **Me laisser choisir**. La prochaine boîte de l'assistant vous permettra de faire vos choix.

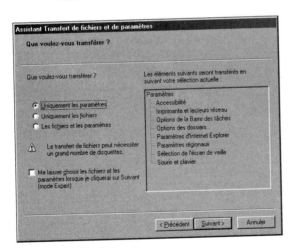

Figure 26-99 Sélection des éléments à transférer.

8. Cliquez le bouton **Suivant**.

Une boîte vous indique le nombre de disquettes nécessaires pour recueillir les données.

9. Retirez du lecteur la disquette de l'assistant.

Figure 26-100 Copie des paramètres.

10. Insérez la première disquette vierge et formatée, puis cliquez le bouton **OK**.

11. Éventuellement, insérez les autres disquettes quand l'assistant les demande.

12. Cliquez le bouton **Terminer** dans la dernière boîte de l'assistant.

Recopier les paramètres

Si vous avez laissé l'assistant ouvert, la boîte ci-dessous doit être affichée.

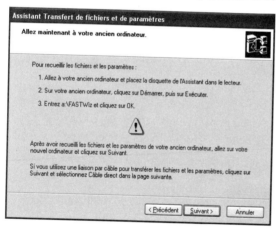

Figure 26-101 Assistant de transfert des paramètres.

Si ce n'est pas le cas, relancez l'assistant, cliquez 2 fois le bouton **Suivant** puis cochez l'option **Je n'ai pas besoin du disque...**

1. Cliquez le bouton **Suivant**.

2. Cochez le type de transfert. Si vous avez choisi **Lecteur de disquettes**, sélectionnez le lecteur dans la liste en dessous.

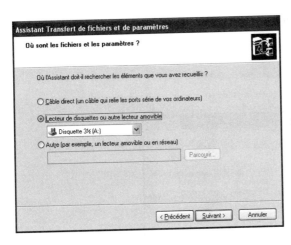

Figure 26-102 Sélection de la source des paramètres à transférer.

3. Cliquez le bouton **Suivant**.

4. Insérez la première disquette, puis cliquez le bouton **OK**.

5. Éventuellement, insérez les autres disquettes quand l'assistant les demande.

6. Cliquez le bouton **Terminer** dans la dernière boîte de l'assistant.

Réseau

Définir la déconnexion au réseau

Dans un réseau local, votre ordinateur utilise des ressources système, mais aussi des ressources de ce réseau. Par défaut, Windows vous déconnecte après 15 minutes d'inactivité. Vous pouvez paramétrer ce laps de temps à votre guise, pour qu'il soit plus court ou plus long.

Attention ⊗ Cette astuce nécessite de modifier le Registre. Consultez le chapitre 22 pour des informations complémentaires.

1. Tapez ⊞+**R**.

2. Tapez **Regedit** puis **Entrée** dans la boîte Exécuter.

3. Recherchez la clé `HKEY_LOCAL_MACHINE\SYSTEM\CurrentControlSet\Services\lanmanserver\parameters`.

4. Double-cliquez la valeur **autodisconnect**.

5. Cliquez l'option **Décimale**.

6. Tapez le nombre de minutes dans la zone Données de la valeur.

Note La valeur par défaut est 15.

7. Cliquez le bouton **OK** pour mettre à jour la valeur.

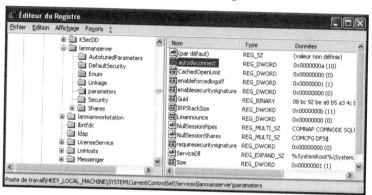

Figure 26-103 Modification du délai de connexion *via* le Registre.

Pour que les modifications soient prises en compte, vous devez redémarrer Windows, ou fermer la session en cours et en ouvrir une nouvelle.

Améliorer les performances du réseau

Pour gérer le réseau local, Windows prévoit des mémoires tampon pour les applications. Si vous utilisez intensivement le réseau, vous pouvez augmenter ce nombre pour améliorer les performances.

Attention Cette astuce nécessite d'accéder au Registre. Reportez-vous au chapitre 22 pour plus d'informations.

1. Tapez ⊞+**R**.

2. Tapez **Regedit** puis **Entrée** dans la boîte Exécuter.

3. Sélectionnez la clé HKEY_LOCAL_MACHINE\SYSTEM\CurrentControlSet\Services\lanman-workstation\parameters.

4. Cliquez le menu **Edition** → **Nouveau** → **Valeur DWORD**.

5. Tapez **MaxCmds** pour le nom de la nouvelle valeur.

6. Double-cliquez la valeur **MaxCmds**.

7. Cliquez l'option **Décimale**.

8. Tapez dans la zone Données de la valeur le nombre de tampons, par exemple 30.

9. Cliquez le bouton **OK** pour mettre à jour la valeur.

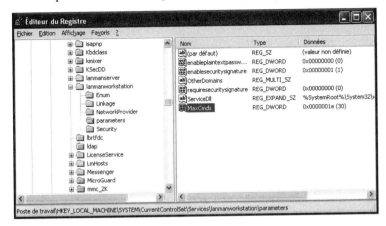

Figure 26-104
Amélioration des performances du réseau avec le Registre.

Pour que les modifications soient prises en compte, redémarrez Windows.

Note Pour rétablir la valeur par défaut, supprimez la valeur **MaxCmds**.

Suspendre momentanément l'accès réseau à votre ordinateur

Vous pouvez suspendre rapidement toutes les connexions réseau avec les autres ordinateurs, y compris votre accès à Internet si vous le partagez.

1. Cliquez le bouton **Démarrer** → **Connexions** → **Afficher toutes les connexions**.

Note Si le menu **Connexions** n'est pas disponible, cliquez le bouton **Démarrer** → **Panneau de configuration** puis l'icône **Connexions réseau**.

2. Cliquez avec le bouton droit la connexion réseau.

3. Cliquez la commande **Désactiver** dans le menu contextuel.

Dépannage avancé

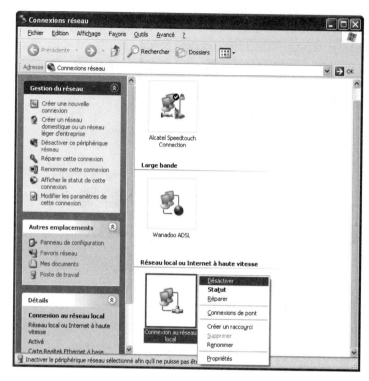

Figure 26-105 Désactivation d'une connexion réseau.

Pour rétablir les connexions :

1. Cliquez avec le bouton droit la connexion réseau.

2. Cliquez la commande **Activer** dans le menu contextuel.

Conserver la connexion Internet au changement d'utilisateur

À chaque changement d'utilisateur, Windows coupe la connexion à Internet. Modifiez le Registre pour palier cet inconvénient.

Attention ⊗ Cette astuce nécessite d'accéder au Registre. Pour plus d'informations, reportez-vous au chapitre 22.

1. Tapez ⊞+**R**.

2. Tapez **Regedit** puis **Entrée** dans la boîte Exécuter.

3. Sélectionnez la clé HKEY_LOCAL_MACHINE\SOFTWARE\Microsoft\Windows NT\Current Version\Winlogon.

4. Cliquez le menu **Edition → Nouveau → Valeur chaîne**.

5. Tapez **KeepRasConnections** pour le nom de la nouvelle valeur.

6. Double-cliquez la valeur **KeepRasConnections**.

7. Tapez **1** dans la zone Données de la valeur, puis cliquez le bouton **OK**.

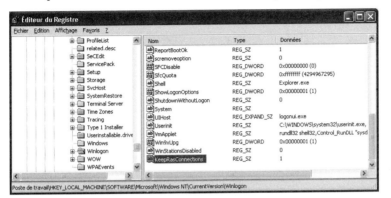

Figure 26-106
Demande de conservation de connexion *via* le Registre.

8. Fermez l'Éditeur du Registre.

Pour que les modifications soient prises en compte, vous devez redémarrer votre ordinateur.

Note ⊗ Pour rétablir la coupure de connexion au changement d'utilisateur, supprimez la valeur **KeepRasConnections**.

Annexe

>> Raccourcis clavier et ressources sur Internet

Raccourcis clavier essentiels de Windows

Raccourci	Fonction
Ctrl+F4	Fermer la fenêtre en cours.
Alt+F4	Fermer l'application en cours.
Ctrl+C	Copier la sélection dans le presse-papiers.
Ctrl+X	Déplacer la sélection vers le presse-papiers.
Ctrl+V	Coller le contenu du presse-papiers à la position du curseur.
Ctrl+A	Tout sélectionner
Alt+Entrée	Afficher les propriétés de l'élément sélectionné.
Suppr	Supprimer l'élément sélectionné.
Maj+Suppr	Supprimer définitivement l'élément sélectionné.
F2	Renommer l'élément sélectionné
Echap	Annuler la tâche en cours.
Ctrl+Z	Annuler la dernière action.
Ctrl+Echap	Afficher le menu Démarrer.
Alt+Tab	Passer à la fenêtre précédemment sélectionnée. Maintenez **Alt** et appuyez plusieurs fois sur **Tab** pour sélectionner une des applications ouvertes.
Alt+Echap	Parcourir les fenêtres ouvertes.
F1	Afficher l'aide de l'application en cours.
Maj+F1	Afficher l'aide de l'élément sélectionné d'une boîte de dialogue ou de certaines applications.
F3	Rechercher des fichiers (Poste de travail)
F5	Actualiser la fenêtre active.
F6	Parcourir les éléments d'une fenêtre ou du bureau.
Maj+F10	Ouvrir le menu contextuel de l'élément sélectionné.
Alt+Espace	Afficher le menu système de l'application en cours.

Raccourci	Fonction
Alt+-	Afficher le menu système du document en cours (applications multi-documents).
⊞	Ouvrir le menu Démarrer
⊞+B	Afficher la Barre des tâches
⊞+E	Ouvrir l'Explorateur.
⊞+D	Afficher le bureau (équivalent du bouton 🗗 de la barre d'outils Lancement rapide).
⊞+F	Ouvrir la boîte Rechercher (équivalent du menu **Démarrer → Rechercher**).
Ctrl+⊞+F	Ouvrir la boîte Rechercher un ordinateur.
⊞+L	Verrouiller la session
⊞+R	Exécuter une application (équivalent du menu **Démarrer → Exécuter**).
⊞+U	Ouvrir le Gestionnaire d'utilitaires.
⊞+Pause	Ouvrir la boîte des Propriétés système

Raccourcis clavier essentiels d'Internet Explorer

Raccourci	Fonction
Ctrl+B	Ouvrir la boîte Organiser les favoris
Ctrl+D	Ajouter la page en cours aux favoris
Ctrl+E	Afficher le volet de recherche sur Internet
Ctrl+F	Rechercher un mot dans la page en cours
Ctrl+H	Afficher le volet de l'historique
Ctrl+I	Afficher le volet des favoris
Ctrl+N	Ouvrir une nouvelle fenêtre
Ctrl+O ou Ctrl+L	Ouvrir une page Internet ou un document
Ctrl+P	Imprimer la page en cours

Raccourci	Fonction
Ctrl+S	Enregistrer la page en cours
Echap	Arrêter le chargement de la page en cours
F11	Passer en plein écran
F5 ou Ctrl+R	Actualiser la page en cours
Alt+Origine	Aller à la page de démarrage
Ctrl+Entrée	Ajoute www et .com à une adresse

Raccourcis clavier essentiels d'Outlook Express

Raccourci	Fonction ...
Ctrl+D ou Suppr	Supprimer un message
Ctrl+F	Transférer un message
Ctrl+I	Afficher le dossier Boîte de réception
Ctrl+K	Vérifier les noms
Ctrl+M	Envoyer et recevoir des messages
Ctrl+N	Nouveau message
Ctrl+O	Ouvrir le message sélectionné
Ctrl+P	Imprimer le message sélectionné
Ctrl+R	Répondre à l'expéditeur du message
Ctrl+Maj+R	Répondre à tous
Ctrl+Maj+B	Ouvrir le carnet d'adresses
Ctrl+Maj+F	Rechercher un message
Ctrl+Maj+S	Insérer une signature
F3	Rechercher un texte

Ressources sur Internet

Adresses Internet

`www.microsoft.com/france`	Accueil Microsoft France
`www.microsoft.com/France/windows/xp`	Pages Windows XP
`www.microsoft.com/France/windows/xp/home`	Pages Windows XP Édition Familiale
`www.microsoft.com/France/windows/xp/pro`	Pages Windows XP Édition Professionnelle
`www.windowsupdate.microsoft.com/`	Mise à jour de Windows
`www.microsoft.com/France/support`	Assistance
`www.microsoft.com/enable/`	Spécial accessibilité
`www.microsoft.com/whdc/hcl/`	Matériel compatible
`www.microsoft.com/France/download/drivers/`	Pilotes/Drivers
`www.touslesdrivers.com/`	Pilotes/Drivers

Groupes de discussion

`alt.binaries.ms-windows`

`alt.os.windows-xp`

`alt.windows`

`fr.comp.windows`

`fr.comp.windows.divers`

`fr.comp.windows.drivers`

`fr.comp.windows.ms`

`fr.comp.os.ms-windows`

`msnews.microsoft.com`

Groupes de discussion

microsoft.public.fr.windowsxp

comp.windows

comp.ms-windows… (plus de 30 groupes)

comp.os.ms-windows… (plus de 90 groupes)

>> Glossaire

A

ActiveX

Programme écrit pour Windows qui ajoute de nouvelles fonctionnalités : animations pour le Web, vidéos, certains éléments graphiques, etc. Ces programmes peuvent être des virus et endommager irrémédiablement vos fichiers.

ADSL

Asymmetric Digital Subscriber Line. Connexion à haut débit qui utilise une ligne téléphonique ordinaire tout en permettant de téléphoner quand vous êtes connecté. Le « A » de ADSL signifie en français asynchrone : la réception et l'émission s'effectuent à des vitesses différentes.

Application

Logiciel de création de documents. Outre les classiques traitements de texte et tableurs, on trouve toutes sortes d'applications : gestionnaire de planning, retouche photo, montage vidéo, *etc.*

Antivirus

Logiciel qui éradique les virus (voir *Virus*). Windows ne propose pas par défaut d'antivirus. Il est fortement recommandé d'installer un antivirus d'un autre éditeur (Symantec Norton Antivirus, McAfee VirusScan, Kaspersky Antivirus, *etc.*).

Arborescence

Structure des dossiers d'un lecteur. Un dossier peut contenir un autre dossier, qui lui-même peut contenir un autre dossier, *etc.*

AVI

Audio Video Interleaved. Format de vidéo numérique. Le format de compression est fonction du CODEC utilisé.

B

Backup

Utilitaire de sauvegarde des fichiers sur disquettes ou sur bandes.

Barre d'adresses

Barre d'outils dans la barre des tâches pour accéder à des pages Web ou aux éléments de votre ordinateur.

Barre des liens

Barre d'outils correspondant aux liens du menu Favoris d'Internet Explorer.

Barre des tâches

Barre, généralement située en bas de l'écran, qui contient des boutons pour accéder aux applications en cours. Elle contient aussi le bouton pour accéder au menu Démarrer et aux autres applications.

Bit

Plus petite unité d'information d'un ordinateur. Un bit ne peut prendre que les états 0 et 1. En associant 8 bits, on obtient 1 octet (une valeur entre 0 et 255).

Bribe de document

Partie d'un document déposée sur le bureau.

Bureau

Représentation virtuelle d'un véritable bureau. On y trouve l'accès aux principales fonctions et applications de Windows (barre des tâches, icônes des logiciels, *etc.*).

C

Carnet d'adresses

Ensemble de tous vos contacts.

Carte de visite

Fichier contenant les informations d'un contact (nom, société, adresse, téléphone, *etc.*).

Carte graphique

Carte électronique à l'intérieur de l'unité centrale qui permet d'afficher les informations à l'écran.

Carte mère

Carte électronique principale regroupant les circuits nécessaires au fonctionnement de l'ordinateur, dont le microprocesseur et les mémoires. On trouve de plus en plus de cartes mères dans lesquelles sont intégrées la carte graphique et la carte son.

Carte son

Carte électronique à l'intérieur de l'unité centrale qui permet d'émettre des sons *via* des haut-parleurs extérieurs.

CD-R

Disque compact enregistrable une seule fois. L'écriture peut s'effectuer en plusieurs fois tant que le disque n'est pas plein.

CD-RW

Disque compact réinscriptible un millier de fois. Vous pouvez l'effacer si vous n'avez plus besoin des données qu'il contient.

Cluster

Petites parties qui composent un disque. Chaque fichier occupe un ou plusieurs cluster(s). Une partie du cluster est inutilisée si la taille du fichier est inférieure à celle d'un cluster.

CODEC

Programme de COmpression et de DÉCompression d'une vidéo. Pour utiliser un DivX, par exemple, vous devez installer le CODEC correspondant.

Communauté

Page Web accessible à tous les internautes et permettant de publier des documents pour les partager. La taille de l'ensemble des fichiers étant limitée, consultez les conditions de publication avant de transférer vos fichiers.

Composants Windows

Application ou utilitaire inclus dans Windows. Certains ne sont pas présents dans l'installation par défaut.

Contacts

Personnes ou sociétés avec lesquelles vous êtes en relation *via* le courrier électronique.

Cookies

Les *cookies* sont des fichiers enregistrés sur votre disque dur par les sites Web que vous consultez. Ils contiennent des renseignements à votre sujet, comme la date de votre dernière visite, les pages visitées, les produits que vous avez choisis, *etc.*

Copier/Coller

Copier une partie d'un document dans le presse-papiers, puis coller le contenu du presse-papiers à un autre endroit. Le presse-papiers étant commun à toutes les applications, vous pouvez échanger des portions de document dans des logiciels différents.

Corbeille

Dossier qui reçoit les fichiers supprimés. Ces fichiers peuvent ensuite être restaurés ou supprimés définitivement.

D

Dates

Windows conserve les dates de création, de modification et d'accès de chaque fichier. Cette date est mise à jour à partir de l'horloge de l'ordinateur.

Défragmentation

Réorganisation d'un disque pour que chaque fichier soit placé dans des clusters contigus.

Dépannage à distance

Consiste à laisser le contrôle de votre ordinateur, *via* Internet, à une personne susceptible de trouver des solutions aux problèmes que vous rencontrez.

Disquette

Support amovible sur lequel on peut enregistrer des données.

Disque dur

Support fixe sur lequel on peut enregistrer une grande quantité de données. Comme la mémoire, la taille des disques s'expriment en octets et ses multiples (*voir* mémoires). Un disque de 40 Go correspond à environ 40 milliards de caractères.

Disques locaux

On utilise ce terme pour les disques physiquement présents dans votre ordinateur, par opposition aux « disques réseau ».

DivX

Format de fichier vidéo. Il permet de compresser un film d'une heure et demie avec une image de bonne qualité pour une taille de 700 Mo (taille d'un CD).

Document

Fichier créé avec une application (texte, feuille de calcul, *etc.*).

Dossier

Emplacement sur un disque où vous pouvez stocker des applications ou des documents. Permet d'optimiser le classement de vos fichiers par sujet.

E

E-mail

Electronic mail. Adresse pour recevoir des messages. Cette adresse se compose d'un nom d'utilisateur et d'un nom de fournisseur, le tout séparé par le symbole @.

Émoticons (émoticônes, *smileys*)

Suite de caractères qui indiquent vos émotions. Par exemple, la suite :-) correspond à « heureux » ou à un « sourire ».

Enregistrement

Sauvegarde d'un document sur un support (disque dur ou disquette). Tant qu'ils ne sont pas enregistrés, vos documents restent volatils et ne sont pas à l'abri d'une fausse manipulation. Pensez à les enregistrer régulièrement.

Explorateur

Version plus complète du Poste de travail.

F

FAT

File Access Table. Format des disques durs. Windows XP accepte les formats FAT16 (ancienne version de Windows), FAT32 et NTFS.

FAI

Fournisseur d'accès à Internet (*Provider* en anglais). Pour vous connecter à Internet, vous devez souscrire un abonnement auprès d'un FAI (AOL, Free, Tele2, Wanadoo, *etc.*).

FAQ

Frequently Asked Questions ou Foire aux questions. Messages, généralement du webmaster (personne qui gère un groupe de discussion), contenant les questions et les réponses les plus fréquemment posées. Consultez ces messages : ils vous informeront sur l'usage du groupe et vous apporteront rapidement des réponses à vos questions.

Fenêtre

Cadre dans lequel tourne l'application. Elle inclut d'autres fenêtres pour les documents.

Formatage

Préparation d'une disquette pour recevoir des données au format de votre ordinateur. En effet, les disquettes standard peuvent être utilisées sur des ordinateurs de différents types (sur PC et sur Macintosh par exemple).

Fragmentation

Répartition des fichiers d'un disque dans des clusters non contigus. Il est donc nécessaire de lire plusieurs emplacements du disque pour reconstituer un fichier. La lecture et l'écriture sont alors ralenties.

FTP

File Transfer Protocol. Protocole de transfert de données utilisé par des sites proposant des fichiers à télécharger.

G

Go

Gigaoctet. 1 Go égale 1 024 Mo ou 1 024 x 1 024 x 1 024 octets.

Gestionnaire d'accès

Programme qui limite l'accès à certains sites en fonction de critères de contenu précis.

Graveur de CD/DVD

Appareil permettant de réaliser des CD et des DVD comme ceux du commerce. Un graveur est aussi un lecteur.

Groupe de travail

Ensemble de plusieurs ordinateurs ayant généralement les mêmes activités et qui sont reliés par un réseau.

Groupes de discussion (*newsgroups*)

Forum de discussion sur des sujets précis. Les groupes de discussion sont des messageries publiques.

H

Historique

Liste des pages Web visitées récemment. Internet Explorer classe ces pages par jours, semaines et mois.

HTLM

HyperText Markup Language. Langage pour décrire des pages Web en ajoutant des possibilités qui n'existent pas dans un texte ordinaire : liens vers d'autres pages ou d'autres sites, insertions de tableaux ou d'images, sons, animations, vidéos, *etc.*

http

HyperText Transfer Protocol. Protocole utilisé par les pages Web sur l'Internet. Bien que toutes les URL commencent par ce code, vous pouvez l'omettre. Internet Explorer se charge de l'ajouter pour vous.

I

Icône

Représentation imagée d'un élément du bureau. Un bon moyen visuel pour distinguer les applications des dossiers ou des documents.

Impression

Copie de votre document sur papier à l'aide d'une imprimante. Même si l'on tente de réduire son utilisation (journaux télématiques, aide en ligne, *etc.*), l'impression papier reste incontournable.

Imprimante

Appareil pour imprimer des documents (texte ou photographies). Il existe deux grandes technologies d'imprimante : les lasers et les jets d'encre. La première utilise une encre en poudre (toner) déposés sur le papier puis solidifié par chaleur, alors que la seconde utilise une encre liquide projetée sur le papier.

Interface

Circuits électroniques sur lesquels sont connectés les périphériques (disque dur, carte son, imprimante, *etc.*).

Internet

Ensemble de réseaux interconnectés à travers le monde. Internet est donc le réseau des réseaux. En vous connectant à Internet, votre ordinateur fait partie de ce réseau.

IP (adresse)

Suite de quatre nombres de 0 à 255 qui identifie de manière unique un ordinateur sur Internet. Une adresse IP est donc composée de quatre octets (*voir* définitions de Bit et Octet).

K

Ko

Kilo-octet. 1 Ko égale 1 024 octets.

L

Lecteur

Matériel contenant un support de stockage (disque dur, disquette, CD-ROM, *etc.*).

Lecteur CD/DVD

Appareil permettant la lecture des CD (CD audio, CD-ROM, *etc.*) et des DVD (DVD vidéo, DVD-ROM, *etc.*).

Liens

Chemin d'accès à une page Web sur Internet.

Liste de distribution

Groupe de contacts sous un seul nom. En utilisant la liste, vous pouvez expédier le même message à l'ensemble des contacts du groupe.

M

Magnétophone

Application Windows qui lit des sons et les enregistre à partir d'un microphone.

Média

Support utilisé pour les sauvegardes (disquette, CD, bandes magnétiques, *etc.*). *Autre signification possible :* contenu audiovisuel (image, son, vidéo, animation) lisible sur votre PC (on parle aussi de *multimédia*).

Mémoires

Composants électroniques où sont stockées les informations de l'ordinateur. La mémoire contient les programmes et les données. Plus la taille mémoire d'un PC est élevée, plus sa capacité de travail est importante. La taille de la mémoire s'exprime en octets. Un octet correspond à un caractère. Les capacités supérieures s'expriment en kilo-octets (1 Ko = 1 024 octets), méga-octets (1 Mo = 1 024 Ko) et en giga-octets (1 Go = 1 024 Mo).

Mémoires mortes (ROM)

Read Only Memory. Mémoire dont le contenu est fixe, même si l'ordinateur est éteint. Pour démarrer, l'ordinateur a besoin d'un programme. Ce dernier se trouve dans la mémoire morte.

Mémoires vives (RAM)

Random Access Memory. Mémoire dont le contenu est effacé quand l'ordinateur est éteint. La mémoire vive contient les programmes et les documents après le démarrage du PC.

Messagerie

Logiciel qui permet d'expédier du courrier et des documents à n'importe quelle personne sur la planète, et ceci en quelques secondes.

Messagerie instantanée

Logiciel qui permet d'expédier immédiatement des messages et des fichiers à vos contacts qui sont actuellement connectés à Internet.

Messenger Plus

Outils complémentaires (au nombre de plus d'une cinquantaine) qui se greffent sur MSN et Windows Messenger. Ils sont disponibles sur www.msgplus.net.

Microprocesseur (CPU)

Central Processing Unit. Élément fondamental de l'ordinateur qui permet d'exécuter les programmes contenus dans la mémoire. La rapidité d'un microprocesseur s'exprime en megahertz et en gigahertz. Plus la fréquence est élevée, plus les programmes s'exécutent rapidement.

Mise à jour *update*

Installation des dernières versions disponibles de Windows (fichiers système) et des applications qui l'accompagnent (Internet Explorer, Outlook Express, Lecteur Windows Media, *etc.*). Ces mises à jour, téléchargées depuis l'Internet, règlent les problèmes rencontrés par les utilisateurs, et comblent certaines failles de sécurité dans les accès à l'Internet.

Mo

Mégaoctet. 1 Mo égale 1 024 Ko ou 1 024 x 1 024 octets.

Modem

Boîtier externe ou carte interne qui permet de relier l'ordinateur au réseau Internet *via* le téléphone ou à un autre dispositif de communication comme le câble ou l'ADSL.

MP3

MPEG Audio Layer 3. Fichiers audio compressés. Les fichiers MP3 occupent dix fois moins de place qu'un fichier Wave (format des CD audio). C'est donc le format privilégié des internautes.

MPEG

Format de vidéo compressé. Le format MPG-1 est utilisé pour les VCD et le format MPG-2 pour les DVD.

MSN Messenger

Version parallèle de Windows Messenger développée par Microsoft pour son réseau MSN *(Microsoft Network)*. Ces deux produits sont compatibles.

N

Navigateur

Logiciel qui permet de lire le contenu des pages disponibles sur le Web (textes, images, sons, vidéos, *etc.*).

Netiquette

Règles de politesse à respecter quand vous participez à des groupes de discussion.

NetMeeting

Logiciel de conférence proposé dans les anciennes versions de Windows. Dans Windows XP, NetMeeting est avantageusement remplacé par Windows Messenger.

O

Octet

Ensemble de 8 bits. 1 octet correspond à une valeur variant entre 0 et 255.

P

Page de démarrage

Page Web affichée immédiatement à l'ouverture d'Internet Explorer. Vous pouvez ainsi prendre immédiatement connaissance des dernières informations, de la météo, des cours de la bourse ou de tout autre sujet.

Panneau de configuration

Fenêtre d'accès aux différents paramètres de configuration de Windows.

Papier peint

Image posée sur le fond du bureau (sorte de « sous-main » que vous pouvez personnaliser).

Parallèle (port)

Prise sur l'unité centrale qui permet de connecter des périphériques, comme les imprimantes ou les scanners. Ce type de connexion est de plus en plus remplacé par les ports USB.

Pare-feu

Logiciel qui évite que d'autres personnes se connectent à votre ordinateur *via* Internet.

Passeport

Adresse électronique utilisée pour converser avec d'autres personnes *via* Windows Messenger. Pour simplifier l'installation et l'utilisation, créez une adresse Hotmail sur le site `www.hotmail.com`.

Passerelle

Logiciel qui permet de se connecter à Internet *via* un réseau local. Un des ordinateurs du réseau doit posséder une connexion à Internet et la partager.

PC

Personal Computer. Standard de micro-ordinateur créé au début des années 80 par la société IBM *(Industrial Business Machine).*

Périphériques

Éléments extérieurs à l'unité centrale (écran, clavier, souris, *etc.*).

Peer-to-peer (P2P)

Procédé qui permet d'échanger des fichiers entre deux ordinateurs connectés à Internet.

Pièce jointe

Fichier expédié en même temps qu'un message (textes, feuilles de calcul, images, *etc.*).

Pilotes *(drivers)*

Logiciels qui gèrent vos périphériques. À chaque périphérique correspond un pilote précis et pour une version précise de Windows.

Planification

Exécution d'une application à des jours et heures précis.

Plug-and-play

Vous branchez, ça marche ! Matériels reconnus immédiatement par Windows.

Police

Jeu de caractères utilisés dans les documents.

Pop-up

Petite fenêtre, généralement publicitaire, qui s'ouvre quand vous naviguez sur le Web. Il existe des logiciels pour supprimer ces fenêtres.

Port

Connexion physique à l'arrière de votre ordinateur (port série, parallèle, USB, *etc.*).

Poste de travail

Outils d'analyse et de modification des éléments de l'ordinateur. Le Poste de travail permet d'accéder aux disques et aux ressources installées dans le PC.

Presse-papiers

Zone temporaire dans laquelle est stockée une partie ou l'intégralité d'un document quel que soit son type (texte, image, *etc.*). Vous pouvez à tout moment récupérer le contenu de ce presse-papiers pour l'insérer dans un document.

Profil

Ensemble de paramètres attribués à un utilisateur (menu Démarrer, apparence, fond d'écran, dossier Favoris, dossier Mes documents, *etc.*).

Publier

Action consistant à expédier sur un site Internet des données présentes sur votre ordinateur (*voir* Télécharger).

R

Raccourci

Petit fichier qui contient le chemin d'une application et permet d'y accéder facilement. Vous pouvez ajouter autant de raccourcis que nécessaire. La suppression d'un raccourci n'entraîne pas celle de l'application.

Real Media

Format de son et de vidéo en continu : une petite partie du début du film ou du son est téléchargé, puis la lecture commence. La suite du film ou du son est téléchargée en même temps que vous regardez ou que vous écoutez les parties déjà chargées. On appelle cela le « streaming ».

Réseau

Ensemble d'ordinateurs reliés entre eux pour échanger des données et partager des ressources (disques durs, imprimantes, *etc.*). Un réseau dans une entreprise est appelé réseau local ou Intranet.

S

Sauvegarde

Copie de secours de fichiers (généralement en grand nombre) sur disquettes, sur CD ou sur bandes magnétiques.

Scandisk

Utilitaire de vérification et de réparation des données d'un disque.

Scanner

Appareil pour numériser des photographies. Une fois numérisées, ces photos peuvent être retouchées, imprimées ou insérées dans des documents. Certains scanners proposent aussi la numérisation de négatifs ou de diapositives.

Script

Fichier contenant des commandes à exécuter sur votre ordinateur. Les scripts peuvent déclencher des virus.

Série (port)

Prises sur l'unité centrale qui permettent de connecter des périphériques, comme un modem externe, une souris ou certaines imprimantes. Ce type de connexion est de plus en plus remplacé par les ports USB.

Session

Ouverture de Windows avec le nom et le mot de passe d'un utilisateur pour accéder à son profil.

Site Web

Ordinateur sur le réseau qui propose des informations et des documents à consulter sous forme de pages.

Spam

Courriers commerciaux non désirés postés dans votre messagerie ou dans les groupes de discussion.

Spyware

Appelé aussi « trackware ». Logiciel installé généralement à votre insu et qui espionne votre navigation sur Internet dans un but commercial. Bien qu'interdit par la loi « Informatique et liberté », ce type de logiciel se répand de plus en plus.

T

Tableau blanc

Fenêtre dans laquelle tous les participants d'une conversation peuvent dessiner ou ajouter des copies de leur écran.

Télécharger

Action consistant à rapatrier sur son ordinateur des données présentes sur Internet (*voir* Publier).

Type des fichiers

Chaque fichier a un type particulier. On les différencie par les trois lettres qui suivent le nom du fichier (extension .exe pour une application, .txt pour un document texte, *etc.*).

U

Unité centrale (U.C.)

Boîtier qui contient l'essentiel de l'électronique de l'ordinateur. C'est sur ce boîtier que l'on connecte les périphériques.

URL

Uniform Resource Locator. Également appelé adresse ou lien. Chemin qui permet de localiser une page Web sur Internet.

USB

Universal Serial Bus. Prises sur l'unité centrale permettant de connecter des périphériques (imprimante, modem, souris, scanner, *etc.*). Ces ports remplaceront à terme les autres types de connexions.

V

Virus

Programme qui modifie intentionnellement le contenu de votre ordinateur dans le but de l'empêcher de fonctionner normalement. Certains virus suppriment vos documents ou les expédient à d'autres personnes par voie de messageries.

W

Wave

Fichiers audio non compressés (extension .wav). Ils correspondent au format des CD audio. Une minute de musique représente 8,8 Mo. Sur Internet, on utilise plutôt le format MP3 pour sa taille réduite.

Webcam

Caméra pour converser visuellement avec vos contacts.

Wi-Fi

Wireless Fidelity. Connexions qui utilisent les ondes radios. Ce système permet de relier plusieurs ordinateurs entre eux et à Internet sans utiliser de fil. Cette technologie étant de plus en plus répandue, il est maintenant possible de se connecté à Internet dans les lieux publics (gares, cafés, hôpitaux, *etc.*) avec un ordinateur portable.

Windows Media (lecteur)

Application qui lit les fichiers audio et vidéo, mais aussi les CD audio et les DVD.

World Wide Web ou Web

Service sur Internet qui permet de consulter des pages multimédias au format HTML. L'adresse des sites dans ce format commence donc par les trois lettres www.

Z

Zip

Disque amovible de grande capacité. Un disque Zip de 250 Mo a une capacité équivalente à celle de 170 disquettes classiques.

Zone de confidentialité

Ensemble d'options qui permettent de gérer les cookies.

Zone de sécurité

Ensemble d'options qui permettent de choisir les éléments pouvant s'exécuter à l'ouverture d'une page Web (contrôles ActiveX, scripts, *etc.*).

> Index

G

groupe de discussion
adresse de réponse, 332
configurer un compte, 332
lire les messages, 336
   hors connexion, 340
maintenance, 344
poster un message, 339
rechercher, 336
reconstituer un message, 338
répondre aux messages, 337
s'abonner, 335
synchroniser, 342

H

Help, 786
heure, 582
fuseau horaire, 69
mettre à jour
   automatiquement, 764
   manuellement, 69
   par Internet, 70
historique des installations, 678
historique des mises à jour, 678
historique Internet, 232
hoax, 659
Hoaxbuster, 659
horloge, 64
HTML, 227, 308
hub *Voir* **réseau**

I

icône, 583
absente du bureau, 524
apparence, 114
bureau, 44, 368
   aligner, 375
   déplacer, 375
   renommer, 375

réorganiser, 374
supprimer inutilisée, 375
trier, 375
changer, 765
choisir, 369
couleurs, 701
créer un raccourci vers la Corbeille, 548
d'annulation, 572
de raccourci disparue ou corrompue, 583
de volume, placer dans la barre des tâches, 601
des CD-R, 720
des disques, 716
des dossiers, 720
disparition, 533
dossier, 139
effets, 367
grandes, 367
importune, 605
raccourci, 385
rendre lisible la légende sur le bureau, 534
rétablir avec le registre, 584
supprimer dans la zone de notification, 531
supprimer dans le Panneau de configuration, 605
taille, 699
type de fichier, 119
utiliser des ombres pour le nom sur le Bureau, 534
identifier les CD, 539
identifier un processeur et sa fréquence de travail, 611
identité
ajouter, 298
changer, 297
IEEE-1394, 210
Iexpress, 632
i-Link, 210
image, 180
Bitmap, 194
bloquer dans les messages, 319
bureau, 360

883

Pour en savoir plus sur nos publications, consultez notre site Web à l'adresse **www.efirst.com**.

À mon avis, « Le Livre de Windows XP » est

- ❏ Excellent
- ❏ Satisfaisant
- ❏ Moyen
- ❏ Insuffisant

Ce que je préfère dans ce livre

_____

_____

_____

_____

Mes suggestions pour l'améliorer

_____

_____

_____

_____

En informatique, je me considère comme

- ❏ Débutant
- ❏ Initié
- ❏ Expérimenté
- ❏ Professionnel

J'utilise l'ordinateur

- ❏ Au bureau
- ❏ À la maison
- ❏ À l'école
- ❏ Autre : _____

Nom _____

_____

Prénom_____

Adresse _____

Code postal _____Ville_____

Pays _____

_____

Éditions First Interactive
27, rue Cassette
75006 PARIS
France